XVIIIe siècle

...pement et apogée du commerce transatlantique

...ennes (XVIe-XIXe siècle)

(1776-1783) **Guerre d'indépendance américaine**

1794 Première abolition de l'esclavage en France

1750 — 1765 — 1800

1748 ...rit des lois ...ntesquieu)

Publication de l'*Encyclopédie*

Affaire Calas

1776 Révolution américaine

5 mai-9 juillet 1789 **Réunion des états généraux**

1800

...vembre 1799 ...p d'État ...énéral ...aparte

2 août 1802 Bonaparte élu Consul à vie

2 décembre 1804 Sacre de Napoléon Ier empereur

22 juin 1815 Abdication de Napoléon Ier

1815 Congrès de Vienne

1850 — 1880 — 1900 — 1914

...strielle — **Deuxième révolution industrielle**

1848-1849 **« Le printemps de peuples » en Europe**

...on ...tive ...ır

1848 Manifeste du parti communiste (Marx et Engels)

1864 Droit de grève en France

1884 Autorisation des syndicats (France)

1907 Loi sur l'obligation d'un repos hebdomadaire (France)

1900 — 1914

...858 ...nde ...britannique

1882 Égypte britannique

1884-1885 **Conférence de Berlin**

1887 Conquête de l'Indochine par la France

1895 Création de l'Afrique-Occidentale française

1910 Création de l'Afrique-Équatoriale française

1848 — 1852 — 1870

IIe République — **Second empire**

...pe Ier

...nt

1848 Suffrage universel masculin (tous les hommes de 21 ans et plus)

2 déc. 1851 Coup d'État de Louis-Napoléon Bonaparte Rétablissement du suffrage universel masculin

1850-1851 Restriction du suffrage universel masculin

1900 — 1914

IIIe République — 1940

1894-1906 **Affaire Dreyfus**

1905 Séparation des Églises et de l'État

1910 Loi sur les retraites ouvrières et paysannes

1900 — 1914

...870 ...ett, ...me ...cin

1884 Droit au divorce

1892 Interdiction du travail de nuit des femmes

1900 Le métier d'avocat s'ouvre aux femmes

1903 Marie Curie obtient le prix Nobel de physique

1909 Création du congé maternité

Nouveau programme cycle 4

4e

HISTOIRE EMC GÉOGRAPHIE

DIRECTRICE D'OUVRAGE
Nathalie Plaza,
collège Le Haut-Gesvres, Treillières (44)

DIRECTEUR SCIENTIFIQUE
Stéphane Vautier,
académie de Rouen

AUTEURS
Cyril ALAVOINE, collège Lucie-Aubrac, Tourcoing (59)
Nicolas BARTHELEMY, collège de Lézignan-Corbières (11)
Thomas DEGUFFROY, lycée Guy-Mollet, Arras (62)
Laurence FOUACHE, collège Franklin, Lille (59)
Stéphane GUERRE, collège Auguste-Delaune, Bobigny (93)
Philippe HAMELIN, collège Les-Quatre-Vents, Le Lude (72)
Sonia LALOYAUX-LUCOTTE, collège Jules-Verne, Neuville-en-Ferrain (59)
Nicolas MALATYNSKI, collège-lycée français Marcel-Pagnol, Asunción (Paraguay)
Philippe NKEN NDJENG, collège Pierre-Mendès-France, Paris (75)
Emmanuelle RUIZ, collège-lycée Jean-Renoir, Munich (Allemagne)
Vanessa TANT, collège du Pays de l'Allœu, Laventie (62)
Michaël TIERCE, collège Évariste-Galois, Meyzieu (69)
Ludovic VANDOOLAEGHE, lycée Robespierre, Arras (62)

www.hachette-education.com
I.S.B.N. 978-2-01-395308-5

hachette
ÉDUCATION
vous accompagne

Histoire

Sommaire

5 Conquêtes et sociétés coloniales 112

Thème 3 ▪ Société, culture et politique dans la France du XIXe siècle

6 Une difficile conquête : voter de 1815 à 1870 134

7 La Troisième République 154

8 Conditions féminines dans une société en mutation 176

Histoire

L'atelier d'écriture

L'atelier de l'historien

Échelles de compétences

Propositions d'EPI Histoire

Géographie

Géographie

Thème 3 ■ Des espaces transformés par la mondialisation

12 Mers et océans : un monde maritimisé 308

13 L'adaptation des États-Unis à la mondialisation 334

14 Les grands ensembles africains dans la mondialisation 358

L'atelier d'écriture

L'atelier du géographe

Échelles de compétences

Propositions d'EPI Géographie

Partie EMC de fin d'ouvrage

Partie 1 - La justice

Partie 2 - La liberté et la pluralité des opinions

Partie 3 - La citoyenneté, l'engagement, la responsabilité

Partie 4 -L'éducation aux médias

Pages EMC de fin de chapitres d'histoire et de géographie

PROGRAMME

Classe de quatrième - cycle 4	
Repères annuels de programmation	**Démarches et contenus d'enseignement**
Histoire Thème 1 **Le XVIIIe siècle. Expansions, Lumières et révolutions** ■ **Bourgeoisies marchandes, négoces internationaux et traites négrières au XVIIIe siècle.** ■ **L'Europe des Lumières : circulation des idées, despotisme éclairé et contestation de l'absolutisme.** ■ **La Révolution française et l'Empire : nouvel ordre politique et société révolutionnée en France et en Europe.**	La classe de 4e doit permettre de présenter aux élèves les bases de connaissances nécessaires à la compréhension de changements politiques, sociaux, économiques et culturels majeurs qu'ont connus l'Europe et la France, de la mort de Louis XIV à l'installation de la Troisième République. Il s'agit notamment d'identifier les acteurs principaux de ces changements, sans réduire cette analyse aux seuls personnages politiques. L'étude des échanges liés au développement de l'économie de plantation dans les colonies amène à interroger les origines des rivalités entre puissances européennes, l'enrichissement de la façade atlantique, le développement de la traite atlantique en lien avec les traites négrières en Afrique et l'essor de l'esclavage dans les colonies. Le développement de l'esprit scientifique, l'ouverture vers des horizons plus lointains poussent les gens de lettres et de sciences à questionner les fondements politiques, sociaux et religieux du monde dans lequel ils vivent. On pourra étudier les modes de diffusion des nouvelles idées, la façon dont différents groupes sociaux s'en emparent et la nouvelle place accordée à l'opinion publique dans un espace politique profondément renouvelé. On caractérise les apports de la Révolution française, dans l'ordre politique aussi bien qu'économique et social non seulement en France mais en Europe dans le contexte des guerres républicaines et impériales. On peut à cette occasion replacer les singularités de la Révolution française dans le cadre des révolutions atlantiques. On rappelle l'importance des grandes réformes administratives et sociales introduites par la Révolution puis l'Empire.

Thème 2 **L'Europe et le monde au XIXᵉ siècle :** ■ **L'Europe de la « révolution industrielle ».** ■ **Conquêtes et sociétés coloniales.**	Nouvelle organisation de la production, nouveaux lieux de production, nouveaux moyens d'échanges : l'Europe connaît un processus d'industrialisation qui transforme les paysages, les villes et les campagnes, bouleverse la société et les cultures et donne naissance à des idéologies politiques inédites. Dans le même temps, l'Europe en croissance démographique devient un espace d'émigration, et on donne aux élèves un exemple de l'importance de ce phénomène (émigration irlandaise, italienne…). Enfin on présente à grands traits l'essor du salariat, la condition ouvrière, les crises périodiques et leurs effets sur le travail qui suscitent une « question sociale » et des formes nouvelles de contestation politique. La révolution de 1848, qui traverse l'Europe, fait évoluer à la fois l'idée de nationalité et celle du droit au travail. De nouvelles conquêtes coloniales renforcent la domination européenne sur le monde. On pourra observer les logiques de la colonisation à partir de l'exemple de l'empire colonial français. L'élève découvrira le fonctionnement d'une société coloniale. On présente également l'aboutissement du long processus d'abolition de l'esclavage. Le thème est aussi l'occasion d'évoquer comment évolue la connaissance du monde et comment la pensée scientifique continue à se dégager d'une vision religieuse du monde.
Thème 3 **Société, culture et politique dans la France du XIXᵉ siècle** ■ **Une difficile conquête : voter de 1815 à 1870.** ■ **La Troisième République.** ■ **Conditions féminines dans une société en mutation.**	De 1815 à 1870, des Français votent : qui vote ? Pour élire qui ? Comment vote-t-on ? La question du vote, objet de débats politiques, permet de rendre compte des bouleversements politiques du siècle et de voir comment les Français font l'apprentissage d'un « suffrage universel » à partir de 1848. Après les événements de 1870 et 1871, l'enjeu est de réaliser l'unité nationale autour de la République : l'école, la municipalité, la caserne deviennent des lieux où se construit une culture républicaine progressiste et laïque. Mais de son installation à la loi de Séparation des Églises et de l'État, la République est encore discutée et contestée. Quel statut, quelle place, quel nouveau rôle pour les femmes dans une société marquée par leur exclusion politique ? Femmes actives et ménagères, bourgeoises, paysannes ou ouvrières, quelles sont leurs conditions de vie et leurs revendications ?
Géographie Thème 1 **L'urbanisation du monde.** ■ **Espaces et paysages de l'urbanisation : géographie des centres et des périphéries.** ■ **Des villes inégalement connectées aux réseaux de la mondialisation.**	À partir des acquis de la classe de 5ᵉ, on aborde en 4ᵉ quelques caractéristiques géographiques majeures du processus de mondialisation contemporaine. On peut ainsi sensibiliser les élèves aux différences entre celle-ci et la « première mondialisation » (XV-XVIᵉ siècles) étudiée en histoire. Il s'agit de sensibiliser les élèves aux nouvelles formes d'organisation des espaces et des territoires que cette mondialisation provoque et d'aborder avec eux quelques-uns des problèmes qu'elle pose. Le monde s'urbanise à grande vitesse depuis 1945. Plus de la moitié de l'humanité habite les villes, depuis 2007, et probablement les 2/3 à l'horizon 2050. Il s'agit d'un fait majeur qui caractérise la mondialisation. En 6ᵉ les élèves ont abordé la question urbaine à partir de l'analyse de « l'habiter ». En 4ᵉ on leur fait prendre conscience des principaux types d'espaces et de paysages que l'urbanisation met en place, ce qui est l'occasion de les sensibiliser au vocabulaire de base de la géographie urbaine. On insiste ensuite sur la connexion des villes aux grands réseaux de la mondialisation et aux différences que cela crée entre les villes connectées et bien intégrées à une mondialisation qu'elles entrainent et des villes plus à l'écart, voire confrontées à des phénomènes de « rétrécissement » (*Shrinking Cities*, comme Detroit). Deux études de cas de grandes villes, au choix du professeur, permettent d'aborder concrètement les différents aspects du thème. Ces études de cas contextualisées offrent une première approche de l'espace mondialisé.
Thème 2 **Les mobilités humaines transnationales** ■ **Un monde de migrants.** ■ **Le tourisme et ses espaces.**	Il est essentiel de montrer aux élèves l'importance des grands mouvements transnationaux de population que le monde connaît et qui sont d'une ampleur considérable. Les migrations transnationales dont les motivations peuvent être extrêmement variées (Erasmus, suite de conflits, crise climatique, raisons économiques…), sont souvent au centre de l'actualité et il est important que les élèves comprennent que cette géographie des migrations n'est pas centrée sur la seule Europe, ni marquée par les seuls mouvements des « Suds » vers les « Nords », mais comporte aussi des foyers de migrations intracontinentales sud-sud. Quant au tourisme international, il constitue désormais le mouvement de population le plus massif que le monde ait jamais connu ; il est porteur d'effets économiques, sociaux et territoriaux très importants. Chaque sous-thème est abordé par une étude de cas locale ou régionale, au choix du professeur, mise en perspective à l'échelle mondiale, afin de pouvoir monter en généralité. Ce thème permet des liens avec le programme d'histoire de 4ᵉ.
Thème 3 **Des espaces transformés par la mondialisation** ■ **Mers et Océans : un monde maritimisé.** ■ **L'adaptation du territoire des États-Unis aux nouvelles conditions de la mondialisation.** ■ **Les dynamiques d'un grand ensemble géographique africain (au choix : Afrique de l'Ouest, Afrique Orientale, Afrique australe).**	L'objectif est de sensibiliser les élèves à la spécificité de la géographie qui est de mettre en évidence des enjeux spatiaux liés à la mondialisation. Les mers et les océans sont des espaces emblématiques de ces enjeux. Intensément parcourus par les lignes de transport maritimes, essentielles au fonctionnement économique du monde, bordés par les littoraux qui concentrent les populations et les activités, les mers et les océans sont aussi des régulateurs climatiques, des zones exploitées pour la pêche et d'autres ressources, au centre de conflits d'intérêts nombreux. Ce sont des milieux fragiles, dont la conservation est un problème majeur pour les sociétés. Les deuxième et troisième sous-thèmes permettent une présentation à grands traits des dynamiques spatiales que la mondialisation impulse dans deux grands ensembles géographiques, étudiés séparément, mais sans oublier de les mettre en lien autant que de besoin. Le territoire des États-Unis est un exemple intéressant d'adaptation d'une grande puissance attractive (qui accueille des flux migratoires importants) aux nouvelles conditions économiques et sociales issues de la mondialisation. Le continent africain, quant à lui, est celui où cette mondialisation produit les effets les plus importants et où les potentiels de développement, mais aussi les fragilités sont manifestes. L'étude de ces trois sous-thèmes de très large spectre ne peut être qu'esquissée avec les élèves, en insistant sur les bases de connaissance géographique permettant de poser les problèmes principaux. L'analyse cartographique pourra être privilégiée.

Bilan des acquis Histoire

En 5ᵉ, vous êtes entrés dans la première année du cycle 4. Vous avez approfondi les compétences et les connaissances vues en cycle 3.

A. Vous avez construit des repères concernant l'Europe et le monde

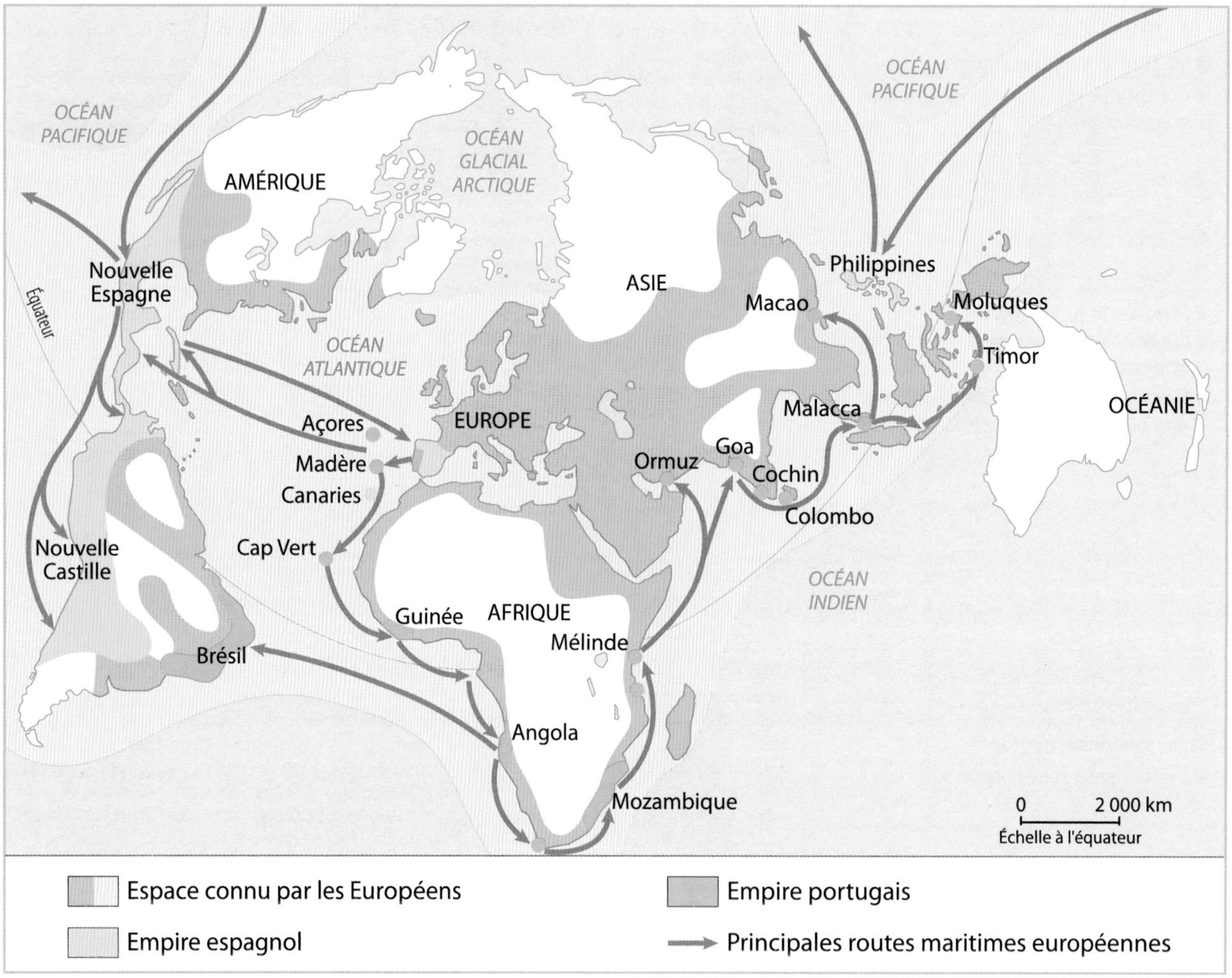

OCÉAN PACIFIQUE
AMÉRIQUE
OCÉAN GLACIAL ARCTIQUE
OCÉAN PACIFIQUE
Nouvelle Espagne
Équateur
ASIE
Philippines
Macao
Moluques
Timor
OCÉAN ATLANTIQUE
Açores
Madère
Canaries
EUROPE
Malacca
OCÉANIE
Ormuz
Goa
Cochin
Colombo
Nouvelle Castille
Cap Vert
OCÉAN INDIEN
Guinée
AFRIQUE
Mélinde
Brésil
Angola
Mozambique
0
2 000 km
Échelle à l'équateur
Espace connu par les Européens
Empire portugais
Empire espagnol
Principales routes maritimes européennes

L'Europe et le monde vers 1550

Questions

1. **Quels pays européens dominent le monde au milieu du XVIᵉ siècle ?**
2. **Quelle activité économique est stimulée par l'ouverture au monde des Européens au XVIᵉ siècle ?**

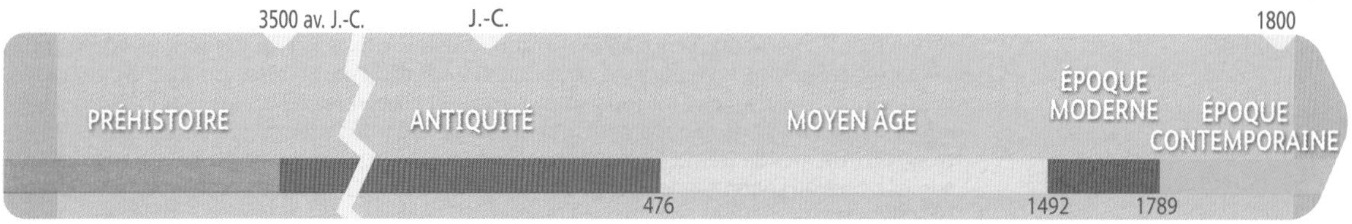

3500 av. J.-C.
J.-C.
1800
PRÉHISTOIRE
ANTIQUITÉ
MOYEN ÂGE
ÉPOQUE MODERNE
ÉPOQUE CONTEMPORAINE
476
1492
1789

B. Vous avez construit des repères sur la France

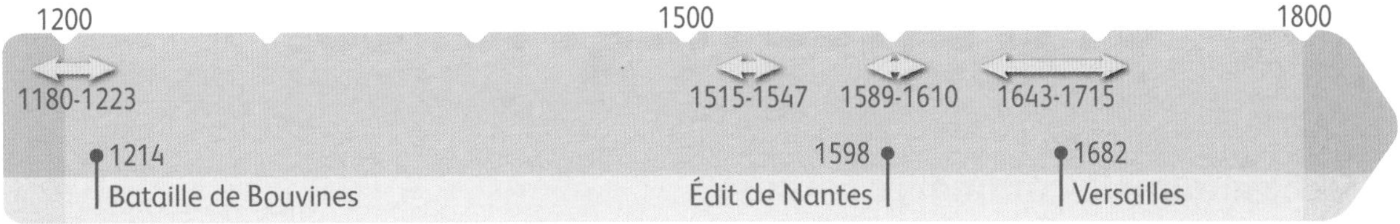
1200
1500
1800
1180-1223
1515-1547
1589-1610
1643-1715
1214
Bataille de Bouvines
1598
Édit de Nantes
1682
Versailles

Consigne

- **Rattachez chaque personnage à la période ou à l'événement qui lui correspond.**

a. François Ier

b. Louis XIV

c. Philippe Auguste

d. Henri IV

C. Vous avez travaillé sur différentes sources

Les sources de l'historien

Les monuments (bâtiments, statues…)

Les documents écrits (lettres, mémoires, livres de comptes, chartes…)

Les images (fresques, miniatures, vitraux, gravures, tableaux…)

Point méthode — Soyez attentif aux sources dans tout le manuel

Pour chaque source présentée dans le manuel, voici les questions qu'il faut se poser :

1. Quelle est la nature de la source ?
2. L'auteur est-il contemporain des faits relatés ?
3. Quelle est son intention ?
4. L'information donnée est-elle fiable ? Peut-on la considérer comme vraie ? Peut-on en avoir une preuve ?

Alors continuons et approfondissons.

Découvrons le monde des XVIIIe et XIXe siècles !

1 Bourgeoisies marchandes, négoces et traites négrières

Comment le commerce colonial enrichit-il les bourgeoisies marchandes européennes et participe-t-il à l'essor de l'esclavage ?

Souvenez-vous !

Quels sont les deux premiers empires coloniaux européens en Amérique ?

Nord
Paris
OCÉAN ATLANTIQUE
FRANCE
Bordeaux
200 km

1 **Le port de Bordeaux : un port ouvert sur l'Atlantique et le Nouveau monde**
J. Vernet, *Première vue du port de Bordeaux, prise du côté des salinières*, 1759, musée de la Marine, Paris.

Vocabulaire

Bourgeoisie : terme qui désigne au XVIIIe siècle les marchands, armateurs, entrepreneurs, financiers et hommes de loi.

Colonie : territoire conquis et administré par une puissance étrangère appelée métropole.

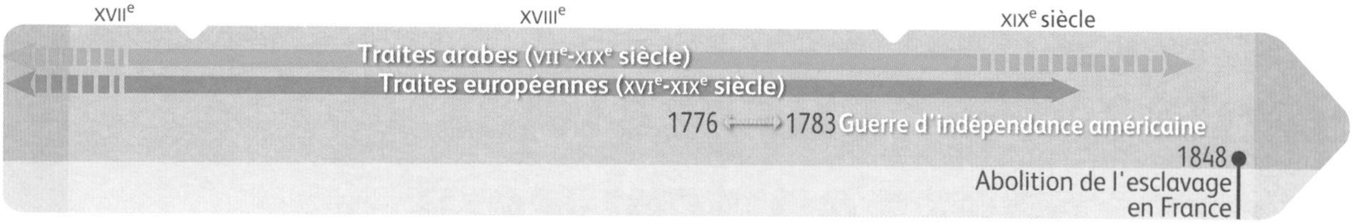
XVIIe
XVIIIe
XIXe siècle
Traites arabes (VIIe-XIXe siècle)
Traites européennes (XVIe-XIXe siècle)
1776 → 1783 Guerre d'indépendance américaine
1848
Abolition de l'esclavage en France

▶ **Socle** *Se repérer dans l'espace et dans le temps*

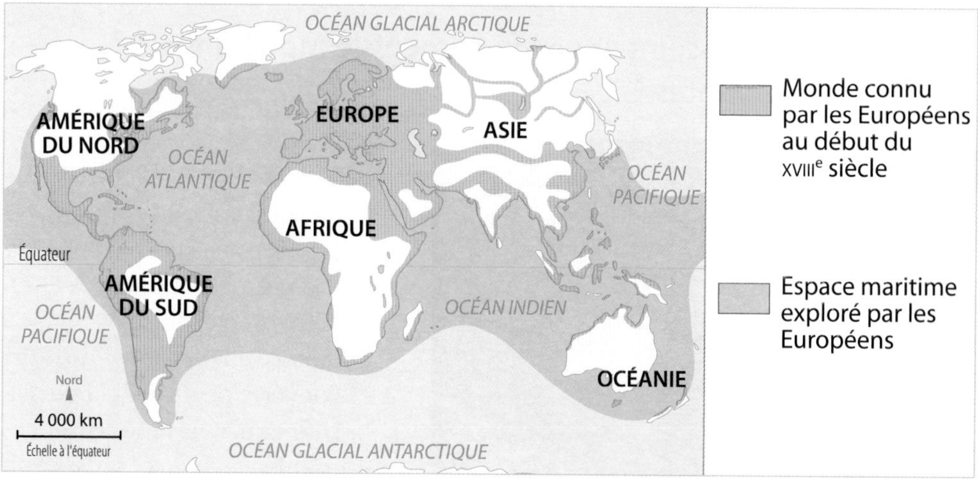
OCÉAN GLACIAL ARCTIQUE
AMÉRIQUE DU NORD
EUROPE
ASIE
OCÉAN ATLANTIQUE
OCÉAN PACIFIQUE
AFRIQUE
Équateur
AMÉRIQUE DU SUD
OCÉAN PACIFIQUE
OCÉAN INDIEN
OCÉANIE
Nord
4 000 km
Échelle à l'équateur
OCÉAN GLACIAL ANTARCTIQUE
Monde connu par les Européens au début du XVIIIe siècle
Espace maritime exploré par les Européens

Nord
AFRIQUE
OCÉAN INDIEN
Île Bourbon
500 km

2 **Une plantation dans une colonie française**
La culture du café à l'île de Bourbon (actuelle Réunion), aquarelle attribuée à Patu de Rosemont, début du XIXe siècle, musée du Quai Branly, Paris.

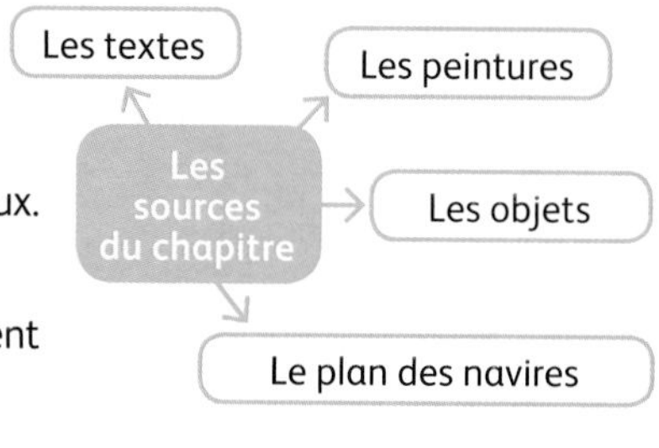
Les textes
Les peintures
Les sources du chapitre
Les objets
Le plan des navires

1. DOC. 1 Relevez les éléments qui montrent le dynamisme commercial du port de Bordeaux.
2. DOC. 2 Quelles activités économiques font la richesse des colonies françaises ?
3. DOC. 1 ET 2 **Formulez une hypothèse** pour répondre à la question suivante : comment l'enrichissement des grands ports atlantiques peut-il s'expliquer ?

Étude

▶ **Socle** *Identifier un document et son point de vue particulier – Comprendre le sens global d'un document – Confronter des documents à ce qu'on peut en savoir – Construire des hypothèses*

Nantes, des bourgeoisies marchandes s'enrichissent

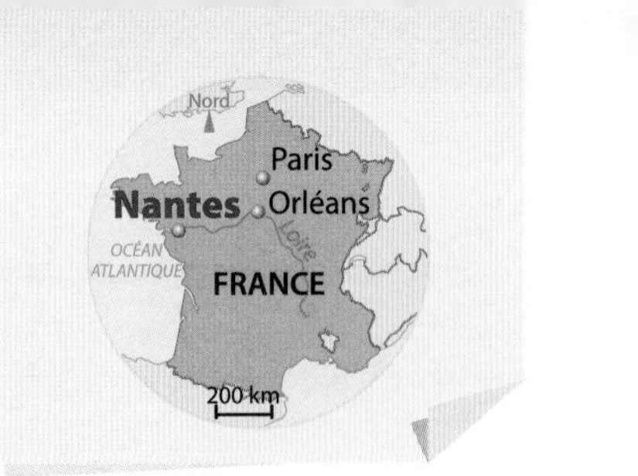
Nord
Paris
Nantes
Orléans
Loire
OCÉAN ATLANTIQUE
FRANCE
200 km

Comment l'enrichissement de la bourgeoisie marchande transforme-t-il Nantes ?

1 **Joseph Delaselle, armateur enrichi**
Portrait attribué à J. Ranc, huile sur toile, 1,29 m x 0,97 m, vers 1705, musée du château des ducs de Bretagne, Nantes.

Qui est-il ? Joseph Delaselle
Armateur et négociant installé à Nantes vers 1710.

2 Nantes s'embellit et s'agrandit

La Fosse est sans contredit l'endroit le plus agréable, le plus riche et le plus actif de Nantes. Il commence à la place de la Bourse et s'étend sur une longueur de cinq cents toises[1]. [...] Ce qui ajoute à l'agrément de ce quartier, c'est l'admirable vue sur la Loire, couverte de navires et de bateaux. [...] Les maisons que l'on voit le long de ces quais répondent à l'opulence de ceux qui les habitent. Elles sont toutes bâties en pierre avec ferrades et balcons. [...]
Nous devons rendre justice au zèle de M. le Maire : car c'est par ses soins que la ville a pris une nouvelle face et s'est accrue d'un quart. Les maisons nouvelles qu'on bâtit tous les jours sont à moitié faites que le rez-de-chaussée est déjà occupé.
Encore vingt ans de paix et d'un commerce actif, Nantes égalera, si elle ne les surpasse par la magnificence et l'étendue, les plus belles villes de l'Europe.

D'après J. Ogée, *Dictionnaire historique et géographique de la province de Bretagne*, 1778.

1. Une toise valait 1,949 mètre.

Qui est-il ? Jean Ogée (1728-1789)
Ingénieur géographe en poste à Nantes à partir de 1748.

3 **Île Feydeau, quartier du négoce à Nantes**
Construit au XVIIIe siècle, ce quartier est constitué d'hôtels particuliers combinant magasins au rez-de-chaussée et appartements aux étages.

Vocabulaire
Armateur : propriétaire ou exploitant d'un navire.
Négoce : ensemble des activités de commerce.

Chantier de construction navale
Quai de la Fosse
Île Feydeau
Trois-mâts, navire de haute mer
Gabare, navire remontant la Loire
MAIRIE DE N

4 **Le port de Nantes au XVIIIe siècle, un des premiers ports français**
N. Ozanne, gravure coloriée, 1776, Archives municipales de Nantes.

Qui est-il ? Nicolas Ozanne (1728-1811)
Dessinateur de la marine.

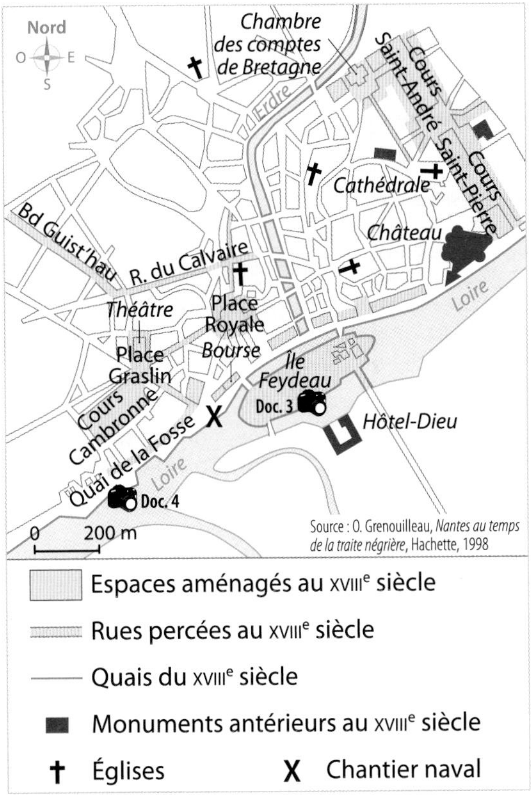
Nord
O
E
S
Chambre des comptes de Bretagne
Erdre
Cours Saint-André
Cours Saint-Pierre
Cathédrale
Château
Bd Guist'hau
R. du Calvaire
Théâtre
Place Royale
Bourse
Place Graslin
Cours Cambronne
Île Feydeau
Doc. 3
Hôtel-Dieu
Quai de la Fosse
Loire
Doc. 4
0 200 m
Source : O. Grenouilleau, *Nantes au temps de la traite négrière*, Hachette, 1998
Espaces aménagés au XVIIIe siècle
Rues percées au XVIIIe siècle
Quais du XVIIIe siècle
Monuments antérieurs au XVIIIe siècle
Églises
Chantier naval

5 **Nantes en 1795**

Activités

Socle *Identifier un document et son point de vue particulier*

1. DOC. 2 Présentez le document.

Socle *Comprendre le sens global d'un document*

2. DOC. 2 Quelle image l'auteur donne-t-il de la ville de Nantes au XVIIIe siècle ?
3. DOC. 2 D'après l'auteur, quelle activité est à l'origine de la richesse de Nantes ?

Socle *Confronter des documents à ce qu'on peut en savoir*

4. DOC. 1 ET 3 Quels sont les métiers qui profitent de cet enrichissement ?
5. DOC. 4 Quelles sont les activités mises en valeur dans cette vision du port de Nantes ?

Socle *Construire des hypothèses*

En groupe, **émettez des hypothèses** pour répondre à la question suivante : quelles raisons peuvent expliquer la prospérité de Nantes au XVIIIe siècle ?

Aide *Vous pouvez utiliser le DOC. 4, vous interroger sur la provenance des différents navires, ce qu'ils transportaient… mais aussi utiliser des connaissances personnelles.*

Pour conclure Préparez une réponse aux questions suivantes pour la présenter à l'oral :

Comment Nantes se transforme-t-elle au XVIIIe siècle ? Quelles raisons peuvent expliquer sa prospérité ?

Étude

Socle *Sélectionner des informations pertinentes dans un ensemble documentaire – Réaliser une production graphique*

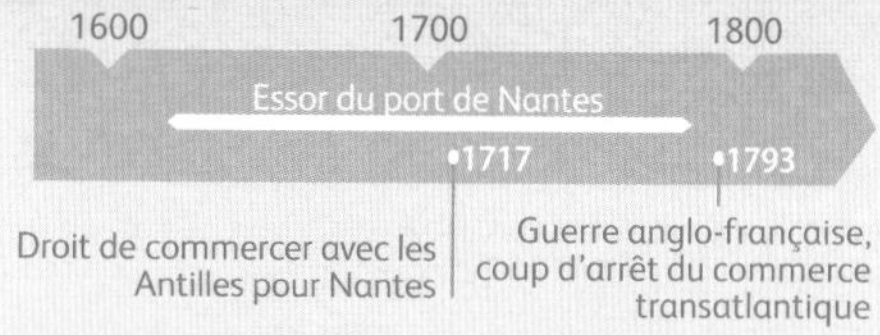

1600
1700
1800
Essor du port de Nantes
1717
1793
Droit de commercer avec les Antilles pour Nantes
Guerre anglo-française, coup d'arrêt du commerce transatlantique

Nord
EUROPE
OCÉAN ATLANTIQUE
Nantes
Saint-Domingue
AMÉRIQUE
AFRIQUE
Équateur
Martinique
Angole
2 000 km
Échelle à l'équateur

Nantes, un port de traite

Comment le port de Nantes participe-t-il à l'essor du commerce international du XVIIIe siècle ?

1 ***La Marie-Séraphique*, navire négrier nantais, au large du Cap (île de Saint-Domingue), février 1773**
Vue du Cap-français et du navire La Marie-Séraphique, peinture, 1772-1773, musée d'histoire de Nantes.

Des colons viennent à bord acheter des captifs africains en provenance de l'Angole (Congo actuel).

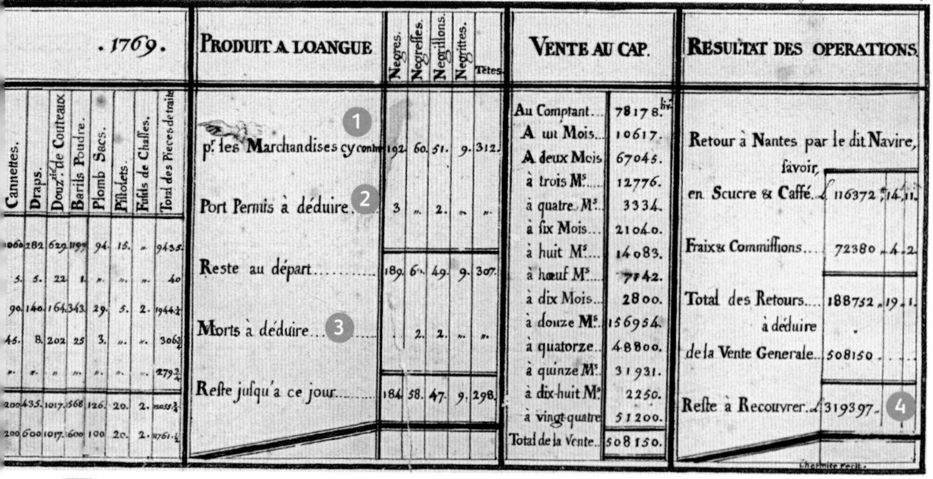

Liste des marchandises échangées
Le nombre de captifs achetés à Loangue (Côte d'Angole, Afrique)
La vente des captifs au Cap (île de Saint-Domingue)
Les marchandises achetées au Cap et ramenées à Nantes

.1769.

Cannettes.	Draps.	Douzaines de Couteaux	Barils Poudre.	Plomb Sacs.	Pistolets.	Fusils de Chasses.	Total des Pieces de traite
1060	282	629	1199	94	15.	"	9435.
5.	5.	22	1.	"	"	"	40
90.	140.	164	343.	29.	5.	2.	1944 1/2
45.	8.	202	25	3.	"	"	306 3/4
"	"	"	"	"	"	"	279 3/4
200	435.	1017.	568	126.	20.	2.	[illegible]
200	600	1017.	600	100	20.	2.	11761 1/2

PRODUIT A LOANGUE	Negres.	Negresses.	Negrillons.	Negrittes.	Têtes.
pr. les Marchandises cy contre (1)	192.	60.	51.	9.	312.
Port Permis à déduire (2)	3	"	2.	"	"
Reste au départ	189.	6..	49.	9.	307.
Morts à déduire (3)	.	2.	2.	"	"
Reste jusqu'a ce jour	184.	58.	47.	9.	298.

VENTE AU CAP.	
Au Comptant	78178. liv.
A un Mois	10617.
A deux Mois	67045.
à trois Ms.	12776.
à quatre Ms.	3334.
à six Mois	21040.
à huit Ms.	14083.
à neuf Ms.	7742.
à dix Mois	2800.
à douze Ms.	156954.
à quatorze	48800.
à quinze Ms.	31931.
à dix-huit Ms.	2250.
à vingt-quatre	51200.
Total de la Vente	508150.

RESULTAT DES OPERATIONS	
Retour à Nantes par le dit Navire, savoir, en Scucre & Caffé	£ 116372. 14. 11.
Fraix & Commissions	72380. 4. 2.
Total des Retours	188752. 19. 1.
à déduire de la Vente Generale	508150.
Reste à Recouvrer (4)	£ 319397.

2 **Le bilan de la campagne de traite de *La Marie-Séraphique*, 1769**
Plan, profil et distribution du navire La Marie-Séraphique *à Loangue*, 1770, musée d'histoire de Nantes.

(1) « Pour les marchandises ci-contre » : la liste des marchandises échangées contre ces Africains se trouve à gauche dans le tableau (barils de poudre, sacs de plomb, pistolets...).
(2) « Port permis à déduire » : captifs dont l'armateur se réserve la vente.
(3) « Morts à déduire » : captifs décédés pendant la traversée.
(4) « Reste à recouvrer » : somme à payer et bilan final des opérations (à la vente au Cap sont déduits les achats en sucre et café, les frais et commissions).

Vocabulaire

Droiture : commerce direct entre la métropole et ses colonies.

Négrier : navire servant au transport des esclaves noirs originaires d'Afrique, et par extension, personne qui exerce le commerce des esclaves.

Pacotille : marchandises fabriquées en Europe pour la clientèle africaine.

Traite : action de vendre et d'acheter, commerce.

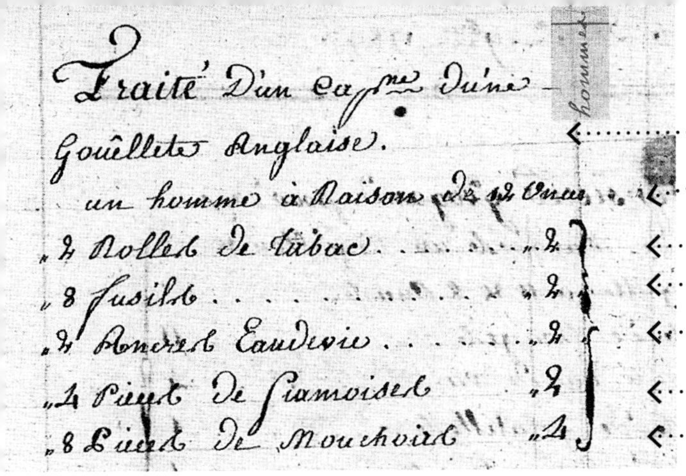

« Traité d'un capitaine d'une goélette anglaise » (acheté à un capitaine de navire anglais)
« un homme à maison » (domestique valant 14 onces d'or), soit :
« 4 molles de tabac » (soit 4 m³)
« 8 fusils »
« 4 ancres d'eau-de-vie » (soit 4 tonneaux de 24,5 litres chacun)
« 4 pièces de siamoises » (pièces de tissus)
« 8 pièces de mouchoirs »

3 Achat d'un esclave auprès d'un capitaine d'une goélette anglaise

Extrait du livre de traite du navire négrier nantais *Le Marquis de Bouillé*, 1789, musée des ducs de Bretagne, Nantes.

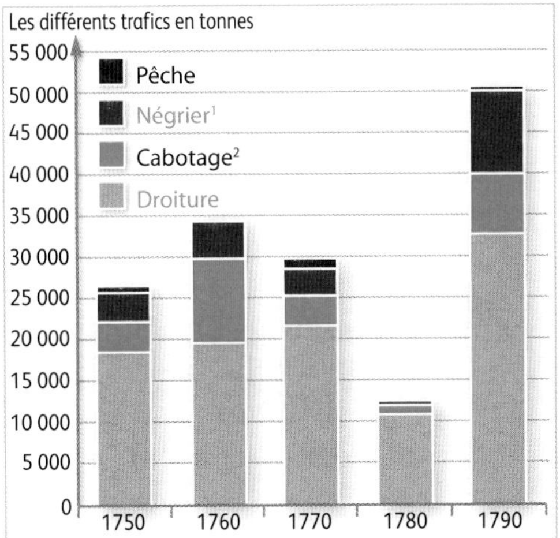

Les différents trafics en tonnes
55 000
50 000
45 000
40 000
35 000
30 000
25 000
20 000
15 000
10 000
5 000
0
Pêche
Négrier[1]
Cabotage[2]
Droiture
1750
1760
1770
1780
1790

1. entre l'Europe, l'Afrique et les colonies.
2. entre des ports européens.

Source : Registres des classes de l'amirauté de Nantes, dans J. Meyer, *L'armement nantais dans la deuxième moitié du XVIIIe siècle*, EHESS, 1999.

4 Le transport maritime au départ du port de Nantes (1750-1790)

5 La pacotille, marchandises de traite

Productions des fabriques nantaises.
Musée des ducs de Bretagne, Nantes.

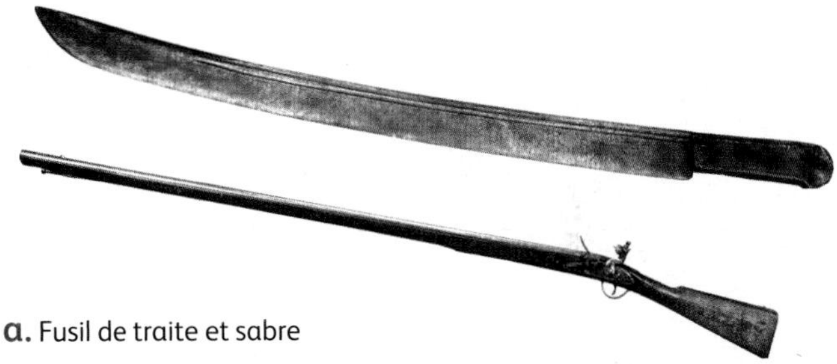

a. Fusil de traite et sabre

b. Perles et manilles

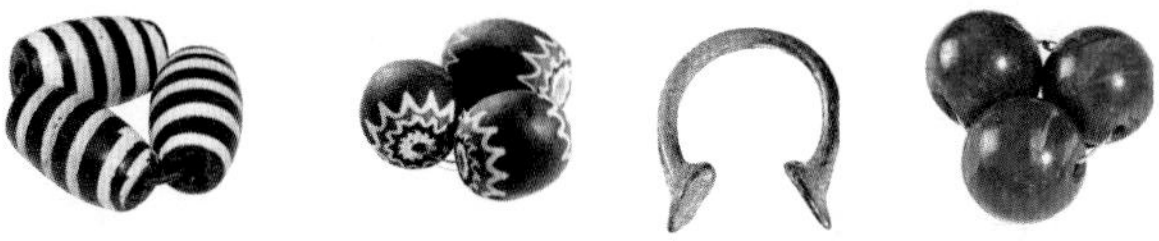

Activités

Socle *Sélectionner des informations pertinentes dans un ensemble documentaire*

1. DOC. 1 ET 2 Repérez les trois espaces et les villes mis en contact par les navires nantais.
2. DOC. 2, 3 ET 5 Repérez les « marchandises » produites par chaque espace pour être vendues.
3. DOC. 1, 2 ET 4 Repérez les trajets des navires et les « marchandises » transportées.

Socle *Réaliser une production graphique : un schéma du système colonial*

4. Recopiez le schéma ci-contre et nommez dans la légende les trois espaces mis en contact par les navires nantais.
5. Placez les ports et villes concernés sur le schéma.
6. Choisissez un figuré pour les trajets des navires et les marchandises transportées. Placez-le sur le schéma.
7. Complétez la légende et le titre de votre schéma.

Aide *Tout élément du schéma doit être dans la légende et inversement.*

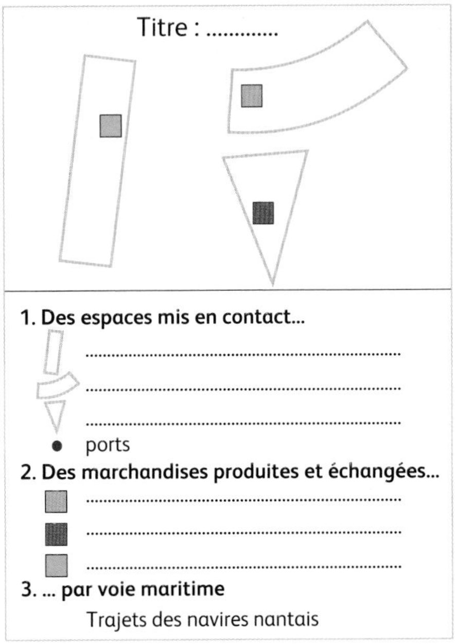

Titre : ....
1. Des espaces mis en contact...
....
....
....
ports
2. Des marchandises produites et échangées...
....
....
....
3. ... par voie maritime
Trajets des navires nantais

Parcours artistique et culturel

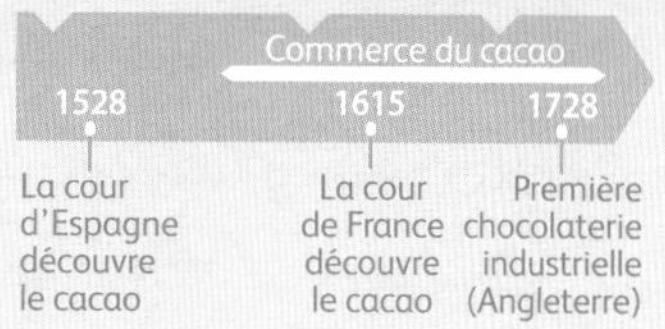
Commerce du cacao
1528
La cour d'Espagne découvre le cacao
1615
La cour de France découvre le cacao
1728
Première chocolaterie industrielle (Angleterre)

Le cacao, un produit de luxe

Pourquoi se faire représenter en consommant du cacao ?

1 **Un gentilhomme de province devant sa tasse de chocolat**
Négrini, *Portrait de* Pierre Grégoire de Roulhac, huile sur toile, 1757, musée d'Histoire, Nantes.

Qui est-il ? Pierre Grégoire de Roulhac (1696-1763)
Seigneur de Faugeras (Limousin).

Point art

Le portrait

C'est à la fin du Moyen Âge que les premiers portraits apparaissent. Ils sont consacrés à des souverains. Rapidement le genre se répand dans toute la haute société qui y voit le moyen de montrer son importance. Tous les détails sont pensés pour mettre en valeur la personne représentée.

2 Le chocolat, une boisson qui demande une préparation

On ne peut disconvenir que le cacao ne soit huileux et amer. Les Espagnols mêlent avec le cacao une quantité considérable de cannelle, de sucre, de piment, de clous de girofle et surtout de la vanille. Dans les îles françaises, on dissout le cacao râpé dans de l'eau chaude, en y adjoignant une quantité de sucre ainsi qu'un peu de cannelle et de girofle. [...] Il y a des gens qui négligent de faire mousser le chocolat, et qui s'imaginent qu'il suffit que la pâte soit bien délayée dans un liquide et qu'elle l'ait rendu épais. Il y a des gens qui mettent du lait au lieu de l'eau. Lorsque le lait est seul, il rend le chocolat trop épais, trop nourrissant et d'une plus difficile digestion.

D'après J.-B. Labat, *Nouveau voyage aux Isles d'Amérique*, 1742, III, p. 376-378.

Qui est-il ? Jean-Baptiste Labat (1663-1738)
Missionnaire dominicain, il séjourne aux Antilles de 1693 à 1706.

1
2
3

3 **Nécessaire à collation**

Ensemble en porcelaine, argent doré et bois précieux, XVIIIe siècle, Paris et Japon, musée du Louvre, Paris.

1 La chocolatière sur son réchaud en argent doré

2 La boîte à épices pour le chocolat

3 Le moussoir en ébène

4 Madame de Sévigné et les bienfaits du chocolat

J'ai voulu me raccommoder avec le chocolat ; j'en pris avant-hier pour digérer mon dîner, afin de bien souper, et j'en pris hier pour me nourrir, afin de jeûner jusqu'au soir : il m'a fait tous les effets que je voulais ; voilà ce que je trouve plaisant, c'est que [le chocolat] agit selon l'intention.

Madame de Sévigné,
Lettre à sa fille, le 28 octobre 1671.

Qui est-elle ? Marie de Sévigné (1626-1696)

Femme noble du XVIIe siècle très connue pour les nombreuses lettres qu'elle envoie à sa fille pendant près de 25 ans.

Découvrir la recette dite de Louis XV : Rendez-vous sur le site du château de Versailles, sur la page « Le chocolat à Versailles ». À quelle occasion et par qui le chocolat est-il introduit en France ?

Identifier et analyser des œuvres d'art

Présenter

1. DOC. 1 Présentez l'œuvre (nature, auteur, date, lieu de conservation).

Décrire et comprendre

2. DOC. 1 Décrivez le personnage (position, posture, habits…).
3. DOC. 1 ET 3 Décrivez la scène représentée.
   Aide *Soyez attentifs à ce que fait Pierre Grégoire de Roulhac (DOC. 1), aux aliments présents et à la vaisselle (DOC. 3).*
4. DOC. 1 ET 2 D'où proviennent les aliments mis en scène dans le DOC. 1 ?
5. DOC. 1 ET 3 Qui sont les premiers consommateurs de chocolat ?
6. DOC. 3 Montrez que ce nécessaire à collation est un objet de luxe.

Exprimer sa sensibilité et conclure

7. Que cherche à montrer Pierre Grégoire de Roulhac en se faisant représenter ainsi ?

Étude

Dans les colonies, une économie de plantation

Tâche complexe

À la fin du XVIIe siècle apparaissent, en Europe, de nouvelles habitudes alimentaires. Au repas matinal salé, se substitue peu à peu un petit déjeuner sucré dont le thé, le cacao et le café deviennent les boissons privilégiées.

Votre mission :

Expliquer comment ces nouvelles habitudes alimentaires qui se développent en Europe transforment profondément les colonies.

Besoin d'aide ? *Voir p. 21.*

Boîte à outils

Les mots-clés à utiliser

Plantation (ou habitation) : exploitation agricole spécialisée dans une production (canne à sucre, café, tabac…) et où la main-d'œuvre est composée d'esclaves.

Esclavage : fait qu'un être humain (l'esclave) soit la propriété d'un autre (le maître).

1
2
3

1 Une plantation sucrière aux Antilles

Vue des esclaves travaillant à la sucrerie et au moulin en 1670, gravure, XVIIe siècle, collection particulière.

① La maison du maître ② Les cases des esclaves ③ Le moulin pour broyer la canne à sucre

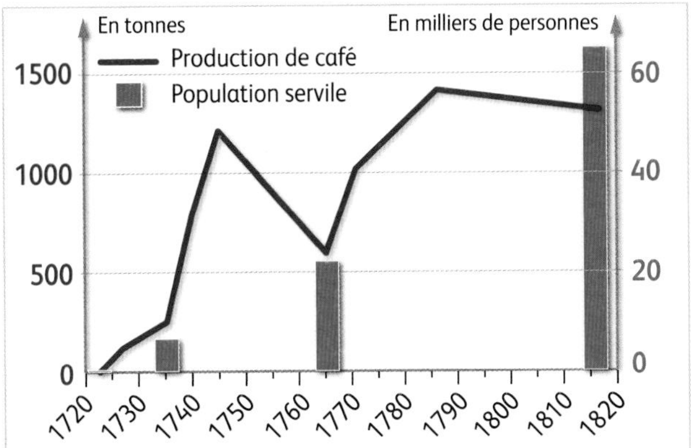
En tonnes
En milliers de personnes
Production de café
Population servile
1500
1000
500
0
60
40
20
0
1720
1730
1740
1750
1760
1770
1780
1790
1800
1810
1820

Source : Ph. Haudrère, *La Compagnie française des Indes au XVIIIe siècle*, Les Indes savantes, 2005 et R. Bousquet, *Les esclaves et leurs maîtres à Bourbon au temps de la Compagnie des Indes*, Lulu.com, 2011.

2 Production de café et population servile (esclave) sur l'Île Bourbon (actuelle Réunion)

3 Estimation des biens de Jean Paqué, planteur à Saint-Domingue, décédé le 3 novembre 1788

Bâtiments : *Habitation à sucre, Habitation pour l'élevage, Habitation à café, Maison en ville*	1 293 600 livres[1]
Esclaves : *345 personnes*	978 100 livres
Animaux	68 110 livres
Meubles	53 000 livres
	2 392 810 livres

1. Le salaire moyen d'un ouvrier était d'environ 300 livres par an.

D'après H. du Halgouet, « Inventaire d'une habitation à Saint-Domingue », *Revue d'histoire des colonies*, 1933.

4 La dure vie des esclaves sur une plantation

Voici comment on les traite. Au point du jour, trois coups de fouet sont le signal qui les appelle à l'ouvrage. Chacun se rend avec sa pioche dans les plantations où ils travaillent presque nus, à l'ardeur du soleil. On leur donne pour nourriture du maïs broyé cuit à l'eau, ou des grains de manioc ; pour habit, un morceau de toile. À la moindre négligence, on les attache par les pieds et par les mains, sur une échelle ; le commandeur, armé d'un fouet de poste, leur donne sur le derrière nu cinquante, cent, et jusqu'à deux cents coups. Chaque coup enlève une portion de la peau. Ensuite, on détache le misérable tout sanglant ; on lui met au cou un collier de fer à trois pointes, et on le ramène au travail. Il y en a qui sont plus d'un mois avant d'être en état de s'asseoir. Les femmes sont punies de la même manière...

Bernardin de Saint-Pierre, *Voyage à l'île de France*, Lettre XII, « Au Port-Louis de l'île de France ce 15 avril 1769 ».

Qui est-il ? Bernardin de Saint-Pierre (1737-1814)
Voyageur, il séjourne entre 1768 et 1770 sur l'île de France (actuelle île Maurice).

5 La mise en valeur des terres par des esclaves
W. Clark, *Dix vues de l'île d'Antigua* (Caraïbes), 1823, The British Library, Londres (Royaume-Uni).

Qui est-il ?
William Clark (1803-1883)
Peintre britannique, proche des propriétaires de plantations.

Besoin d'un peu d'aide ?

Vous pouvez montrer que le territoire des colonies se transforme pour fournir aux Européens les produits tropicaux demandés.
Vous pouvez montrer que la population qui fournit les produits tropicaux aux Européens est servile (esclave).

Besoin d'un peu plus d'aide ?

- Montrez que les plantations s'installent pour fournir les produits recherchés par les Européens. Précisez quels sont ces produits. (Doc. 1, 2 et 3)
- Montrez que la plantation fonctionne avec une main-d'œuvre constituée d'esclaves (Doc. 2, 3 et 5). Précisez leurs conditions de vie et de travail (Doc. 1, 4 et 5).

L'atelier de l'historien

Socle *Confronter des documents et exercer son esprit critique*

Comprendre le point de vue anti-esclavagiste

Dénoncer la traite atlantique

Vous êtes un historien. Que vous apprennent les sources anti-esclavagistes sur cette traite négrière ?

Source 1

Le témoignage d'un Africain, esclave aux Amériques

Un jour où tous nos parents étaient allés à leurs travaux comme d'habitude, deux hommes et une femme franchirent nos murs et nous saisirent tous les deux et, sans nous laisser le temps d'hurler et de nous défendre, ils nous transportèrent aussi loin que possible.

Olaudah Equiano est alors vendu à plusieurs reprises. Au bout de six ou sept mois et un trajet en pirogue, il arrive à la côte.

La première chose qui s'offrit à ma vue quand j'atteignis la côte, ce fut la mer, ainsi qu'un navire au mouillage qui attendait sa cargaison. Ce spectacle m'emplit d'un étonnement sans borne, qui se mua bientôt en terreur quand on me transporta à bord. Aussitôt quelques hommes d'équipage me tournèrent et me retournèrent en tous sens pour voir si j'étais solide, et j'acquis alors la certitude que j'avais pénétré dans un monde de démons et qu'ils allaient me tuer. [...] Je vis une foule de gens de couleurs de toutes sortes enchaînés les uns aux autres. [...]

D'après *La véridique histoire d'Olaudah Equiano, Africain, esclave aux Caraïbes, homme libre, par lui-même,* Londres, 1789.

Biographie

Olaudah Equiano (1745-1797)

Esclave devenu libre, il rejoint le mouvement abolitionniste britannique.
Il serait né aux États-Unis et se serait inspiré des récits de ses compagnons de servitude pour raconter sa capture et sa traversée de l'Atlantique.

Source 2

Convoi de captifs par des négriers africains

Illustration de *La vie et les voyages de* David Livingstone, 1875, collection particulière.

Qui est-il ? David Livingstone (1813-1873)

Explorateur britannique, il illustre ses récits de voyages par des scènes auxquelles il a assisté et qu'il dénonce.

Contexte : La traite atlantique

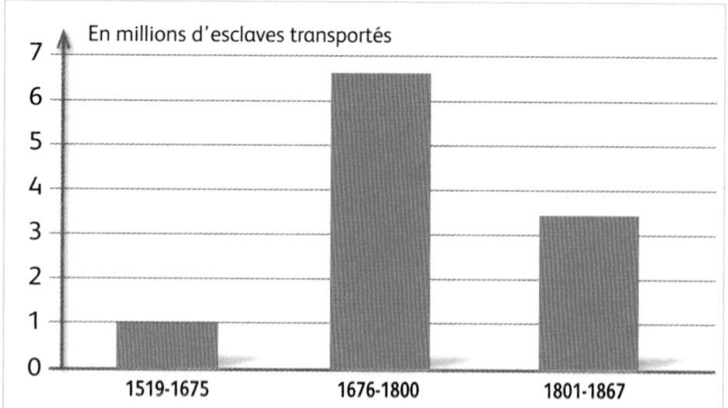
En millions d'esclaves transportés
7
6
5
4
3
2
1
0
1519-1675
1676-1800
1801-1867

Source : O. Grenouilleau, « Les traites négrières », *Documentation Photographique*, n° 8032, 2003.

Vocabulaire

Abolitionniste : qui est favorable à l'interdiction de la traite négrière et de l'esclavage.

Négrier : personne qui pratique la traite négrière.

Traite négrière : commerce d'esclaves noirs africains.

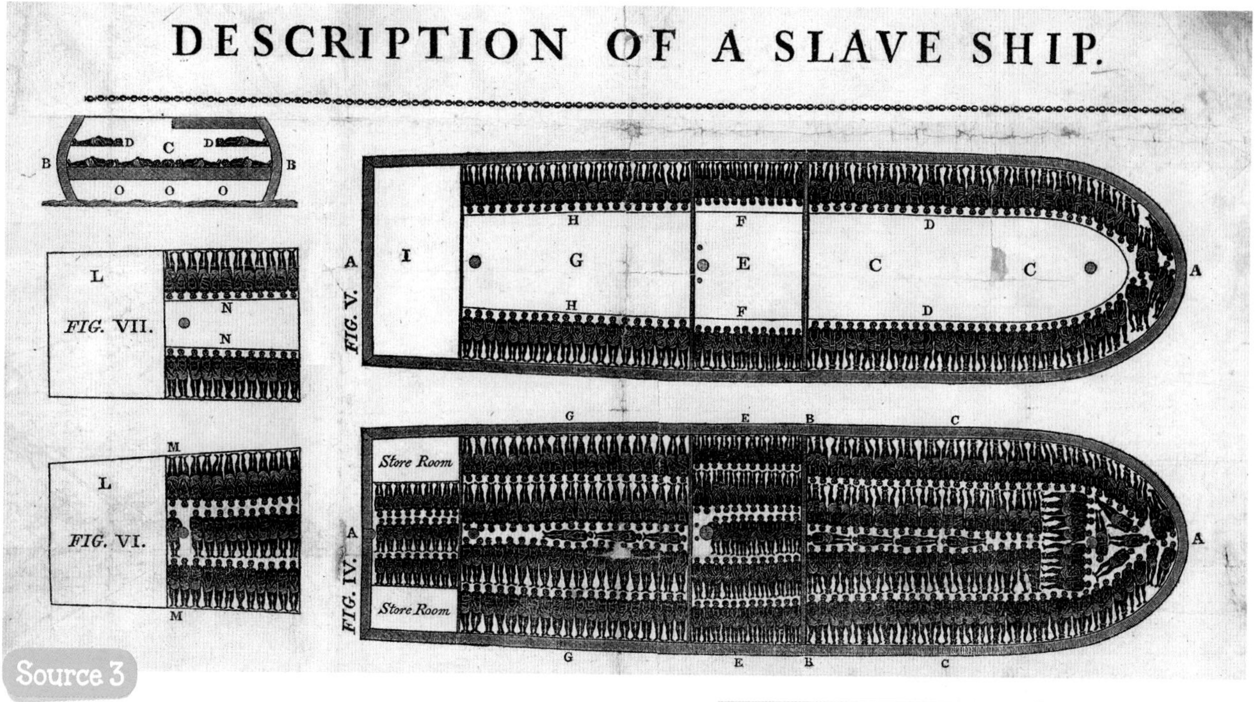
DESCRIPTION OF A SLAVE SHIP.
FIG. VII.
FIG. VI.
FIG. V.
FIG. IV.
Store Room
Store Room

Source 3

L'acheminement des captifs par bateau

a. Dans un livre dénonçant la traite

T. Clarkson, *Histoire de la traite négrière, Plans et coupes du Brooks*, gravure, 1808, musée d'histoire, Nantes.

Qui est-il ? Thomas Clarkson (1760-1846)

Membre actif de l'association britannique contre la traite et l'esclavage.

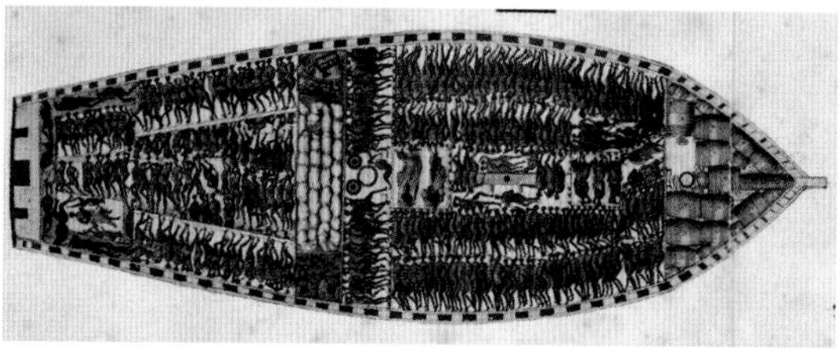

b. Dans un livre de compte

La Marie-Séraphique, campagne finie le 16 décembre 1769.
Plan, profil et distribution du navire La Marie-Séraphique *à Loangue*, 1770, musée d'histoire de Nantes.

Source 4

La traite dans l'*Encyclopédie*

C'est l'achat des nègres que font les Européens sur les côtes d'Afrique, pour employer ces malheureux dans leurs colonies en qualité d'esclaves. Cet achat de nègres, pour les réduire en esclavage, est un négoce qui viole la religion, la morale, les lois naturelles, et tous les droits de la nature humaine. Les hommes et leur liberté ne sont point un objet de commerce; ils ne peuvent être ni vendus, ni achetés, ni payés à aucun prix.

Il n'y a donc pas un seul de ces infortunés qui n'ait droit d'être déclaré libre, puisqu'il n'a jamais perdu la liberté et que [personne] dans le monde n'avait le pouvoir d'en disposer.

D'après Chevalier Louis de Jaucourt, « Traite négrière (commerce d'Afrique) », *Encyclopédie*, 1751-1766.

Point méthode

La démarche de l'historien

Étape 1 ▶ Identifier les documents sources

1. Pour chacune des sources de l'ensemble documentaire, relevez : son auteur, sa nature et sa date.
2. Tous les auteurs ont-ils la même intention ? Justifiez.
3. Quelles sources datent de la période d'apogée de la traite atlantique ?

Étape 2 ▶ Confronter et comprendre les documents sources

4. SOURCES 1 ET 2 Comment les négriers européens s'approvisionnent-ils en captifs africains ?
5. SOURCES 1, 2 ET 3 Comment les captifs sont-ils traités par les négriers européens ? Justifiez en vous appuyant sur un élément de chaque source.
6. SOURCE 4 Quels sont les arguments utilisés par le chevalier de Jaucourt pour dénoncer la traite ?

Étape 3 ▶ Conclure

7. Que vous ont appris ces sources sur la traite atlantique ? Justifiez.

Contexte

Un monde dominé par l'Europe ?

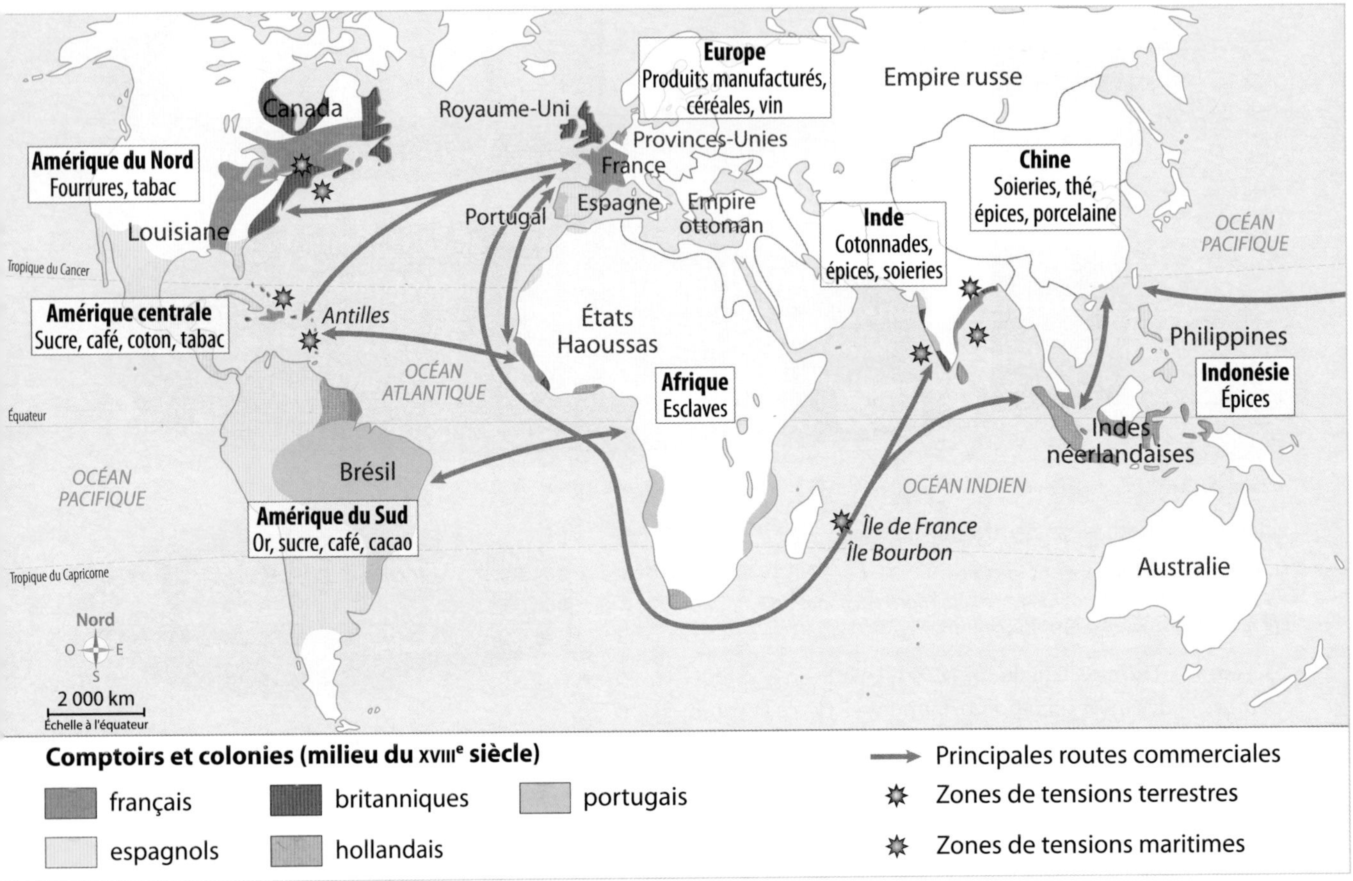

Europe
Produits manufacturés, céréales, vin
Empire russe
Canada
Royaume-Uni
Provinces-Unies
France
Amérique du Nord
Fourrures, tabac
Chine
Soieries, thé, épices, porcelaine
Portugal
Espagne
Empire ottoman
Inde
Cotonnades, épices, soieries
OCÉAN PACIFIQUE
Louisiane
Tropique du Cancer
Amérique centrale
Sucre, café, coton, tabac
Antilles
États Haoussas
Philippines
Indonésie
Épices
OCÉAN ATLANTIQUE
Afrique
Esclaves
Indes néerlandaises
Équateur
OCÉAN PACIFIQUE
Brésil
OCÉAN INDIEN
Amérique du Sud
Or, sucre, café, cacao
Île de France
Île Bourbon
Australie
Tropique du Capricorne
Nord
O
E
S
2 000 km
Échelle à l'équateur
Comptoirs et colonies (milieu du XVIIIe siècle)
français
britanniques
portugais
espagnols
hollandais
Principales routes commerciales
Zones de tensions terrestres
Zones de tensions maritimes

1 Les Européens dans le monde au XVIIIe siècle

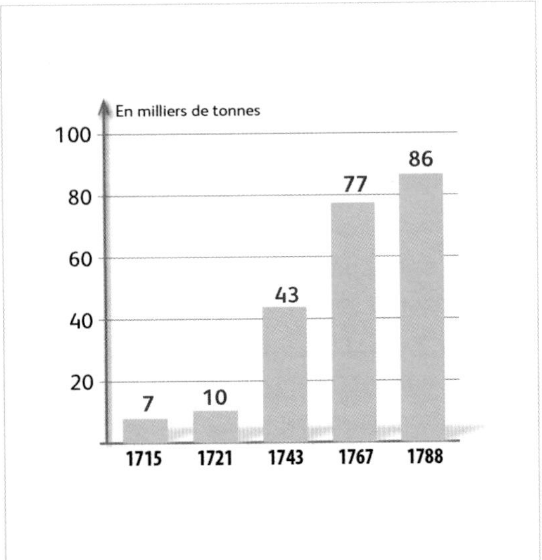

En milliers de tonnes
100
80
60
40
20
7
10
43
77
86
1715
1721
1743
1767
1788

2 Le sucre, un produit dont la demande explose au XVIIIe siècle

La production de sucre à Saint-Domingue.
D'après J. Meyer, *Histoire du sucre*, Desjonquères, 1989.

3 Une demande européenne de nouveaux produits

Un géographe en parle

Jusqu'au début du XVIIIe siècle, tous les Européens mangeaient un repas matinal plus tardif que l'actuel et salé. Le goût du sucre et l'introduction de nouveaux repas quotidiens, le petit-déjeuner et le goûter, bouleversent les traditions et les pratiques alimentaires.

Si le sucre reste la grande affaire économique coloniale, d'autres cultures se développent : cacao, café, indigo[1], tabac et surtout coton pour répondre à une demande européenne croissante. Les plantations se diversifient et surtout se répandent dans le sud de l'Amérique du Nord. Toutes les nations de l'Europe atlantique participent à cette exploitation de l'Amérique tropicale.

D'après C. Grataloup, *Géohistoire de la mondialisation*, Armand Colin, 2007.

1. Plante pour teindre les tissus en bleu.

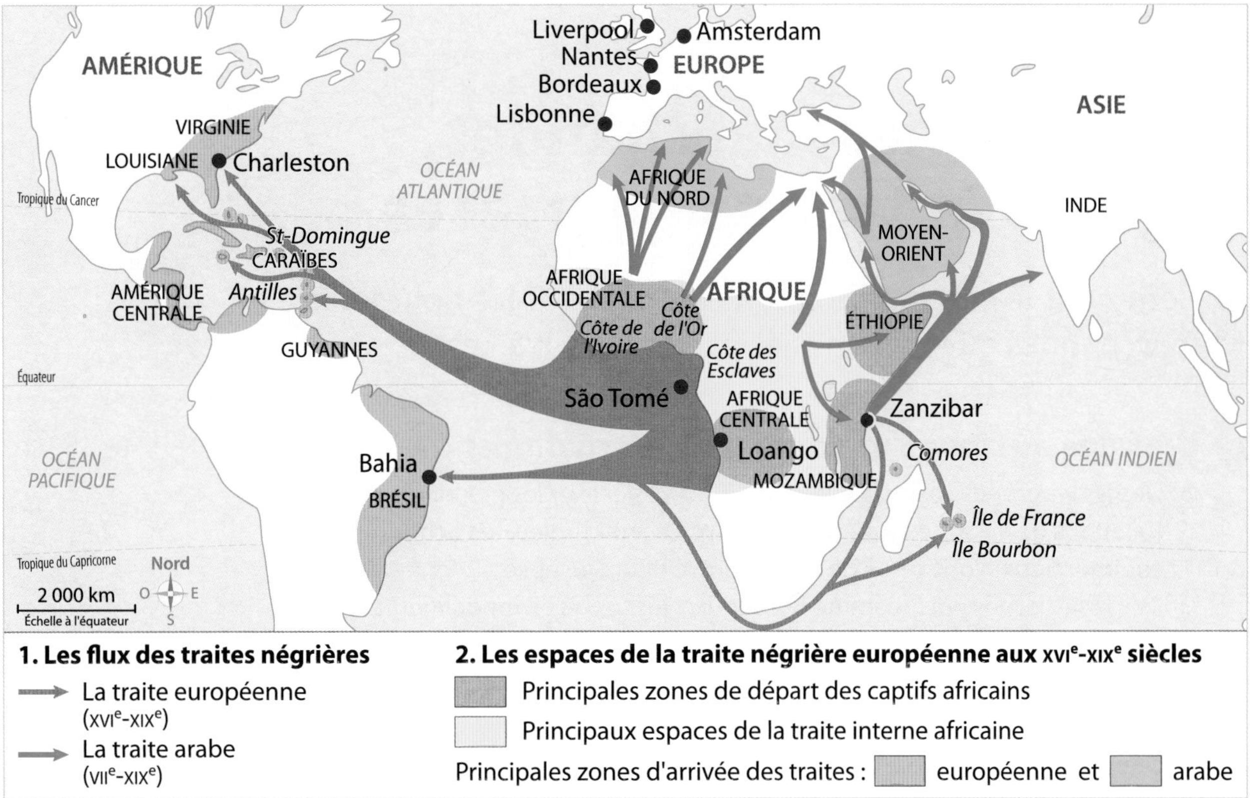
AMÉRIQUE
Liverpool
Amsterdam
Nantes
EUROPE
Bordeaux
Lisbonne
ASIE
VIRGINIE
LOUISIANE
Charleston
OCÉAN ATLANTIQUE
Tropique du Cancer
AFRIQUE DU NORD
INDE
St-Domingue
CARAÏBES
MOYEN-ORIENT
AMÉRIQUE CENTRALE
Antilles
AFRIQUE OCCIDENTALE
AFRIQUE
Côte de l'Or
Côte de l'Ivoire
ÉTHIOPIE
GUYANNES
Côte des Esclaves
Équateur
São Tomé
AFRIQUE CENTRALE
Zanzibar
Loango
OCÉAN PACIFIQUE
Bahia
Comores
OCÉAN INDIEN
MOZAMBIQUE
BRÉSIL
Île de France
Île Bourbon
Tropique du Capricorne
Nord
2 000 km
Échelle à l'équateur
1. Les flux des traites négrières
La traite européenne (XVIe-XIXe)
La traite arabe (VIIe-XIXe)
2. Les espaces de la traite négrière européenne aux XVIe-XIXe siècles
Principales zones de départ des captifs africains
Principaux espaces de la traite interne africaine
Principales zones d'arrivée des traites : européenne et arabe

4 Les traites négrières

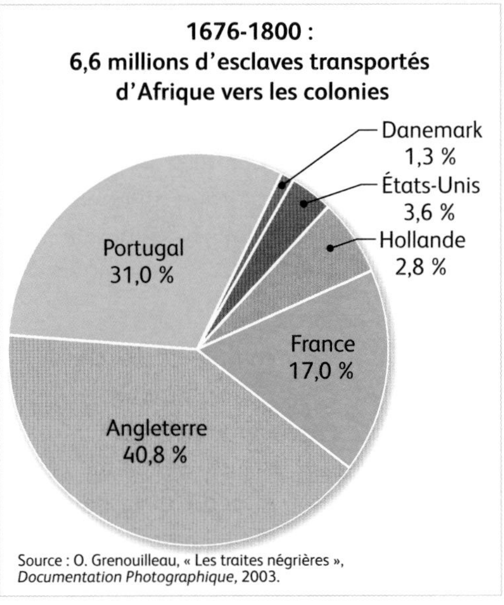
1676-1800 :
6,6 millions d'esclaves transportés d'Afrique vers les colonies
Danemark 1,3 %
États-Unis 3,6 %
Hollande 2,8 %
Portugal 31,0 %
France 17,0 %
Angleterre 40,8 %
Source : O. Grenouilleau, « Les traites négrières », Documentation Photographique, 2003.

5 Les principales nations négrières d'Europe à la fin du XVIIIe siècle

6 Des traites de grande ampleur

Les historiens en parlent

Les sociétés étaient incapables d'augmenter naturellement le nombre de leurs esclaves. La traite négrière s'est alors développée entre les lieux où les captifs sont « produits » et ceux où ils sont utilisés comme esclaves. De 1450 à 1870, la traite européenne a déporté un peu plus de 11 millions de captifs. Elle atteint son intensité maximale au XVIIIe siècle au moment où le système de plantation est à son apogée.

17 millions de captifs auraient été déportés par les différentes traites arabes entre 650 et 1920. Ces traites furent surtout importantes au XIXe siècle.

L'histoire des traites africaines demeure obscure. Plus de 14 millions de personnes ont été réduites en esclavage jusqu'au XXe siècle.

D'après O. Grenouilleau, « Les traites négrières », *Documentation photographique*, 2003.

Comprendre le contexte

Les Européens dans le monde

1. DOC. 1 Quels sont les deux principaux empires coloniaux au milieu du XVIIIe siècle ?
2. DOC. 1, 2 ET 3 Quels sont les principaux produits échangés entre les colonies et les métropoles ?

Traite atlantique et traites négrières

3. DOC. 4 Quel est l'espace « producteur » d'esclaves ? Quelles zones les exploitent ?
4. DOC. 1 ET 5 Parmi les nations négrières européennes, lesquelles sont des puissances coloniales ?

Leçon

Bourgeoisies marchandes, négoces et traites négrières

Comment le commerce colonial enrichit-il les bourgeoisies marchandes européennes et participe-t-il à l'essor de l'esclavage ?

I L'Europe, au cœur d'un commerce international

- Depuis les grands voyages européens du XVe siècle et les premières installations de colons en Amérique et dans l'océan Indien, **les échanges commerciaux n'ont cessé de croître entre l'Europe et ses** colonies. Au XVIIIe siècle, des ports comme Bordeaux, Nantes ou Liverpool s'agrandissent et servent de relais entre colonies et métropoles.
- **Les Européens exportent de l'Europe vers les colonies tous les produits nécessaires au quotidien des colons** (produits manufacturés, céréales, laine, vin, ...) ce qui crée une activité importante dans les campagnes qui entourent ces ports européens. En retour, **les navires rapportent des produits tropicaux** (sucre, café, cacao…) qui sont ensuite revendus très cher partout en Europe.

II La traite et l'esclavage

- Dans les colonies, les plantations (ou habitations) produisent de la canne à sucre, du café, du cacao ou d'autres produits tropicaux. Pour cela, **les colons emploient des hommes originaires du continent africain, où l'esclavage est pratiqué depuis l'Antiquité**. Ceux-ci sont achetés et deviennent la propriété des colons qui les font travailler dans les champs ou dans la maison du maître.
- Les navires négriers accostent les côtes africaines chargés de marchandises de traite, appelées pacotille. Ils achètent à des intermédiaires africains des hommes, des femmes et des enfants préalablement capturés. Après un voyage éprouvant, les captifs africains sont vendus et deviennent esclaves. **On appelle ce commerce la** traite négrière.

III Les colonies, une source de richesses et de rivalités pour l'Europe

- Le commerce international profite aux marchands des ports européens qui s'enrichissent et se font construire d'imposantes demeures. **Les** bourgeoisies **marchandes deviennent alors des catégories sociales dominantes des villes**.
- Pour limiter les risques liés aux pertes des navires (tempêtes, pirates), les armateurs s'associent. Ils confient leurs navires à des marins professionnels qui se chargent du commerce en droiture et du commerce triangulaire.
- L'essor du négoce entraîne **des rivalités entre puissances coloniales**. C'est le cas de la guerre de Sept Ans qui voit la France perdre une grande partie de ses colonies au profit du Royaume-Uni.

Vocabulaire

Bourgeoisie
terme désignant au XVIIIe siècle les marchands, armateurs, entrepreneurs, financiers, avocats et hommes de loi.

Colonie
territoire conquis et administré par une puissance étrangère.

Traite négrière
commerce d'esclaves noirs d'Afrique.

Commerce en droiture : commerce effectué directement entre l'Europe et l'Amérique.

Commerce triangulaire : commerce qui part d'Europe à destination de l'Afrique pour acheter des Africains revendus comme esclaves dans les colonies d'Amérique.

Navire négrier : navire spécialisé dans le transport d'esclaves.

Je retiens l'essentiel

L'essentiel en schéma

Au XVIIIe siècle, l'Europe, au cœur d'un commerce international

Une mise en valeur des colonies…

- Production de produits coloniaux : thé, café, cacao, sucre, tabac, indigo…

Une plantation de café (Île Bourbon)

… qui entraîne une croissance des échanges maritimes…

… et l'enrichissement de la façade atlantique de l'Europe.

- Construction navale
- Production industrielle
- Production agricole

Un quartier de négociants, Nantes

Développement de la traite atlantique et de l'esclavage

Développement du système esclavagiste dans les colonies

- Des esclaves dans un champ aux Antilles

Essor de la traite négrière européenne

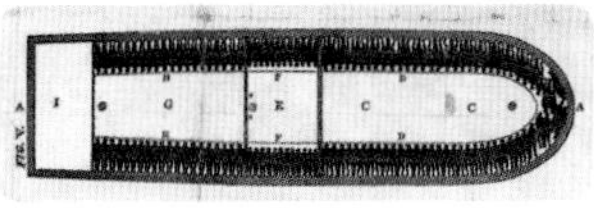

Plan d'un navire négrier

- En Atlantique surtout
- Dans l'océan Indien aussi

Les colonies, une source de richesses et de rivalités pour l'Europe

Essor des bourgeoisies marchandes

- Joseph Delaselle, un négociant qui montre son enrichissement

Extension des rivalités européennes hors d'Europe

- La guerre de Sept Ans, une première guerre à l'échelle du monde

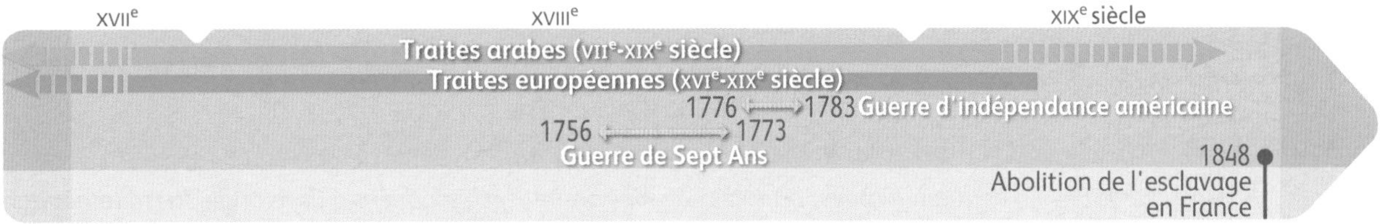

XVIIe
XVIIIe
XIXe siècle
Traites arabes (VIIe-XIXe siècle)
Traites européennes (XVIe-XIXe siècle)
1776 1783 Guerre d'indépendance américaine
1756 1773
Guerre de Sept Ans
1848
Abolition de l'esclavage en France

J'apprends, je m'entraîne

▶ **Socle** *Méthodes et outils pour apprendre*

PDF FICHE DE RÉVISION À TÉLÉCHARGER Fiche 1

Bourgeoisies marchandes, négoces et traites négrières

1. Construire sa fiche de révision : notez le titre de la leçon sur votre feuille

Je connais...

Objectif 1 ▶ Connaître les repères historiques et géographiques

1. Rappelez le siècle de l'essor de la traite atlantique.

À l'aide du planisphère, répondez aux consignes suivantes.

2. Nommez les trois espaces concernés par le commerce triangulaire.

3. Reproduisez puis complétez la légende.

Comptoirs et colonies (milieu du XVIIIe siècle)

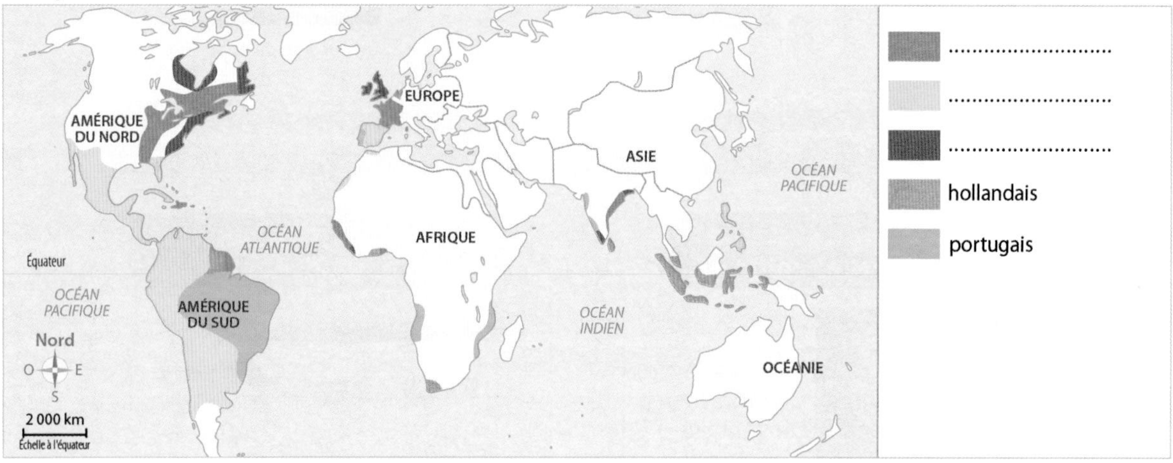

AMÉRIQUE DU NORD
EUROPE
ASIE
OCÉAN PACIFIQUE
OCÉAN ATLANTIQUE
AFRIQUE
Équateur
OCÉAN PACIFIQUE
AMÉRIQUE DU SUD
OCÉAN INDIEN
OCÉANIE
Nord
O E S
2 000 km
Échelle à l'équateur
....
....
....
hollandais
portugais

Objectif 2 ▶ Connaître les mots-clés

Recopiez les mots suivants et donnez leur définition :
Négoce – bourgeoisie – colonie – plantation – traite négrière – commerce triangulaire

Je suis capable de...

Pour chacun des objectifs suivants, construisez une réponse à la consigne.

Objectif 3 ▶ Expliquer l'enrichissement des ports européens de la façade atlantique

Aide *Vous pouvez prendre exemple sur le cas nantais étudié, et utiliser les mots suivants :* bourgeoisie, négoce, armateur, négrier, commerce en droiture.

Objectif 4 ▶ Décrire la vie sur une plantation dans une colonie

Aide *Montrez qu'une plantation est une exploitation agricole qui fonctionne avec une main-d'œuvre particulière. Précisez les conditions de vie et de travail sur une plantation et ce qui y est cultivé.*

Objectif 5 ▶ Expliquer le fonctionnement du commerce triangulaire

Aide *Montrez que le besoin de main-d'œuvre dans les colonies amène les Européens à développer la traite négrière atlantique.*

1 Construire des repères historiques — Le système colonial

Reproduisez et complétez la carte mentale suivante pour remobiliser les idées clés. Vous remplacerez les questions en italiques par leurs réponses :

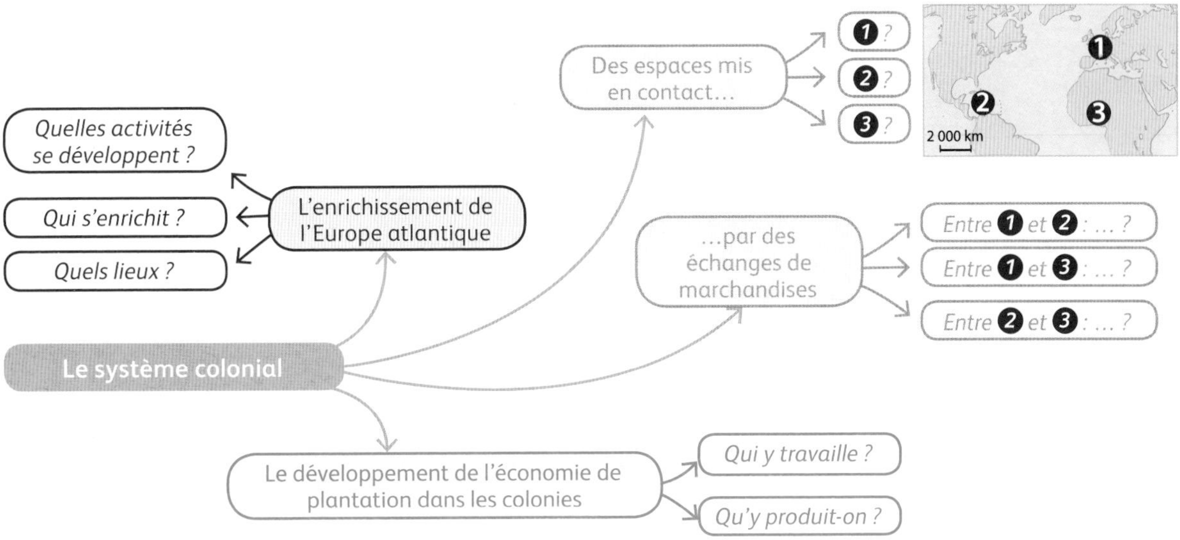

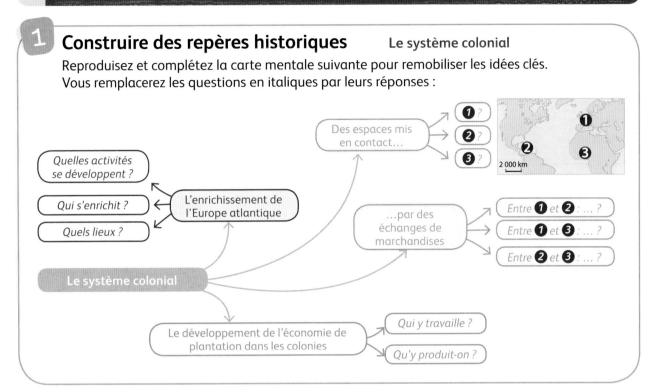

Le système colonial
L'enrichissement de l'Europe atlantique
Quelles activités se développent ?
Qui s'enrichit ?
Quels lieux ?
Des espaces mis en contact…
❶ ?
❷ ?
❸ ?
2 000 km
…par des échanges de marchandises
Entre ❶ et ❷ : … ?
Entre ❶ et ❸ : … ?
Entre ❷ et ❸ : … ?
Le développement de l'économie de plantation dans les colonies
Qui y travaille ?
Qu'y produit-on ?

2 Analyser et comprendre un document cartographique

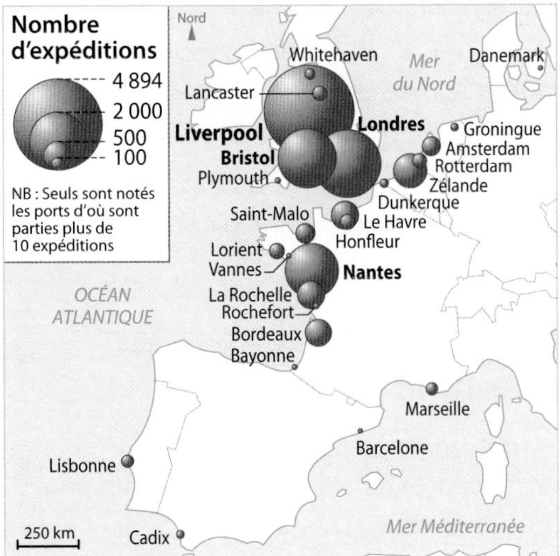

Nombre d'expéditions
4 894
2 000
500
100
NB : Seuls sont notés les ports d'où sont parties plus de 10 expéditions
Nord
Whitehaven
Mer du Nord
Danemark
Lancaster
Liverpool
Bristol
Plymouth
Londres
Groningue
Amsterdam
Rotterdam
Zélande
Dunkerque
Saint-Malo
Le Havre
Honfleur
Lorient
Vannes
Nantes
OCÉAN ATLANTIQUE
La Rochelle
Rochefort
Bordeaux
Bayonne
Marseille
Barcelone
Lisbonne
Cadix
Mer Méditerranée
250 km

Source : M. Dorigny, B. Gainot, *Atlas des esclavages*, Autrement, 2006.

Les ports négriers européens (XVIe-XIXe siècles)

1. Présentez le document (sa nature, le sujet traité, la période concernée et sa source).
2. Rappelez ce qu'est un port négrier.
3. Quel parcours les navires qui quittent les ports négriers font-ils ?
4. Quels sont les deux principaux pays négriers entre le XVIe et le XIXe siècle ?
5. Expliquez à l'aide de vos connaissances la réponse donnée à la question 4.

Auto-Évaluation Je me positionne sur une marche :

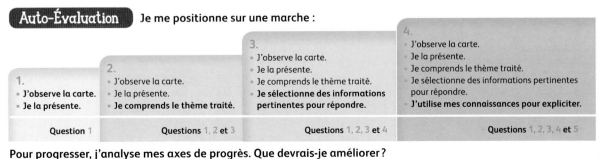

1.
- **J'observe la carte.**
- **Je la présente.**

Question 1

2.
- J'observe la carte.
- Je la présente.
- **Je comprends le thème traité.**

Questions 1, 2 et 3

3.
- J'observe la carte.
- Je la présente.
- Je comprends le thème traité.
- **Je sélectionne des informations pertinentes pour répondre.**

Questions 1, 2, 3 et 4

4.
- J'observe la carte.
- Je la présente.
- Je comprends le thème traité.
- Je sélectionne des informations pertinentes pour répondre.
- **J'utilise mes connaissances pour expliciter.**

Questions 1, 2, 3, 4 et 5

Pour progresser, j'analyse mes axes de progrès. Que devrais-je améliorer ?

Vers le brevet

1 Analyser et comprendre des documents

1
2
3
A

Une plantation près de La Havane (Cuba, Caraïbes)
A.L. Garneray, « Vue d'une habitation près de la Havanne (Isle de Cuba) », lithographie, vers 1820, musée d'Aquitaine, Bordeaux.

Qui est-il ? A.L. Garneray (1783-1857)
Peintre et voyageur français.

Identifier le document

1. Présentez le document (sa nature, sa date, le sujet traité).
2. Localisez la scène montrée.

Extraire des informations pertinentes et utiliser ses connaissances pour expliciter

3. Repérez les lieux présentés en associant les numéros 1, 2, 3 avec les propositions suivantes : *le champ de tabac, la maison du maître, les cases des esclaves et les bâtiments agricoles.*
4. Quel est le statut particulier des personnes qui travaillent dans les champs ?
5. Quel est le rôle de la personne A ?
6. En vous appuyant précisément sur le document, décrivez la vie dans une plantation.

2 Maîtriser différents langages pour raisonner et se repérer

1. Sous la forme d'un développement construit d'une quinzaine de lignes, et en vous appuyant sur un ou des exemples de ports étudiés en classe, présentez les raisons de l'enrichissement des ports atlantiques de l'Europe et montrez-en les conséquences.
2. Reproduisez et complétez le schéma du commerce international au XVIIIe siècle. Donnez-lui un titre.

Les colonies
Marchandises produites :
.... ?

Légende :
Trajets des navires (flux commerciaux)

Les puissances européennes
Marchandises produites :
.... ?

Afrique
Marchandises produites :
.... ?

Enquêter

Qui sont les « Noirs marrons » ?

Les faits

Trois Africains dans la forêt amazonienne

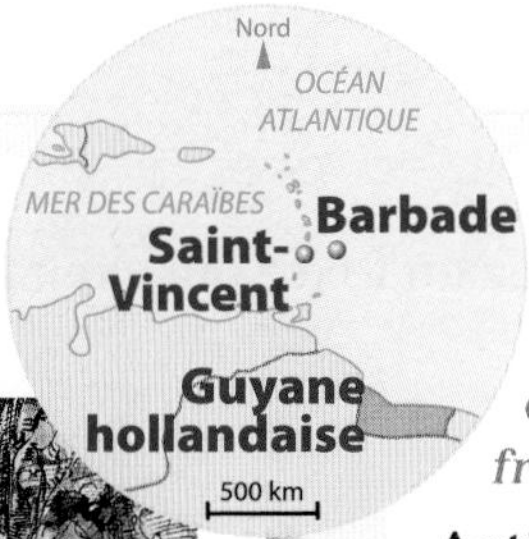
Nord
OCÉAN ATLANTIQUE
MER DES CARAÏBES
Barbade
Saint-Vincent
Guyane hollandaise
500 km

T. Bray, *Trois Nègres marrons à Surinam*, dessin aquarellé, XIXe siècle, musée d'Aquitaine, Bordeaux.

Indice n°1

Le Code Noir (1685)

Le Code Noir est l'ensemble des textes de lois concernant les Noirs des colonies françaises d'Amérique.

Article 38 : L'esclave fugitif qui aura été en fuite pendant un mois, à compter du jour que son maître l'aura dénoncé en justice, aura les oreilles coupées et sera marqué d'une fleur de lys sur une épaule ; s'il récidive un autre mois, il aura le jarret[1] coupé, et il sera marqué d'une fleur de lys sur l'autre épaule et la troisième fois, il sera puni de mort.

Article 42 : Pourront seulement les maîtres, les faire enchaîner et les faire battre de verges ou cordes. Leur défendons de leur donner la torture, ni de leur faire aucune mutilation de membres, à peine de confiscation des esclaves et d'être procédé contre les maîtres extraordinairement.

Article 44 : Déclarons les esclaves être meubles et comme tels entrer dans la communauté [...].

1. Partie arrière du genou.

Indice n°2

Marron et marronnage

Je m'embarquai sur les 7 heures du matin et nous touchâmes Saint-Vincent[1] le samedi 24 septembre. Outre les sauvages, cette île est peuplée d'un très grand nombre de nègres fugitifs, pour la plupart de la Barbade[2] qui, étant au vent de Saint-Vincent, donne aux fuyards toute la commodité possible pour se sauver des habitations de leurs maîtres dans des radeaux et se retirer parmi les sauvages Caraïbes.

J.-B. Labat, *Nouveau voyage aux Isles d'Amérique*, 1722.

1. et 2. Île des Caraïbes.

Indice n°3

À la poursuite de rebelles, Guyane hollandaise, 1774

D'après J.G. Stedman, *Marche au travers d'un marais ou Marais de Terra-Firma*, 1772, British Library, Londres.

Avez vous pris connaissance des faits et indices ? Quelle est votre conviction : qui sont les « Noirs marrons » ?

Par équipe, complétez le carnet de l'enquêteur :

1. Statut des trois personnages : ...
2. Raisons possibles de leur présence dans la forêt : ...
3. Sort possible de ces trois hommes : ...

Rédigez votre rapport d'enquête.

L'atelier d'écriture

Vers la tâche complexe

Le commerce triangulaire au XVIIIe siècle

À l'aide de vos connaissances, rédigez un texte qui explique ce qu'est le commerce triangulaire.

Travail préparatoire (au brouillon)

1. Recopiez le sujet. Repérez, en les surlignant de deux couleurs différentes, la notion-clé (ou mot-clé) et la période concernée.

   Le commerce triangulaire au XVIIIe siècle

2. Comprenez bien le sujet en répondant aux questions autour du « pense pas bête » :
3. Vérifiez que vous avez bien mobilisé le vocabulaire spécifique appris.

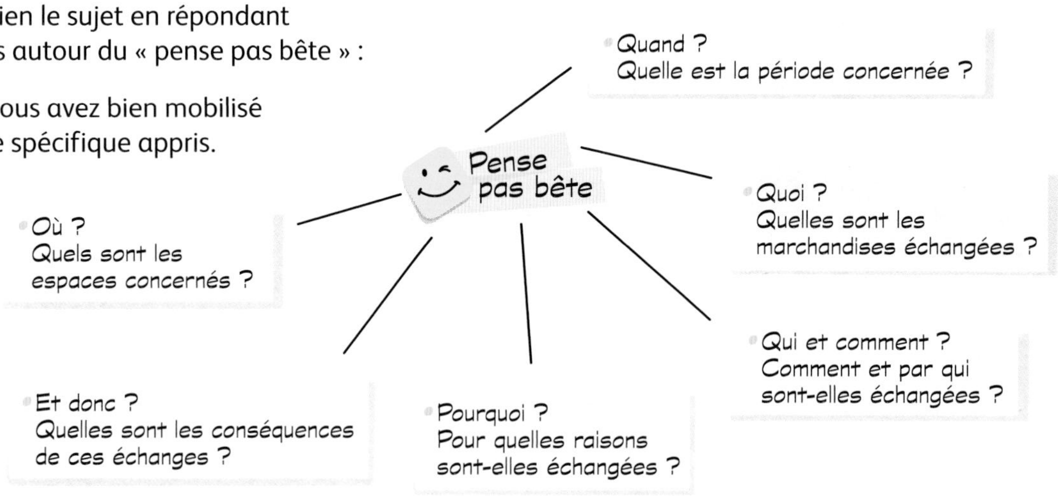
Pense pas bête
Quand ? Quelle est la période concernée ?
Quoi ? Quelles sont les marchandises échangées ?
Qui et comment ? Comment et par qui sont-elles échangées ?
Pourquoi ? Pour quelles raisons sont-elles échangées ?
Et donc ? Quelles sont les conséquences de ces échanges ?
Où ? Quels sont les espaces concernés ?

Travail de rédaction (au propre)

À vous de choisir votre niveau de difficulté et votre ceinture !

Je rédige un texte **sans aide**.

Rédigez votre texte en vérifiant que :
- Vous organisez vos idées en paragraphes.
- Vous commencez par une introduction qui définit le mot-clé du sujet et précise la période concernée.

Je rédige un texte **avec un guidage léger.**

Rédigez votre texte à l'aide des conseils suivants :
- Commencez par une introduction qui définit le mot-clé du sujet et précise la période concernée. Puis rédigez deux paragraphes :
- Le 1er paragraphe reprend les éléments où ?, quoi ?, qui et comment ? du « pense pas bête ».
- Le 2nd paragraphe reprend les éléments pourquoi ? et donc ? du « pense pas bête ».

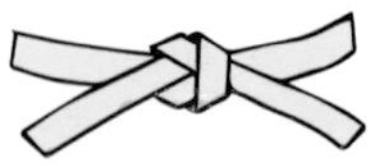

Je rédige un texte **avec un guidage plus important.**

Rédigez votre texte à l'aide des conseils suivants :
- Commencez par une introduction qui définit le mot-clé du sujet et précise la période concernée. Puis rédigez deux paragraphes :
- Votre 1er paragraphe précise les trois espaces mis en relation et les marchandises échangées. Il indique comment les échanges se font et qui les fait.
- Votre 2nd paragraphe explique pourquoi ce commerce existe et comment il a participé à l'enrichissement des ports atlantiques comme Nantes.

RAPPELS

Vos paragraphes commencent par un alinéa.

N'oubliez pas de relire et de vérifier vos accords.

Comment agir pour l'égalité ?

1 Au XVIIIe siècle, reconnaître l'égalité comme un droit de l'Homme

a. Le philosophe le dit

Tous les hommes naissent, croissent, subsistent et meurent de la même manière. Dans l'état de nature, les hommes naissent bien dans l'égalité, mais la société la leur fait perdre, et ils ne redeviennent égaux que par les lois.

D'après Chevalier de Jaucourt, « Égalité naturelle », *Encyclopédie*, 1751-1766.

b. La loi l'affirme

Art. 1er. Les hommes naissent et demeurent libres et égaux en droits. […]

Art. 6. La loi doit être la même pour tous, soit qu'elle protège, soit qu'elle punisse. Tous les Citoyens [sont] égaux à ses yeux.

Déclaration des Droits de l'Homme et du Citoyen, 1789.

JE SUIS SOURD
JE SUIS HANDICAPE
JE SUIS HOMOSEXUEL
JE SUIS MUSULMAN
JE SUIS ATHEE
JE SUIS BLANC
JE SUIS UNE FILLE
JE SUIS LESBIENNE
JE SUIS GROS
JE SUIS MAIGRE
Ecole Sans Racisme
JE SUIS AVEUGLE
JE SUIS INDIEN
JE SUIS JUIF
JE SUIS PETIT
JE SUIS NOIR
JE SUIS CHRETIEN
JE SUIS BLONDE
JE SUIS AFRICAIN
JE SUIS METISSE
JE SUIS GRAND
NOUS SOMMES EGAUX
Aujourd'hui j'agis, www.democratie-courage.fr

« **Ici à Pierre-Norange on représente le mélange […] contre le sexisme et toutes les formes de racisme** ». L'hymne du collège, écrit par des élèves, symbolise la démarche entreprise par l'établissement aux 16 nationalités différentes. « **Cette journée est l'aboutissement d'un travail commencé lors de la Semaine d'éducation contre le racisme** », souligne la conseillère principale d'éducation. Une trentaine de collégiens a participé à un atelier, avec pour objectif « **de mettre en valeur le vivre ensemble et la diversité culturelle du collège** ».

« Le collège Pierre-Norange labellisé sans racisme », *Ouest France*, 18/06/2010.

2 Des écoles s'engagent pour défendre l'égalité

Il me dit que je ne suis pas Français. Je lui dis « Mais si, je suis Français ». Il me dit « Mais non, c'est pas possible parce que t'es noir »…

3 Une campagne pour alerter et dénoncer les discriminations

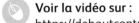

Voir la vidéo sur :
https://deboutcontreleracisme.org/

Vocabulaire

Discrimination : traitement défavorable d'une personne ou d'un groupe par rapport aux autres.

Le droit et la règle : des principes pour vivre avec les autres

1. **DOC. 1** Comment l'égalité est-elle définie au XVIIIe siècle ?
2. **DOC. 1** Comment l'égalité entre les hommes est-elle garantie au sein d'une société ?
3. **DOC. 2** Quelles sont les discriminations dénoncées dans l'hymne du collège Pierre-Norange ?

L'engagement : agir individuellement ou collectivement

4. **DOC. 2** Comment l'établissement agit-il pour lutter contre les discriminations ?
5. **DOC. 3** Comment les associations à l'origine du mouvement « Debout contre le racisme » dénoncent-elles les discriminations ?
6. À vous d'agir. Par groupes, dénoncez une situation discriminante. Au choix :

Proposition 1 : vous imaginez la prochaine affiche pour la semaine d'actions contre le racisme.

Proposition 2 : à la manière de « Debout contre le racisme », vous rédigez trois ou quatre phrases d'un dialogue, puis vous le mettez en scène pour le présenter aux autres groupes de la classe.

2 L'Europe des Lumières

Comment les idées nouvelles bouleversent-elles l'Europe au XVIIIᵉ siècle ?

Souvenez-vous !
Quel type de monarchie existait en France à l'époque de Louis XIV ?

1
2
3
4

1 Les philosophes des Lumières, des hommes célèbres dès le XVIIIᵉ siècle

Dans cette scène imaginaire sont réunis plusieurs penseurs importants des Lumières françaises, autour de Voltaire, dans son château de Ferney.

1 Voltaire
2 Diderot
3 d'Alembert
4 Condorcet

J. Huber, *Un dîner de philosophes à Ferney*, 1772 ou 1773, Voltaire Foundation, Oxford (Angleterre).

Vocabulaire

Lumières : mouvement intellectuel européen du XVIIIᵉ siècle qui encourage la réflexion (la raison), les connaissances scientifiques et la recherche du bonheur individuel, il combat l'intolérance religieuse et les préjugés.

Philosophes : écrivains du XVIIIᵉ siècle qui exercent une pensée critique dans tous les domaines, y compris religieux.

Socle *Se repérer dans le temps*

1720 — 1750 — 1780

- 1715 Mort de Louis XIV
- Publication de l'*Encyclopédie* 1750 → 1765
- Affaire Calas 1761 → 1765
- 1776 Révolution américaine
- 1789 Début de la Révolution française

2 Le Prince savant et gouverné par la raison

Gustave III (1), partisan des Lumières, abolit la torture, proclame la tolérance religieuse, encourage la liberté de presse.
A. Roslin, *Gustave III, roi de Suède, et ses frères*, huile sur toile, 1771, Nationalmuseum, Stockholm (Suède).

1. DOC. 1 Quelle image des philosophes le peintre veut-il donner en inventant cette scène ?
2. DOC. 2 Quels éléments du tableau montrent que ces princes veulent gouverner en s'appuyant sur les sciences et les Lumières ?
3. DOC. 1 ET 2 **Formulez une hypothèse** pour répondre à la question suivante : comment les philosophes des Lumières peuvent-ils influencer les princes ?

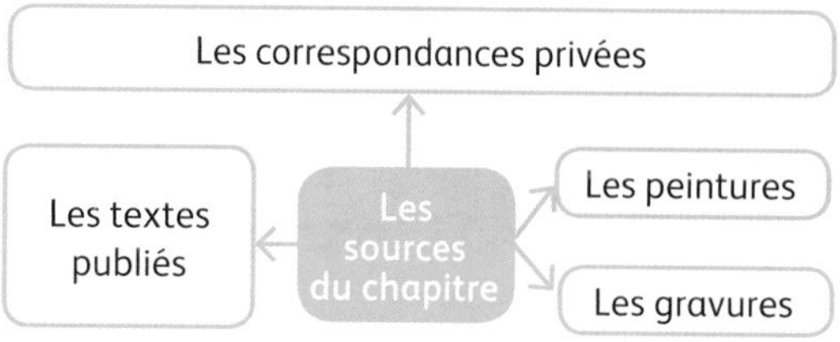

Les correspondances privées
Les textes publiés
Les sources du chapitre
Les peintures
Les gravures

Étude

Voltaire et l'affaire Calas

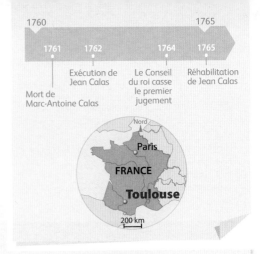

1760 – 1765

- 1761 : Mort de Marc-Antoine Calas
- 1762 : Exécution de Jean Calas
- 1764 : Le Conseil du roi casse le premier jugement
- 1765 : Réhabilitation de Jean Calas

Nord
Paris
FRANCE
Toulouse
200 km

Tâche complexe

Le 13 octobre 1761, Marc-Antoine Calas est retrouvé par son père Jean, pendu dans la boutique familiale à Toulouse. Ce fait divers devient très vite une affaire qui mobilise l'opinion publique.

Votre mission :

Préparez une intervention orale pour expliquer ce qui s'est passé et pourquoi ce fait divers est devenu une « affaire ».

Besoin d'aide ? *Voir p. 37*

Boîte à outils

Les mots de l'historien :

Opinion publique : expression de la raison commune. Les philosophes des Lumières la jugent infaillible. Ils s'en prétendent les porte-parole.

Autres mots-clés à utiliser : protestant – catholique – tolérance

Acteurs : la famille Calas, Voltaire et ses correspondants

1 Le point de départ de l'affaire : un fait divers

HADAMARD

a A. Hadamart, *Suicide du fils de Calas*, gravure, XIXe siècle.

Biographie

François Marie Arouet, dit Voltaire (1694-1778)

Philosophe des Lumières.

b Voltaire, un philosophe indigné

Il vient de se passer au parlement de Toulouse une scène qui fait dresser les cheveux sur la tête. Un protestant de Toulouse nommé Calas ayant averti la justice que son fils aîné s'était pendu, a été accusé de l'avoir pendu lui-même en haine du catholicisme pour lequel ce malheureux fils avait, dit-on, quelque penchant secret. Le père a été roué[1] ; et le pendu tout protestant qu'il était a été regardé comme un martyr catholique. J'en suis hors de moi. Je m'y intéresse comme homme, un peu même comme philosophe. Je veux savoir de quel côté est l'horreur du fanatisme.

D'après Voltaire, lettre à C.-P. Fyot de la Marche à Ferney, 25 mars 1762, *Correspondance*, t. VI.

1. La roue est un supplice menant à la mort où les membres du condamné sont brisés.

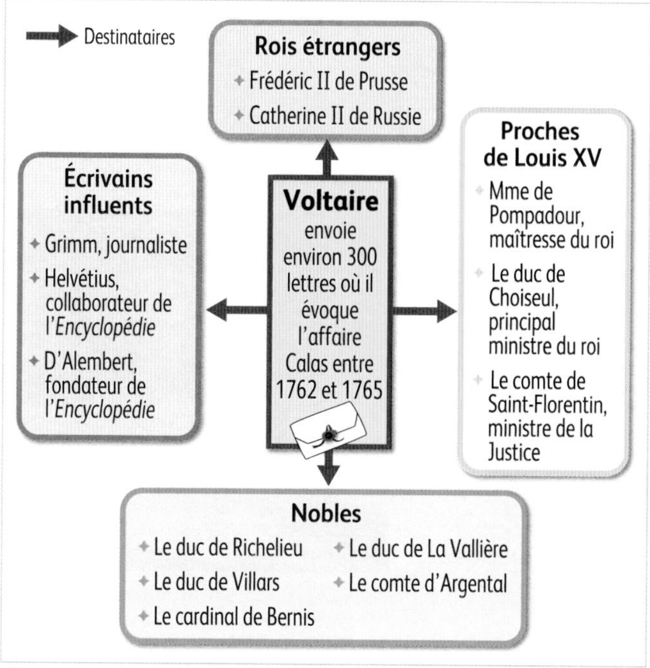
Destinataires
Rois étrangers
Frédéric II de Prusse
Catherine II de Russie
Écrivains influents
Grimm, journaliste
Helvétius, collaborateur de l'*Encyclopédie*
D'Alembert, fondateur de l'*Encyclopédie*
Voltaire envoie environ 300 lettres où il évoque l'affaire Calas entre 1762 et 1765
Proches de Louis XV
Mme de Pompadour, maîtresse du roi
Le duc de Choiseul, principal ministre du roi
Le comte de Saint-Florentin, ministre de la Justice
Nobles
Le duc de Richelieu
Le duc de La Vallière
Le duc de Villars
Le comte d'Argental
Le cardinal de Bernis

2 L'arme de la correspondance

3 Mobiliser l'opinion

Dans une lettre, Voltaire évoque une publication où les Calas donnent leur version des faits. En réalité, ces textes sont rédigés par Voltaire.

Vous avez lu sans doute les *pièces originales* que je vous ai envoyées ; comment peut-on tenir contre les faits avérés que ces pièces contiennent ? Et que demandons-nous ? Rien d'autre sinon que la justice parle, qu'elle dise pourquoi elle a condamné Calas. Quelle horreur qu'un jugement secret, une condamnation sans motifs ! Je persiste à ne vouloir autre chose que la production publique de cette procédure judiciaire. D'ailleurs ce n'est pas seulement la veuve Calas qui m'intéresse, c'est le public, c'est l'humanité. Il importe à tout le monde qu'on motive de tels jugements.

D'après une lettre de Voltaire à M. le comte d'Argental, 5 juillet 1762.

1
2
3
1

4 Émouvoir par l'image

Voltaire a commandé cette estampe de la famille Calas pour mobiliser l'opinion publique.
L. de Carmontelle, *La Malheureuse famille Calas*, dessin, 485 x 372 cm, 1765, musée du Louvre, Paris.

1 Mme Calas, ses enfants et leur servante, tous accusés de complicité.
2 Un ami lit la défense des Calas publiée par l'avocat Élie de Beaumont.
3 Prison de la Conciergerie à Paris.

5 En 1765, la réhabilitation de Calas

Tous les juges déclarèrent la famille innocente, et abusivement jugée par le parlement de Toulouse. Puisse cet exemple servir à inspirer aux hommes la tolérance, sans laquelle le fanatisme[1] désolerait la terre ! Ces cas sont rares, mais sont l'effet de cette superstition qui porte les âmes faibles à imputer des crimes à quiconque ne pense pas comme elles.

D'après Voltaire, *Traité sur la tolérance*, édition de 1765.

1. Croyance religieuse aveugle où une personne est capable des pires crimes au nom de sa foi.

Besoin d'un peu d'aide ?

Racontez les événements qui se sont produits à Toulouse. Montrez et expliquez quel a été le rôle de Voltaire.

Besoin d'un peu plus d'aide ?

Vous organisez votre réflexion autour des questions suivantes :
- De quoi s'agit-il ? Quand et où cela se passe-t-il ? (DOC. 1)
- Pour quelles raisons Voltaire s'engage-t-il ? Quelle est sa stratégie pour triompher ? (DOC. 2, 3 ET 4)
- Comment cette affaire se termine-t-elle ? (DOC. 5)

Étude

▶ **Socle** *Réaliser une production graphique*

L'Encyclopédie, une aventure éditoriale inédite

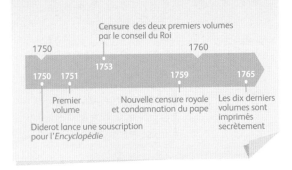

1750 — 1760

- 1750 : Diderot lance une souscription pour l'*Encyclopédie*
- 1751 : Premier volume
- 1753 : **Censure** des deux premiers volumes par le conseil du Roi
- 1759 : Nouvelle censure royale et condamnation du pape
- 1765 : Les dix derniers volumes sont imprimés secrètement

Pourquoi l'*Encyclopédie* bouleverse-t-elle la pensée européenne ?

1 Le projet encyclopédique

D'après d'Alembert : L'ouvrage a deux objets : comme *Encyclopédie*, il doit exposer l'ordre et l'enchaînement des connaissances humaines ; comme dictionnaire raisonné des sciences, des arts et des métiers, il doit contenir, sur chacun des principes généraux et les détails les plus essentiels.

D'après d'Alembert, *Discours préliminaires*, 1751.

D'après Diderot : Ce qui caractérise le philosophe, c'est qu'il n'admet rien sans preuve, et qu'il pose exactement les limites du certain, du probable et du douteux. Cet ouvrage produira sûrement avec le temps une révolution dans les esprits, et j'espère que les tyrans, les oppresseurs, les fanatiques et les intolérants n'y gagneront pas.

Lettre privée de Diderot à son amie Sophie Volland, 26 septembre 1762.

Qui sont-ils ? Jean Le Rond d'Alembert (1717-1783) et Denis Diderot (1713-1784)

Le premier est mathématicien, le second écrivain. Les deux s'associent pour diriger la rédaction de l'*Encyclopédie*.

Rédigée par plus de 160 auteurs, l'*Encyclopédie* comprend 17 volumes de texte avec 71 818 articles et 11 volumes de planches.

Vocabulaire

Arts : ensemble des disciplines divisées entre les activités manuelles, les activités intellectuelles et les beaux-arts.

Censure : interdiction d'une publication par le pouvoir royal.

2 Un hommage inédit au travail manuel

L.-J. Gousier, Planche Coffretier – Malletier, *L'Encyclopédie ou Dictionnaire raisonné des sciences, des arts et des métiers*, gravure, 1763.

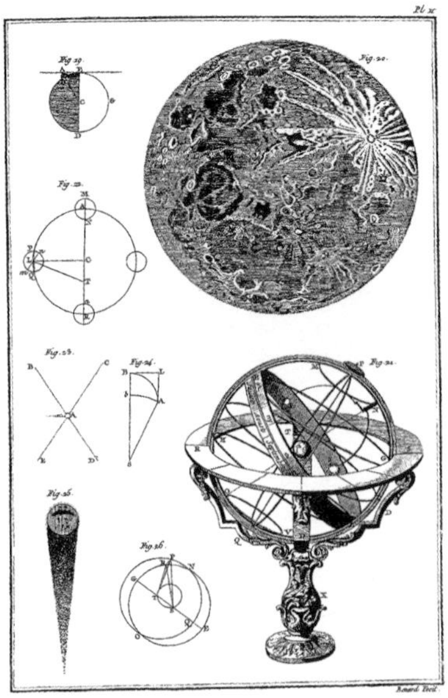

3 La nature décryptée

Représentation de la face visible de la Lune, études sur les comètes et sphère expliquant les mouvements du Soleil et de la Lune.

Bénard, *L'Encyclopédie ou Dictionnaire raisonné des sciences, des arts et des métiers*, gravure.

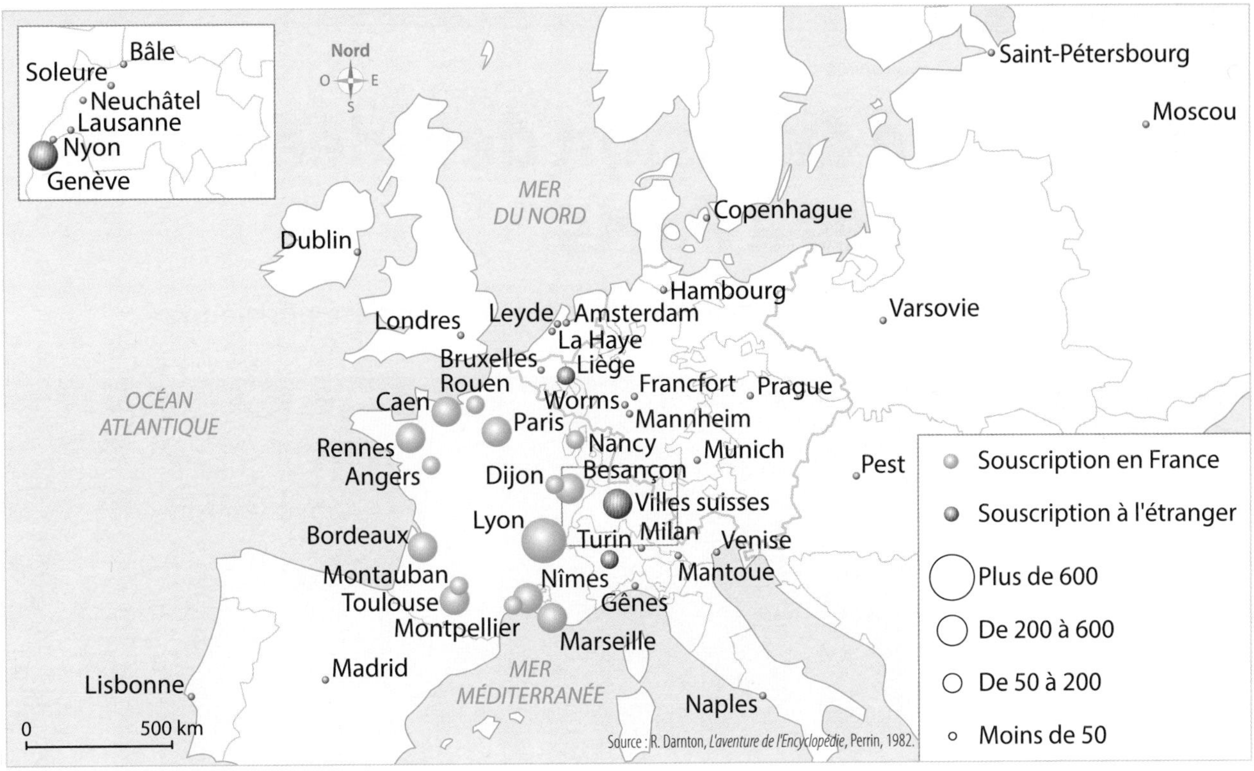

Nord
O E S
Bâle
Soleure
Neuchâtel
Lausanne
Nyon
Genève
Saint-Pétersbourg
Moscou
MER DU NORD
Copenhague
Dublin
Hambourg
Varsovie
Londres
Leyde
Amsterdam
La Haye
Bruxelles
Liège
Rouen
Francfort
Prague
OCÉAN ATLANTIQUE
Caen
Worms
Paris
Mannheim
Rennes
Nancy
Munich
Angers
Dijon
Besançon
Pest
Villes suisses
Lyon
Bordeaux
Turin
Milan
Venise
Mantoue
Montauban
Nîmes
Toulouse
Gênes
Montpellier
Marseille
Madrid
MER MÉDITERRANÉE
Lisbonne
Naples
0 500 km
Source : R. Darnton, L'aventure de l'Encyclopédie, Perrin, 1982.
Souscription en France
Souscription à l'étranger
Plus de 600
De 200 à 600
De 50 à 200
Moins de 50

4 | L'impact de l'*Encyclopédie*

5 Un projet qui menace l'ordre établi

a Les encyclopédistes écrivent...

Aucun homme n'a reçu de la nature le droit de commander aux autres. La liberté est un présent du Ciel, et chaque individu de la même espèce a le droit d'en jouir. Le roi tient son autorité de ses sujets. Le roi ne peut donc pas disposer de son pouvoir et de ses sujets sans le consentement du peuple.

D'après l'article « Autorité politique » de Diderot.

Profitant de l'imbécillité superstitieuse des peuples, les papes les ont armés contre leurs rois, et ont couvert l'Europe de carnage et d'horreurs pour élever leur puissance.

D'après l'article « Théocratie » du baron d'Holbach.

Qui est-il ? **Paul Henri Dietrich, baron d'Holbach (1723-1789)**
Savant et philosophe allemand qui vit en France.

b ... Louis XV répond

Le roi a reconnu que dans deux volumes imprimés [de l'*Encyclopédie*] on a inséré plusieurs maximes tenant à détruire l'autorité royale et à élever les fondements de l'irréligion[1]. Sa Majesté ordonne que ces deux volumes soient supprimés. Fait très expresse défense à tout imprimeur de les réimprimer.

D'après *l'arrêt du Conseil d'État*, 7 février 1752.

1. Manque de conviction religieuse.

Activités

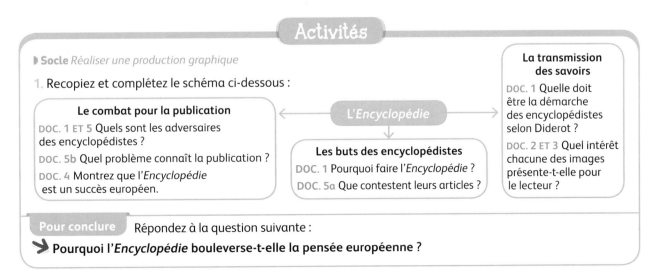

Socle *Réaliser une production graphique*

1. Recopiez et complétez le schéma ci-dessous :

L'*Encyclopédie*

Le combat pour la publication
- DOC. 1 ET 5 Quels sont les adversaires des encyclopédistes ?
- DOC. 5b Quel problème connaît la publication ?
- DOC. 4 Montrez que l'*Encyclopédie* est un succès européen.

Les buts des encyclopédistes
- DOC. 1 Pourquoi faire l'*Encyclopédie* ?
- DOC. 5a Que contestent leurs articles ?

La transmission des savoirs
- DOC. 1 Quelle doit être la démarche des encyclopédistes selon Diderot ?
- DOC. 2 ET 3 Quel intérêt chacune des images présente-t-elle pour le lecteur ?

Pour conclure Répondez à la question suivante :

Pourquoi l'*Encyclopédie* bouleverse-t-elle la pensée européenne ?

Étude

Socle *Extraire des informations pertinentes – Raisonner et justifier*

Les lieux de diffusion des idées des Lumières à Paris

Comment les idées nouvelles circulent-elles au sein de la société parisienne ?

5
6
4
10
9
3
2
7
1
8

1 **Le Salon, lieu de rencontre entre philosophes, écrivains et savants**

A. C. Gabriel Lemonnier, *Lecture de la tragédie de* L'orphelin de la Chine *de Voltaire dans le salon de Madame Geoffrin*, 196 x 129 cm, 1812, musée du château de Malmaison, Rueil-Malmaison.

Les femmes qui tiennent salon
1 Mme Geoffrin
2 Mlle de Lespinasse

Les Lumières
3 Montesquieu
4 Diderot
5 Buste de Voltaire
6 Rousseau
7 d'Alembert
8 Buffon

Quelques aristocrates éclairés
9 Le prince de Conti
10 Le comte de Caylus

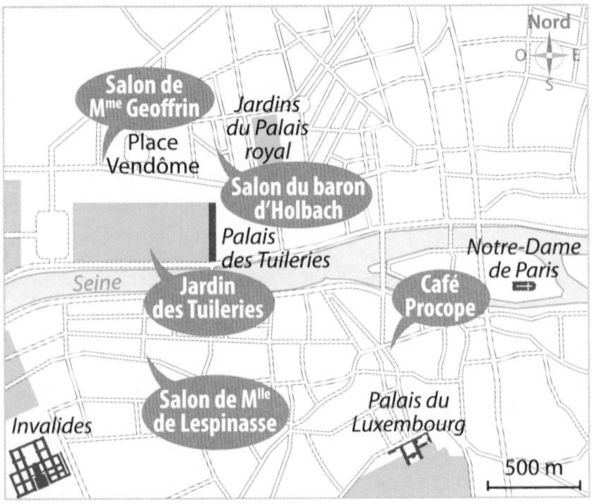

Nord
O
E
S
Salon de Mme Geoffrin
Jardins du Palais royal
Place Vendôme
Salon du baron d'Holbach
Palais des Tuileries
Notre-Dame de Paris
Seine
Jardin des Tuileries
Café Procope
Salon de Mlle de Lespinasse
Palais du Luxembourg
Invalides
500 m

2 **Les lieux parisiens**

Plan général de Paris par Deharme, 1763.

Vocabulaire

Salon : réunions régulières centrées sur les lettres, les arts et les sciences.

3 Le salon, un lieu attirant

Les maisons que je fréquente sont celles-ci : baron d'Holbach, Mademoiselle de Lespinasse chez qui je rencontre toujours d'Alembert, Mme Necker, la comtesse de Boufflers, l'ambassadeur du Portugal. On est parfaitement bien partout. On mange divinement. On parle beaucoup : on raisonne comme on peut, mais le ton est toujours courtois. Quant à d'Alembert, il me semble le plus grand et le meilleur de tous les philosophes : c'est un ange dans la conversation.

D'après une lettre d'Alessandro Beccaria à Pietro Verri, 27 octobre 1766, P.-Y. Beaurepaire, *La France des Lumières*, Belin, 2011.

Qui est-il ? Alessandro Beccaria (1741-1816)
Frère du philosophe des Lumières italien, Cesare Beccaria.

4 Le café Procope, nouveau lieu d'échanges

Créé en 1686, il est un des lieux refuges des philosophes, dont Diderot.
Estampe, XVIIIe siècle, musée Carnavalet, Paris.

F. Huot, *Lecture du journal par les politiques de la* Petite Provence *au jardin des Tuileries*, gravure, fin du XVIIIe siècle, BNF, Paris.

5 Les jardins parisiens, lieux de lecture publique

Voyez-les assis sur un banc aux Tuileries, au Palais Royal, à l'Arsenal, sur le quai des Augustins. Trois fois la semaine ils sont assidus à cette lecture et la curiosité des nouvelles politiques saisit tous les âges et tous les états.

L.-S. Mercier, *Tableau de Paris*, Amsterdam, 1783.

Activités

Socle *Extraire des informations pertinentes*

1. DOC. 1 À quelles catégories sociales appartiennent les participants ?
2. DOC. 3 À quelles activités se livre-t-on dans ces salons ? Pourquoi ces lieux attirent-ils les étrangers ?
3. DOC. 2, 4 ET 5 Citez d'autres lieux parisiens où les intellectuels se rencontrent et échangent.
4. DOC. 1 ET 5 Quelles sont les nouvelles pratiques de lecture ? Que lit-on ?

Socle *Raisonner et justifier*

5. DOC. 5 Comment l'homme du peuple entre-t-il en contact avec les idées nouvelles ?

Pour conclure Préparez une réponse à la question suivante pour la présenter à l'oral :
Comment les idées nouvelles circulent-elles au sein de la société parisienne ?

L'atelier de l'historien

▸ **Socle** *Confronter des points de vue et exercer son esprit critique*

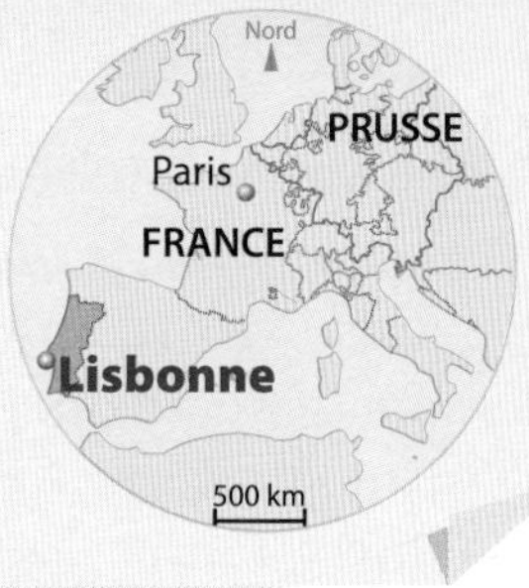
Nord
PRUSSE
Paris
FRANCE
Lisbonne
500 km

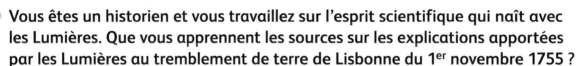

Expliquer le monde par la science

Les Lumières face au tremblement de terre de Lisbonne, 1755

Vous êtes un historien et vous travaillez sur l'esprit scientifique qui naît avec les Lumières. Que vous apprennent les sources sur les explications apportées par les Lumières au tremblement de terre de Lisbonne du 1er novembre 1755 ?

LISABONA

Source 1

Lisbonne, une capitale européenne détruite par un tremblement de terre

Le séisme et le *tsunami* qui a suivi font 10 000 morts et les trois quarts de la ville de Lisbonne sont détruits.

G.C. Pfauntz, *Représentation et description du très horrible tremblement de terre par lequel (…) Lisbonne (…) fut détruite*, gravure, vers 1755, Augsbourg (Allemagne).

Source 2

Un tremblement de terre ressenti loin en Europe

Le tremblement de terre s'est réellement fait ressentir dans mon pays : l'Oder[1] s'est enflée dans l'espace de quatre minutes et a fait une crue de douze pieds ; elle a inondé tout le faubourg. […]
Pour moi, qui ne suis pas un grand physicien, je crois qu'il y a au centre de la Terre un feu et que le grand foyer s'est mis précisément sous Lisbonne. La matière du sol de Lisbonne pleine de soufre et de salpêtre a donné plus de nourriture au feu et dans cet endroit a fait l'effet d'une mine qui saute. Je vous donne mon raisonnement pour ce qu'il vaut, c'est-à-dire une hypothèse, mais je suis très persuadé qu'il en est ainsi.

D'après la lettre de Frédéric II à sa sœur Wilhelmine, 18 décembre 1755.

1. Fleuve allemand

Qui est-il ? Frédéric II (1712-1790)
Roi de Prusse entre 1740 et 1786, inspiré par les idées des Lumières.

Vocabulaire

Autodafé « acte de foi » : cérémonie catholique où les hommes demandent pardon à Dieu pour leurs péchés. Elle est parfois suivie de condamnation à mort au bûcher d'individus accusés d'avoir offensé Dieu.

Source 3

Une réaction traditionnelle : se tourner vers Dieu pour expier ses péchés

Les catastrophes sont interprétées par l'Église comme l'expression de la colère de Dieu pour punir les hommes d'avoir péché.
J. Glama Ströberle, *Allégorie du tremblement de terre de Lisbonne : religieux portant secours aux survivants*, huile sur toile, 1755-1756, musée national d'Art Ancien, Lisbonne (Portugal).

Source 4

Voltaire dénonce la superstition

Après le tremblement de terre qui avait détruit les trois quarts de Lisbonne, les sages du pays n'avaient pas trouvé un moyen plus efficace pour prévenir une ruine totale que de donner au peuple un bel autodafé ; il était décidé par l'université que le spectacle de quelques personnes brûlées à petit feu, en grande cérémonie, est un secret infaillible pour empêcher la terre de trembler.

D'après Voltaire, *Candide*, 1759.

Source 5

Kant défend l'approche scientifique

Le chercheur de la Nature doit, compte tenu de l'obligation qu'il a vis-à-vis du public, rendre compte des conclusions qu'il tire de l'observation et de l'analyse. Je cède ce devoir à celui qui a assisté de près les entrailles de la Terre. Je recueillerai néanmoins presque tout ce que l'on connaît actuellement de la question, pas assez toutefois pour satisfaire ceux qui examinent tout à partir de la certitude mathématique.

D'après E. Kant, introduction à l'article « *Sur les causes des tremblements de terre* », 1756.

Qui est-il ? Emmanuel Kant (1724-1804)
Philosophe allemand des Lumières.

Point méthode

Étape 1 ▶ Identifier les documents sources

1. Présentez les différentes sources proposées dans l'ensemble documentaire : nature, auteur, sujet, date et lieu de création…
2. SOURCES 1 ET 2 Pourquoi peut-on parler d'un événement à dimension européenne ?

Étape 2 ▶ Comprendre les documents sources

3. SOURCE 3 Quelle est l'explication traditionnelle sur l'origine des catastrophes ?
4. SOURCE 4 Relevez les termes ou expressions qui montrent que Voltaire les dénonce en utilisant l'ironie.
5. SOURCE 5 Quelle démarche Kant propose-t-il pour comprendre cet événement ? À qui doit-il en rendre compte ?
6. SOURCE 2 Quelle hypothèse Frédéric II formule-t-il pour expliquer ce séisme ? Quels termes utilisés par le roi font référence aux sciences ?

Étape 3 ▶ Confronter des documents sources et conclure

7. Que vous ont appris ces sources sur le développement de l'esprit scientifique au siècle des Lumières ? Justifiez.

Histoire des Arts

Parcours artistique et culturel

Portraits de femmes des Lumières

Comment la peinture atteste-t-elle de l'émancipation intellectuelle de certaines femmes au XVIIIe siècle ?

Henriade de Voltaire
L'Esprit des Lois de Montesquieu
Tome IV de L'*Encyclopédie*
1
2
3
4
5
6
7

Hachures polychromes qui font ressortir par contraste le volume du visage peint en fondu
Fondu : on passe le doigt ou un chiffon sur les hachures pour lier les couleurs avec douceur
Tracé du contour du visage par un trait noir

M. Quentin de La Tour, *Madame de Pompadour*, pastel, 1752, musée Antoine Lécuyer, Saint-Quentin.

1 Représenter une femme de pouvoir

Mme de Pompadour, maîtresse du roi Louis XV, a commandité l'œuvre.
M. Quentin de La Tour, *Portrait en pied de Jeanne-Antoinette Poisson, marquise de Pompadour*, portrait au pastel, 128 x 175 cm, XVIIIe siècle, musée du Louvre, Paris.

1 Visage au naturel, sans bijou, ni perruque de cour 2 « Indienne » (robe en soie au tissu imprimé) 3 Chaussures légères d'intérieur 4 Partition musicale 5 Carton à dessins 6 Instrument de musique 7 Planche sur la gravure de pierres précieuses

Biographie

Maurice-Quentin de La Tour (1704-1788)

Peintre reconnu comme un des plus grands portraitistes par ses contemporains, il utilise la technique du pastel.

2 L'avis d'un critique

M. de La Tour, si célèbre par ses pastels, a exposé [au carré du Louvre] celui de Mme de Pompadour assise devant un bureau, tenant un papier de musique, ayant sur sa table des plans, des dessins, tout ce qui peut caractériser l'amour des arts : l'*Encyclopédie*, l'*Esprit des Lois*, l'*Histoire naturelle*. Ce portrait a généralement été sous-estimé ; trop, à mon avis, la composition en est très riche ; il y a dans le dessin et l'exécution des détails admirables, mais le total est froid, la tête est trop tourmentée ; à force de retoucher, M. de La Tour lui a ôté ce premier feu [spontanéité] sans lequel rien ne peut réussir en art.

D'après Baron Frédéric Melchior Von Grimm, Salon de 1755, correspondance générale, t. III.

Qui est-il ? Baron Frédéric Melchior Von Grimm (1723-1807)

Diplomate et journaliste allemand.

4
1
2
3

3 La femme émerge dans l'ombre du « grand homme »

J.-L. David, *Le couple Lavoisier*, huile sur toile, 259 x 194 cm, 1788, The Metropolitan museum of art de New York (États-Unis).

1. Marie-Anne Pierrette Paulze, épouse de Lavoisier, a commandé le portrait.
2. Antoine Laurent de Lavoisier, le plus grand chimiste de son temps.
3. Baromètre et gazomètre utilisés par Lavoisier pour ses expériences.
4. Carton à dessin de Mme Lavoisier qui illustre le traité de chimie écrit par son mari.

Qui est-il ? Jacques-Louis David (1748-1825)

Peintre qui s'inspire du style classique du XVIIe siècle (personnages grandeur nature, précision du détail, goût pour l'Antiquité…).

Point art

Le pastel

Le pastel est un bâtonnet de couleur ressemblant à un bâton de craie utilisé en dessin et en peinture. Dessiner au pastel permet à la fois rapidité, vivacité des couleurs, douceur des formes et belle carnation des peaux.

Identifier et analyser des œuvres d'art

Présenter et décrire

1. DOC. 1 ET 3 Reproduisez le tableau suivant puis complétez-le :

L'image des femmes	DOC. 1	DOC. 3
Présentez les deux œuvres : type de peinture, nom du peintre, nom du tableau, date de réalisation, lieu de conservation		
Attitude et activité des modèles féminins		
Objets qui font référence aux arts		
Objets qui font référence aux sciences		

Comprendre

2. DOC. 1 ET 2 Par qui le portrait de Mme de Pompadour est-il destiné à être vu ?
3. DOC. 1, 2 ET 3 À quel courant de pensée du XVIIIe siècle les deux portraits font-ils indirectement référence ?
4. DOC. 1 Montrez que Madame de Pompadour semble avoir la ferme volonté d'encourager le même courant d'idée.

Exprimer sa sensibilité et conclure

5. DOC. 2 Que pense le critique du XVIIIe siècle du portrait de Mme de Pompadour ? Quel est votre point de vue ? Justifiez-le.

Contexte

L'Europe entre despotisme éclairé et monarchie absolue

Quelle influence les idées des Lumières exercent-elles sur les souverains d'Europe ?

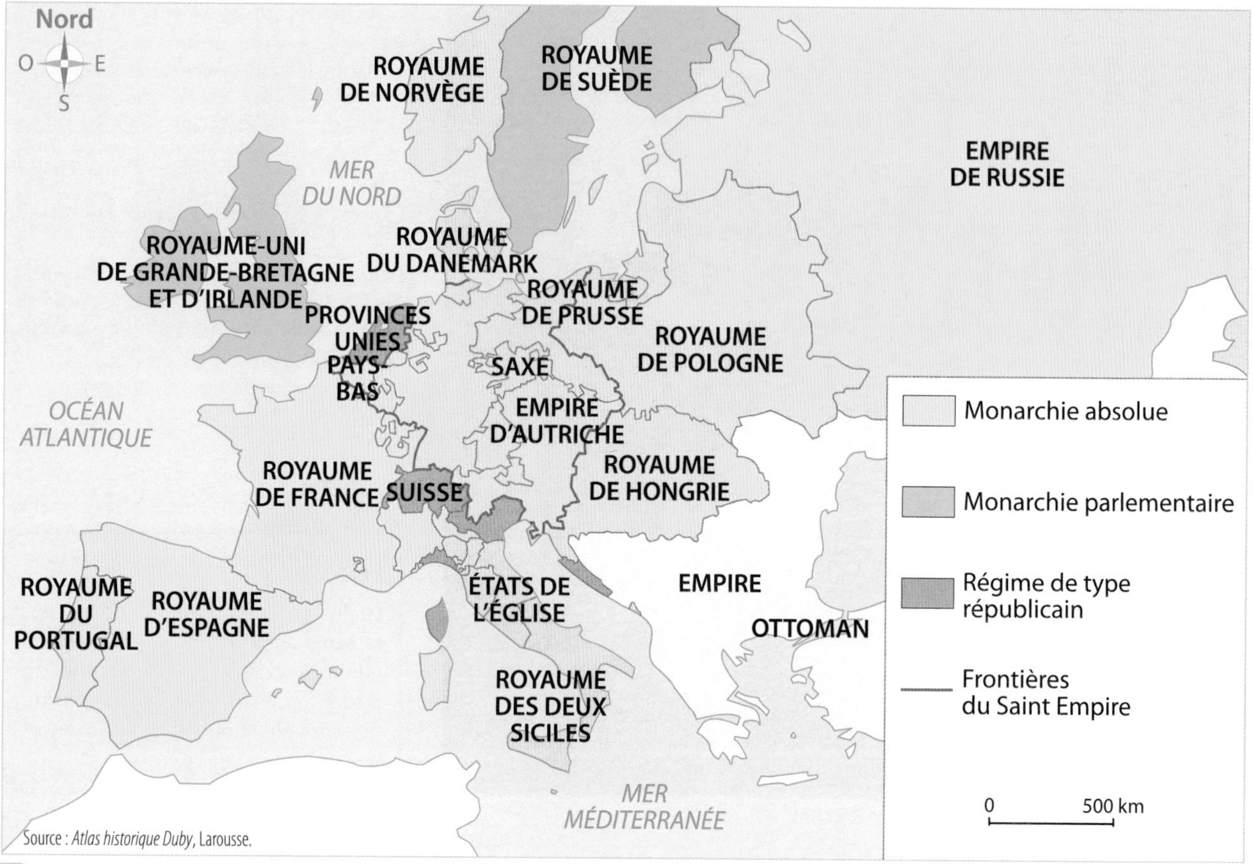

Nord
O
E
S
ROYAUME DE NORVÈGE
ROYAUME DE SUÈDE
EMPIRE DE RUSSIE
MER DU NORD
ROYAUME-UNI DE GRANDE-BRETAGNE ET D'IRLANDE
ROYAUME DU DANEMARK
ROYAUME DE PRUSSE
PROVINCES UNIES
PAYS-BAS
SAXE
ROYAUME DE POLOGNE
OCÉAN ATLANTIQUE
EMPIRE D'AUTRICHE
ROYAUME DE FRANCE
SUISSE
ROYAUME DE HONGRIE
ROYAUME DU PORTUGAL
ROYAUME D'ESPAGNE
ÉTATS DE L'ÉGLISE
EMPIRE OTTOMAN
ROYAUME DES DEUX SICILES
MER MÉDITERRANÉE
Monarchie absolue
Monarchie parlementaire
Régime de type républicain
Frontières du Saint Empire
0
500 km
Source : *Atlas historique Duby*, Larousse.

1 Une Europe monarchique et absolutiste (milieu du XVIIIe siècle)

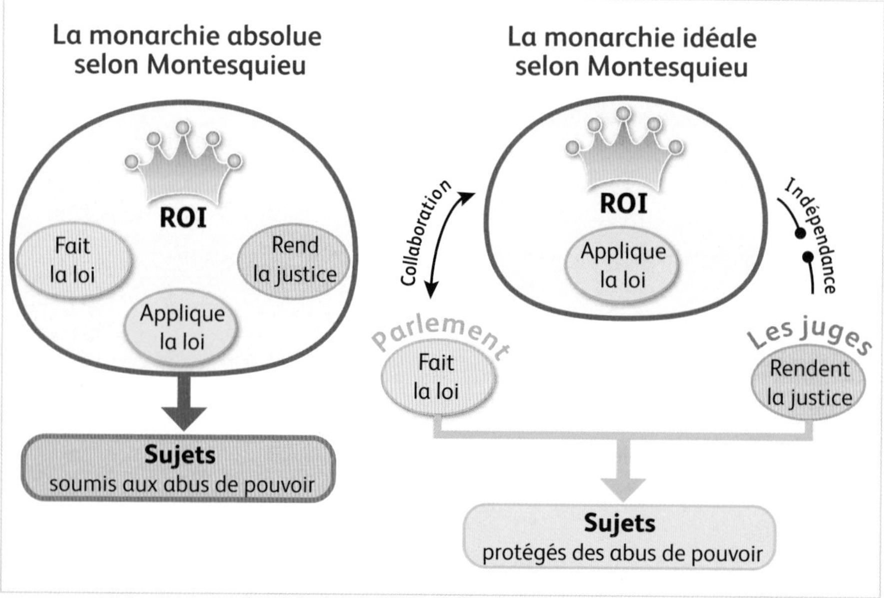

La monarchie absolue selon Montesquieu
ROI
Fait la loi
Rend la justice
Applique la loi
Sujets
soumis aux abus de pouvoir
La monarchie idéale selon Montesquieu
ROI
Applique la loi
Collaboration
Indépendance
Parlement
Fait la loi
Les juges
Rendent la justice
Sujets
protégés des abus de pouvoir

2 Les philosophes critiquent la monarchie absolue

Biographie

Montesquieu (1689-1748)

Penseur politique français, écrivain et philosophe des Lumières, il est l'auteur des *Lettres persanes* et de *L'Esprit des lois*.

Vocabulaire

Despote éclairé : souverain qui s'inspire des idées des Lumières pour transformer son pays et la société.

Raison : pour les philosophes des Lumières, faculté qu'ont les hommes à penser par eux-mêmes, sans préjugés.

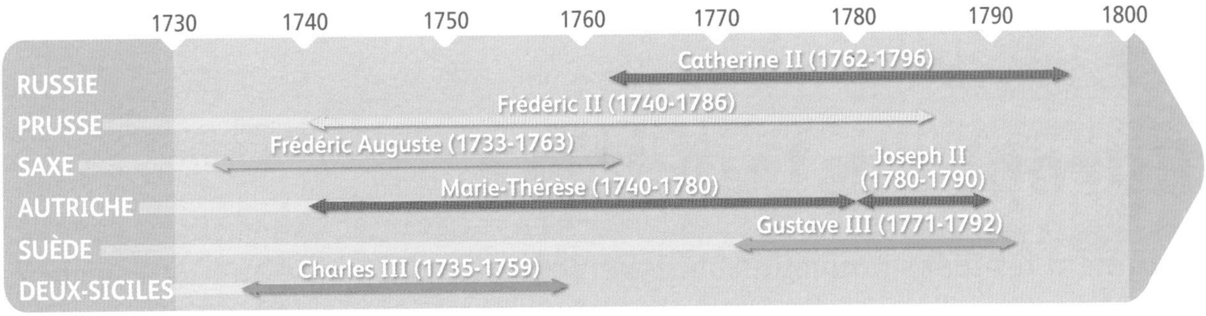
1730
1740
1750
1760
1770
1780
1790
1800
RUSSIE
PRUSSE
SAXE
AUTRICHE
SUÈDE
DEUX-SICILES
Catherine II (1762-1796)
Frédéric II (1740-1786)
Frédéric Auguste (1733-1763)
Joseph II (1780-1790)
Marie-Thérèse (1740-1780)
Gustave III (1771-1792)
Charles III (1735-1759)

3 | Des despotes éclairés

Trois réformes importantes de Joseph II

1781 : Joseph II abolit le servage.

1781 : Loi sur la tolérance permettant le libre exercice du culte pour les protestants.

1782 : Édit de tolérance pour les juifs.

4 | **Un souverain éclairé attentif au bonheur de ses peuples ?**
Anonyme, *L'empereur Joseph II à la charrue*, 1765, Wien Museum, Vienne (Autriche).

5 Un absolutisme déguisé ?

Les historiens en parlent

Le despotisme éclairé, mouvement politique qui s'étend de 1740 à 1790, établit le pouvoir royal sur les bases de la raison. Il appartient à des princes éduqués et éclairés de conduire leur peuple vers le progrès et de réformer l'État en profondeur.

Or la réalité des réformes faites apparente davantage le despotisme éclairé à l'absolutisme qu'à une application des théories des Lumières. Il pose néanmoins la question du rapport entre gouvernants et gouvernés et impose aux rois une obligation de résultats. Face à une opinion publique qui se renforce, les princes doivent fonder leur pouvoir autrement que par l'hérédité et le droit divin[1], et justifier leur action en lui attribuant un but collectif : le bonheur du peuple.

D'après A. Conchon, F. Leferme-Falguières, *Le XVIII*^e^ *siècle 1715-1815*, 2007, Paris.

1. Le roi prétend détenir son pouvoir de Dieu.

Comprendre le contexte

Une Europe absolutiste

1. DOC. 1 Quel régime politique domine en Europe au XVIIIe siècle ?
2. DOC. 2 Pourquoi les philosophes des Lumières critiquent-ils la monarchie absolue ? Que préconise Montesquieu ?

Le despotisme éclairé

3. DOC. 3 Pourquoi peut-on parler de mouvement européen des Lumières ?
4. DOC. 1 ET 4 Relevez les éléments qui font de Joseph II, un despote éclairé.
5. DOC. 5 Pourquoi les historiens critiquent-ils la notion de « despotisme éclairé » ?

Leçon

L'Europe des Lumières

Comment les idées nouvelles bouleversent-elles l'Europe au XVIIIe siècle ?

I Les idées nouvelles des Lumières européennes

- Au XVIIIe siècle, un nouveau courant de pensée s'impose en Europe : les Lumières. Ce mouvement conteste la tradition religieuse et intellectuelle classique. Les **philosophes** entendent **libérer l'homme par la connaissance** et **explorer l'univers par l'usage de la raison**. Ainsi, un séisme n'est plus perçu comme une punition divine, mais est observé comme un phénomène naturel qu'il faut analyser scientifiquement.
- Bien qu'agissant dans des contextes nationaux différents, ces penseurs défendent des valeurs communes : **unité du genre humain** malgré les différences de civilisations, **recherche du bonheur terrestre, dénonciation de l'absolutisme, lutte pour la tolérance religieuse et la liberté d'expression**, lutte contre une inégalité fondée sur la naissance, foi dans le progrès des sciences et des techniques, promotion de l'éducation…
- **Ce mouvement n'a cependant pas la même intensité selon les pays d'Europe**, la **France se détache** en raison de l'activité d'auteurs de premier plan comme Montesquieu, Voltaire, Rousseau ou du projet novateur que constitue l'*Encyclopédie* de Diderot et d'Alembert.

II La circulation des idées nouvelles

- Les Lumières inventent « l'opinion publique » dont elles se font les porte-parole pour justifier leur combat. Les lieux où se forme cette opinion publique se situent dans les villes : salons qui mettent en présence élites et hommes de lettres, sociétés savantes et académies…
- **La forte progression de la production de livres et l'essor de la presse facilitent la circulation des nouvelles idées.** De nouveaux lieux de lecture se développent dans les cafés, les **cabinets de lecture** ou les jardins publics. La lecture collective des nouvelles **permet l'émergence d'une culture de la discussion** et diffuse les idées des Lumières dans la population.
- Les œuvres des Lumières sont néanmoins souvent interdites par les autorités d'où l'importance de **contourner la censure ou de bénéficier de puissants protecteurs**.
- Certains princes, les despotes éclairés, prétendent cependant gouverner par la raison pour assurer le bonheur de leurs sujets. En réalité, c'est souvent pour renforcer leur pouvoir qu'ils modernisent l'État. Ils mettent ainsi les idées des Lumières au service de leur absolutisme.

Vocabulaire

Censure : interdiction d'une publication par le pouvoir royal.

Despotisme éclairé : conception du pouvoir politique qui tente de concilier absolutisme et Lumières. Le roi absolu doit gouverner d'après la raison et rechercher le bonheur de ses sujets.

Lumières : mouvement intellectuel européen qui encourage la réflexion (la raison), les connaissances scientifiques et la recherche du bonheur individuel, quitte à bousculer croyances religieuses et traditions intellectuelles plus anciennes.

Opinion publique : idées partagées par une grande partie de la population.

Je retiens l'essentiel

L'essentiel en schéma

Au XVIIIe siècle, un mouvement intellectuel européen : les Lumières

Les idées nouvelles des Lumières européennes

- Explorer l'univers par l'usage de la raison et favoriser le progrès des sciences

LISABONA

- Lutter contre l'intolérance religieuse et pour la liberté d'expression

- Remettre en cause l'absolutisme

La circulation des idées nouvelles

- La circulation de l'imprimé et de nouveaux lieux de lecture dans les villes

- L'apparition de l'opinion publique

- L'intérêt des despotes éclairés

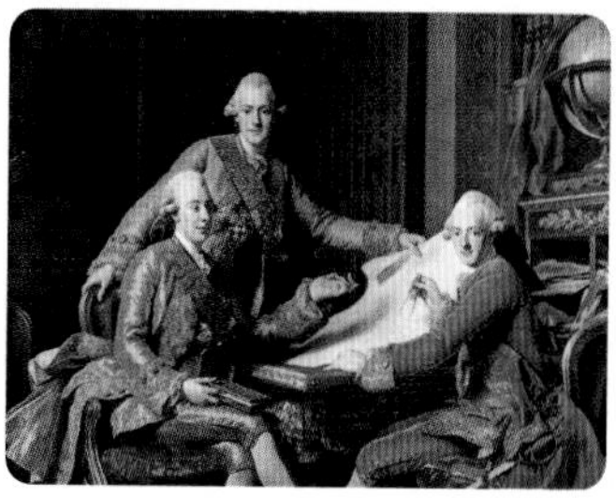

Frise chronologique : 1720 – 1750 – 1780

- 1715 : Mort de Louis XIV
- 1750 → 1765 : Publication de l'*Encyclopédie*
- 1761 → 1765 : Affaire Calas
- 1776 : Révolution américaine
- 1789 : Début de la Révolution française

J'apprends, je m'entraîne

▶ Socle *Méthodes et outils pour apprendre*

PDF FICHE DE RÉVISION À TÉLÉCHARGER Fiche 2

L'Europe des Lumières

1. Construire sa fiche de révision : notez le titre de la leçon sur votre feuille

Je connais...

Objectif 1 ▶ Connaître les repères chronologiques et géographiques

1. Rappelez les dates des événements suivants :
   - La parution de l'*Encyclopédie*
   - L'affaire Calas
2. Reproduisez et complétez la légende de la carte suivante :
3. Nommez les États ①, ② et ③.

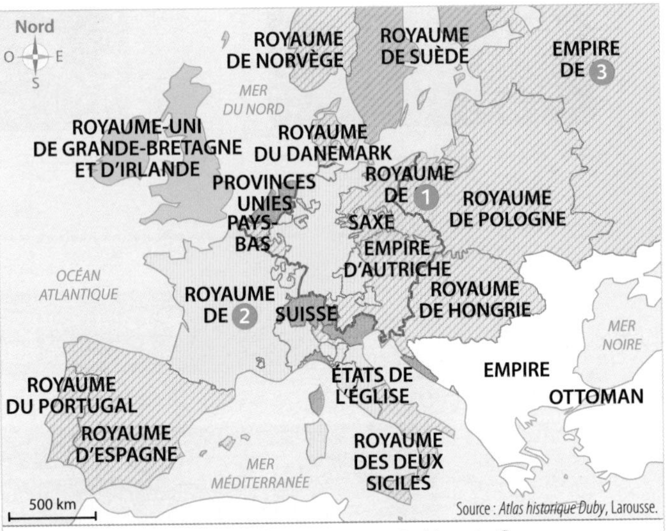

Nord
O E S
ROYAUME DE NORVÈGE
ROYAUME DE SUÈDE
EMPIRE DE 3
MER DU NORD
ROYAUME-UNI DE GRANDE-BRETAGNE ET D'IRLANDE
ROYAUME DU DANEMARK
PROVINCES UNIES
ROYAUME DE 1
ROYAUME DE POLOGNE
PAYS-BAS
SAXE
EMPIRE D'AUTRICHE
OCÉAN ATLANTIQUE
ROYAUME DE 2
SUISSE
ROYAUME DE HONGRIE
MER NOIRE
ÉTATS DE L'ÉGLISE
EMPIRE OTTOMAN
ROYAUME DU PORTUGAL
ROYAUME D'ESPAGNE
MER MÉDITERRANÉE
ROYAUME DES DEUX SICILES
500 km
Source : Atlas historique Duby, Larousse.

1. Une Europe monarchique
- ....
- ....
- Régime de type républicain

2. Une influence des Lumières
- Despotisme éclairé

Objectif 2 ▶ Connaître les mots-clés

Notez la définition des mots-clés demandés ci-dessous :

Lumières – *Encyclopédie* – Raison – Despote éclairé – Censure.

Je suis capable de...

Pour chacun des objectifs suivants, construisez une réponse à la consigne.

Objectif 3 ▶ Présenter les idées des Lumières

Aide *Vous pouvez construire une carte mentale en plaçant au centre le titre « Les idées des Lumières ».*
1. Construisez des branches pour placer les idées suivantes : *Lutter contre le fanatisme et l'intolérance religieuse, Remettre en cause la monarchie absolue, Mieux connaître le monde.*
2. Associez-leur les expressions suivantes : *par la connaissance et les découvertes scientifiques, au nom de la liberté, au nom de la séparation des pouvoirs.*
3. Vous pouvez construire d'autres branches, illustrer votre carte par des dessins, portraits de philosophes, de scientifiques…

Objectif 4 ▶ Expliquer comment les idées des Lumières se diffusent

Aide *Rappelez le rôle des livres comme l'*Encyclopédie*, des lettres, des lieux comme les cafés, les académies…*

Objectif 5 ▶ Expliquer ce qu'est le despotisme éclairé

Aide *Utilisez les mots-clés suivants : souverain, absolutisme, philosophe, Lumières.*

2. S'entraîner

1 Construire des repères historiques — Hommes et femmes des Lumières

Classez les personnalités des Lumières suivantes, selon qu'elles sont des philosophes, des scientifiques, des protecteurs des Lumières.

Rousseau (1712-1778)

Mme de Pompadour (1721-1764)

Buffon (1707-1788)

Diderot (1713-1784)

Lavoisier (1743-1794)

Frédéric II de Prusse (1740-1786)

2 S'informer dans le monde numérique

Voyager pour augmenter la connaissance du monde

Rendez-vous sur le site de la BNF pour trouver la fiche de cette image, en tapant dans un moteur de recherche les mots-clés « Bougainville bnf Lumières ».

1. Relevez les dates et le but du voyage de Bougainville.
2. Quelles personnes l'accompagnent ? Pour quelles raisons ?
3. Quelle île est représentée sur cette aquarelle ?

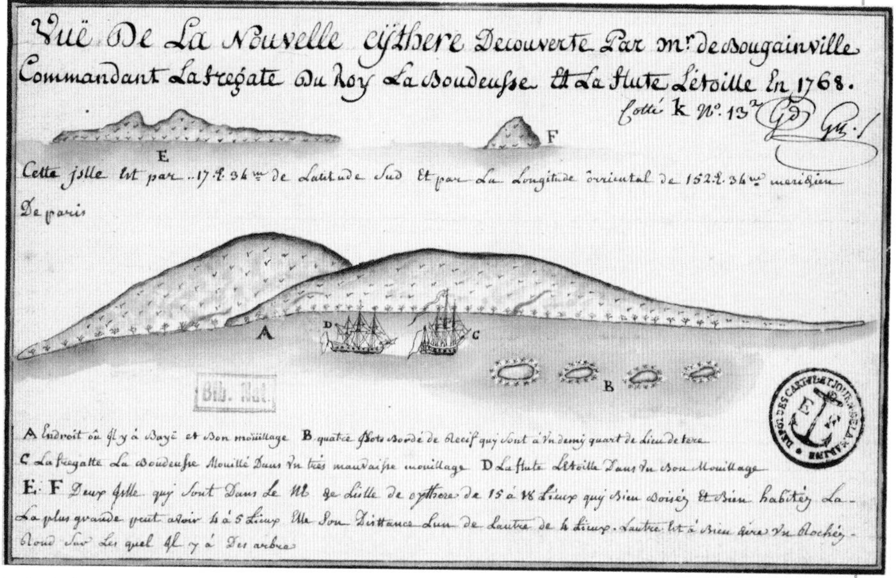
Vuë De La Nouvelle cythere Decouverte Par Mr de Bougainville
Commandant La fregate Du Roy La Boudeuse Et La flute Létoille En 1768.
E
F
A
D
C
B
L.-A. de Bougainville, *Vue de la Nouvelle Cythère…*, dessin à la plume aquarellé, 1768, BNF, Paris.

Retournez dans le reste de l'exposition. Vous pouvez suivre le lien suivant : http://expositions.bnf.fr/lumieres/ et cliquer sur l'onglet « l'exposition », puis « l'universalité ».

4. Recherchez le nom de l'explorateur britannique qui a découvert les îles d'Hawaï.
5. Pourquoi les voyages modifient-ils la vision que les Européens ont de l'humanité ?
6. Comment les connaissances rapportées de ce voyage ont-elles pu être diffusées en Europe ?

Auto-Évaluation Je me positionne sur une marche :

1.
- **Je vais sur les pages proposées.**
- **Je m'y déplace.**

Question 1

2.
- Je vais sur les pages proposées.
- Je m'y déplace.
- **Je trouve des informations.**

Questions 1 et 2

3.
- Je vais sur les pages proposées.
- Je m'y déplace.
- **Je trouve et sélectionne des informations pertinentes pour répondre.**

Questions 1, 2, 3 et 4

4.
- Je vais sur les pages proposées.
- Je m'y déplace.
- Je trouve et sélectionne des informations pertinentes pour répondre.
- **Je les confronte à ce que je connais du sujet.**

Questions 1, 2, 3, 4, 5 et 6

Pour progresser, j'analyse mes axes de progrès. Que devrais-je améliorer ?

Vers le brevet

1 Analyser et comprendre des documents

M.-Q. de La Tour, *Portrait de Rousseau*, Musée d'Art et d'Histoire, Genève.

Le bon gouvernement selon Rousseau

Toute action est guidée par deux éléments : la volonté qui la détermine et la force qui l'exécute. Quand je marche vers un objet, il faut premièrement que j'y veuille aller ; en second lieu, que mes pieds m'y portent. Le corps politique fonctionne de la même manière : on y distingue la force et la volonté, c'est-à-dire la puissance exécutive et la puissance législative.

La puissance législative appartient au peuple qui est souverain[1], et ne peut appartenir qu'à lui. La puissance exécutive appartient au gouvernement, chargé de l'exécution des lois et du maintien de la liberté, qui ne peut subsister sans l'égalité.

D'après J.-J. Rousseau, *Du contrat social ou Principes du droit politique*, Livre III, 1762.

1. Qui est à l'origine du pouvoir, qui détient le pouvoir.

Qui est-il ? Jean-Jacques Rousseau (1712-1778)

Philosophe et écrivain suisse. Dans le *Contrat social*, il présente ses idées politiques.

Identifier le document

1. Présentez le document (sa nature, son auteur, sa date et le sujet traité).

Extraire des informations pertinentes et utiliser ses connaissances pour expliciter

2. Relevez dans le 1er paragraphe, les deux éléments qui guident chaque action de l'homme.
3. Relevez l'expression qui désigne :
   - Le pouvoir de faire la loi, de voter les lois.
   - Le pouvoir d'exécuter les lois, de gouverner.
4. D'après Rousseau, à qui appartient :
   - Le pouvoir de faire la loi ?
   - Le pouvoir d'exécuter les lois ?
5. À l'aide de vos connaissances, montrez que Rousseau se rapproche ici de Montesquieu (voir p. 46).
6. Rousseau est-il un partisan de la monarchie absolue ? Justifiez votre réponse.

2 Maîtriser différents langages pour raisonner et se repérer

1
2

1. Sous la forme d'un développement construit après avoir rappelé ce que sont les Lumières, montrez comment leurs idées se diffusent. Vous vous appuierez sur des exemples précis pour illustrer votre propos.
2. Relevez sur le tableau suivant les éléments qui font de Catherine II de Russie un monarque absolu, et ceux qui font d'elle une souveraine éclairée et cultivée.

Aide *Soyez attentif aux symboles du pouvoir et aux allégories[1].*

C. Lampi, *Catherine II de Russie avec les allégories[1] de l'histoire* (1) *et du temps* (2), musée de la Révolution française, Vizille (38).

1. Représentation d'une idée abstraite (ici par des personnages).

Enquêter

Les Lumières et l'Amérique : quelles influences réciproques ?

Les faits

Le 4 juillet 1776, la déclaration d'Indépendance des treize colonies anglaises d'Amérique

Tous les hommes sont créés égaux ; le Créateur les a dotés de certains droits inaliénables[1] parmi lesquels se trouvent la vie, la liberté et la recherche du bonheur. Pour garantir ces droits, les hommes instituent des gouvernements qui tirent leur juste pouvoir du consentement des gouvernés. Chaque fois qu'un gouvernement menace ces droits, c'est le droit du peuple de l'abolir et d'en instituer un autre.

Déclaration rédigée par Thomas Jefferson, Benjamin Franklin et John Adams, proclamée le 4 juillet 1776 à Philadelphie.

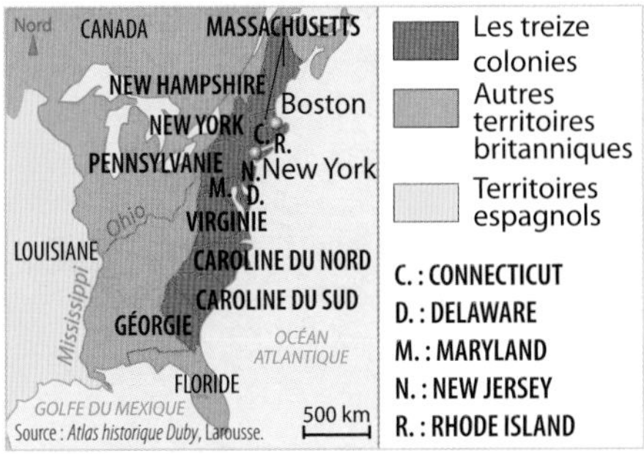
Nord
CANADA
MASSACHUSETTS
NEW HAMPSHIRE
Boston
NEW YORK
C.
R.
PENNSYLVANIE
N.
New York
M.
D.
Ohio
VIRGINIE
LOUISIANE
Mississippi
CAROLINE DU NORD
CAROLINE DU SUD
GÉORGIE
OCÉAN ATLANTIQUE
FLORIDE
GOLFE DU MEXIQUE
500 km
Source : Atlas historique Duby, Larousse.
Les treize colonies
Autres territoires britanniques
Territoires espagnols
C. : CONNECTICUT
D. : DELAWARE
M. : MARYLAND
N. : NEW JERSEY
R. : RHODE ISLAND

1. Qu'on ne peut leur retirer.

Indice n°1

Le gouvernement selon les Lumières

Aucun homme n'a reçu de la nature le droit de commander aux autres. Le prince tient de ses sujets l'autorité qu'il a sur eux. Ce n'est pas l'État qui appartient au prince, c'est le prince qui appartient à l'État.

D'après Diderot, article « Autorité publique », dans l'*Encyclopédie*, T.1, 1751, Paris.

Indice n°2

J. J. ROUSSEAU NÉ EN 1712 ; MORT EN 1778
LE FLAMBEAU DE L'UNIVERS
B. FRANCKLIN NÉ EN 1706 ; MORT EN 1790
VOLTAIRE NÉ EN 1694 ; MORT EN 1778
1
2
3

Voltaire, ❶ *Rousseau,* ❷ *Franklin,* ❸ *trois hommes des Lumières*

Estampe en couleurs, XVIIIe siècle, BNF, Paris.

Indice n°3

Les idées des Lumières mises en œuvre ?

Bientôt on vit arriver à Paris des députés américains ; on voyait chaque jour accourir les hommes les plus distingués de la capitale et de la Cour, ainsi que tous les philosophes. Leur désir secret était de se voir un jour législateurs en Europe, comme leurs amis l'étaient en Amérique.

D'après les *Mémoires du comte de Ségur* (1753-1830), 1822, Paris.

Indice n°4

Un homme des Lumières en Amérique

En 1777, le jeune marquis de La Fayette quitte la France pour aller aider les insurgés américains contre les Britanniques.

ARRIVAL OF LAFAYETTE IN AMERICA-1777
3¢
U.S. POSTAGE
3¢

Avez-vous pris connaissance des faits et indices ? Quelle est votre conviction : quelles sont les influences entre l'Amérique et les Lumières ?

Par équipe, complétez le carnet d'enquête :

1. Les valeurs des insurgés américains : ...
2. Les idées politiques des Lumières : ...
3. Des relations humaines étroites entre les deux : ...

Rédigez votre rapport d'enquête.

L'atelier d'écriture

Vers la tâche complexe

L'*Encyclopédie*, le projet d'une connaissance universelle pour tous

À l'aide de vos connaissances, construisez un texte qui présente le projet de l'*Encyclopédie*.

Travail préparatoire (au brouillon)

1. Comprenez bien le sujet et mobilisez vos connaissances en reproduisant la carte mentale suivante et en répondant aux questions.

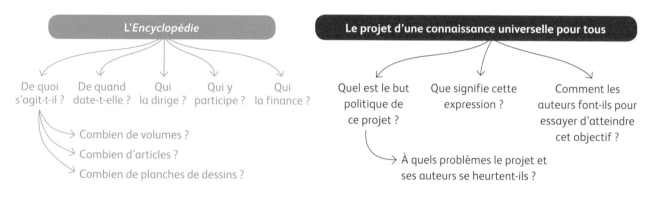

L'*Encyclopédie*
- De quoi s'agit-il ?
  - Combien de volumes ?
  - Combien d'articles ?
  - Combien de planches de dessins ?
- De quand date-t-elle ?
- Qui la dirige ?
- Qui y participe ?
- Qui la finance ?

Le projet d'une connaissance universelle pour tous
- Quel est le but politique de ce projet ?
  - À quels problèmes le projet et ses auteurs se heurtent-ils ?
- Que signifie cette expression ?
- Comment les auteurs font-ils pour essayer d'atteindre cet objectif ?

2. Vérifiez que vous avez bien mobilisé le vocabulaire appris (philosophes, savants, souscription, censure…).
3. Vous pouvez ajouter des branches à la carte mentale.

Travail de rédaction (au propre)

RAPPELS
Vos paragraphes commencent par un alinéa. N'oubliez pas de relire et de vérifier vos accords.

À vous de choisir votre niveau de difficulté et votre ceinture !

Je rédige un texte **sans aide.**

Rédigez votre texte en vérifiant que :
- Vous organisez vos idées en paragraphes.
- Vous commencez par une introduction qui présente le sujet et précise la période concernée.
- Vous terminez par une phrase de conclusion qui précise que le projet de l'*Encyclopédie* est révélateur du rôle des philosophes dans la société du XVIIIe siècle.

Je rédige un texte **avec un guidage léger.**

Rédigez votre texte à l'aide des conseils suivants :
- Commencez par une introduction qui présente le sujet et précise la période concernée. Puis rédigez deux paragraphes :
- Le 1er paragraphe suit le chemin bleu de la carte mentale.
- Le 2nd paragraphe suit le chemin rose de la carte mentale.

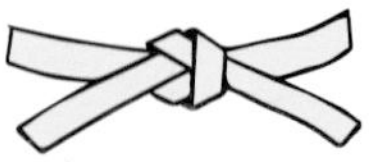

Je rédige un texte **avec un guidage plus important.**

Rédigez votre texte à l'aide des conseils suivants :
- Commencez par une introduction qui présente le sujet et précise la période concernée. Puis rédigez deux paragraphes :
- Le 1er paragraphe définit et présente l'*Encyclopédie*. Il suit le chemin bleu de la carte mentale. Il peut commencer par l'amorce suivante : L'*Encyclopédie* est … composée de … écrite par … au ….
- Le 2nd paragraphe présente et explique les objectifs poursuivis, les moyens mis en œuvre et les difficultés rencontrées. Il suit le chemin rose de la carte mentale. Il peut commencer par l'amorce suivante : Le projet de l'*Encyclopédie* a différents objectifs. Tout d'abord, elle cherche à …. Elle a aussi un but politique …

Quels sont les dangers de l'intolérance ?

1 Le philosophe contre l'intolérance

Ce n'est plus aux hommes que je m'adresse ; c'est à toi, Dieu de tous les êtres, de tous les mondes et de tous les temps. Tu ne nous as point donné un cœur pour nous haïr, et des mains pour nous égorger. Fais que les petites différences entre les vêtements qui couvrent nos corps, entre tous nos langages, entre tous nos usages, entre toutes nos lois, entre toutes nos conditions, si égales devant toi, ne soient pas des signaux de haine et de persécutions.

D'après Voltaire, *Traité sur la Tolérance*, 1763.

RACISME - HOMOPHOBIE - SEXISME
L'INTOLÉRANCE TUE

3 Dénoncer l'intolérance

Dugudus, *L'intolérance tue*, sérigraphie, 70 x 50, 2013.

4 La tolérance, un principe pour vivre ensemble

Art. 1.4 : La pratique de la tolérance signifie l'acceptation du fait que les êtres humains ont le droit de vivre en paix et d'être tels qu'ils sont. Elle signifie également que nul ne doit imposer ses opinions à autrui.

D'après la Déclaration de principes sur la tolérance, UNESCO, 16 novembre 1995.

Le saviez-vous ?

Le 16 novembre : Journée internationale pour la tolérance.

2 Protéger contre l'intolérance

POLICE

a **Policiers protégeant la Grande Mosquée de Paris, le 9 janvier 2015, après les attentats contre** *Charlie Hebdo*

b Un attentat homophobe, Orlando (juin 2016)

50 personnes ont été assassinées dans une boîte de nuit homosexuelle le 12 juin 2016, à Orlando (Floride).

Le père du tueur a raconté à *NBC* que son fils était capable de se mettre en colère rien qu'à la vue de deux hommes s'embrassant. « Nous étions dans le centre-ville de Miami (…). Et il a vu deux hommes qui s'embrassaient, et il est devenu très énervé », a-t-il confié à la chaîne. Très clairement, c'est l'homophobie, qui est à l'origine de ce massacre.

D'après M. Le Breton, « Pourquoi la tuerie d'Orlando restera un acte terroriste homophobe plus qu'islamiste », *huffingtonpost.fr*, le 13/06/2016.

Vocabulaire

Intolérance : rejet des personnes perçues comme différentes ou n'ayant pas les mêmes opinions.

La sensibilité : soi et les autres

1. DOC. 1 Quels mots Voltaire associe-t-il à l'intolérance ?
2. DOC. 3 Comment ce dessin dénonce-t-il l'intolérance ?

Le jugement : penser par soi-même et avec les autres

3. DOC. 1 ET 2 Montrez que l'intolérance c'est rejeter les différences.
4. DOC. 2 ET 4 Pourquoi la tolérance est-elle indispensable dans une société ?

3 La Révolution française et l'Empire

Quels sont les apports politiques et sociaux de la Révolution et de l'Empire en France et en Europe ?

Souvenez-vous !
Quel régime politique est critiqué par les philosophes des Lumières ?

1 Louis XVI, roi de France, est exécuté place de la Révolution à Paris

Le bourreau présente sa tête à la foule parisienne, le 21 janvier 1793.

Anonyme, *Exécution de Louis XVI, le 21 janvier 1793*, gravure coloriée, musée Carnavalet, Paris.

Vocabulaire

Régime politique : forme que prend le gouvernement d'un pays (monarchie, république…).

Révolution : changement de régime politique dans un pays après une action violente.

Socle *Se repérer dans le temps*

1789	1792	1799	1804	1815
Abolition des privilèges	Chute de la monarchie	Coup d'État de Napoléon Bonaparte	Napoléon empereur	Fin de l'Empire

2 **Napoléon Ier, empereur des Français, restaure la souveraineté du peuple polonais**
Napoléon permet la création d'un petit État polonais en 1807, après sa victoire contre le tsar russe Alexandre Ier.
M. Bacciarelli, *Napoléon Ier remettant la Constitution au duché de Varsovie*, 1811, musée national de Varsovie (Pologne).

1. DOC. 1 Quel sort la Révolution réserve-t-elle au roi ?
2. DOC. 2 Décrivez cette scène. Comment l'artiste montre-t-il l'admiration et la reconnaissance des Polonais pour Napoléon ?
3. DOC. 1 ET 2 **Formulez une hypothèse** pour répondre à la question suivante : quelles sont les transformations provoquées en France et en Europe par la Révolution et l'Empire ?

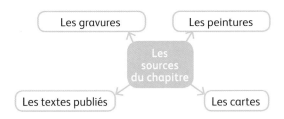

Les sources du chapitre : Les gravures ; Les peintures ; Les textes publiés ; Les cartes

Étude

▸ **Socle** *Extraire les informations pertinentes pour les classer – Comprendre le sens général d'un document*

1788 — 1789
- Avril - mai : Convocation des États généraux
- 20 juin : Serment du Jeu de paume
- Juillet : Prise de la Bastille
- Août : Abolition des privilèges, Déclaration des Droits de l'homme et du citoyen

1789, l'année des ruptures

Comment l'année 1789 engendre-t-elle des ruptures politiques et sociales radicales en France ?

Contexte 1789 : la France en crise
En 1788, la France est endettée. Les dépenses liées à la Guerre d'Indépendance américaine ont été importantes et les récoltes sont mauvaises. Pour résoudre la crise, le roi convoque les **États généraux** en mai 1789. Chaque **ordre** rédige des **cahiers de doléances**.

2 Les souhaits de la noblesse

Considérant donc que toute propriété est sacrée et inviolable, nous déclarons ne jamais consentir à l'extinction des droits[1] qui ont caractérisé jusqu'ici l'Ordre Noble et que nous tenons de nos ancêtres.

D'après le *Cahier de doléances de la noblesse du bailliage de Montargis*, A. D. du Loiret, avril 1789.

1. Privilèges.

3 Les souhaits du clergé

Que sa Majesté, à l'exemple de ses prédécesseurs, réprime la presse qui inonde la capitale et les provinces d'écrits scandaleux de toute espèce. Que la foi catholique y soit la seule permise et autorisée, sans mélange d'aucun culte public. Que les dîmes[1] et bénéfices[2] soient conservés.

D'après le *Cahier de doléances du clergé du bailliage d'Orléans*, A.D. du Loiret, avril 1789.

1 et 2. Impôts reversés à l'Église par le tiers état.

1 Les souhaits du tiers état de Lanvern

Cahier de doléances de la paroisse de Lanvern pour les états généraux fixés par sa majesté au 27 avril 1789
Nous tous habitants de la paroisse de Lanvern, agés de vingt cinq ans et au dessus, puisque le roi notre sire et souverain seigneur veut bien se prêter à écouter favorablement nos observations et doléances, lui demandons,
1° la suppression du droit de franc-fief;

Nous tous les habitants de la paroisse (...) demandons :
Art 1 : La suppression du droit de franc-fief.[1]
Art 3 : Qu'il soit mis taxe sur les chevaux, les chiens, les produits de luxe.
Art 9 : Que le tiers état soit admis dans tous les offices, emplois et charges du royaume.
Art 11 : Que la corvée[2] en nature soit enfin abolie.

1. Taxe sur l'acquisition d'une terre par les membres du tiers état.
2. Travail gratuit pour le seigneur.

D'après le *Cahier de doléances de la paroisse de Lanvern*, 27 avril 1789.

Vocabulaire

Cahiers de doléances : cahiers dans lesquels les membres de chaque ordre rédigent leurs souhaits et plaintes.
Constitution : texte de loi qui fixe l'organisation de l'État et le partage du pouvoir.
États généraux : assemblée constituée des représentants des trois ordres.
Ordre : partie de la société (clergé, noblesse, tiers état).
Privilèges : droits dont bénéficient uniquement la noblesse et le clergé (exemption de l'impôt, emplois réservés...).

4 Juin 1789, rupture avec la monarchie absolue de droit divin

Les députés jurent de donner à la France une **Constitution**.
J.-L. David, *Le Serment du Jeu de paume, le 20 juin 1789*, 1791, musée de Versailles.

Bailly (1) et Robespierre (2), députés du tiers état
(3) Députés du clergé (4) Le vent de la liberté
(5) Le peuple

5 Août 1789, la fin de l'Ancien Régime

Le 4 août est votée l'abolition des **privilèges**. Les députés du clergé et de la noblesse (A) ont renoncé à leurs privilèges (B) représentés par des objets : l'armure et les armes pour les chevaliers, le chapeau rouge du cardinal…
Anonyme, *Nuit du 4 au 5 août* ou *Le Délire patriotique*, gravure coloriée, musée Carnavalet, Paris.

Activités

Socle *Extraire les informations pertinentes pour les classer*

1. DOC. 1, 2 ET 3 Reproduisez le tableau ci-contre et classez dans les cases blanches les revendications des différents ordres indiquées dans ces cahiers de doléances.

Les revendications au sujet	Tiers état	Noblesse	Clergé
des impôts			
de la liberté			
de l'égalité			

Socle *Comprendre le sens général d'un document*

2. DOC. 4 Comment les députés mettent-ils fin à la monarchie absolue ?
Aide *Utilisez la définition de Constitution pour comprendre ce qui se passe le 20 juin 1789.*

3. DOC. 1 À 5 Pourquoi l'abolition des privilèges constitue-t-elle une rupture importante ?

Pour conclure Rédigez une réponse construite qui justifie l'affirmation suivante :

1789, l'année des ruptures.

Aide *Montrez tout d'abord que les trois ordres ne sont pas d'accord entre eux. Ensuite montrez que la monarchie absolue disparaît. Enfin, expliquez comment la société d'ordres disparaît.*

Contexte

Les temps forts de la Révolution (1789-1815)

1 La Révolution : entre monarchie et Empire

Les historiens en parlent

a 1789-1791 : un pays en mutation

Les députés tentent de mettre en place une monarchie constitutionnelle inspirée du modèle anglais. En janvier 1790, la France est divisée en 83 départements, tous les couvents sont fermés et les terres de l'Église redistribuées.

D'après O. Coquard, *Lumières et Révolutions*, 1715-1815, Paris, 2014.

b 1793-1794 : la Terreur

À l'été 1793, les difficultés aux frontières et l'ampleur des troubles [contre-révolutionnaires] en Vendée conduisent à la mise en place d'un régime d'exception : création d'un tribunal révolutionnaire, instauration d'un comité de surveillance, établissement d'un comité de Salut public. D'autres mesures sont adoptées, comme la loi des suspects et le prix « maximum général[1] ». De l'automne 1793 à l'été 1794, ce moment d'exceptionnelle tension est qualifié de « Terreur ».

D'après Ph. Bourdin, *Citoyenneté, démocratie, république*, Paris, 2014.

1. Qui fixe le prix des produits de première nécessité.

Frères Lesueur, *La levée en masse*, gouache, fin XVIIIe siècle, musée Carnavalet, Paris.

c 1799-1804 : le Consulat

Le coup d'État du général Bonaparte, le 9 novembre 1799, entraîne des transformations importantes de l'État et de la vie politique française. Le Consulat, tout en reprenant et achevant plusieurs chantiers ouverts sous le Directoire[1], constitue une rupture politique majeure. Le régime instauré par la force et son évolution de plus en plus autoritaire font de Bonaparte, pour certains, le fossoyeur[2] de la Révolution. Pour d'autres, il incarne au contraire un État moderne issu de la Révolution.

D'après M. Biard, *Révolution, Consulat, Empire, 1789-1815*, Paris, 2014.

1. Forme de gouvernement qui succède à la Terreur et précède le Consulat.
2. Celui qui enterre.

F. Bouchot, *Bonaparte au Conseil des Cinq-Cents*, huile sur toile, 1840, musée de Versailles.

d 1804-1815 : l'Empire

La page qui s'ouvre en France en 1804, lors de la proclamation de l'Empire, et qui se termine dix ans plus tard par la restauration de la monarchie des Bourbons, est souvent associée aux batailles célèbres avant que la défaite de Russie n'y mette fin. Après la rupture de la paix d'Amiens[1], c'est l'état de guerre permanent qui explique une gestion de plus en plus personnelle du pouvoir par Napoléon, ses victoires permettant de légitimer son pouvoir.

D'après M. Biard, *Révolution, Consulat, Empire*, 1789-1815, Paris, 2014.

1. Paix signée en 1802 entre le Royaume-Uni, la France et l'Espagne.

F. P. Baron Gérard, *Portrait de l'empereur Napoléon Bonaparte, costume de sacre*, huile sur toile, vers 1804, musée national de Stockholm (Suède).

Vocabulaire

Comité de Salut public : gouvernement mis en place par la Convention en avril 1793.

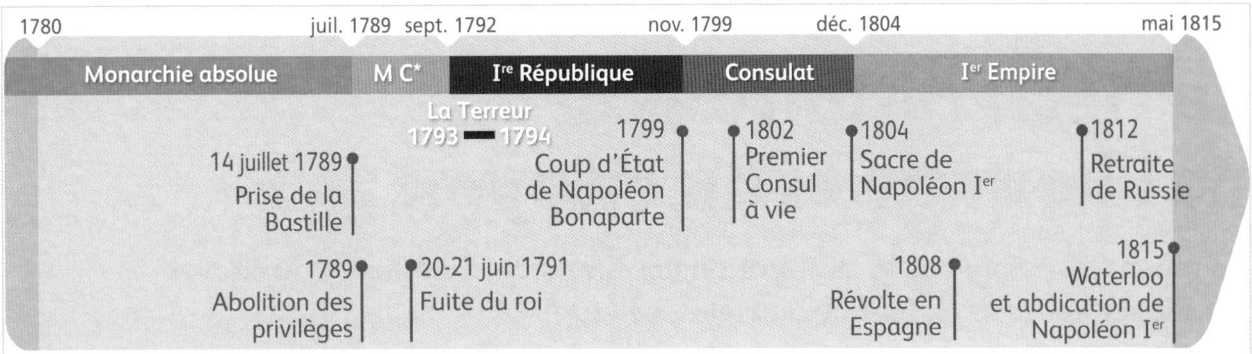
1780
juil. 1789
sept. 1792
nov. 1799
déc. 1804
mai 1815
Monarchie absolue
M C*
Ire République
Consulat
Ier Empire
La Terreur 1793 – 1794
14 juillet 1789 Prise de la Bastille
1789 Abolition des privilèges
20-21 juin 1791 Fuite du roi
1799 Coup d'État de Napoléon Bonaparte
1802 Premier Consul à vie
1804 Sacre de Napoléon Ier
1808 Révolte en Espagne
1812 Retraite de Russie
1815 Waterloo et abdication de Napoléon Ier

M C* : Monarchie constitutionnelle

2 | Quatre régimes politiques qui révolutionnent la France

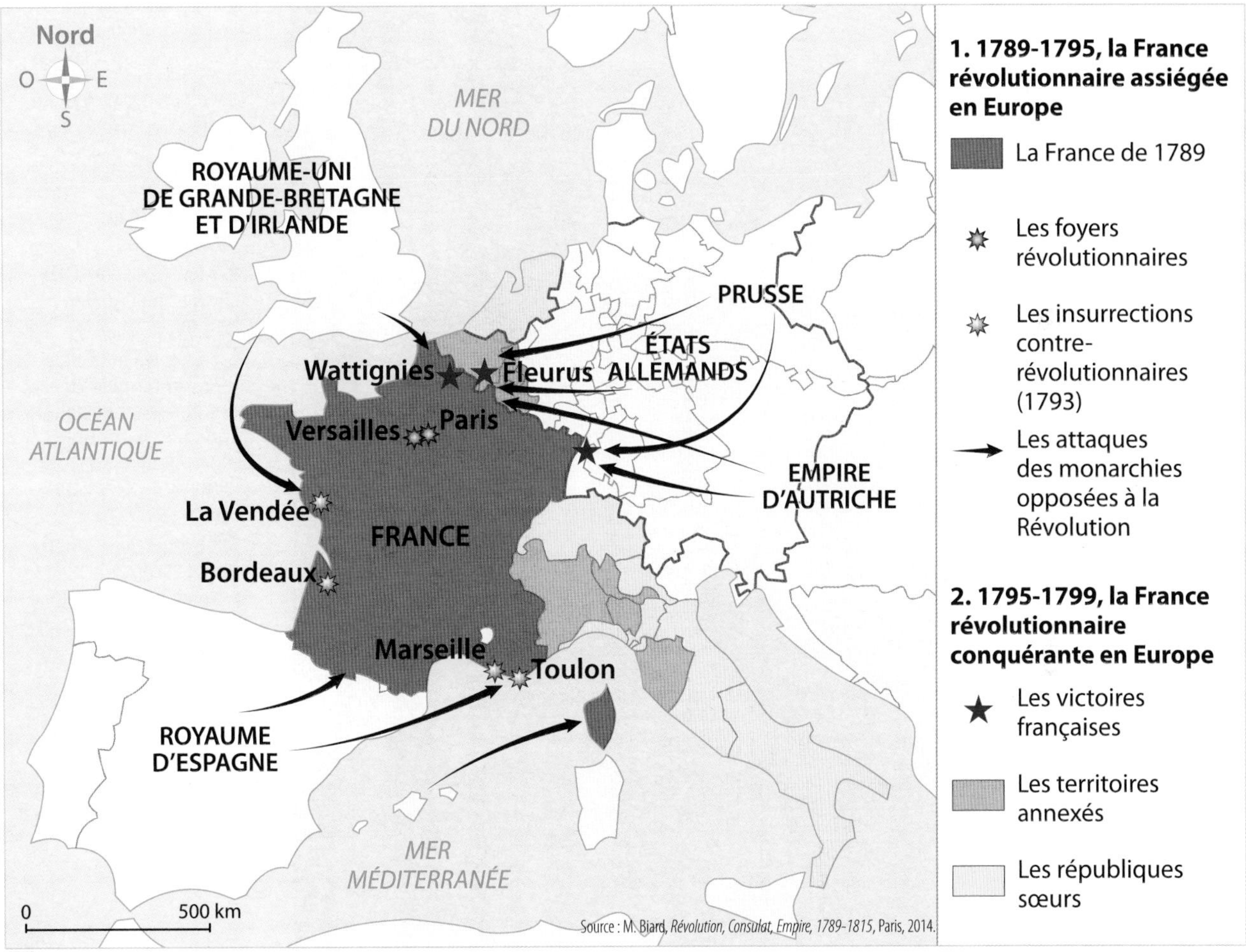
Nord
O E S
MER DU NORD
ROYAUME-UNI DE GRANDE-BRETAGNE ET D'IRLANDE
OCÉAN ATLANTIQUE
PRUSSE
ÉTATS ALLEMANDS
Wattignies
Fleurus
Versailles
Paris
EMPIRE D'AUTRICHE
La Vendée
FRANCE
Bordeaux
Marseille
Toulon
ROYAUME D'ESPAGNE
MER MÉDITERRANÉE
0 500 km
1. 1789-1795, la France révolutionnaire assiégée en Europe
La France de 1789
Les foyers révolutionnaires
Les insurrections contre-révolutionnaires (1793)
Les attaques des monarchies opposées à la Révolution
2. 1795-1799, la France révolutionnaire conquérante en Europe
Les victoires françaises
Les territoires annexés
Les républiques sœurs

Source : M. Biard, *Révolution, Consulat, Empire, 1789-1815*, Paris, 2014.

3 | La France et l'Europe face à la Révolution

Comprendre le contexte

Un enchaînement de régimes politiques

1. DOC. 1 ET 2 Montrez que la France ne connaît pas de régime politique stable pendant la période 1789-1815.
2. DOC. 1b Pourquoi la Terreur est-elle mise en place ?
3. DOC. 1c ET 1d Qui est à la tête du Consulat et de l'Empire ?

La France et l'Europe face à la Révolution

4. DOC. 3 À quelles menaces la France doit-elle faire face lors de la Révolution ?
5. DOC. 3 Comment le territoire français évolue-t-il entre 1789 et 1799 ?

Étude

▸ **Socle** : *Extraire des informations pertinentes – Réaliser une description*

La Déclaration des droits de l'homme et du citoyen

Comment les valeurs de la Déclaration des droits de l'homme et du citoyen contribuent-elles à fonder une nouvelle société ?

A
B
C
D
DÉCLARATION DES DROITS DE L'HOMME ET DU CITOYEN,
Décretés par l'Assemblée Nationale dans les séances des 20, 21 23, 24 et 26 aoûst 1789, acceptés par le Roi
PRÉAMBULE
LES représantans du peuple Francois, constitués en assemblée nationale, considérant que l'ignorance, l'oubli ou le mépris des droits de l'homme sont les seules causes des malheurs publics et de la corruption des gouvernemens, ont résolu d'exposer dans une déclaration solemnelle, les droits naturels, inaliénables et sacrés de l'homme: afin que cette décla ration, constamment présente a tous les membres du corps social, leur rappelle sans cesse leurs droits et leurs devoirs; afin que les actes du pouvoir legislatif et ceux du pouvoir exécutif, pouvant être a chaque instant comparés avec le but de toute institution politique, en soient plus respectés; afin que les reclamations des citoyens, fondées désormais sur des princi pes simples et incontestables, tournent toujours au maintien de la constitution et du bonheur de tous.
EN conséquence, l'assemblée nationale reconnoit et déclare, en presence et sous les auspices de l'Etre suprême les droits suivans de l'homme et du citoyen.
ARTICLE PREMIER.
LES hommes naissent et demeurent libres et égaux en droits; les distinctions sociales ne peuvent être fondées que sur l'utilité commune.
II.
LE but de toute association politique est la conservation des droits naturels et inprescriptibles de l'homme; ces droits sont la liberté, la propriete, la surete, et la résistance à l'oppression
III.
LE principe de toute souveraineté réside essentiellement dans la nation, nul corps, nul individu ne peut exercer d'autorité qui n'en emane expressément.
IV.
LA liberté consiste a pouvoir faire tout ce qui ne nuit pas à autrui Ainsi, l'exercice des droits naturels de chaque homme, n'a de bornes que celles qui assurent aux autres membres de la société la jouissance de ces mêmes droits; ces bornes ne peuvent être déterminées que par la loi
V.
LA loi n'a le droit de défendre que les actions nuisibles a la société, Tout ce qui n'est pas défendu par la loi ne peut être empêché, et nul ne peut être contraint à faire ce qu'elle n'ordonne pas.
VI.
LA loi est l'expression de la volonté générale; tous les citoyens ont droit de concourir personnellement, ou par leurs représentans, à sa formation; elle doit être la même pour tous, soit qu'elle protege, soit qu'elle punisse, Tous les citoyens étant égaux a ses yeux, sont également admissibles a toutes dignités, places et emplois publics, selon leur capacité, et sans autres distinction que celles de leurs vertus et de leurs talens
VII.
NUL homme ne peut être accusé, arreté ni détenu que dans les cas déterminés par la loi, et selon les formes qu'elle a prescrites, ceux qui sollicitent, expédient, exécutent ou font exécuter des ordres arbitraires, doivent être punis; mais tout citoyen appelé ou saisi en vertu de la loi, doit obéir a l'instant, il se rend coupable par la résistance.
VIII.
LA loi ne doit établir que des peines strictement et évidemment nécessaire, et nul ne peut être puni qu'en vertu d'une loi établie et promulguée antérierement au délit, et légalement appliquée.
IX.
TOUT homme étant présumé innocent jusqu'à ce qu'il ait été déclaré coupable, s'il est jugé indispensable de l'arrêter, toute rigueur qui ne serait pas nécessaire pour s'assurer de sa personne doit être sévérement réprimée par la loi.
X.
NUL ne doit être inquiété pour ses opinions, mêmes religieuses pourvu que leur manifestation ne trouble pas l'ordre public établi par la loi.
XI.
LA libre communication des pensées et des opinions est un des droits les plus precieux de l'homme; tout citoyen peut dont parler écrire, imprimer librement: sauf à répondre de l'abus de cette liberté dans les cas déterminés par la loi.
XII.
LA garantie des droits de l'homme et du citoyen nécessite une force publique; cette force est donc instituée pour l'avantage de tous, et non pour l'utilité particuliere de ceux a qui elle est confiée.
XIII.
POUR l'entretien de la force publique, et pour les dépenses d'administration, une contribution commune est indispensable; elle doit être également répartie entre les citoyens en raison de leurs facultées
XIV.
LES citoyens ont le droit de constater par eux même ou par leurs représentans, la nécessité de la contribution publique, de la consentir librement, d'en suivre l'emploi, et d'en déterminer la quotité, l'assiette, le recouvrement et la durée.
XV.
LA société a le droit de demander compte a tout agent public de son administration.
XVI.
TOUTE société, dans laquelle la garantie des droits n'est pas assurée, ni les séparation des pouvoirs déterminée, n'a point de constitution
XVII.

1 **La Déclaration des droits de l'homme et ses allégories**

J.-J.-F. Le Barbier, *La Déclaration des droits de l'homme et du citoyen*, huile sur bois, 56 x 71 cm, vers 1789, musée Carnavalet, Paris.

Les symboles de la Déclaration des droits de l'homme et du citoyen :

- **A** La France brise les chaînes de l'Ancien Régime.
- **B** Le soleil et l'œil représentent les idées des philosophes des Lumières, le triangle équilatéral représente l'égalité entre les trois ordres.
- **C** L'ange de la Liberté tient le sceptre du pouvoir.
- **D** La pique incarne le peuple en armes et le bonnet phrygien symbolise la liberté et le courage des sans-culottes.

Vocabulaire

Allégorie : représentation d'une idée abstraite sous les traits d'un personnage.

Nation : peuple partageant une même histoire et un même destin.

Souveraineté : possession du pouvoir.

2 Les articles fondateurs d'une nouvelle société

Art. 1. Les hommes naissent et demeurent libres et égaux en droits.
Art. 3. Le principe de toute souveraineté réside essentiellement dans la nation.
Art. 4. La liberté consiste à pouvoir faire tout ce qui ne nuit pas à autrui.
Art. 7. Nul homme ne peut être accusé, arrêté ni détenu que dans les cas déterminés par la Loi.
Art. 10. Nul ne doit être inquiété pour ses opinions, même religieuses (...).
Art. 11. La libre communication des pensées et des opinions est un des droits les plus précieux de l'homme : tout citoyen peut donc parler, écrire, imprimer librement (...).

D'après la *Déclaration des droits de l'homme et du citoyen*, 1789.

Rappel du chapitre 2

Quel pays applique les principes inscrits dans la Déclaration des droits de l'homme et du citoyen avant la France ?

3 Une nouvelle société

a Avant le 4 août 1789

Le tiers état écrasé par la dette.
Anonyme, *Le temps passé les plus utiles étoient foulés aux pieds*, gravure coloriée, 1789, musée Carnavalet, Paris.

Dette Nationale

b Après le 4 août 1789

Dette nationale : chacun supporte le grand fardeau.
Anonyme, *Le temps présent veut que chacun supporte le grand fardeau*, gravure coloriée, 1789, musée Carnavalet, Paris.

Activités

Socle *Extraire des informations pertinentes*

1. DOC. 1 ET 2 Rattachez les différents symboles du tableau (A, B, C, D) aux articles du DOC. 2.
   Aide *Plusieurs symboles peuvent renvoyer au même article.*
2. DOC. 2 Quels sont les droits fondamentaux de l'homme affirmés en 1789 ?

Socle *Réaliser une description*

3. DOC. 3a ET 3b Décrivez chacune des caricatures pour en comprendre le message.
4. DOC. 3a ET 3b Comment peut-on qualifier la société d'Ancien Régime (DOC. a) et la nouvelle société née en 1789 (DOC. b) ? Justifiez.

Pour conclure En groupe, cherchez les arguments pour répondre à la question suivante et présentez-les à l'oral :

Comment les valeurs de la Déclaration des droits de l'homme et du citoyen contribuent-elles à fonder une nouvelle société ?

Aide *Vous pouvez rappeler les caractéristiques de la société d'Ancien Régime et montrer comment les valeurs de la Déclaration des droits de l'homme et du citoyen les remettent en cause.*

▸ **Socle** *Confronter des documents et exercer son esprit critique*

Retracer le parcours et les combats d'une femme en révolution

Olympe de Gouges, une femme en révolution

Vous êtes un historien et vous cherchez à comprendre comment les femmes ont participé à la Révolution. Vous disposez de textes écrits par l'une d'elles : Olympe de Gouges.
Quelles idées défend-elle pendant la Révolution ?

Le clergé
Le tiers état
Les caisses de l'État

Source 1 **Olympe de Gouges s'engage politiquement**

Au moment où les Français rédigent leurs cahiers de doléances, Olympe de Gouges propose la suppression des privilèges.

Olympe de Gouges imagine un impôt patriote auquel contribueraient les trois ordres pour redresser les finances du pays.

C. L. Desrais, *Projet de l'impôt patriotique donné par O. de Gouges*, estampe, 1788, BNF, Paris.

Biographie

Olympe de Gouges (1748-1793)

Écrivaine, elle dénonce l'esclavage des Noirs, le sort réservé aux femmes lors des divorces et plaide pour une égalité entre les deux sexes.

Elle est guillotinée lors de la Terreur le 3 novembre 1793.

Source 2

Tribune contre l'esclavage

L'espèce d'hommes nègres m'a toujours intéressée[1] à son déplorable sort. Quand s'occupera-t-on de le changer ? L'homme partout est égal. Les rois justes ne veulent point d'esclaves. C'est devenu un commerce dans les quatre parties du monde. Un commerce d'hommes ! S'ils sont des animaux, ne le sommes-nous pas comme eux ? La couleur de l'homme est nuancée, comme dans tous les animaux que la Nature a produits.

D'après O. de Gouges, *Réflexions sur les hommes nègres*, février 1788.

1. Émue.

Vocabulaire

Montagnards : députés radicaux, qui mettent en place la Terreur et s'opposent aux **Girondins** (des révolutionnaires modérés issus de la bourgeoisie marchande).

Sans-culottes : militants révolutionnaires, ils constituent le bras armé de la Révolution.

Source 3

Olympe et l'égalité hommes-femmes

En 1791, Olympe de Gouges rédige et placarde sur les murs de la capitale une parodie de la Déclaration des droits de l'homme et du citoyen de 1789.

Art. 1. La femme naît libre et demeure égale à l'homme en droits.
Art. 3. La Nation n'est que la réunion de la femme et de l'homme.
Art. 6. Toutes les citoyennes et tous les citoyens, étant égaux aux yeux de la loi, doivent également être admissibles aux dignités et emplois publics.
Art. 10. Nul ne doit être inquiété pour ses opinions mêmes fondamentales, la femme a le droit de monter sur l'échafaud[1] ; elle doit avoir également celui de monter à la Tribune (…).

D'après O. de Gouges, *Déclaration des droits de la femme et de la citoyenne*, 1791.

1. Estrade sur laquelle est placée la guillotine.

Source 4

Un ultime plaidoyer pour défendre ses idées

Le 2 novembre 1793[1], Olympe de Gouges est traduite devant le tribunal révolutionnaire. On lui reproche d'avoir défendu publiquement Louis XVI et d'avoir critiqué la Terreur.

Français, voici mes dernières paroles, écoutez-moi ! Qui des **Montagnards** ou de moi chérit et sert le mieux la patrie ? Vous [les Montagnards] êtes presque tous de mauvaise foi. Vous ne voulez ni la liberté ni la parfaite égalité. L'ambition [du pouvoir] vous dévore.

Olympe de Gouges lors de son procès.

1. Elle est guillotinée le lendemain.

Source 5

Olympe, une femme effrayante pour les hommes de son époque

Pierre-Gaspard Chaumette, un **sans-culotte**, procureur de Paris, se félicite en 1793 de l'exécution de plusieurs femmes défendant leurs droits : « Virago[1], la femme-homme, l'impudente Olympe de Gouges abandonna les soins de son ménage, voulut politiquer et commit des crimes. Et vous voudriez l'imiter ? Non ! Vous sentirez que vous ne serez vraiment intéressantes et dignes d'estime que lorsque vous serez ce que la nature a voulu que vous fussiez. Nous voulons que les femmes soient respectées, c'est pourquoi nous les forcerons à se respecter elles-mêmes. »

D'après G. Paumier, *Féminin, révolution sans fin*, Paris, 2016.

1. Femme à l'allure d'homme.

Gravure représentant une femme à cheval, identifiée comme étant Olympe de Gouges, XVIIIe siècle.

Point méthode

Étape 1 ▶ Identifier les documents sources

1. Identifiez les documents qui émanent d'Olympe de Gouges. Montrez que sa réflexion débute avant la période révolutionnaire.
2. Pour chaque document, déterminez le combat d'Olympe de Gouges qui y est illustré.

Étape 2 ▶ Comprendre et confronter les documents sources

3. SOURCES 1 ET 2 Quels grands droits de la Révolution française Olympe défend-elle ici ?
4. SOURCE 3 Contre quelle injustice Olympe de Gouges se bat-elle ? Que revendique-t-elle dans l'Art. 10 ?
5. SOURCES 3 ET 5 Montrez que son combat est incompris et rejeté.
6. SOURCE 4 Que reproche-t-elle au gouvernement alors en place ? Pour quelle raison ?

Étape 3 ▶ Conclure

Que vous ont appris ces sources sur les combats entrepris par Olympe de Gouges afin de défendre ses idées lors de la Révolution ?

Étude

▸ **Socle** *Sélectionner des informations pour compléter le tableau*

1789	10 août 1792	1793	28 juillet 1794
Robespierre est élu député aux États généraux	Insurrection parisienne et fin de la monarchie	Exécution de Louis XVI et mise en place de la Terreur	Mort de Robespierre et fin de la Terreur

(Frise : 1790 – 1792 – 1794)

La République selon Robespierre

Quelles sont les idées politiques défendues par Robespierre ? Comment les met-il en pratique ?

Biographie

Maximilien de Robespierre (1758-1794)

Avocat, il est élu député du tiers état en 1789. Il vote pour la mort du roi et met en place la Terreur. Face à l'ampleur du nombre des victimes sous ce régime (plus de 40 000), il est guillotiné le 28 juillet 1794.

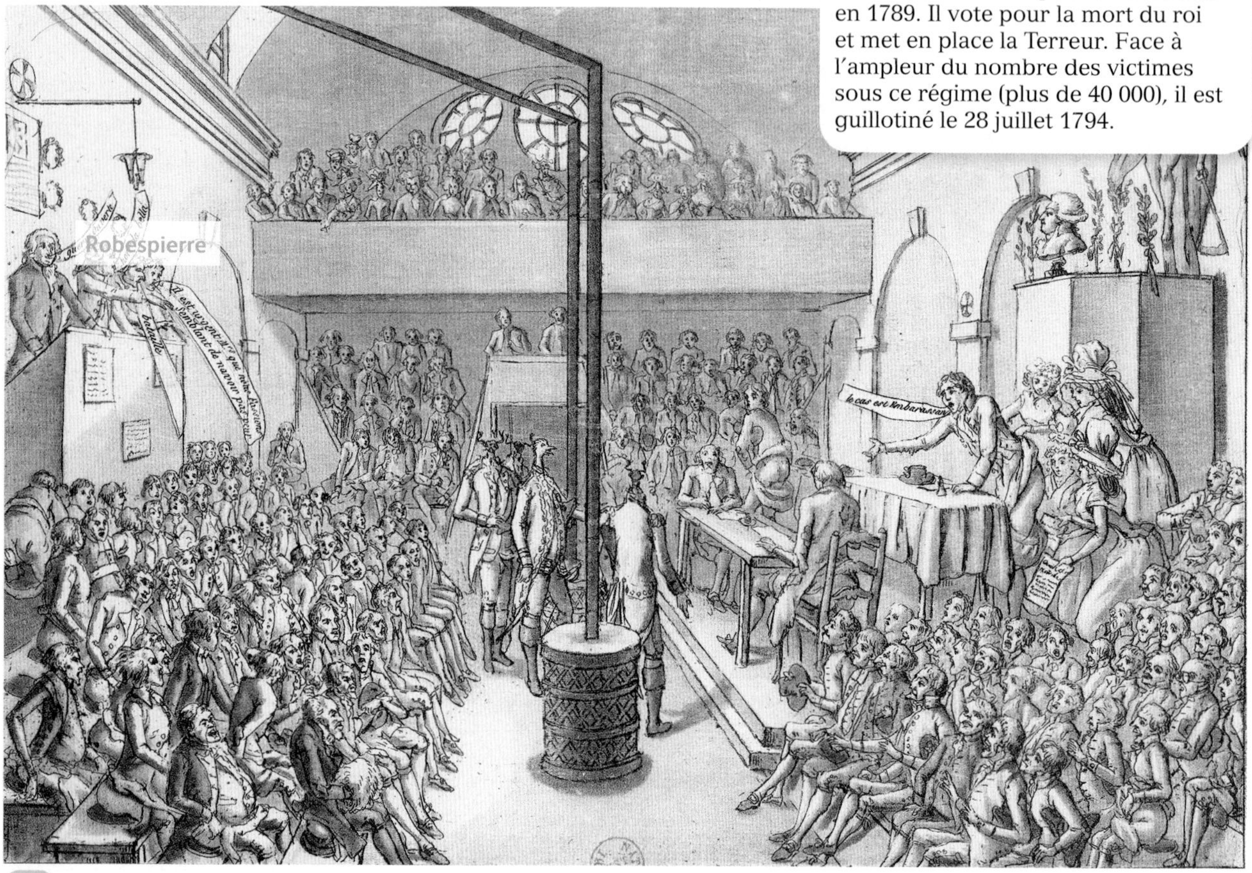
Robespierre

1 **Robespierre, un orateur qui défend ses idées**
Robespierre au club des Jacobins, le 11 janvier 1792.
C. Vilette, *Grande séance aux Jacobins en janvier 1792*, gravure, XVIIIe siècle, BNF, Paris.

2 Le rejet de la monarchie au nom de la patrie

Après la tentative de fuite du roi à l'étranger en juin 1791, Louis XVI est accusé de trahison.

Louis a été détrôné par ses crimes. Louis dénonçait le peuple français comme rebelle : il a appelé, pour le châtier, les armes des tyrans. La victoire et le peuple ont décidé que lui seul était rebelle. Je n'ai pour Louis ni amour ni haine ; je ne hais que ses forfaits[1]. Je prononce à regret cette fatale vérité mais Louis doit mourir.

D'après Robespierre, discours fait devant la Convention, le 3 septembre 1792.

1. Faute grave : des lettres de monarchies européennes ont été retrouvées dans son palais.

Vocabulaire

Club : association dont les adhérents débattent de sujets politiques.

Convention : assemblée qui gouverne de septembre 1792 à 1795.

3 La mise en place de la Terreur pour défendre la République en danger

Art. 1. Tous les gens suspects qui se trouvent dans le territoire de la République, et qui sont encore en liberté, seront mis en état d'arrestation.

Art. 2. Sont réputés gens suspects :
– ceux qui, soit par leur conduite, soit par leurs relations, soit par leurs propos ou leurs écrits, se sont montrés partisans de la tyrannie, et ennemis de la liberté ;
– ceux (…) qui n'ont pas constamment manifesté leur attachement à la Révolution (…).

D'après le décret du 17 septembre 1793, appelé « loi des suspects », voté à l'initiative de Robespierre.

1
2
3
4

4 Robespierre écume les mauvais Républicains
La marmite des Jacobins, estampe, 1793, BNF, Paris.
Robespierre (1) armé d'un couteau (2) écume la marmite des révolutionnaires (3). Il les examine un à un à la loupe. Il n'en conserve que certains (4).

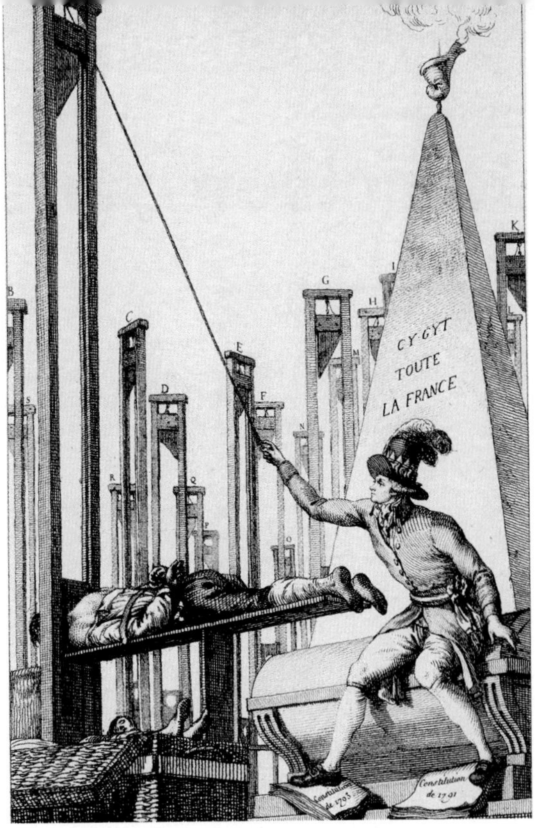
CY GYT
TOUTE
LA FRANCE

5 La République idéale de Robespierre ?
Anonyme, *Robespierre guillotinant le bourreau après avoir fait guillotiner tous les Français*, estampe, 1793, musée Carnavalet, Paris.

6 Contre la hausse des prix

Les objets que la Convention a jugés de première nécessité sont : le pain, la viande, le vin, les grains, farines, légumes, fruits, le beurre, le vinaigre, le cidre, l'eau-de-vie, le charbon, les cuirs, le fer et l'acier. Le maximum du prix de ces marchandises sera le prix que chacune d'elles avait en 1790.

D'après la *Loi du maximum général*, votée le 29 septembre 1793.

Activités

Socle *Sélectionner des informations pour compléter le tableau*

Reproduisez et complétez le tableau suivant à l'aide des documents :

Les idées de Robespierre…			
Où les expose-t-il ? (DOC. 1 ET 2)	DOC. 1 :		DOC. 2 :
Comment les défend-il ? (DOC. 4 ET 5)	DOC. 4 :		DOC. 5 :
Quelles sont-elles ? (DOC. 2, 3 ET 6)	DOC. 2 Politiques :	DOC. 3 Politiques :	DOC. 6 Sociales :

Aide *Vous pouvez utiliser les mots suivants : République, Club, Monarchie, Assemblée, Convention, Terreur, suspects, prix…*

Pour conclure À l'aide du tableau, construisez une réponse à la question suivante :
Quelles sont les idées politiques défendues par Robespierre ? Comment les met-il en pratique ?

Étude

Napoléon réorganise la France

Tâche complexe

Après dix ans de Révolution, le général Bonaparte profite des crises que traverse le pays pour prendre le pouvoir par un coup d'État le 9 novembre 1799. Il s'attelle alors à stabiliser la France.

Votre mission :

Vous allez enquêter pour expliquer comment Napoléon a transformé durablement la France. Vous rédigerez alors un article présentant les réformes menées. Vous expliquerez si Napoléon poursuit ou non l'œuvre révolutionnaire.

Boîte à outils

Un site à utiliser : www.napoleon.org
Des mots-clefs à utiliser : Concordat – Code civil – préfets – lycée – franc.
Des dates : 1800, 1801, 1802, 1803, 1804.

Besoin d'aide ? *Voir p. 69*

L'EMPIRE FRANÇAIS, EN 115. DÉPARTEMENTS.
18
MER DU NORD
LA MANCHE
OCÉAN
GOLFE DE GASCOGNE
ESPAGNE
MER MÉDITERRANÉE
SAXE
BOHÊME
EMPIRE D'AUTRICHE
BAVIÈRE
Sud

1 Napoléon conserve le découpage administratif décidé lors de la Révolution

L'Empire français découpé en 115 départements.
Herrisson, carte géographique, *Atlas portatif*, vers 1809.
Frontières de la France en 1792

Biographie

Napoléon Bonaparte (1769-1821)

Noble corse, il remporte des victoires à la tête des armées de la Révolution. En 1799, il devient Premier Consul de la République. En 1804, il est sacré Empereur et se lance à la conquête de l'Europe. Battu en 1815 par une coalition européenne à Waterloo, il abdique et part en exil.

2 Les préfets au service du contrôle de l'État (1800)

En 1800, Napoléon crée la fonction de préfet pour gérer les 82 départements créés en 1790.

Vous êtes appelés à seconder le gouvernement dans le noble dessein de restituer à la France son antique splendeur sur les bases inébranlables de la liberté et de l'égalité. Je vous recommande de vous occuper sans délai de la levée des contributions[1]. Aimez, honorez les agriculteurs, protégez le commerce.

D'après Lucien Bonaparte, ministre de l'Intérieur, *La Lettre aux préfets*, 26 avril 1800.

1. Impôts.

A. Chataigner *Costume des préfets*, gravure, musée Carnavalet, Paris.

NAPOLEON EMPEREUR
EMPIRE FRANÇAIS
20 FRANCS
1813

3 Une nouvelle monnaie stable, le franc germinal (1803)

Le 28 nivôse an VIII (18 janvier 1800), le Premier Consul Napoléon instaure la Banque de France pour relancer l'économie.

4 La création des lycées : former des fonctionnaires et des militaires fidèles (1802)

Art. 1 : L'instruction sera donnée dans des écoles primaires ; dans des écoles secondaires ; dans des lycées et des écoles spéciales.

Art. 11 : Il y aura, dans les lycées, des maîtres d'étude, des maîtres de dessin, d'exercices militaires et d'arts d'agrément.

Art. 12 : L'instruction [au lycée] sera donnée à des élèves qui y seront admis par un concours.

Art. 28 : Il sera établi une école spéciale militaire, destinée à enseigner les éléments de l'art de la guerre.

D'après la loi sur l'instruction publique, 11 floréal an X (1er mai 1802).

Élève du lycée impérial sous Napoléon, gravure, bibliothèque des Arts décoratifs, Paris.

5 Napoléon garantit la liberté religieuse (1801)

Napoléon fixe par un texte, le Concordat, établi en 1801, les rapports entre les différentes religions et l'État.

1 Bonaparte 2 Un rabbin juif 3 Le pape
4 Un pasteur protestant 5 Le triangle de l'égalité entre les hommes

Anonyme, *Liberté des cultes maintenue par le Gouvernement*, gravure coloriée, 1801, musée Carnavalet, Paris.

6 Napoléon impose le Code civil en France et en Europe (1804)

Les lois qui y figurent gèrent les relations entre les individus.

Art. 8 : Tout Français jouira des droits civils[1].

Art. 213 : Le mari doit protection à sa femme, la femme obéissance à son mari.

Art. 371 : L'enfant à tout âge doit honneur et respect à ses père et mère.

Art. 373 : Le père seul exerce [l'autorité parentale] durant le mariage.

Art. 1781 : Le maître[2] est cru sur son affirmation pour le paiement du salaire.

Extraits du *Code civil* de 1804.

1. Ensemble des droits attachés à la personne.
2. Patron artisan pour lequel travaillent des ouvriers.

Besoin d'un peu d'aide ?

Listez les réformes effectuées et rattachez-les à un domaine (économique, politique, social). Confrontez-les aux grands principes de la Révolution (unité, liberté, égalité).

Besoin d'un peu plus d'aide ?

Quelles décisions ont été prises pour :
- administrer le pays (DOC. 1, 2 ET 4) ?
- redresser l'économie (DOC. 2 ET 3) ?
- organiser la société (DOC. 4, 5 ET 6) ?

Ces décisions suivent-elles les principes de la Révolution : unité, liberté, égalité ?

Francisco Goya, un peintre engagé

Comment Goya peint-il la naissance du sentiment national en Europe ?

Contexte Une Espagne occupée

L'entrée en guerre de la France en 1792 provoque en Europe un enthousiasme vis-à-vis du modèle politique révolutionnaire. L'occupation française favorise ainsi l'éveil du sentiment national chez les peuples dominés. Lorsque Napoléon envahit l'Espagne en 1808, il oblige le roi Charles IV à abdiquer au profit de Joseph, son frère.

Biographie

Francisco Goya (1746 – 1828)

En 1808, Goya est le peintre officiel de la cour d'Espagne. Bouleversé par l'occupation française, il immortalise l'insurrection après le départ des soldats français.

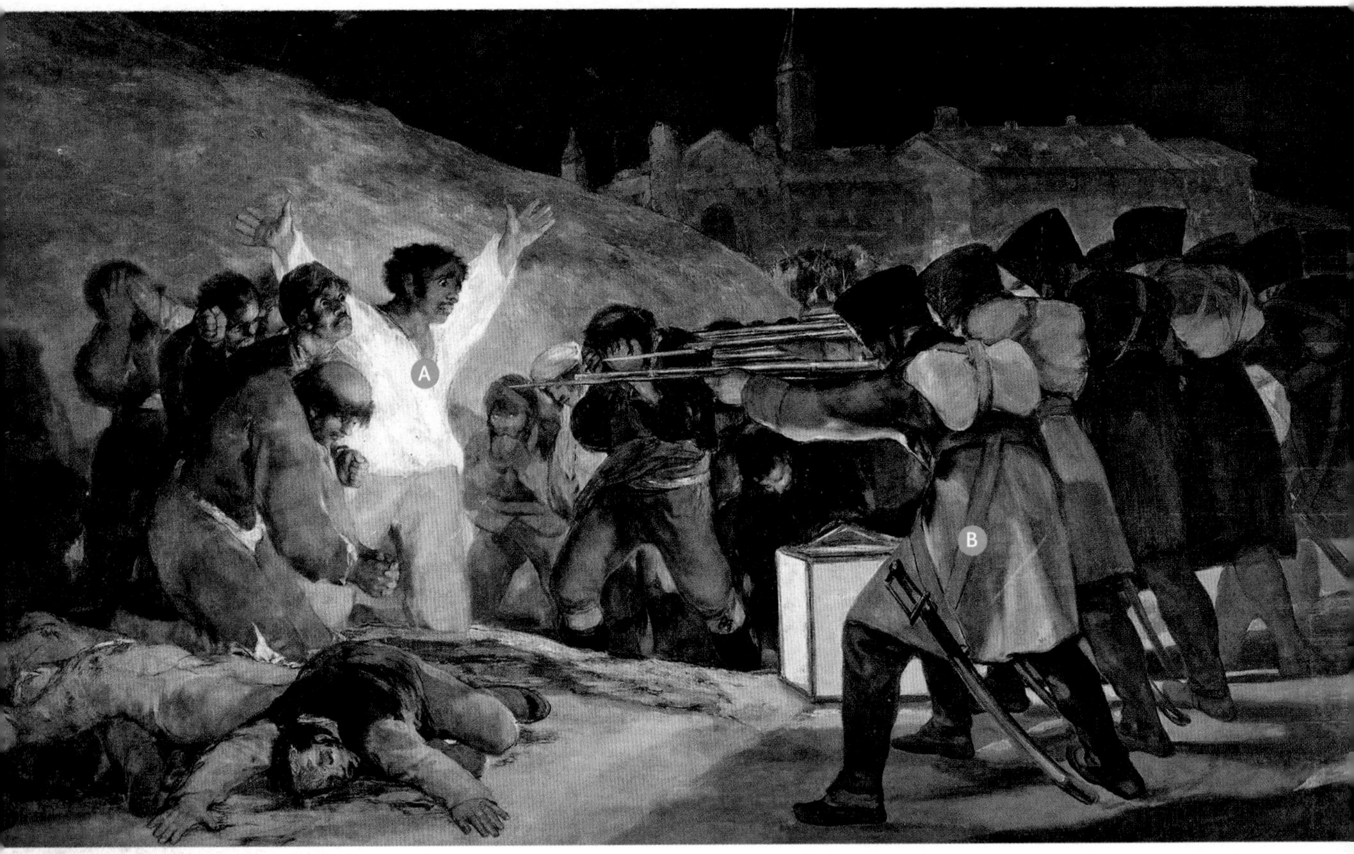
A
B

1 *El tres de mayo*, la répression française

Le 3 mai 1808, les troupes d'occupation françaises fusillent plus de 400 habitants de Madrid.
F. Goya, *El tres de mayo*, huile sur toile, 345 x 266 cm, 1814, musée du Prado, Madrid.

Ⓐ La position du personnage reprend celle du Christ sur sa croix. La main gauche présente des stigmates (cicatrices des clous ayant transpercé les mains de Jésus-Christ). Le personnage incarne le courage, la bonté et l'innocence du peuple espagnol.

Ⓑ Les soldats français.

Vocabulaire

Sentiment national : sentiment d'appartenir à une même nation, c'est-à-dire à un groupe de personnes qui se distinguent des autres par leur histoire, leur culture et leur désir de vivre ensemble.

2 ***El dos de mayo*****, l'insurrection espagnole**

Le 2 mai 1808, les Madrilènes s'en prennent aux troupes d'occupation de leur pays, constituées de soldats français et de mamelouks (corps de cavalerie composé d'Égyptiens).
F. Goya, *El dos de mayo*, huile sur toile, 345 x 266 cm, 1814, musée du Prado, Madrid.

Point art

Le romantisme est un courant artistique de la première moitié du XIXe siècle. D'abord littéraire et musical, ce courant cherche à exprimer les sentiments intérieurs, les passions ainsi qu'une vision personnelle du monde.

Les artistes romantiques se sont souvent engagés pour les libertés, comme le peintre français Eugène Delacroix (voir *La liberté guidant le peuple*, p. 134). Les peintres romantiques s'opposent à la peinture académique en n'hésitant pas à déformer les corps, à mettre en évidence les sentiments de souffrance.

Pour aller plus loin

Tapez dans un moteur de recherche « Goya Manet », puis « Goya Picasso » pour expliquer l'influence de Goya, et en particulier du *Tres de mayo*, sur d'autres artistes.

Identifier et analyser des œuvres d'art

Présenter

1. DOC. 1 ET 2 Présentez ces deux œuvres (nature, auteur, date, lieu de conservation) en expliquant les liens qui les unissent.

Décrire et comprendre

2. DOC. 1 ET 2 Comment Goya montre-t-il l'évolution de la situation entre les deux tableaux ?
3. DOC. 1 Comment les Espagnols sont-ils mis en valeur ?
   Aide (*Soyez attentif à leur place dans le tableau, leur position, les couleurs, la lumière…*
4. DOC. 1 ET 2 Expliquez quels sentiments différents animent les Espagnols dans chaque tableau. Justifiez vos réponses par des éléments précis.
   Aide (*Relevez les actions des personnages, leur position, les expressions du visage…*

Conclure

5. Quelle est la prise de position de Goya dans ces deux œuvres ? Justifiez votre réponse.
6. Pourquoi ces tableaux permettent-ils de comprendre ce qu'est le sentiment national ?

Contexte

Le nouveau visage de la France et de l'Europe après 25 ans de guerre

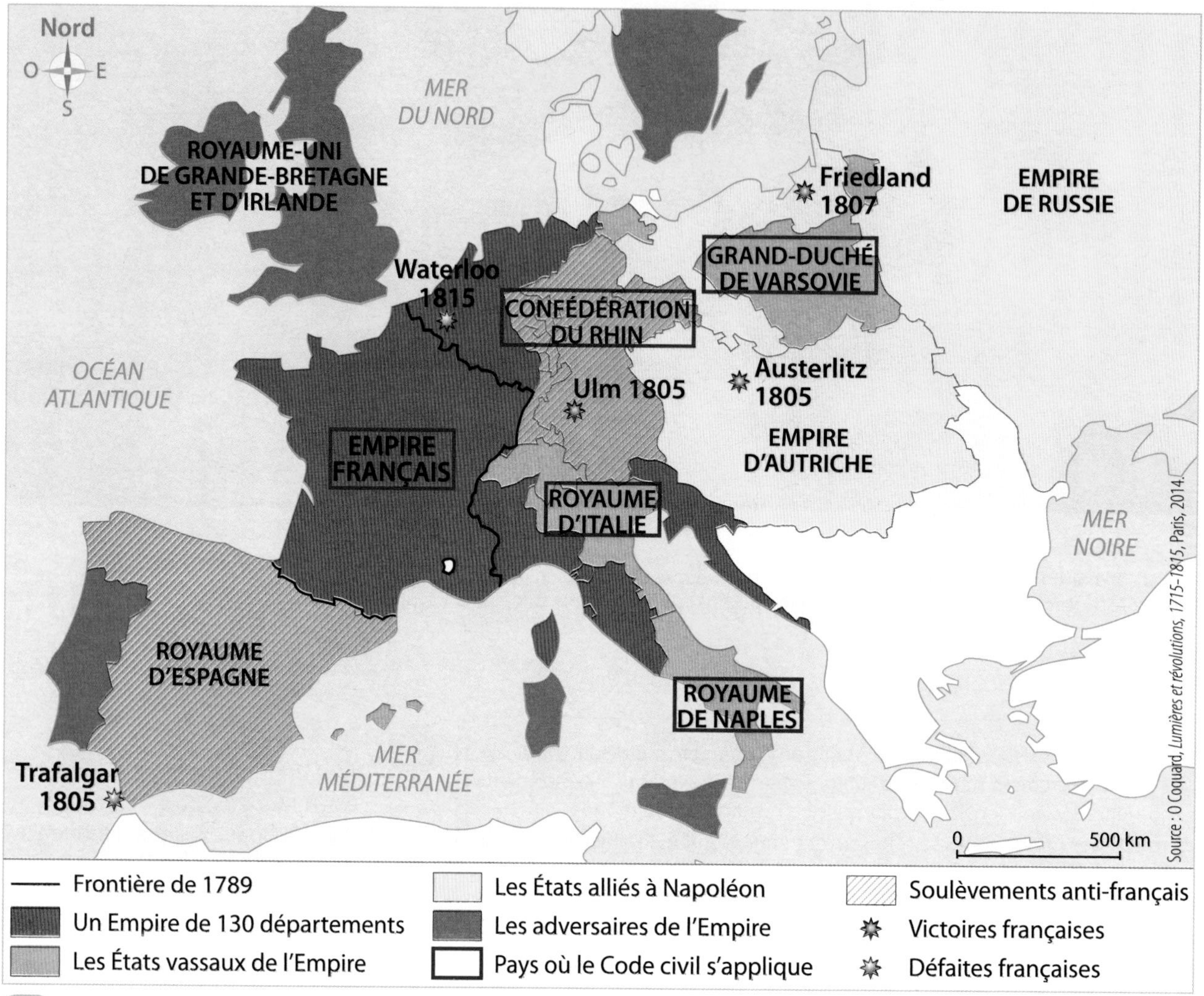
Nord
O
E
S
MER DU NORD
ROYAUME-UNI DE GRANDE-BRETAGNE ET D'IRLANDE
Friedland 1807
EMPIRE DE RUSSIE
GRAND-DUCHÉ DE VARSOVIE
Waterloo 1815
CONFÉDÉRATION DU RHIN
OCÉAN ATLANTIQUE
Austerlitz 1805
Ulm 1805
EMPIRE D'AUTRICHE
EMPIRE FRANÇAIS
ROYAUME D'ITALIE
MER NOIRE
ROYAUME D'ESPAGNE
ROYAUME DE NAPLES
MER MÉDITERRANÉE
Trafalgar 1805
0
500 km
Source : O Coquard, Lumières et révolutions, 1715-1815, Paris, 2014.
Frontière de 1789
Un Empire de 130 départements
Les États vassaux de l'Empire
Les États alliés à Napoléon
Les adversaires de l'Empire
Pays où le Code civil s'applique
Soulèvements anti-français
Victoires françaises
Défaites françaises

1 1811 : apogée de la France et déclin de l'Europe napoléonienne

2 La naissance d'un sentiment national contre les Français

Les historiens en parlent

La présence d'une imposante armée française sur le sol espagnol, dans le cadre de l'expédition contre le Portugal, provoquait une inquiétude croissante parmi la population. La révolte de Madrid le 2 mai 1808 (*El dos de mayo*) révéla brusquement le visage de la guerre. Au massacre de plusieurs dizaines de soldats français fit suite une répression féroce qui coûta la vie à plus d'un millier de Madrilènes (*El tres de mayo*). Joseph Bonaparte, que son frère avait désigné roi d'Espagne, dut alors faire face à un large soulèvement de la population espagnole, dirigée par l'Église.

D'après M. Biard, *Révolution, Consulat, Empire, 1789-1815*, Paris, 2014.

Vocabulaire

Congrès de Vienne : réunion des souverains européens en 1815 qui décide du tracé des frontières après la chute de Napoléon Ier.

Sainte-Alliance : alliance entre la Russie, l'Autriche et la Prusse pour empêcher d'autres révolutions en Europe et pour contenir les ambitions françaises.

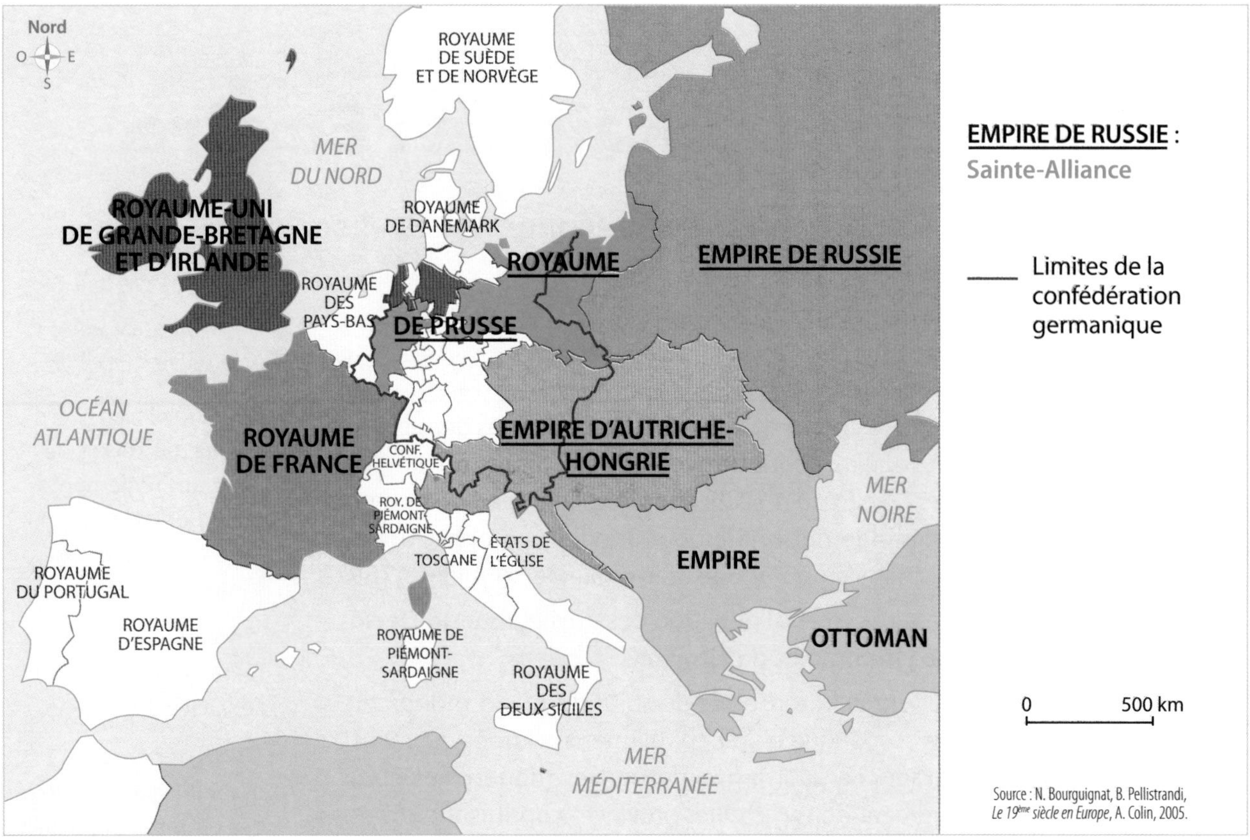
Nord
O E S
ROYAUME DE SUÈDE ET DE NORVÈGE
MER DU NORD
ROYAUME-UNI DE GRANDE-BRETAGNE ET D'IRLANDE
ROYAUME DE DANEMARK
ROYAUME DE PRUSSE
EMPIRE DE RUSSIE
ROYAUME DES PAYS-BAS
OCÉAN ATLANTIQUE
ROYAUME DE FRANCE
CONF. HELVÉTIQUE
EMPIRE D'AUTRICHE-HONGRIE
MER NOIRE
ROY. DE PIÉMONT-SARDAIGNE
ÉTATS DE L'ÉGLISE
TOSCANE
EMPIRE OTTOMAN
ROYAUME DU PORTUGAL
ROYAUME D'ESPAGNE
ROYAUME DE PIÉMONT-SARDAIGNE
ROYAUME DES DEUX SICILES
MER MÉDITERRANÉE
EMPIRE DE RUSSIE :
Sainte-Alliance
Limites de la confédération germanique
0 500 km
Source : N. Bourguignat, B. Pellistrandi, Le 19ème siècle en Europe, A. Colin, 2005.

3 1815 : le retour à l'ordre prérévolutionnaire

SAXE
PARIS
FRANCE
Pays-Bas

4 **Les souverains européens se répartissent les terres sans tenir compte des peuples**

1 L'Empereur d'Autriche 2 Le roi de Prusse 3 Le Tsar de Russie 4 Le roi d'Angleterre 5 Le roi de Naples 6 Napoléon Ier et son fils (absents lors du congrès) 7 Talleyrand avec le portrait de Louis XVIII

Le Gâteau des Rois, tiré au Congrès de Vienne en 1815, 1815, musée Carnavalet, Paris.

Pour aller plus loin Carte animée
Découvrez l'évolution des frontières européennes
http://www.histoirealacarte.com/demos/tome01/le-Congres-de-Vienne-1814-1815.php

Comprendre le contexte

Une France qui a dominé l'Europe

1. DOC. 1 Quelle place la France occupe-t-elle en Europe en 1811 ?
2. DOC. 3 Quelle place la France occupe-t-elle en Europe en 1815 ? Comment expliquer ce repli ?

Une France qui a participé à l'éveil du sentiment national en Europe

3. DOC. 2 Quel sentiment les Français font-ils naître à leur égard en Espagne ?
4. DOC. 4 Que se passe-t-il lors du congrès de Vienne ? De qui les souverains européens ne se soucient-ils pas lors de ce congrès ?

Leçon

La Révolution française et l'Empire

Quels ont été les apports politiques, économiques et sociaux de la Révolution et de l'Empire ?

I 1789-1799 : la France rompt avec l'Ancien Régime

- En mai 1789 lors des États généraux réunis à Versailles, les députés du tiers état réclament l'égalité politique avec les deux ordres privilégiés, la noblesse et le clergé. Le 20 juin 1789, dans la salle du Jeu de paume, ils se déclarent **Assemblée nationale** pour donner une constitution à la France. Les Parisiens s'emparent de **la Bastille, le 14 juillet 1789**.
- En août 1789, les députés votent l'abolition des privilèges et **la Déclaration des droits de l'homme et du citoyen**.
- En septembre 1792, après la tentative de fuite du roi, la monarchie constitutionnelle est suspendue et la République proclamée. Le roi est guillotiné pour trahison. La guerre avec les autres monarchies européennes et le soulèvement dans certaines provinces **conduisent Robespierre et les députés** Montagnards **à mettre en place la Terreur**.

II Le Consulat et l'Empire terminent la Révolution

- Napoléon Bonaparte, alors jeune général victorieux, prend le pouvoir grâce à **un coup d'État** le 18 brumaire de l'an VIII (le 9 novembre 1799).
- Il poursuit les réformes engagées et modernise la société **(création des lycées, mise en place du** Code civil **qui garantit l'égalité de tous face à la loi, mise en place des préfets)**.
- Cependant, Napoléon revient sur certains apports de la Révolution. Il instaure une noblesse d'Empire et censure progressivement la presse. Il met fin au régime démocratique en se faisant nommer **consul à vie par** plébiscite, **puis empereur**, le 2 décembre 1804.

III 1789-1815 : la France révolutionne l'Europe

- **La mise en place d'un régime démocratique trouve un écho important auprès des peuples des autres États européens.** Les monarchies essayent de lutter contre la France car elles redoutent le développement de revendications dans leurs propres pays. Les victoires de la Révolution puis de l'Empire permettent à certains peuples comme les Polonais de **retrouver leur indépendance et de découvrir les idées démocratiques.**
- **La domination française s'accompagne de la naissance d'un sentiment national en Europe.** Les guerres révolutionnaires puis napoléoniennes se transforment en guerre de conquête. En Espagne, les Français sont perçus comme une armée d'occupation.
- Après la défaite de Napoléon à Waterloo en 1815, les monarchies restaurent l'ordre ancien, cependant elles ne peuvent empêcher les **idées démocratiques de subsister dans l'esprit des peuples d'Europe**.

Vocabulaire

Code civil : recueil des textes de loi et des règlements qui organisent la vie en société et qui s'imposent à tous.

Constitution : texte qui encadre l'exercice du pouvoir.

États généraux : assemblée constituée des représentants des trois ordres.

Privilèges : avantages dont bénéficient uniquement la noblesse et le clergé (justice particulière, exemption d'une partie des impôts, emplois réservés).

Tiers état : groupe qui réunit toutes les personnes non nobles et n'appartenant pas au clergé.

Montagnards : députés radicaux, qui mettent en place la Terreur et s'opposent aux Girondins (des révolutionnaires modérés).

Plébiscite : vote lors duquel les électeurs répondent à une question par oui ou non.

Je retiens l'essentiel

L'essentiel en schéma

1789-1799 : la France rompt avec l'Ancien Régime

Rupture avec l'absolutisme

- Les États généraux se transforment en Assemblée nationale constituante.

Rupture avec la société d'ordres

- Abolition des privilèges et rédaction de la Déclaration des droits de l'homme et du citoyen.

Rupture avec la monarchie

- La République est proclamée le 21 septembre 1792.
- La Terreur débute afin de sauver la Révolution.

Le Consulat et l'Empire terminent la Révolution

Napoléon dirige le pays

- Napoléon prend le pouvoir de force en 1799.
Il se fait sacrer empereur en 1804.

Napoléon poursuit l'œuvre révolutionnaire

- Le Code civil établit des règles identiques pour tous.
- Le franc germinal devient la nouvelle monnaie.

Napoléon contrôle le territoire

- Mise en place des préfets.

1789-1815 : la France révolutionne l'Europe

La Révolution se diffuse en Europe

- Les guerres révolutionnaires diffusent les idées de la Révolution : l'unité, la liberté et l'égalité.

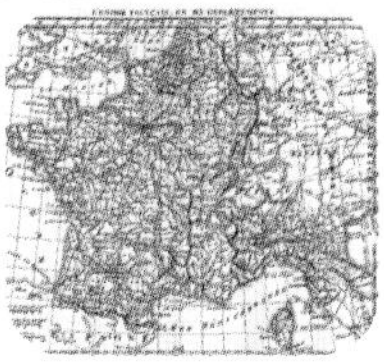

Éveil du sentiment national en Europe

Les monarchies reprennent le pouvoir

- Le congrès de Vienne restaure l'ordre ancien sans tenir compte du sentiment national.

1785	juil. 1789	sept. 1792	nov. 1799	déc. 1804	mai 1815
Monarchie absolue	M C*	Ire République	Consulat	Ier Empire	

- 20 juin 1789 : Serment du Jeu de paume
- 4 août 1789 : Abolition des privilèges
- Août 1792 : Chute de la monarchie
- Novembre 1799 : Coup d'État de Napoléon Bonaparte
- Mars 1804 : Code civil
- 2 décembre 1804 : Napoléon empereur

M C* Monarchie constitutionnelle

▸ **Socle** *Méthodes et outils pour apprendre*

FICHE DE RÉVISION À TÉLÉCHARGER
Fiche 3

La Révolution française et l'Empire

1. Construire sa fiche de révision : notez le titre de la leçon sur votre feuille

Je connais...

Objectif 1 ▸ Connaître les repères historiques et géographiques

1. Rappelez les dates des périodes suivantes : la Révolution, le Consulat et l'Empire.

2. Reproduisez la frise ci-dessous.
   a. Placez les périodes : Révolution, Empire et Consulat.
   b. Indiquez les événements qui correspondent aux dates placées sur la frise.
   c. Placez les événements suivants (mois et année) : Abolition des privilèges et Déclaration des droits de l'homme et du citoyen – Proclamation de la République – Code civil.

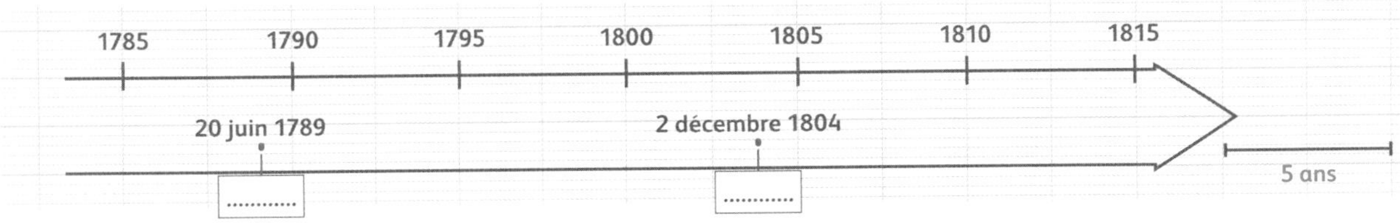
1785
1790
1795
1800
1805
1810
1815
20 juin 1789
2 décembre 1804
....
....
5 ans

3. Reproduisez la légende de la carte de l'Europe en 1811 et complétez-la, puis indiquez le nom des États numérotés de 1 à 5.

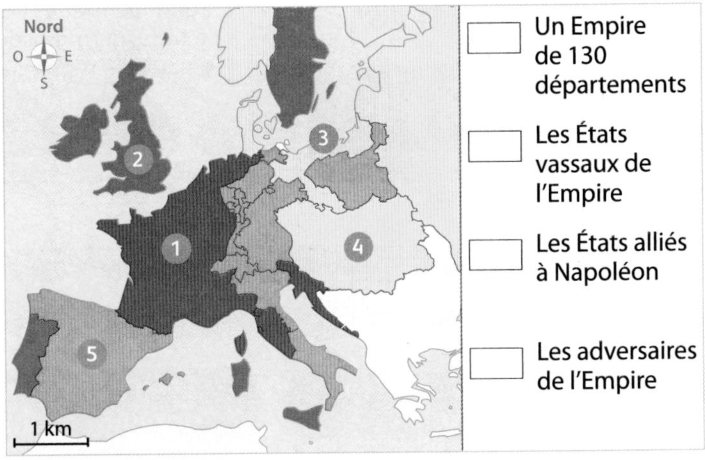
Nord
O
E
S
1
2
3
4
5
1 km
Un Empire de 130 départements
Les États vassaux de l'Empire
Les États alliés à Napoléon
Les adversaires de l'Empire

Objectif 2 ▸ Connaître les mots-clés

Notez la définition des mots-clés demandés ci-dessous :
États généraux – Privilège – Constitution – Code civil – Sentiment national.

Je suis capable de...

Pour chacun des objectifs suivants, construisez une réponse à la consigne.

Objectif 3 ▸ Expliquer pourquoi 1789 est une année de ruptures

Aide *Vous pouvez raconter les événements de 1789 et expliquer comment la monarchie absolue et la société d'ordres disparaissent en quelques mois.*

Objectif 4 ▸ Expliquer comment la Révolution et l'Empire transforment durablement la France

Aide *Vous pouvez présenter les grandes réformes concernant le territoire et son administration, l'économie et la société. Vous pouvez utiliser les mots suivants : Code civil, préfets, lycées, départements, liberté, franc germinal…*

Objectif 5 ▸ Expliquer comment la France a participé à l'éveil d'un sentiment national en Europe

Aide *Vous pouvez vous appuyer sur l'exemple espagnol et les tableaux de Goya, et utiliser la carte de l'Europe en 1811 (p. 72).*

1 Construire des repères historiques — La Révolution française

1. Reproduisez et complétez la carte mentale suivante pour remobiliser les idées-clés. Vous pouvez lui associer des images ou des dessins :

La Révolution française et l'Empire (1789-1815)

- 1. 1789-1799 : Rupture politique et sociale
  - États généraux
  - 14 juillet 1789
  - Août 1789
  - 21 septembre 1792
- 2. Le Consulat et l'Empire : entre Révolution et ordre ancien
  - Contrôler le territoire
  - Disposer de fonctionnaires loyaux
  - Redresser l'économie

2 Analyser et comprendre un document iconographique

Le sacre de Napoléon Ier
J.-L. David, *Le sacre de Napoléon Ier*, huile sur toile, 979 x 621 cm, 1806, musée du Louvre, Paris.
1 Napoléon couronnant son épouse, l'impératrice Joséphine 2 Le Pape 3 L'armée et la haute administration 4 Les familles de Napoléon et de Joséphine 5 La mère de Napoléon, Letizia, peinte alors qu'elle était absente le jour du sacre

1. Présentez le tableau (auteur, date, nature exacte et sujet traité en précisant sa date).
2. De quel régime politique ce tableau montre-t-il la mise en place ?
3. Quels sont les deux groupes qui occupent le premier plan 3 et 4 sur ce tableau ?
4. Quels sont la place et le rôle accordés aux femmes dans le tableau ?
5. Montrez que le tableau présente la vision que Napoléon a du gouvernement et de la société.

Aide *Utilisez les réponses aux questions 2 et 3 et vos connaissances sur Napoléon et l'Empire.*

Auto-Évaluation Je me positionne sur une marche :

1.	2.	3.	4.
• **J'observe l'image.** • **Je repère sa nature, son auteur, sa date.**	• J'observe l'image. • Je repère sa nature, son auteur, sa date. • **Je présente son contexte de réalisation.**	• J'observe l'image. • Je repère sa nature, sa date et le sujet montré. • Je présente le contexte de réalisation. • **J'identifie et classe les éléments importants.**	• J'observe l'image. • Je repère sa nature, sa date et le sujet montré. • Je présente le contexte de réalisation. • J'identifie et classe les éléments importants. • **J'interprète (je donne du sens) en m'appuyant sur mes connaissances.**
Question 1	Questions 1 et 2	Questions 1, 2, 3 et 4	Questions 1, 2, 3, 4 et 5

Pour progresser, j'analyse mes axes de progrès. Que devrais-je améliorer ?

Vers le brevet

1 Analyser et comprendre un document

Un chant révolutionnaire

Allons enfants de la Patrie
Le jour de gloire est arrivé !
Contre nous de la tyrannie
L'étendard sanglant est levé (bis)
Entendez-vous dans nos campagnes
Mugir ces féroces soldats ?
Ils viennent jusque dans vos bras.
Égorger vos fils, vos compagnes !

Refrain :
Aux armes citoyens,
Formez vos bataillons
Marchons (bis)
Qu'un sang impur
Abreuve nos sillons (...)

Liberté, Liberté chérie
Sous nos drapeaux, que la victoire
Accoure à tes mâles accents [1]

1. Que la victoire soit remportée par les hommes qui défendent la Liberté.

MARCHE DES MARSEILLOIS
CHANTÉE SUR DIFERANS THEATRES

La Marseillaise
C. Balbastre, Partition de « *La Marche des Marseillois* », 1792, bibliothèque de l'Arsenal, Paris.

La Marseillaise est un chant de guerre écrit par le capitaine Rouget de Lisle pour l'armée du Rhin. Ce chant est appelé marche des Marseillois car ce sont les soldats marseillais enrôlés dans l'armée du Rhin qui le chantent en 1792.

Identifier le document

1. Relevez le titre, l'auteur et la date de création du chant présenté.
2. Dans quel contexte a-t-il été créé ?

Extraire des informations pertinentes et utiliser ses connaissances pour expliciter

3. Relevez dans le premier couplet les termes utilisés pour désigner : les citoyens français ; les monarchies en guerre contre la France.
4. Comment les armées des adversaires de la France sont-elles décrites ?
5. Rappelez quelles sont les monarchies en guerre contre la France à partir de 1792, et les raisons de cette guerre.
6. Quel régime politique est installé en France en septembre 1792 ?
7. Au nom de quelles valeurs les soldats français combattent-ils ?

2 Maîtriser différents langages pour raisonner et se repérer

1. Sous la forme d'un développement construit de dix à quinze lignes, en vous appuyant sur vos connaissances, expliquez que l'abolition des privilèges en 1789 fait naître une société nouvelle.
2. Reproduisez la frise chronologique. Associez à chaque année indiquée un événement s'étant déroulé cette année-là :

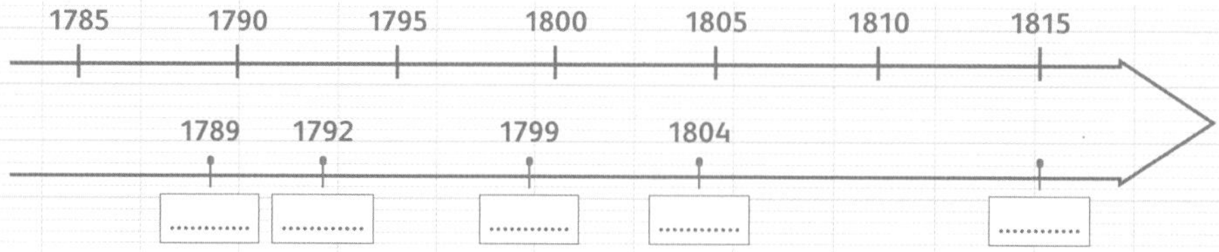
1785
1790
1795
1800
1805
1810
1815
1789
1792
1799
1804
....
....
....
....
....

Enquêter

Pourquoi Charlotte Corday a-t-elle tué Marat ?

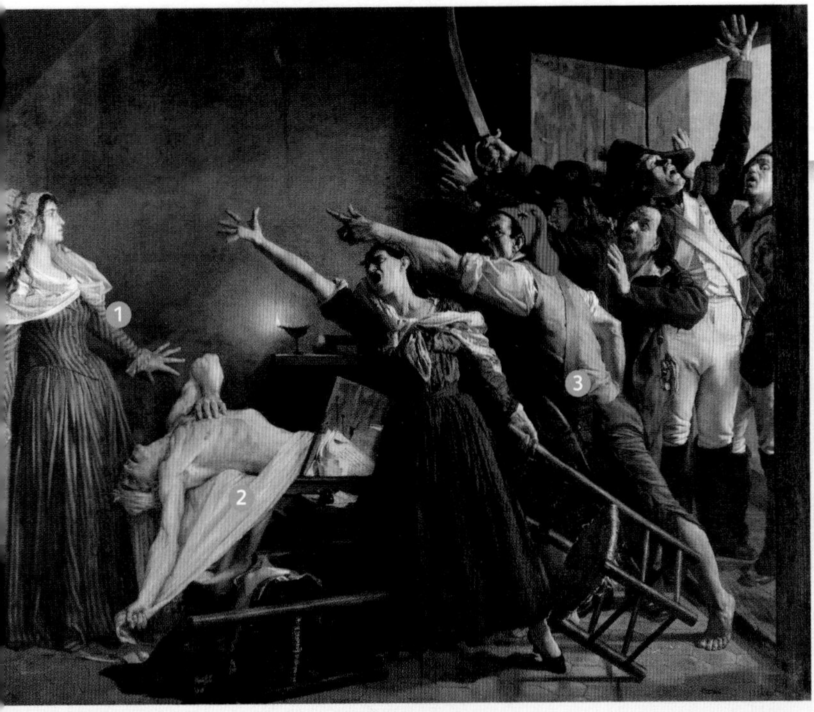
1
2
3

Les faits

Marat assassiné, le 13 juillet 1790

J.-J. Weerts, *L'Assassinat de Marat*, huile sur toile, 1880, musée La piscine, Roubaix.

1 Charlotte Corday 2 Marat

3 Les sans-culottes qui découvrent la scène

Qui est-il ? Jean-Paul Marat (1743-1793)

Journaliste et député, il participe à la mise en place de la Terreur. Ses articles parus dans l'*Ami du Peuple* appellent au meurtre des royalistes.

Indice n°1

Qui est Charlotte Corday ?

Charlotte Corday (1768-1793)

Descendante du célèbre dramaturge Corneille, elle appartient à la noblesse désargentée. À treize ans, son père l'envoie au couvent, où elle étudie des ouvrages philosophiques, politiques mais aussi des tragédies.

En 1790, le couvent ferme ses portes sur ordre des révolutionnaires. Charlotte est accueillie chez une de ses tantes à Caen, où elle constate les violences liées à la Terreur. Proche des Girondins[1], elle assassine Jean-Paul Marat, célèbre et virulent journaliste Montagnard[2]. Elle meurt guillotinée, le 17 juillet 1793.

1. Révolutionnaires modérés.
2. Révolutionnaires radicaux à l'origine de la Terreur.

Indice n°2

Lettre de Charlotte Corday à son père

Pardonnez-moi, mon cher papa. J'ai vengé bien d'innocentes victimes, j'ai prévenu bien d'autres désastres. Le peuple, un jour désabusé, se réjouira d'être délivré d'un tyran. J'ai pris pour défenseur Gustave Doulcet : un tel attentat ne permet nulle défense, c'est pour la forme. Adieu, mon cher papa, je vous prie de m'oublier, ou plutôt de vous réjouir de mon sort, la cause en est belle. J'embrasse ma sœur que j'aime de tout mon cœur, ainsi que tous mes parents. N'oubliez pas ce vers de Corneille : « Le crime fait la honte, et non pas l'échafaud ! ». C'est demain, à huit heures, qu'on me juge. Ce 16 juillet.

Cité dans P.M. Pourras, *Histoire générale de la Révolution française, de l'Empire et de la Restauration*, 1845, BNF, Paris.

Avez-vous pris connaissance des faits et des indices ? Quelle est votre conviction : pourquoi Charlotte Corday a-t-elle assassiné Marat ?

Par équipe, complétez le carnet de l'enquêteur :

1. Son statut (D'où vient-elle ? Quelles sont ses origines ?) : …
2. Sort qu'elle réserve à Marat : …
3. Raisons possibles de son geste : …

Rédigez votre rapport d'enquête.

L'atelier d'écriture

Vers la tâche complexe

Napoléon et la Révolution

À l'aide de vos connaissances, rédigez un texte montrant que Napoléon poursuit l'œuvre révolutionnaire mais qu'il y met aussi un terme.

Travail préparatoire (au brouillon)

1. Comprenez le sujet : Napoléon (et) la Révolution

Il s'agit de réfléchir aux liens entre Napoléon et la Révolution, s'il en est l'héritier ou le fossoyeur.

2. Reproduisez la carte mentale et mobilisez vos connaissances en répondant aux questions :

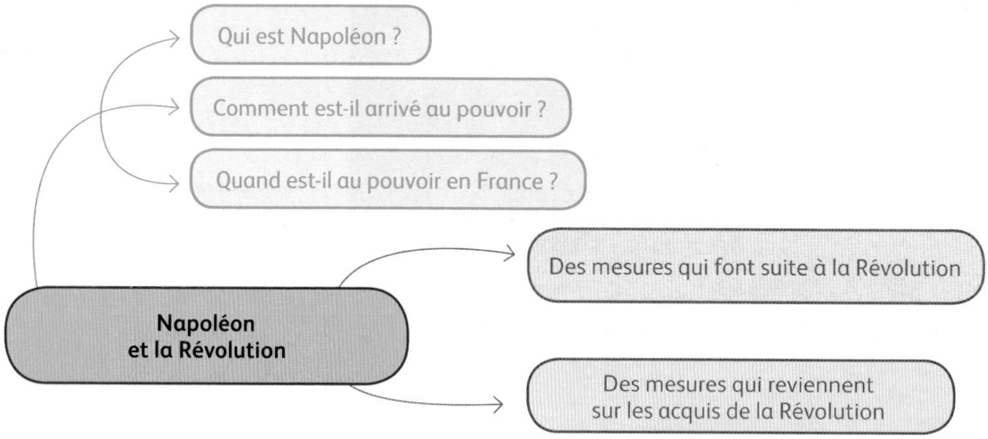

Qui est Napoléon ?
Comment est-il arrivé au pouvoir ?
Quand est-il au pouvoir en France ?
Des mesures qui font suite à la Révolution
Napoléon et la Révolution
Des mesures qui reviennent sur les acquis de la Révolution

3. Vérifiez que vous avez fait appel au vocabulaire spécifique appris.

RAPPELS

Vos paragraphes commencent par un alinéa. N'oubliez pas de relire et de vérifier vos accords.

Travail de rédaction (au propre)

À vous de choisir votre niveau de difficulté et votre ceinture !

Je rédige un texte **sans aide.**

Rédigez votre texte en vérifiant que :

- Vous organisez vos idées en paragraphes.
- Vous commencez par une introduction.

Je rédige un texte **avec un guidage léger.**

Rédigez votre texte à l'aide des conseils suivants :

- Commencez par une introduction qui présente le sujet et précise comment Napoléon prend le pouvoir. Puis rédigez deux paragraphes :
  – le 1er paragraphe présente les mesures de Napoléon qui font suite à la Révolution.
  – le 2nd paragraphe présente les mesures qui reviennent sur les acquis de la Révolution.

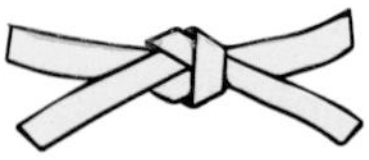

Je rédige un texte **avec un guidage plus important.**

Rédigez votre texte à l'aide des conseils suivants :

- Commencez par une introduction qui reprend les réponses de la branche verte de la carte mentale.
  Puis rédigez deux paragraphes :
  – Le 1er paragraphe présente les mesures de Napoléon qui font suite à la Révolution. Il reprend les réponses violettes de la carte mentale.
  – Le 2nd paragraphe présente les mesures qui reviennent sur les acquis de la Révolution. Il reprend les réponses rouges de la carte mentale.

EMC

Objet d'enseignement *Le droit et la règle : des principes pour vivre avec les autres*

Parcours citoyen

La Déclaration des droits de l'homme et du citoyen : des valeurs universelles

1 La Révolution française proclame les droits de l'homme

Art. 1. Les hommes naissent et demeurent libres et égaux en droits (...).
Art. 4. La liberté consiste à pouvoir faire tout ce qui ne nuit pas à autrui (...).
Art. 11. La libre communication des pensées et des opinions est un des droits les plus précieux de l'Homme : tout Citoyen peut donc parler, écrire, imprimer librement (...).

Déclaration des droits de l'homme et du citoyen, 26 août 1789.

2 Après la Seconde Guerre mondiale : des droits de l'homme universels

Art. 1. Tous les êtres humains naissent libres et égaux en dignité et en droits (...).
Art. 13. Toute personne a le droit de circuler librement (...).
Art. 19. Tout individu a droit à la liberté d'opinion et d'expression (...).
Art. 26. Toute personne a droit à l'éducation (...).

Déclaration universelle des droits de l'homme, 1948.

AMNESTY INTERNATIONAL
FIGHT FOR HUMANS
VOTRE REGARD EST UNE ARME
CONTRE LES VIOLATIONS DES DROITS HUMAINS
AGISSEZ
DÈS LE 3 DÉCEMBRE
10JOURSPOURSIGNER.ORG
10 JOURS POUR SIGNER

3 Affiche de l'ONG Amnesty International
Cette ONG dénonce de graves atteintes aux droits de l'homme dans le monde.
Campagne *Votre regard est une arme*, 2014.

4 Prix Nobel de la paix pour Malala Yousafzai
La jeune Pakistanaise de 17 ans reçoit en 2014 cette récompense pour avoir défendu l'accès à l'éducation des filles dans son pays.
Cérémonie du Prix Nobel 2014, Oslo (Norvège).

Le droit et la règle : des principes pour vivre avec les autres

1. DOC. 1 Comment la liberté est-elle définie ?
2. DOC. 1 ET 2 Trouvez des articles similaires à ces deux documents.

L'engagement : agir individuellement et collectivement

3. DOC. 3 Quel est le message de cette affiche ?
4. DOC. 2 ET 4 Quels droits de l'homme Malala défend-elle ?
5. DOC. 1, 2, 3, 4 Montrez que depuis plusieurs siècles les droits de l'homme sont revendiqués partout dans le monde. Rédigez vos arguments en vue d'un débat en classe.

Aide *Aidez-vous des réponses aux questions et de la carte du site http://www.amnesty.fr/rapport2016.*

Vocabulaire

ONG : organisations non gouvernementales, associations qui défendent l'intérêt public ou ont un caractère humanitaire et ne dépendent ni d'un État, ni d'une institution internationale.

Valeurs : ensemble des critères indispensables qu'une société souhaite atteindre et défendre (la liberté, l'égalité...).

4 L'Europe de la révolution industrielle

Comment la révolution industrielle transforme-t-elle la société et l'économie européennes ?

Souvenez-vous !

Quels étaient les outils et les lieux de production de l'industrie textile au Moyen Âge ?

LA TOURAINE
Cie Gle TRANSATLANTIQUE
VOYAGE AUTOUR DU MONDE
ROUND THE WORLD
AUSTRALIEN
COMPAGNIE DES MESSAGERIES MARITIMES
NEW-YORK
SAN FRANCISCO
CHICAGO
Nw ORLEANS
LITH. VIEILLEMARD & SES FILS, 19, R. DE LA GLACIÈRE _ PARIS
A. Schindler

1 **Les machines à vapeur transforment le monde**
E. J. Schindler, affiche de la Compagnie générale transatlantique, lithographie, fin XIXe.

Vocabulaire

Industrie : activité économique qui transforme des matières premières en produits finis afin de les vendre.

1840 — 1880 — 1900 — 1914

1re révolution industrielle
Charbon, vapeur, métallurgie et textile

2e révolution industrielle
Électricité, pétrole, sidérurgie et chimie

1848 Révolutions en Europe

▶ **Socle** *Se repérer dans le temps et dans l'espace*

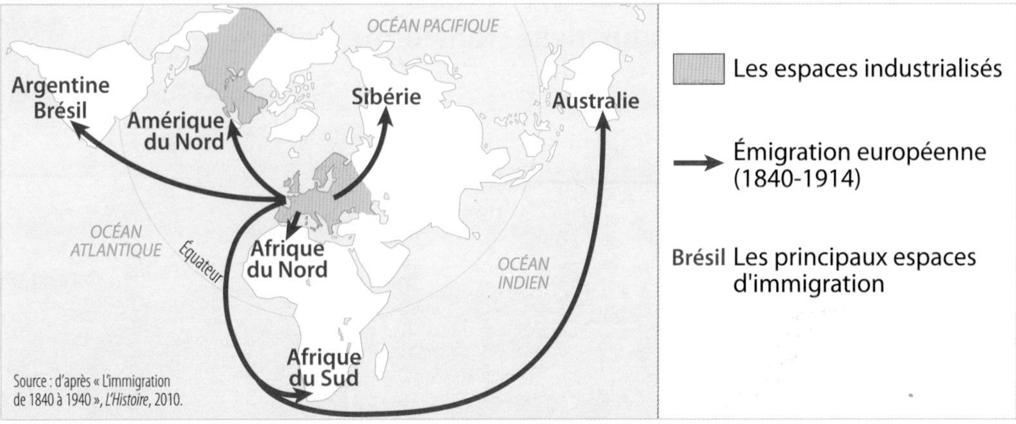
OCÉAN PACIFIQUE
Argentine
Brésil
Amérique du Nord
Sibérie
Australie
OCÉAN ATLANTIQUE
Équateur
Afrique du Nord
OCÉAN INDIEN
Afrique du Sud
Source : d'après « L'immigration de 1840 à 1940 », L'Histoire, 2010.
Les espaces industrialisés
Émigration européenne (1840-1914)
Brésil Les principaux espaces d'immigration

2 | Le travail des femmes dans une usine textile
W. Perts, *Hjula Weaving Mill*, huile sur toile, 117 cm x 85 cm, 1887-1888, collection particulière.

1. DOC. 1 Pourquoi l'utilisation des machines à vapeur représente-t-elle une révolution ?
2. DOC. 2 Quels nouveaux lieux d'activité la révolution industrielle développe-t-elle ?
3. DOC. 1 ET 2 **Formulez une hypothèse** pour répondre à la question suivante : quelles conséquences la révolution industrielle a-t-elle eues sur les Européens ?

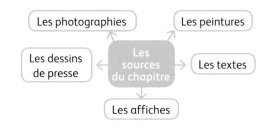

Les sources du chapitre : Les photographies ; Les peintures ; Les dessins de presse ; Les textes ; Les affiches

Étude

▶ **Socle** *Extraire des informations pour réaliser une production graphique*

La ville-usine du Creusot

Comment la révolution industrielle transforme-t-elle la ville du Creusot ?

1800
1850
1782
1836
1838
1841
Fonderie royale
Rachetée par les Schneider
Marteau-pilon à vapeur
Première locomotive

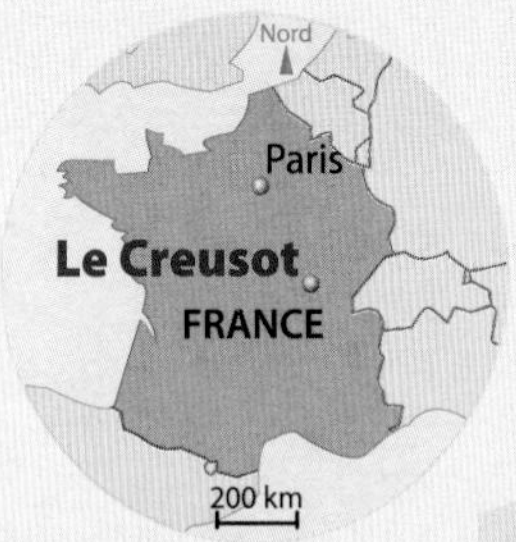
Nord
Paris
Le Creusot
FRANCE
200 km

1
2
3
4
5
5
6

1 **La ville-usine du Creusot en 1847**

Forges et fonderies du Creusot en 1847 (détail), lithographie d'après l'aquarelle de P. Trémaux, Écomusée Creusot-Montceau, Le Creusot.

1. Château de la Verrerie, demeure des Schneider
2. Église
3. Maisons des ouvriers
4. Ancienne fonderie royale
5. Usines
6. Voies ferrées pour acheminer la houille et le fer

2 **Le Creusot, ville ouvrière**

En 1836, la famille Schneider rachète l'ancienne fonderie royale du Creusot.

Date	Population de la ville	Effectifs des usines
1836	2 700	1 500
1850-51	8 073	3 250
1867	23 872	8 550
1881	28 125	8 343
1913	35 587	11 240

J.-P. Frey, *Le Creusot 1870-1930*, Pierre Mardaga éditeur, 1986 ; C. Mathieu et D. Schneider, *Les Schneider, Le Creusot (1836-1960)*, Fayard, 1995.

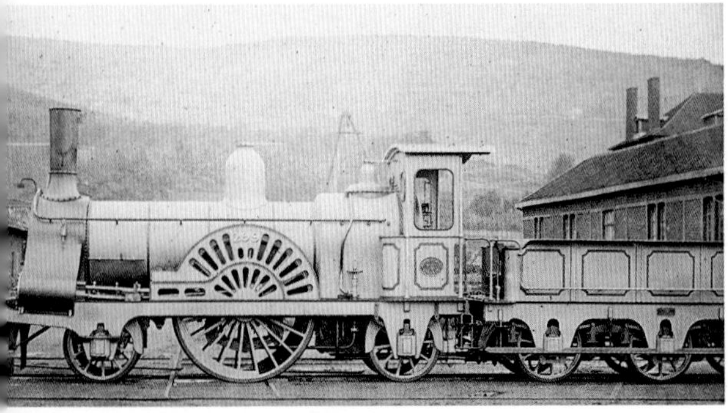

3 **L'usine du Creusot a fabriqué 952 locomotives à vapeur entre 1838 et 1865**

Une des 15 locomotives Schneider express type 58, vendues en 1865 à la compagnie ferroviaire Great Eastern Railway.

Vocabulaire

Acier : mélange de fer et de carbone qui crée un métal très résistant.

Houille : charbon servant de combustible.

Sidérurgie : industrie spécialisée dans la fabrication de l'acier, de la fonte et du fer.

Usine : lieu de production industrielle où les ouvriers et les machines effectuent la transformation des matières premières en produits finis.

4 **Mécaniser le travail de la sidérurgie grâce à la machine à vapeur**
En 1841, les Schneider équipent leur usine d'un marteau-pilon à vapeur pour forger l'acier chaud en le martelant.
J.-F. Layraud, *Le marteau-pilon*, 1899, Écomusée Creusot-Montceau, Le Creusot.

5 Une usine organisée

Les distances qui séparent les fours entre eux et les machines fonctionnant à la vapeur ont été si bien mesurées, qu'aucun retard, aucune fausse manœuvre ne vient gêner l'opération ou menacer la sécurité des ouvriers. Dans les ateliers, sur une ligne sont rangés tous les outils qui servent à faire les roues, les boîtes, les cylindres. Plus loin sont les fosses où l'on assemble toutes les pièces, et d'où les locomotives sortent toutes faites.

D'après J. Turgan, *Les grandes usines de France*, T. VI, Michel Lévy Frères, Paris, 1870.

Qui est-il ? **Julien Turgan (1824-1887)**
Médecin et journaliste français.

Contexte : La machine à vapeur
La révolution industrielle repose sur l'utilisation de la machine à vapeur inventée au XVIIIe par l'Écossais James Watt. Elle permet d'actionner les machines de l'usine et les locomotives.

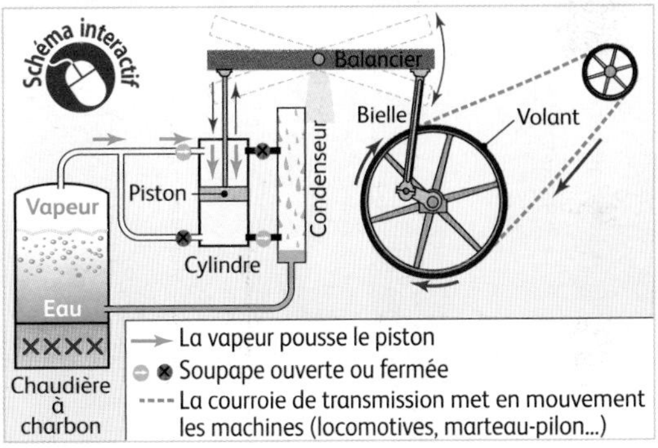

Schéma interactif
Balancier
Bielle
Volant
Condenseur
Piston
Vapeur
Cylindre
Eau
XXXX
Chaudière à charbon
La vapeur pousse le piston
Soupape ouverte ou fermée
La courroie de transmission met en mouvement les machines (locomotives, marteau-pilon...)

Activités

Socle *Extraire des informations pour réaliser une production graphique*

Reproduisez et complétez la carte mentale suivante afin de montrer que la révolution industrielle transforme Le Creusot.

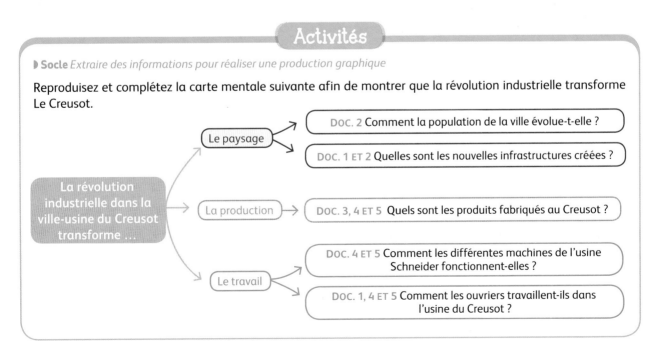

La révolution industrielle dans la ville-usine du Creusot transforme ...

- Le paysage
  - DOC. 2 Comment la population de la ville évolue-t-elle ?
  - DOC. 1 ET 2 Quelles sont les nouvelles infrastructures créées ?
- La production
  - DOC. 3, 4 ET 5 Quels sont les produits fabriqués au Creusot ?
- Le travail
  - DOC. 4 ET 5 Comment les différentes machines de l'usine Schneider fonctionnent-elles ?
  - DOC. 1, 4 ET 5 Comment les ouvriers travaillent-ils dans l'usine du Creusot ?

Étude

Les Schneider développent Le Creusot

1864	1871	1884
Droit de grève	H. Schneider, maire du Creusot	Liberté syndicale

Tâche complexe

En 1856, 5 000 habitants sur les 13 390 que compte la ville du Creusot signent une pétition afin de rebaptiser leur ville « Schneiderville ».

Votre mission :

Réalisez un reportage pour expliquer quelles sont les relations entre la famille Schneider et les habitants du Creusot afin de comprendre pourquoi certains Creusotins ont souhaité changer le nom de leur ville et pourquoi d'autres ne voulaient pas.

Besoin d'aide ? *Voir p. 87*

Boîte à outils

Les mots de l'historien pour expliquer la volonté des Creusotins de rebaptiser leur ville :
Paternalisme – grève – syndicat.

1 **Toute la ville célèbre le centenaire d'Eugène Ier Schneider**

En 1905, Eugène II Schneider, sa femme et leurs trois enfants célèbrent le 100e anniversaire du premier patron de l'usine.

2 **Les Schneider louent des maisons à leurs ouvriers**

L'avenue Saint-Sauveur : maisons pour les employés, 1912.

3 Un patron paternaliste

Être le père de vos ouvriers, voilà bien, Monsieur, la constante préoccupation de votre cœur. Toutes les œuvres de bienfaisance dont vous avez doté votre cité, en donnent un vivant et magnifique témoignage. L'enfant a ses écoles, le vieillard sa Maison de famille pour abriter ses infirmités ; les blessés et les malades trouveront ici l'Hôtel du bon Dieu, et, au chevet de leur lit de douleur, des anges consolateurs, pieuses auxiliaires de nos dévoués médecins. Cette pensée constante vouée au bien-être moral et matériel de votre grande famille ouvrière, vous l'avez recueillie de votre illustre père, le grand génie qui a créé cette cité industrielle dont vous maintenez et étendez la glorieuse renommée.

D'après J. A. Burdy, adjoint au maire du Creusot, *Discours d'inauguration de l'Hôtel-Dieu*, 15 septembre 1894.

Vocabulaire

Grève : arrêt collectif du travail.

Paternalisme : attitude d'un chef d'entreprise qui donne à son personnel des avantages sociaux ce qui renforce son autorité.

Syndicat : organisation de défense de l'intérêt des ouvriers.

4 **Ouvriers et employés, une vie encadrée par et pour l'usine**

Les Schneider forment des élèves-ouvriers dans leurs ateliers.

5 Le travail ouvrier

Un acteur témoigne

– Cela doit être fatigant votre métier ?
– Pour sûr. Mais que voulez-vous ? On s'y fait.
– Si vous tombez malade ?
– Oh, il faut espérer que non ! Qu'est-ce que je ferais avec le peu d'argent versé par la compagnie aux malades ? Il faudrait envoyer mes enfants mendier ! La retraite versée par le patron, c'est joli, mais il n'y a pas beaucoup d'ouvriers qui arrivent jusqu'à soixante ans avec des métiers pareils.
– On n'a pas envie de se révolter un peu, de faire des grèves ?
– Ici ? Au Creusot ? Jamais de la vie ! C'est plein de mouchards, et gare au premier ouvrier qui aurait l'air de faire le malin ! Dans le temps, il y a eu des réunions socialistes. Tous les ouvriers qui y sont allés ont été renvoyés.
– On aime bien le patron ici ?
– Peuh ! On ne l'aime ni on le déteste ! Il n'est pas plus mauvais que les autres. Des ouvriers voudraient bien ne pas voter pour lui. Mais ils n'osent pas. Ils ont peur qu'on les fiche à la porte de l'usine, s'ils ne votent pas pour élire le patron à la mairie.

D'après J. Huret, *Enquête sur la question sociale en Europe*, Perrin, 1897.

6 **Une grève des ouvriers au Creusot**

Les ouvriers font grève pour exiger la création d'un syndicat au Creusot en 1899.

J. Adler, *La grève ouvrière aux usines Schneider du Creusot*, peinture 3,02 m x 2,31 m, Écomusée Creusot-Montceau, Le Creusot.

Pour aller plus loin

Socle *S'informer dans le monde numérique*

Cliquez sur le site https://www.histoire-image.org puis tapez dans la barre de recherche « grève Creusot » et sélectionnez « grève du Creusot (le Monde illustré 7/10/1899) ». Relevez les informations concernant les causes et les conséquences des trois grèves qui se déroulent en 1899 et en 1900.

Besoin d'un peu d'aide ?

Après avoir rappelé le contexte de la ville-usine du Creusot (voir p. 85), organisez votre article autour des notions affichées dans la boîte à outils.

Besoin d'un peu plus d'aide ?

Organisez votre article autours de trois idées :

- Les Schneider ont un rôle important dans la ville-usine du Creusot (DOC. 1, 2, 3 ET 4)
- Les Schneider encadrent et protègent les ouvriers (DOC. 2, 3 ET 4)
- Les ouvriers critiquent et revendiquent (DOC. 5 ET 6)

Contexte

Une Europe profondément bouleversée

A. L'Europe s'industrialise progressivement à partir du XIXe siècle

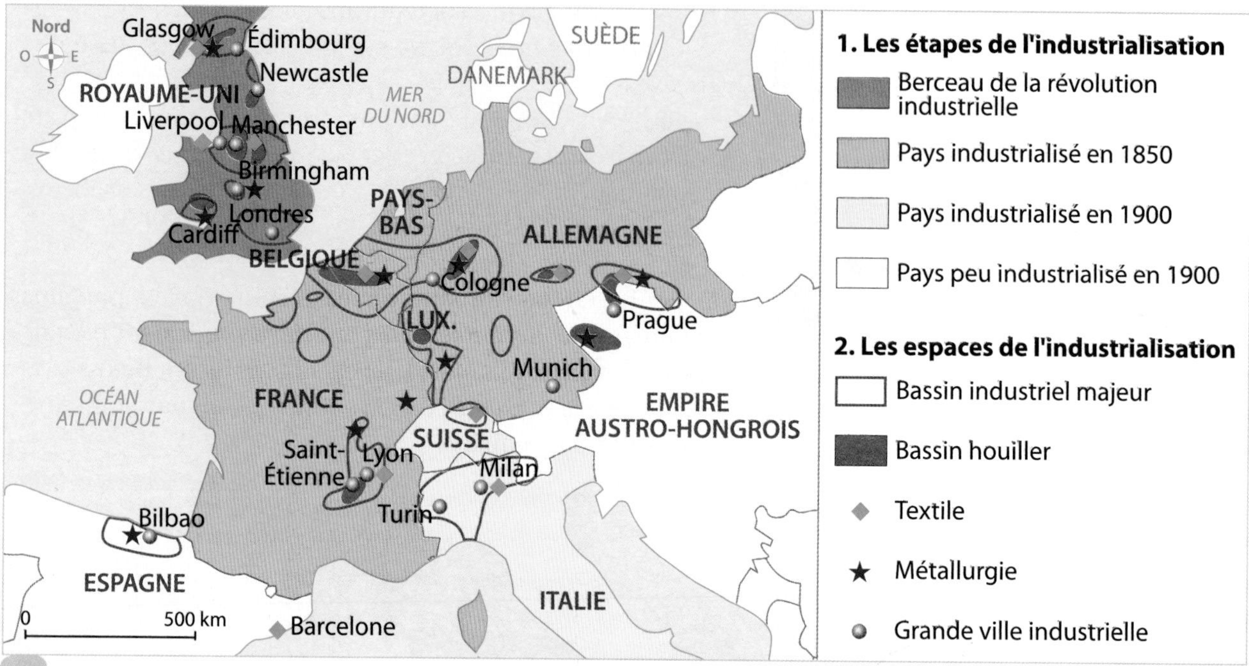
Nord
O E
S
Glasgow
Édimbourg
Newcastle
ROYAUME-UNI
Liverpool
Manchester
MER DU NORD
SUÈDE
DANEMARK
Birmingham
PAYS-BAS
Londres
Cardiff
BELGIQUE
ALLEMAGNE
Cologne
Prague
LUX.
Munich
OCÉAN ATLANTIQUE
FRANCE
EMPIRE AUSTRO-HONGROIS
SUISSE
Saint-Étienne
Lyon
Milan
Turin
Bilbao
ESPAGNE
ITALIE
0 500 km
Barcelone
1. Les étapes de l'industrialisation
Berceau de la révolution industrielle
Pays industrialisé en 1850
Pays industrialisé en 1900
Pays peu industrialisé en 1900
2. Les espaces de l'industrialisation
Bassin industriel majeur
Bassin houiller
Textile
Métallurgie
Grande ville industrielle

1 L'Europe au XIXe siècle

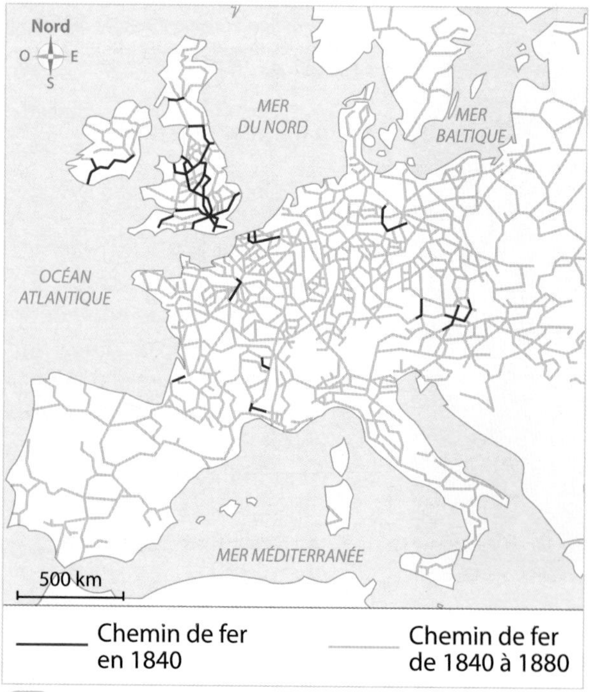
Nord
O E
S
MER DU NORD
MER BALTIQUE
OCÉAN ATLANTIQUE
MER MÉDITERRANÉE
500 km
Chemin de fer en 1840
Chemin de fer de 1840 à 1880

3 L'évolution du chemin de fer en Europe

2 Les puissances industrielles (1870-1913)

	1870		1913	
	Production (en millions de tonnes)			
	Charbon	Fer	Charbon	Fer
Royaume-Uni	112,2	6	292	10,4
Allemagne	34	1,2	277,3	16,5
États-Unis	18,5	1,7	433,5	30,8

B. Lemonnier, *Un siècle d'histoire industrielle du Royaume-Uni, 1873-1973*, SEDES, 1997.

Vocabulaire

État-nation : État délimité en fonction d'une identité culturelle commune de sa population.

Mouvements libéraux : mouvements luttant contre le pouvoir monarchique absolu et pour obtenir plus de libertés.

Mouvement nationaliste : lutte d'une nationalité pour réclamer son indépendance ou pour réaliser son unité territoriale.

Printemps des peuples : les révolutions qui se déroulent en Europe en 1848.

B. L'Europe est secouée par le « printemps des peuples »

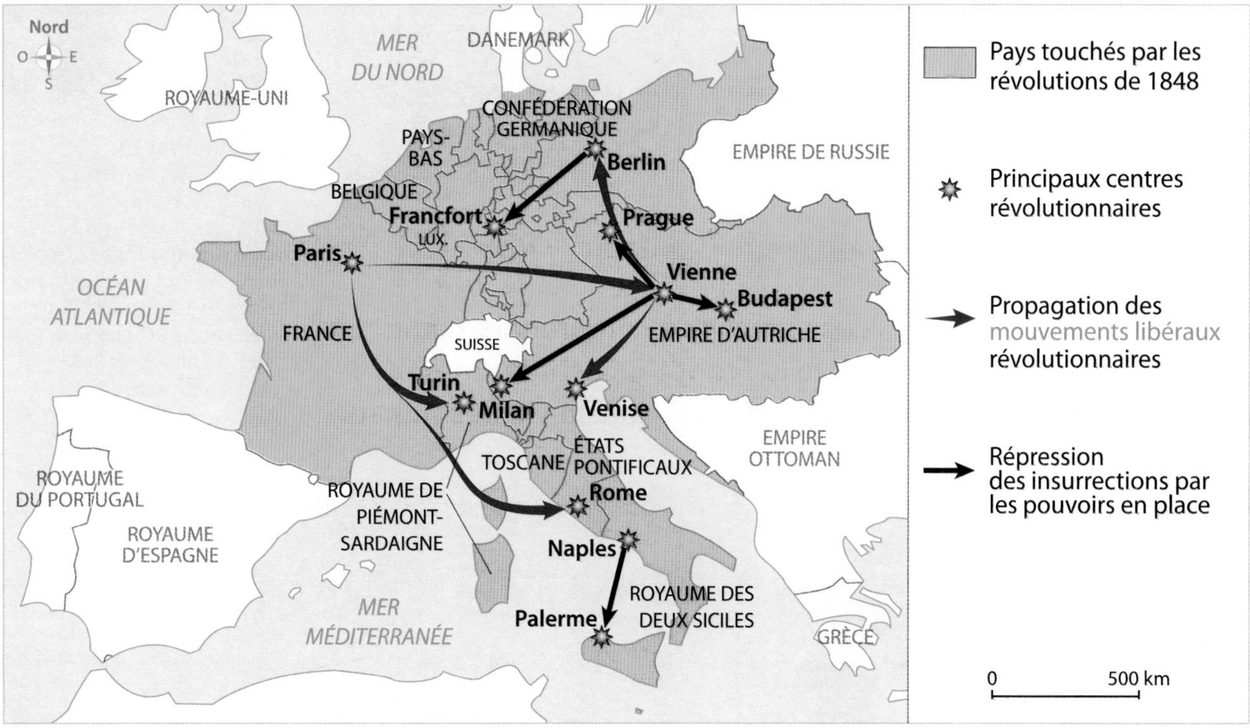

Nord
O E
S
ROYAUME-UNI
MER DU NORD
DANEMARK
CONFÉDÉRATION GERMANIQUE
PAYS-BAS
Berlin
EMPIRE DE RUSSIE
BELGIQUE
Francfort
LUX.
Prague
Paris
Vienne
Budapest
OCÉAN ATLANTIQUE
FRANCE
SUISSE
EMPIRE D'AUTRICHE
Turin
Milan
Venise
EMPIRE OTTOMAN
TOSCANE
ÉTATS PONTIFICAUX
ROYAUME DU PORTUGAL
ROYAUME DE PIÉMONT-SARDAIGNE
Rome
ROYAUME D'ESPAGNE
Naples
MER MÉDITERRANÉE
Palerme
ROYAUME DES DEUX SICILES
GRÈCE
Pays touchés par les révolutions de 1848
Principaux centres révolutionnaires
Propagation des mouvements libéraux révolutionnaires
Répression des insurrections par les pouvoirs en place
0 500 km

4 | Les révolutions de 1848

5 Les historiens en parlent

Le « printemps des peuples » s'étend à l'Europe

La révolution parisienne de février 1848 provoque un vaste **mouvement** européen **libéral** et nationaliste. Dans l'empire d'Autriche, le chancelier Metternich est chassé du pouvoir, les **mouvements nationaux** se développent, particulièrement l'insurrection hongroise. L'Allemagne, encore divisée en trente-huit États, connaît les barricades à Berlin, la fuite du roi de Prusse Frédéric-Guillaume, tandis qu'est réclamée l'unité allemande. En Italie, les Autrichiens sont chassés de Lombardie ; le pape doit fuir de Rome où une république s'installe. Dans toute l'Europe centrale et orientale, on réclame des constitutions et on revendique l'**État-nation**. Cependant, le « **printemps des peuples** » échoue, les Allemands se divisent sur les limites de l'Allemagne ; en Italie le pape est aidé par la France catholique… Dès le printemps 1848, on assiste à une répression armée des grandes puissances, la Russie et l'Autriche.

D'après M. Winock, « Le temps des nations », *Les collections de l'Histoire*, 2008.

Pour aller plus loin

▸ **Socle** *S'informer dans le monde numérique*

Rendez-vous sur le site https://www.histoire-image.org, tapez : « Printemps des peuples en Allemagne » et sélectionnez le tableau « combats de barricades sur Alexanderplatz 18-19 mars 1848 ».
En vous aidant des informations données, expliquez pourquoi une révolution éclate à Berlin en 1848.

Comprendre le contexte

L'Europe s'industrialise progressivement à partir du XIXe siècle

1. DOC. 1 ET 3 Comment l'industrialisation s'est-elle diffusée en Europe ?
2. DOC. 1, 2 ET 3 Quelles sont les innovations de la révolution industrielle ?

L'Europe est secouée par le « Printemps des peuples »

3. DOC. 4 ET 5 Montrez que l'Europe est touchée par une série de révolutions en 1848.
4. DOC. 4 ET 5 Quelles sont les revendications des révolutionnaires en Europe ?

L'atelier de l'historien

▸ **Socle** *Confronter des documents et exercer son esprit critique*

Littérature et société

Germinal, un témoignage sur le travail des mineurs

Biographie

Émile Zola (1840-1902)

Émile Zola est un écrivain français naturaliste. De 1871 à 1893, il rédige 20 romans racontant la vie d'une famille entre 1852 et 1870, les Rougon-Macquart. Pour écrire avec précision, il fait de nombreuses investigations.

Vous êtes un historien et vous cherchez à comprendre comment vivaient les mineurs du Nord de la France à partir du roman *Germinal*. À l'aide du Point méthode, décrivez la vie des mineurs.

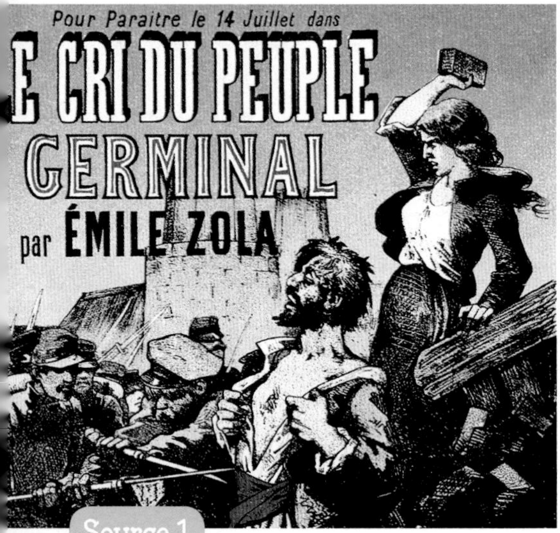
Pour Paraitre le 14 Juillet dans
E CRI DU PEUPLE
GERMINAL
par ÉMILE ZOLA

Source 1

Le roman *Germinal*, publié à partir de 1884, décrit les conditions de vie et de travail d'un mineur du nord de la France.

J. Cheret, Affiche annonçant la parution de *Germinal* dans *Le Cri du Peuple*, 1880-1889.

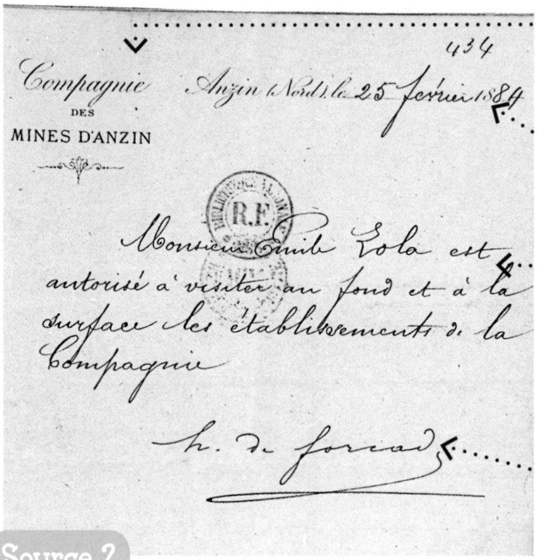

434

Compagnie des MINES D'ANZIN

Anzin (Nord), le 25 février 1884

Monsieur Émile Zola est autorisé à visiter au fond et à la surface les établissements de la Compagnie

Papier à en-tête de la Compagnie des Mines d'Anzin
Anzin (Nord), le 25 février 1884
« Monsieur Émile Zola est autorisé à visiter au fond et à la surface les établissements de la Compagnie. »
Signature du directeur de la Compagnie

Source 2

Zola visite les mines d'Anzin

Zola a interrogé des mineurs et est descendu au fond d'une mine.

É. Zola, « Autorisation de visite de la Compagnie des Mines d'Anzin à l'attention d'Émile Zola », *Œuvres, manuscrits et dossiers préparatoires*, 1884, Paris, BNF.

Source 3

Le travail au fond de la mine

Ils devaient, pour attaquer la houille, rester couchés, le cou tordu, les bras levés, et brandir le pic à manche court. C'était Maheu qui souffrait le plus. La température montait jusqu'à 35 degrés, l'air ne circulait pas, l'étouffement à la longue devenait mortel. Au bout d'un quart d'heure, il était couvert de sueur. Il donnait de grands coups qui le secouaient violemment entre les deux roches, sous la menace d'un aplatissement complet.

Pas une parole n'était échangée. Ils tapaient tous, on n'entendait que ces coups irréguliers. Et les ténèbres étaient épaissies par les poussières volantes du charbon, alourdi par des gaz qui pesaient sur les yeux.

D'après É. Zola, *Germinal*, extrait de la première partie, 1885.

Pour aller plus loin

Regardez le film *Germinal* réalisé par Claude Berri en 1993.

Vocabulaire

Coron : quartier regroupant les maisons identiques construites par les sociétés minières pour loger les mineurs.

Mineur : ouvrier qui travaille dans une mine.

Naturalisme : mouvement littéraire de la fin du XIXe siècle. Les écrivains souhaitent décrire la réalité le plus objectivement possible.

Source 4

Des mineurs de fond abattant du charbon
J.-P. Quentin, photographie, vers 1900, musée des Beaux-Arts, Arras.

Source 6

L'intérieur d'un coron
Carte postale « La vie du mineur, la toilette », vers 1910.

Source 5

Zola décrit l'intérieur d'un coron

Chez les Maheu, au numéro 16, rien ne bougeait. Des ténèbres épaisses noyaient l'unique chambre du premier étage. Quatre heures sonnèrent au coucou du rez-de-chaussée et Catherine se leva. Puis, les jambes jetées hors des couvertures, elle tâtonna et alluma la chandelle.

Maintenant, la chandelle éclairait la chambre, carrée, à deux fenêtres, que trois lits emplissaient. Il y avait une armoire, une table, deux chaises de vieux noyer et des murs peints en jaune clair. Et rien autre, des hardes pendues à des clous et une cruche posée près d'une cuvette. Dans le lit de gauche, Zacharie, l'aîné, un garçon de vingt et un ans, était couché avec son frère Jeanlin, qui achevait sa onzième année ; dans celui de droite, deux mioches, Lénore et Henri, la première de six ans, le second de quatre, dormaient aux bras l'un de l'autre ; tandis que Catherine partageait le troisième lit avec sa sœur Alzire, si chétive pour ses neuf ans. La porte vitrée était ouverte, on apercevait le couloir du palier, où le père et la mère occupaient un quatrième lit, contre lequel ils avaient dû installer le berceau de la dernière venue, Estelle, âgée de trois mois à peine.

D'après É. Zola, *Germinal*, extrait de la deuxième partie, 1885.

Point méthode

La démarche de l'historien

Étape 1 ▶ **Identifier les documents sources**

1. Pour chacune des six sources, identifiez sa nature, sa date et le sujet traité. Vous pouvez organiser ces présentations dans un tableau.

Étape 2 ▶ **Comprendre et confronter les documents sources**

La classe est divisée en deux équipes.

Équipe 1 : Le travail des mineurs	**Équipe 2 : La vie des mineurs**
2. SOURCE 3 Relevez les informations sur les conditions de travail des mineurs. Aide *Indiquez où ils travaillent, soyez attentifs aux mots utilisés pour décrire ce qu'ils font.*	4. SOURCE 5 Relevez les informations sur les conditions de vie des personnages. Aide *Indiquez où ils vivent, soyez attentifs aux mots utilisés pour décrire l'habitation.*
3. SOURCES 1, 2, 3 ET 4 Peut-on faire confiance à la description du travail des mineurs que fait Zola ? Justifiez.	5. SOURCES 1, 2, 5 ET 6 Peut-on faire confiance à la description de la vie des mineurs que fait Zola ? Justifiez.

Étape 3 ▶ **Conclure**

6. Que savez-vous désormais des conditions de vie et de travail des mineurs ?

Les contrastes sociaux

Comment représenter les transformations de la société provoquées par la révolution industrielle ?

1 **L'intérieur d'une maison ouvrière**
L. Delachaux, *La lingère*, huile sur toile, 56,5 cm x 47 cm, 1905, musée d'Orsay, Paris.

Qui est-il ? Léon Delachaux (1850-1919)
Peintre et graveur français spécialisé dans les scènes de genre.

Point art

Peinture de genre

Définition : œuvre où sont représentées des scènes de vie anecdotiques et familières. Ce type de peinture fut longtemps considéré comme un genre mineur. En effet, il paraissait moins noble que la peinture d'Histoire (qui représente un fait historique, religieux ou mythologique), ou que le portrait. C'est seulement à partir de la seconde moitié du XIXe siècle que la peinture de genre rencontre un fort succès.

2 **Le salon d'une famille de bourgeois**
A.-H. Tanoux, *L'heure du thé*, huile sur toile, 73 cm x 51 cm, 1904, collection particulière.

Qui est-il ? Adrien-Henri Tanoux (1865-1923)
Peintre français, portraitiste. La majorité de son œuvre s'inspire des civilisations orientales.

Identifier, analyser et comparer deux œuvres d'art

Présenter

1. DOC. 1 ET 2 Présentez chaque œuvre (nature, auteur, date et lieu de conservation).

Décrire et comprendre

2. DOC. 1 ET 2 Comment les personnages sont-ils représentés (vêtements, position, occupation) ?
3. DOC. 1 ET 2 Quels sont les objets présents dans la pièce ?

Comparer et exprimer sa sensibilité

4. DOC. 1 ET 2 Comparez les conditions de vie des personnages (sont-elles difficiles ?).
5. DOC. 1 ET 2 Lequel des deux tableaux préférez-vous ? Justifiez votre point de vue.

Étude ▸ Socle *Raisonner*

Le Bon Marché, un Grand magasin parisien

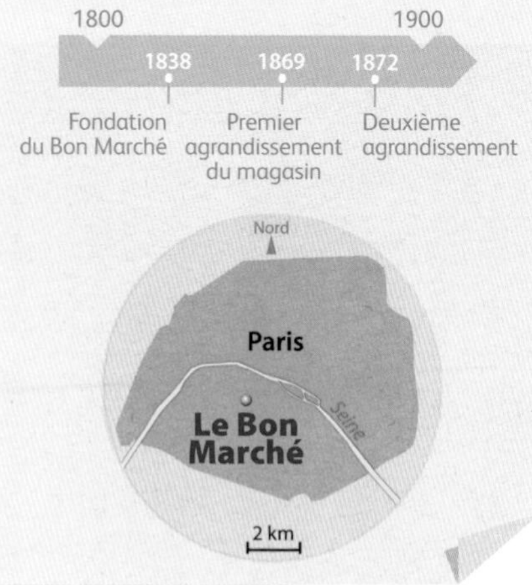
1800
1900
1838
1869
1872
Fondation du Bon Marché
Premier agrandissement du magasin
Deuxième agrandissement
Nord
Paris
Le Bon Marché
Seine
2 km

Quelle façon de consommer le Bon Marché propose-t-il aux Parisiennes ? Comment le travail des employés s'organise-t-il ?

AU BON MARCHE
ARIS
Maison A. BOUCICAUT
PARIS
MAGASINS DE NOUVEAUTÉS LES PLUS IMPORTANTS DU MONDE ENTIER
à visiter comme l'une des plus remarquables curiosités de PARIS.
INTERPRÈTES DANS TOUTES LES LANGUES

1 **Le Bon Marché est situé au cœur de Paris**

Le Bon Marché est un Grand magasin d'une surface d'environ 10 000 m^2.
Publicité pour le magasin Au Bon Marché, 1910.

2 Émile Zola décrit l'ambiance d'un Grand magasin parisien

Du monde regardait les vitrines, des femmes arrêtées s'écrasaient devant les glaces, toute une foule brutale de convoitise. Et les étoffes[1] vivaient, dans cette passion du trottoir : les pièces de drap respiraient, soufflaient une haleine tentatrice.

Il y avait là le ronflement continu de la machine à l'œuvre, des clientes entassées devant les rayons, étourdies sous les marchandises, puis jetées à la caisse. Et cela réglé, organisé avec une rigueur mécanique, tout un peuple de femmes passant dans la force et la logique des engrenages.

D'après É. Zola, *Au Bonheur des Dames*, 1883.

1. Tissus.

Le Bon Marché Maison A. Boucicaut[1]	
Rayons de marchandises	36
Caisses	73
Employés (salariés)	2 500 (dont 152 demoiselles de magasin[2])
Budget publicitaire annuel	500 000 francs
Chiffre d'affaires annuel	100 millions de francs
Recette d'une journée ordinaire	300 000 francs
Nombre de clientes - par jour - pour une grande vente	 10 000 70 000

1. Aristide Boucicaut (1810-1877) est un entrepreneur français, créateur du premier grand magasin, Au Bon Marché (1852).
2. Jeunes femmes employées pour travailler et vendre.

3 **Notes prises par Émile Zola lors de ses visites au Bon Marché (1881-1882)**

É. Zola, « Manuscrits et dossiers préparatoires, Les Rougon-Macquart », *Au bonheur des dames*, *Œuvres*, 1881.

Vocabulaire

Grand magasin : magasin de centre-ville regroupant sur plusieurs étages différents types de marchandises.

Salarié : travailleur sous contrat fournissant une prestation contre une rémunération.

Au comptoir de Ganterie.

4 **Des vendeurs au service des consommateurs**
Le comptoir de ganterie du Bon Marché, gravure, 1889.

AU BON MARCHÉ
NOUVEAUTES
PARIS MEUBLES LITERIE
Lundi 20 FÉVRIER GANTS DENTELLES

5 **Le Bon Marché assure un service de livraison**
Voitures de livraison au cœur de Paris, 1910.

AU BON MARCHÉ
PARIS Maison Aristide BOUCICAUT
Lundi
31 Janvier
GRANDE MISE EN VENTE DE
Blanc
TOILES
TROUSSEAUX
Linge Confectionné

6 **Le Bon Marché fait de la publicité pour attirer les clients**
Affiche publicitaire du Bon Marché, 1898.

Activités

Socle *Raisonner*

Répondez aux questions suivantes : « Quelle façon de consommer le Bon Marché propose-t-il aux Parisiennes ? Comment le travail des employés s'organise-t-il ? »

Aide
Relevez les différentes activités du Bon Marché.
Identifiez les catégories de personnes qui travaillent et fréquentent le Bon Marché.
Montrez que le Bon Marché est une entreprise qui cherche à faire des bénéfices.

Étude

▸ **Socle** *Écrire pour construire son savoir*

Les révoltes ouvrières en France

Pourquoi et comment les ouvriers se révoltent-ils ?

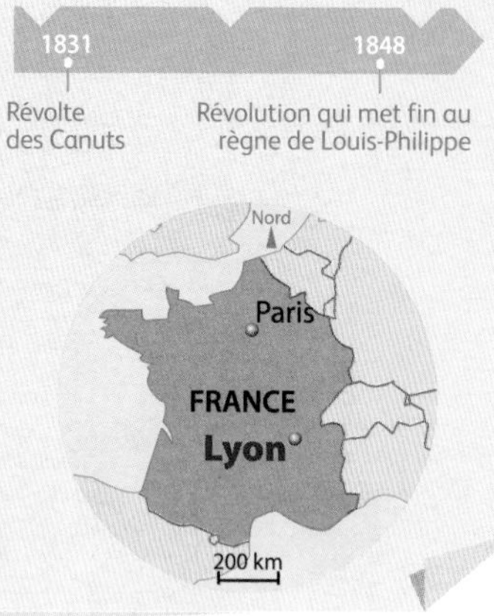

1831
1848
Révolte des Canuts
Révolution qui met fin au règne de Louis-Philippe
Nord
Paris
FRANCE
Lyon
200 km

A. La révolte des Canuts à Lyon, 1831

VIVRE EN TRAVAILLANT OU MOURIR EN COMBATTANT

1 **La révolte des Canuts à Lyon en 1831**
L'insurrection de novembre 1831 à Lyon, gravure, 1864.

Contexte :
Le préfet du Rhône décide de fixer un salaire minimum pour les Canuts. Cependant, les fabricants refusent cette augmentation des salaires. Le 21 novembre 1831, les Canuts se révoltent pour que ce nouveau salaire soit respecté.

2 Les conditions de travail des Canuts

Depuis plusieurs années, la manufacture de soie de Lyon connaît des baisses de ses prix de fabrication, et une augmentation progressive du travail. L'ouvrier ne peut pas se procurer le strict nécessaire pour survivre. Des êtres destinés à une vie aussi difficile devraient avoir la certitude qu'on ne profitera pas plus de leur misère. Et cette certitude, ils ne peuvent l´obtenir que de l'État.

D'après le *Prospectus de L'Écho de la fabrique*, octobre 1831, Bibliothèque municipale de Lyon.

Quel est-il ? *L'Écho de la fabrique*
Hebdomadaire publié par les ouvriers de la soie de Lyon entre octobre 1831 et avril 1834.

Vocabulaire

Ateliers nationaux : ils ont pour objectif de donner du travail aux ouvriers au chômage.

Barricade : amas de pavés et de pièces de bois destiné à bloquer les rues.

Canuts : artisans lyonnais qui tissaient de la soie à domicile sur des métiers à tisser.

Classe sociale : groupe d'individus partageant les mêmes mode de vie et activités (on distingue au XIXe siècle, les bourgeois, les ouvriers, les agriculteurs…).

Lutte des classes : théorie affirmant la division de la société en classes sociales (ouvriers et bourgeois) dont les intérêts s'opposent.

B. La révolte parisienne de juin 1848

3 | Février 1848, la République met en place des mesures sociales

Après la révolution de février 1848, la monarchie de Juillet est remplacée par la II[de] République.

Décret du 25 février 1848	La République française s'engage à garantir du travail à tous les citoyens. Elle reconnaît que les ouvriers doivent s'associer entre eux pour jouir du bénéfice légitime de leur travail.
Décret du 29 février 1848	Le gouvernement provisoire de la République décrète l'établissement immédiat d'**ateliers nationaux**. Le ministre des Travaux publics est chargé de l'exécution du présent décret.

Étude d'image

4 | Les ouvriers dressent des barricades après la fermeture des ateliers nationaux le 21 juin 1948
H. Vernet, *Combats dans la rue Soufflot à Paris le 25 juin 1848*, 1849, Deutsches Historisches Museum, Berlin.

5 Les émeutes de juin selon Marx

La révolution de juin offre le spectacle d'une lutte acharnée comme Paris, comme le monde, n'en ont pas encore vu de pareille. C'est la première grande bataille entre les deux **classes sociales** qui divisent la société moderne. C'est la lutte pour le maintien ou l'anéantissement de l'ordre bourgeois[1]. La **lutte des classes** antagonistes dont l'une exploite l'autre. C'est la guerre civile, la guerre entre le capital[2] et le travail.

D'après Karl Marx, *Les Luttes de classes en France*, 1850.

1. Ordre privilégié : la bourgeoisie.
2. Biens et argent que possède une personne, une famille ou une entreprise.

Qui est-il ? Karl Marx (1818-1883)

Intellectuel et socialiste allemand exilé en Angleterre en 1849. Il s'engage dans l'Association internationale des travailleurs et développe une idéologie fondée sur la lutte des classes.

Activités

Socle *Écrire pour construire son savoir*

Par groupe de deux, cherchez les informations pour classer les causes des deux révoltes présentées ici et les modes d'action des ouvriers.

Aide *Sélectionnez les informations pertinentes en reproduisant et complétant le tableau suivant.*

	DOC. 1 ET 2 La révolte des Canuts	DOC. 3, 4 ET 5 La révolte de juin 1848
Quoi ?		
Qui ?		
Où ?		
Quand ?		
Pourquoi ?		
Comment ?		

Pour conclure Construisez une réponse courte à la question suivante pour l'exposer à l'oral :

Expliquez les révoltes des ouvriers au XIXe siècle.

Aide
– *Vous montrerez quelles sont les causes des révoltes ouvrières.*
– *Vous indiquerez les moyens utilisés par les ouvriers pour se faire entendre.*

▸ **Socle** *Extraire des informations pertinentes*

Les nouvelles idéologies de la révolution industrielle

Quelles sont les nouvelles idéologies de la révolution industrielle ?

RÉPUBLIQUE BOURGEOISE
LIBRE
CONCURRENCE
RÉPUBLIQUE SOCIALE
A CHACUN SA PART

1 **Une vision des idéologies appliquées à la République**
W. Crane, caricature, *Le Figaro*, 1892.

Qui est-il ? Walter Crane (1845-1915)
Peintre et dessinateur socialiste britannique.

2 Henri Schneider explique le capitalisme et le libéralisme

Henri Schneider : Que veulent les socialistes ?
Jules Huret : On dit qu'ils voudraient supprimer les privilèges des patrons.
Henri Schneider : Ne faut-il pas un patron ?
Jules Huret : S'il faut une direction à l'usine, est-il indispensable que ce directeur absorbe à lui seul tous les bénéfices ?
Henri Schneider : Pensez-vous qu'il ne faut pas de l'argent pour faire marcher une « boîte » comme celle-ci ? À côté du directeur, il y a le capitaliste, celui qui apporte la forte somme qui alimente tous les jours les usines en outillages perfectionnés. Ce capital qui nourrit l'ouvrier lui-même, ne doit-il pas avoir sa part des bénéfices ?
Jules Huret : Que pensez-vous de l'intervention de l'État ? De la journée de huit heures ?
Henri Schneider : Je refuse l'intervention d'un préfet dans les grèves. Pour moi, un ouvrier bien portant peut très bien faire ses dix heures de travail par jour et on doit le laisser libre de travailler davantage si ça lui fait plaisir.

D'après J. Huret, *Enquête sur la question sociale en Europe*, 1897.

Qui est-il ? Jules Huret (1863-1915)
Journaliste et reporter français. Il se spécialise dans les interviews de ses contemporains.

Vocabulaire

Bourgeois : habitant des villes qui dispose de hauts revenus.
Capitalisme : système économique fondé sur la détention de biens et capitaux privés et sur la recherche d'un maximum de profit.
Idéologie : ensemble d'idées et de croyances.
Libéralisme : idéologie selon laquelle l'État n'intervient pas en économie.
Lutte des classes : voir p. 104.
Prolétariat : classe sociale composée d'ouvriers qui n'ont que leur force de travail pour vivre.

3 Les socialistes Marx et Engels présentent leur idéologie

L'histoire de toute société jusqu'à nos jours n'a été que l'histoire de luttes de classes.
La société bourgeoise moderne, élevée sur les ruines de la société féodale, compte de nouvelles conditions d'oppression. Aujourd'hui, la société se divise en deux classes opposées et ennemies : la bourgeoisie et le prolétariat.
La lutte est engagée par des ouvriers contre le bourgeois qui les exploite directement. Le prolétariat de chaque pays doit en finir, avant tout, avec sa propre bourgeoisie.

D'après K. Marx et F. Engels, *Le Manifeste du Parti communiste*, 1848.

Qui sont-ils ? **Karl Marx (1818-1883) et Friedrich Engels (1820-1895)**
Intellectuels socialistes allemands, ils proposent l'abolition de la propriété privée et la suppression des classes par une révolution des prolétaires.

FREIHEIT
GLEICHHEIT
BRÜDERLICHKEIT
PROLETARIER ALLER LÄNDER VEREINIGT EUCH !
KARL MARX
EUROPA

4 **Pour une union des ouvriers du monde entier**
W. Crane, *Prolétaires du monde entier, unissez-vous !*, 1889.

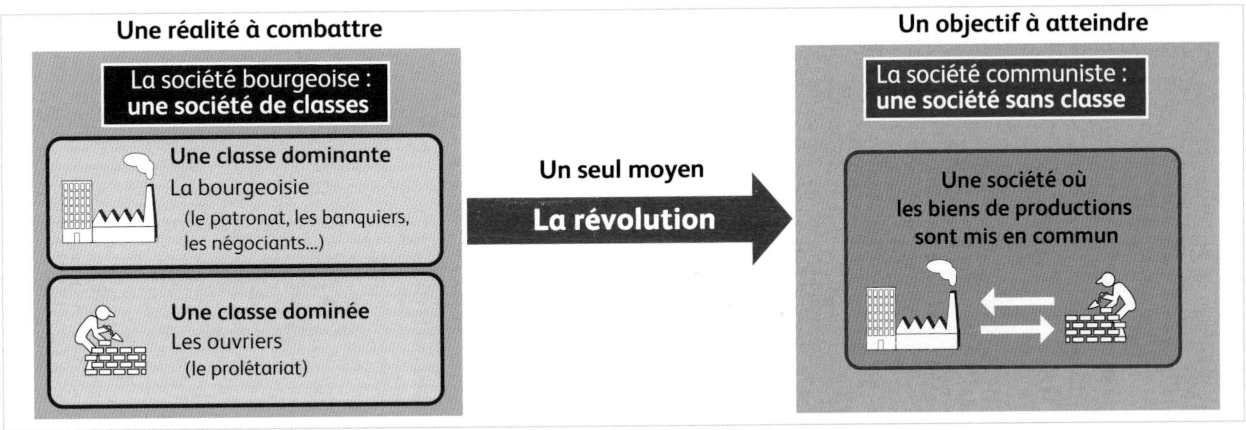
Une réalité à combattre
La société bourgeoise : une société de classes
Une classe dominante
La bourgeoisie
(le patronat, les banquiers, les négociants...)
Une classe dominée
Les ouvriers
(le prolétariat)
Un seul moyen
La révolution
Un objectif à atteindre
La société communiste : une société sans classe
Une société où les biens de productions sont mis en commun

5 **La lutte des classes selon Marx et Engels**

Activités

Socle *Extraire des informations pertinentes*

1. DOC. 5 Expliquez quelles sont les relations entre les bourgeois et les prolétaires selon Marx et Engels.
2. DOC. 1, 2, 4 ET 5 Quelles idées sont proposées pour améliorer la situation des prolétaires dans la société industrielle ?
3. DOC. 1, 2 ET 3 Pourquoi les bourgeois refusent-ils l'intervention de l'État dans l'économie ?
4. DOC. 1, 2 ET 3 Pourquoi, selon Henri Schneider, la société industrielle a-t-elle besoin des patrons ?
5. DOC. 1 À 5 Quelles sont les idéologies défendues par les bourgeois et par les prolétaires ?

Pour conclure Répondez à la consigne suivante en reprenant les mots-clés de l'étude.

Montrez que de nouvelles idéologies se diffusent pendant la révolution industrielle.

Aide *Identifiez et expliquez les différentes idéologies de la révolution industrielle.*

Étude

Socle *Écrire pour construire son savoir*

L'émigration irlandaise aux États-Unis

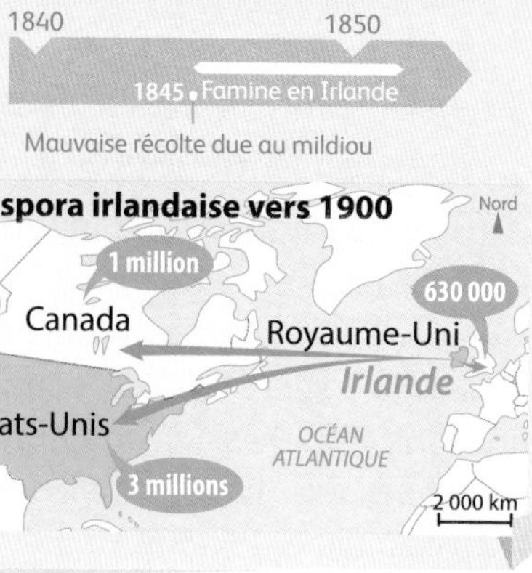
1840
1850
1845 Famine en Irlande
Mauvaise récolte due au mildiou
Diaspora irlandaise vers 1900
Nord
1 million
630 000
Canada
Royaume-Uni
Irlande
États-Unis
OCÉAN ATLANTIQUE
3 millions
2 000 km

1 Lettre d'un immigré irlandais installé aux États-Unis

Un acteur témoigne

Augusta, le 13 décembre 1847

Chère mère, je vous écris ces quelques lignes en espérant vous trouver en aussi bonne santé que je le suis aujourd'hui. Nous avons passé quatre semaines en mer. Par la grâce de Dieu, je n'ai pas été malade un seul jour de la traversée. Ma mère, ma sœur Elon a trouvé du travail le lendemain de notre arrivée à St John, au Nouveau-Brunswick. Je travaille à présent au chemin de fer. Cet été, le salaire était de quatre shillings britanniques par jour, et cet hiver, il sera de trois shillings, car nous devons souvent interrompre le travail à cause du gel, de la neige ou de l'humidité. Chère mère, tout se passe bien ici, je me porte bien, grâce à Dieu. J'ai acheté des vêtements neufs qui m'ont coûté assez cher : les vêtements sont très chers ici. Un baril de farine coûte une livre et 10 shillings, et c'est un baril de 90 kilos. Un baril de viande de bœuf coûte 2 livres et 4 shillings, et une livre de beurre coûte 1 shilling. Ce pays est un bon endroit pour les hommes forts et pour les filles : une fille capable peut gagner 6 shillings par semaine, plus le gîte et le couvert. Je n'ai plus rien à dire, mais je reste votre fils aimant, One Boyle.

Dites-moi comment vont William Nechloson et sa famille. Dites à Bryan Mig Lone de nous écrire s'il part en mai. Et dites à James Hennery de m'écrire dès que possible et je lui enverrai de l'aide.

One Boyle

Lettre recueillie par sir R. Gore Booth et traduite de l'anglais, 1847, Archives provinciales du Nouveau-Brunswick.

PUCK.
AGITATION AND DISTURBANCE FUND
UNITED STATES—WORKING FOR IT.
AMERICAN GOLD.
IRELAND—WAITING FOR IT.

2 L'Amérique attire les migrants irlandais

Caricature parue dans *Puck*, 24/05/1882 : L'or américain :

1. Aux États-Unis, on travaille pour lui :
2. « Améliorations de la ville et lessives faites ».
3. En Irlande, on l'attend :
4. « Fonds contre la crise ».

Vocabulaire

Émigrer : quitter son pays d'origine pour un autre.

Famine : manque de nourriture qui affecte une population.

Immigrer : s'installer dans un pays pour y vivre.

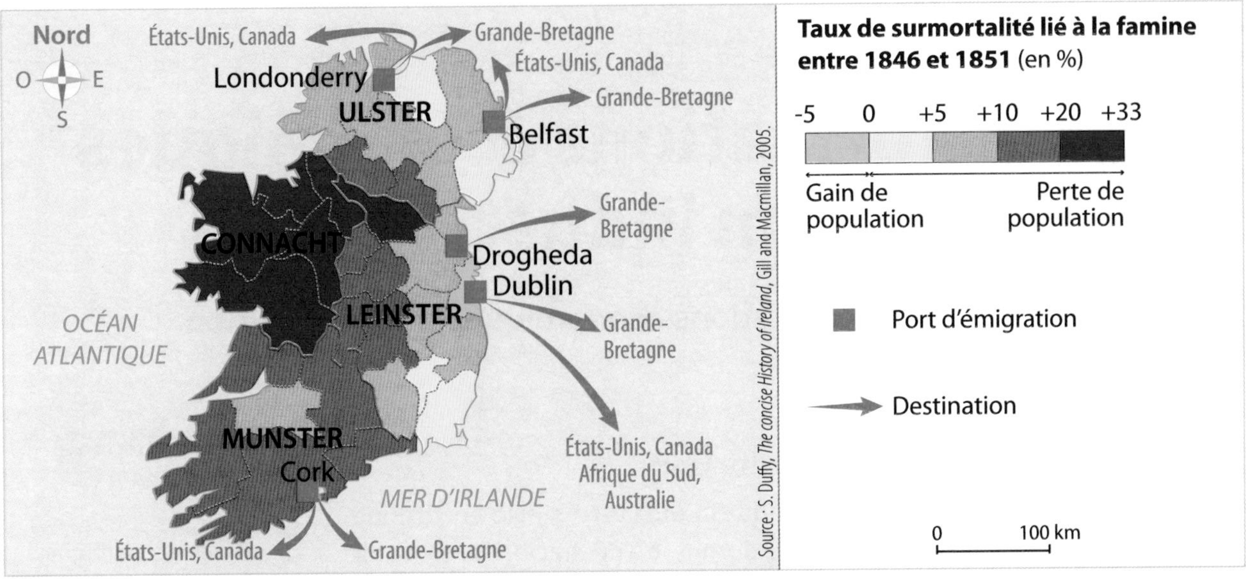
Nord
O E S
États-Unis, Canada
Grande-Bretagne
États-Unis, Canada
Grande-Bretagne
Londonderry
ULSTER
Belfast
Grande-Bretagne
CONNACHT
Drogheda
Dublin
LEINSTER
Grande-Bretagne
OCÉAN ATLANTIQUE
MUNSTER
Cork
MER D'IRLANDE
États-Unis, Canada
Afrique du Sud,
Australie
États-Unis, Canada
Grande-Bretagne
Taux de surmortalité lié à la famine entre 1846 et 1851 (en %)
-5 0 +5 +10 +20 +33
Gain de population
Perte de population
Port d'émigration
Destination
0 100 km

Source : S. Duffy, *The concise History of Ireland*, Gill and Macmillan, 2005.

3 **L'Irlande est une terre d'émigration au XIXe siècle**

4 **Des enfants irlandais affamés recherchent des pommes de terre**

L'Irlande connaît une grande famine (1845-1852) provoquée par le mildiou, une maladie qui touche les pommes de terre.
« Boy and Girl at Cahera », *The Illustrated London News*, 20/02/1847.

CUNARD LINE
"Carmania"
676 FEET LONG
20,000 TONS
"Caronia"
676 FEET LONG
20,000 TONS
LIVERPOOL. NEW YORK.
BOSTON. VIA QUEENSTOWN.
W. E. LEWIS. WATER STREET. LIVERPOOL.

5 **Les conditions de voyage sont améliorées**

La compagnie de transport anglaise Cunard Line Royal Mail Steamer assure la traversée de Liverpool à New York et Boston en moins de 6 jours au XIXe siècle.
Affiche de la Cunard Line, 1900.

Activités

Socle *Écrire pour construire son savoir*

À l'aide des documents proposés, rédigez un texte d'une quinzaine de lignes qui présente le parcours et les motivations d'une famille irlandaise émigrant aux États-Unis au milieu du XIXe siècle.

Aide
- *Dans un 1er paragraphe, décrivez les conditions de vie de cette famille en Irlande (*DOC. 2, 3 ET 4*).*
- *Dans un 2nd paragraphe, expliquez comment elle a quitté son pays (*DOC. 1, 3 ET 5*).*
- *Dans un dernier paragraphe, montrez que son arrivée aux États-Unis a changé sa vie (*DOC. 1 ET 2*).*

Leçon

Les transformations économiques de la révolution industrielle

Quelles sont les transformations économiques de la révolution industrielle ?

I De nouveaux moyens de production

- **La révolution industrielle naît à la fin du XVIIIe siècle en Grande-Bretagne et se diffuse en Europe durant le XIXe siècle.** Elle est caractérisée par l'utilisation des machines à vapeur dans les usines. Elles sont utilisées comme moteur pour actionner plusieurs autres machines comme le marteau-pilon de l'usine du Creusot.
- **Les patrons installent leurs** industries **à proximité des matières premières et des sources d'énergie :** par exemple dans les pays noirs, pour le charbon indispensable au fonctionnement des machines à vapeur.
- Dans les villes européennes, le développement des industries textiles et sidérurgiques **transforme le paysage par la construction d'usines**, de chemin de fer, de maisons pour les ouvriers, etc.
- À la fin du XIXe siècle, les industriels utilisent de nouvelles sources d'énergie (électricité et pétrole) et développent l'**industrie chimique, électrique et automobile**. Ils organisent scientifiquement le travail pour augmenter la production et les bénéfices de leur entreprise.

II La révolution des transports

- Grâce à la vapeur, les transports sont plus rapides. Les trains et bateaux à vapeur réduisent les coûts, les délais de transport et renforcent la connexion entre les différentes parties du monde : c'est le début de la mondialisation. En 1909, il faut moins de 6 jours pour faire le trajet de Liverpool à New York.
- **Le réseau ferroviaire se développe** d'abord en Angleterre et ensuite dans le reste de l'Europe. L'utilisation du train à vapeur modifie les paysages. Les gares sont un symbole de progrès technique. En effet, leur construction nécessite l'utilisation de nouveaux matériaux comme l'acier et le verre.
- **De 1820 à 1920, 55 millions d'Européens décident d'**émigrer **vers l'Amérique du Nord, l'Amérique latine, l'Océanie ou l'Afrique.** Ces Européens fuient souvent la misère et rêvent d'une vie meilleure. Les pays d'immigration se développent et facilitent l'arrivée de cette main-d'œuvre européenne.

Vocabulaire

Industrie : activité économique qui transforme des matières premières afin de créer de nouveaux biens et de les vendre.

Sidérurgie : industrie spécialisée dans la fabrication de l'acier, de la fonte et du fer.

Usine : lieu de production industrielle où les ouvriers et les machines effectuent la transformation des matières premières en produits finis.

Émigrer : quitter son pays d'origine pour un autre.

Mondialisation : mise en relation de régions et de peuples. Elle se traduit par des échanges de marchandises, de capitaux et de populations.

Pays noir : région produisant du charbon.

Je retiens l'essentiel

L'essentiel en schéma

Les nouveaux moyens de production transforment l'Europe

Développement des usines

Les usines textiles et sidérurgiques s'installent dans les villes et à proximité des matières premières.

L'utilisation de la machine à vapeur

L'utilisation de machines à vapeur permet la mécanisation du travail et l'augmentation des rendements.

La révolution industrielle transforme les paysages :

- Usines
- Chemin de fer
- Maisons pour les ouvriers

La révolution des transports : l'utilisation de la machine à vapeur

Sur terre :

Développement du réseau ferroviaire en Europe.

Sur mer :

Grâce aux bateaux à vapeur, les Européens peuvent se déplacer plus rapidement et plus loin.

CUNARD LINE
"Carmania"
675 FEET LONG
20,000 TONS
"Caronia"
676 FEET LONG
20,000 TONS
LIVERPOOL. NEW YORK.
BOSTON. VIA QUEENSTOWN.

1840 — 1900 — 1914

Forte migration des Européens

1re révolution industrielle : Charbon, vapeur, métallurgie et textile

2e révolution industrielle : Électricité, pétrole, sidérurgie et chimie

1880

1848 : Révolutions en Europe

1851 : 1re Exposition universelle à Londres

Leçon

La révolution industrielle transforme profondément la société européenne

Comment la révolution industrielle transforme-t-elle la société ?

I Une nouvelle organisation de la société

- **L'exode rural permet aux usines installées en ville de recruter la main-d'œuvre** dont elles ont besoin. Les villes connaissent une forte croissance et favorisent l'apparition des classes sociales : **les** prolétaires **et les** bourgeois.
- **Les prolétaires sont les ouvriers** qui travaillent dans les usines et les mines. Ils sont nombreux et s'installent dans des quartiers ouvriers. Leurs conditions de vie sont difficiles et ils ont de faibles salaires.
- **La bourgeoisie regroupe les patrons d'usines, les grands marchands, les hommes d'affaires…** Ils ont des conditions de vie aisées, possèdent beaucoup de capitaux et investissent dans l'industrialisation de l'Europe. La naissance de cette classe sociale s'accompagne d'évolutions dans les grandes villes, comme l'apparition des grands magasins qui favorisent la société de consommation.

II De nouvelles revendications

- **En 1848, l'Europe est secouée par une série de révolutions : c'est le Printemps des peuples.** En février 1848, les Parisiens renversent la monarchie et proclament la II^de^ République. Plusieurs mesures sont prises comme l'instauration du suffrage universel masculin, la création des Ateliers nationaux et l'abolition de l'esclavage. D'autres révolutions éclatent en Italie, en Autriche-Hongrie ou encore en Allemagne.
- **En 1884, la France autorise les syndicats.** Pour améliorer les conditions de vie et de travail des prolétaires, ils organisent des grèves. Ainsi, le 21 novembre 1831 à Lyon, les Canuts se révoltent pour obtenir une augmentation de leur salaire.

III Naissance de nouvelles idéologies

- Avec l'industrialisation, plusieurs idéologies se développent. Le **libéralisme** consiste à laisser à chaque entrepreneur la liberté de faire ce qu'il veut en matière économique et à limiter les interventions de l'État.
- Le **socialisme** souhaite limiter l'exploitation économique et sociale des ouvriers. À partir de 1848, les socialistes Karl Marx et Friedrich Engels proposent de sortir du capitalisme grâce à la lutte des classes pour créer une société égalitaire et sans propriété privée aux mains des ouvriers.

Vocabulaire

Bourgeois : habitant des villes qui dispose de hauts revenus.

Lutte des classes : théorie affirmant que la société est divisée en classes sociales (ouvriers et bourgeois) dont les intérêts s'opposent.

Prolétaire : ouvrier qui travaille dans les usines pour un salaire.

Capital : biens et argent que possède une personne, une famille ou une entreprise.

Classe sociale : c'est une division de la société en groupes : la bourgeoisie, puis plus tard, les classes moyennes et les prolétaires.

Exode rural : les habitants des campagnes vont vivre en ville pour trouver du travail.

Je retiens l'essentiel

L'essentiel en schéma

Une nouvelle organisation de la société

L'exode rural développe les villes

- Les villes s'organisent autour des usines

Prolétariat

- Les ouvriers ont des conditions de vie difficiles

Bourgeoisie

- Les bourgeois ont des conditions de vie aisées

De nouvelles revendications

Développement des syndicats et grèves

Le printemps des peuples

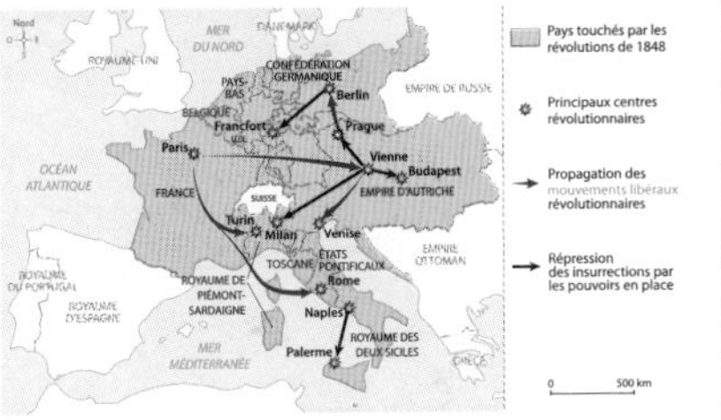

Nord
MER DU NORD
ROYAUME-UNI
CONFÉDÉRATION GERMANIQUE
PAYS-BAS
BELGIQUE
Berlin
Francfort
Prague
EMPIRE DE RUSSIE
Paris
OCÉAN ATLANTIQUE
FRANCE
Vienne
Budapest
EMPIRE D'AUTRICHE
SUISSE
Turin
Milan
Venise
TOSCANE
ÉTATS PONTIFICAUX
EMPIRE OTTOMAN
Rome
ROYAUME DE PIÉMONT-SARDAIGNE
ROYAUME DU PORTUGAL
ROYAUME D'ESPAGNE
Naples
ROYAUME DES DEUX SICILES
Palerme
MER MÉDITERRANÉE
Pays touchés par les révolutions de 1848
Principaux centres révolutionnaires
Propagation des mouvements libéraux révolutionnaires
Répression des insurrections par les pouvoirs en place
0
500 km

- Révolutions de 1848

De nouvelles idéologies

Libéralisme

AU BON MARCHÉ
Lundi 31 Janvier
GRANDE MISE EN VENTE DE
Blanc
TOILES
TROUSSEAUX
Linge Confectionné

- Début de la société de consommation

Socialisme

RÉPUBLIQUE SOCIALE
A CHACUN SA PART

XIXe siècle — 1900 XXe siècle

- 1831 Révolte des Canuts
- 1848 Révolutions
- 1884 Lois sur la liberté syndicale

J'apprends, je m'entraîne

Socle *Méthodes et outils pour apprendre*

FICHE DE RÉVISION À TÉLÉCHARGER
Fiche 4

L'Europe de la « révolution industrielle »

1. Construire sa fiche de révision : notez le titre de la leçon sur votre feuille

Je connais...

Objectif 1 Connaître les repères historiques et géographiques

1. Recopiez la frise chronologique ci-dessous et placez-y les repères suivants :
La première révolution industrielle ; la création des syndicats en France ; le Printemps des peuples ; la période de la grande émigration des Européens.

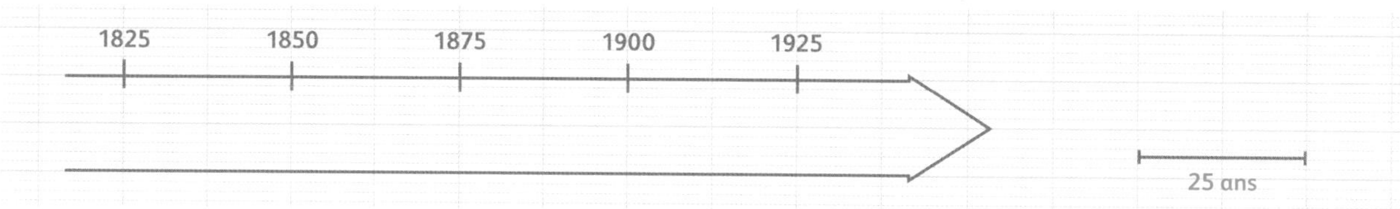

1825
1850
1875
1900
1925
25 ans

2. Reproduisez et complétez la légende de la carte ci-contre :

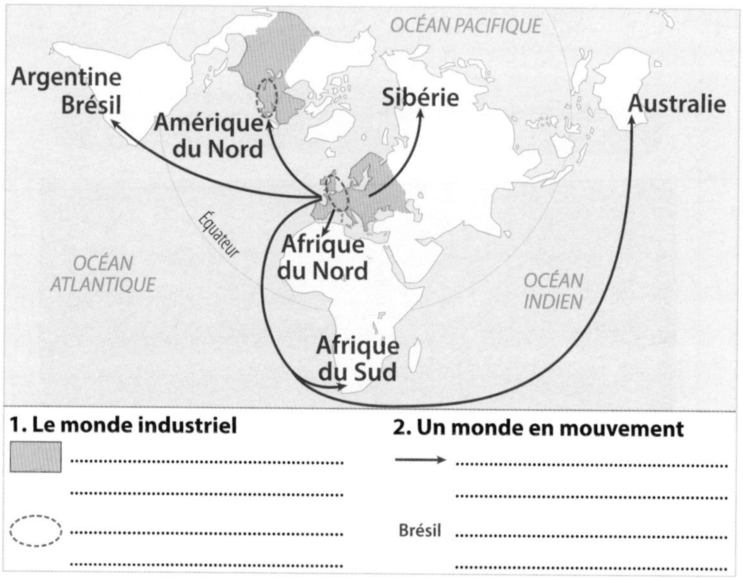

OCÉAN PACIFIQUE
Argentine
Brésil
Amérique
du Nord
Sibérie
Australie
Équateur
OCÉAN
ATLANTIQUE
Afrique
du Nord
OCÉAN
INDIEN
Afrique
du Sud
1. Le monde industriel
2. Un monde en mouvement
Brésil

Objectif 2 Connaître les mots-clés

Recopiez les mots suivants et donnez leur définition :
Industrie – Usine – Sidérurgie – Classe sociale – Bourgeois – Prolétaire.

Je suis capable de...

Pour chacun des objectifs suivants, construisez une réponse à la consigne.

Objectif 3 Expliquer comment l'Europe s'industrialise

Aide *Citez les inventions, les lieux de l'industrialisation et les secteurs économiques qui se développent.*

Objectif 4 Expliquer comment les grands magasins parisiens transforment la société

Aide *Vous pouvez prendre exemple sur le Bon Marché (voir p. 94-95) et utiliser les mots suivants : Salariés – Client – Affiche publicitaire – Bourgeois – Marchandise.*

Objectif 5 Expliquer pourquoi les Irlandais émigrent au XIXe siècle

Aide *Montrez les causes, les moyens et les objectifs des migrations.*

1 Construire des repères historiques — Les innovations techniques

1. Quelle invention permet à l'Europe de s'industrialiser ? Rédigez deux ou trois phrases qui la présentent et expliquez son rôle dans le développement de l'industrialisation.
2. Décrivez la scène représentée et expliquez pourquoi elle symbolise l'industrialisation de l'Europe au XIXe siècle.

L. Walden, *Les docks*[1] *de Cardiff*, huile sur toile 1,93 m x 1, 27 m, 1894, musée d'Orsay, Paris.

1. Hangars construits sur les quais pour stocker et redistribuer des marchandises.

2 Analyser et comprendre un document — La transformation des campagnes

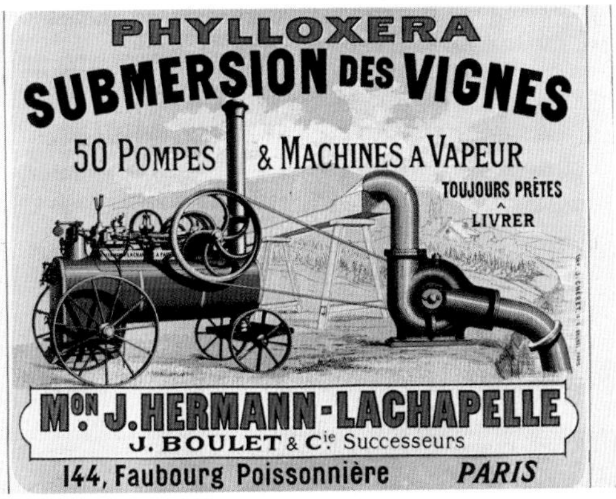
PHYLLOXERA
SUBMERSION DES VIGNES
50 POMPES & MACHINES A VAPEUR
TOUJOURS PRÊTES À LIVRER
M^ON J. HERMANN-LACHAPELLE
J. BOULET & Cie Successeurs
144, Faubourg Poissonnière PARIS

1 Les campagnes se mécanisent

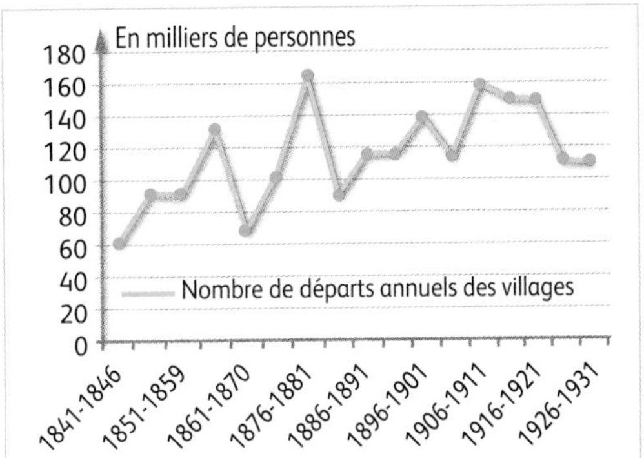
En milliers de personnes
180
160
140
120
100
80
60
40
20
0
Nombre de départs annuels des villages
1841-1846
1851-1859
1861-1870
1876-1881
1886-1891
1896-1901
1906-1911
1916-1921
1926-1931

D'après *Les Paysans en France XIXe-XXIe siècles*, TDC, septembre 2012.

2 Les paysans quittent les campagnes

1. DOC. 1 Présentez le document (sa nature, le sujet traité, la période concernée et sa source).
2. DOC. 1 Rappelez comment fonctionne une machine à vapeur et quelle est son utilité.
3. DOC. 1 Décrivez comment la révolution industrielle transforme le travail des paysans dans les campagnes.
4. DOC. 2 Quelles sont les conséquences pour les paysans ?
5. En quelques lignes, racontez ce que vous savez des transformations liées à l'utilisation de la machine à vapeur. Vous illustrerez votre propos à l'aide des deux documents.

Auto-Évaluation Je me positionne sur une marche :

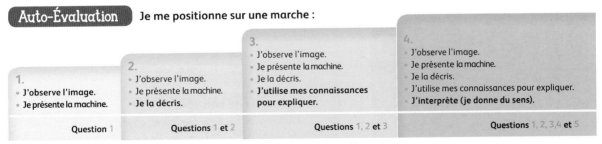

1.
- J'observe l'image.
- Je présente la machine.

Question 1

2.
- J'observe l'image.
- Je présente la machine.
- **Je la décris.**

Questions 1 et 2

3.
- J'observe l'image.
- Je présente la machine.
- Je la décris.
- **J'utilise mes connaissances pour expliquer.**

Questions 1, 2 et 3

4.
- J'observe l'image.
- Je présente la machine.
- Je la décris.
- J'utilise mes connaissances pour expliquer.
- **J'interprète (je donne du sens).**

Questions 1, 2, 3, 4 et 5

Pour progresser, j'analyse mes axes de progrès. Que devrais-je améliorer ?

Vers le brevet

1 Analyser et comprendre un texte

Flora Tristan, une militante socialiste et féministe française, visite Londres durant l'été 1839

Londres a trois divisions bien distinctes : la City, le West End et les faubourgs populaires. Le contraste que présentent les trois divisions de cette ville est celui que la civilisation offre dans toutes les grandes capitales. On passe de l'active population de la City qui a pour unique mobile le désir du gain à cette aristocratie hautaine, méprisante, qui vient à Londres deux mois chaque année.
Dans les lieux où habite le pauvre, on rencontre des masses d'ouvriers maigres, pâles, et dont les enfants, sales et déguenillés, ont des mines piteuses ; puis des essaims de prostituées ; enfin ces troupes d'enfants qui comme des oiseaux de proie, sortent chaque soir de leurs tanières pour s'élancer sur la ville, où ils pillent sans crainte, se livrent au crime, assurés de se dérober aux poursuites de la police qui est insuffisante pour les atteindre dans cette immense étendue.

D'après F. Tristan, *Promenade dans Londres ou l'Aristocratie et les prolétaires anglais*, Paris, 1978.

Identifier le document

1. Relevez la nature exacte du texte, son auteur, sa date, son destinataire.
2. De quoi est-il question dans ce texte ?

Extraire des informations pertinentes et utiliser ses connaissances pour expliciter

3. Quels sont les trois quartiers évoqués dans le texte ?
4. Quelles catégories sociales habitent dans chacun d'eux ?
5. Quelles sont les conditions de vie des ouvriers ? Justifiez.

Confronter le document à ce que l'on sait du sujet

6. Rappelez comment est divisée la société durant la révolution industrielle.
7. Expliquez quelles sont les relations entre les différentes classes sociales de la société industrielle. Vous illustrerez votre réponse à l'aide du texte et de vos connaissances.

2 Maîtriser différents langages pour raisonner et se repérer

1. Sous la forme d'un développement construit, présentez et définissez les nouvelles idéologies de la révolution industrielle et montrez quelles sont les classes sociales qui les défendent.
2. Expliquez pourquoi et comment les ouvriers se sont révoltés à Paris en juin 1848.

Aide *Utilisez les mots : Libéralisme – capitalisme – lutte des classes – ouvriers – bourgeoisie (reportez-vous à la leçon si besoin).*

La révolte parisienne de juin 1848
E. Meissonier, *La Barricade, rue de la Mortellerie en juin 1848*, huile sur toile, 22 cm x 29 cm, 1848, musée du Louvre, Paris.

Enquêter

Qui devient le principal concurrent du Royaume-Uni ?

Les faits

À la fin du XIXe siècle, la domination économique du Royaume-Uni est menacée par l'apparition d'un concurrent industriel.

Indice n°1

Le Royaume-Uni est-il menacé ?

J. Tenniel, « L'Allemagne volant la position de la Grande-Bretagne », *Punch*, 5/09/1896.

Traduction des textes de l'image : (1) Fabriqué en Allemagne (2) Concurrence (3) Angleterre (4) Commerce britannique

Quel est-il ? *Punch* (1841-2002)

C'est un hebdomadaire humoristique britannique.

Indice n°2

Le marché anglais est inondé de produits étrangers

Un immense État s'élève et nous dispute le commerce du monde. Regarde autour de toi, ami lecteur : le tissu de certains de tes habits a sans doute été tissé en Allemagne. Il est probable que les vêtements de ta femme soient d'importation allemande. Les jouets de tes enfants sont allemands. Observe et tu trouveras la marque inévitable : « Made in Germany ».

D'après E. E. Williams, « Made in Germany », *Hervest Press Brighton*, 1896.

Qui est-il ? Ernest Edwin Williams (1866-1935)

Journaliste anglais, il est contre la concurrence étrangère.

Indice n°3

Les principales puissances industrielles (1870-1913)

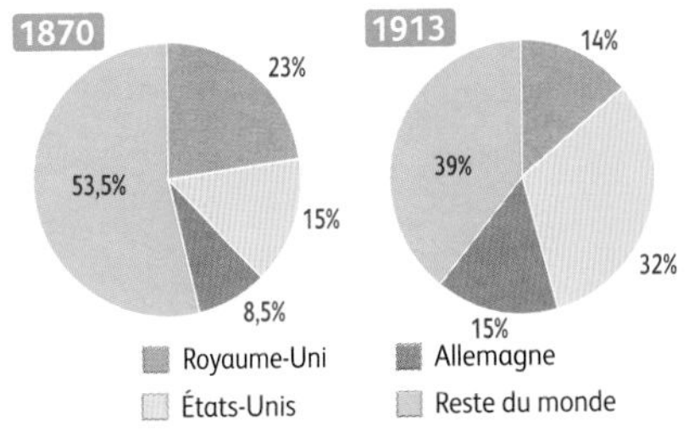

1870
23%
53,5%
15%
8,5%
1913
14%
39%
32%
15%
Royaume-Uni
États-Unis
Allemagne
Reste du monde

Source : S. Aprile et M. Rapoport (dir.), *Le Monde britannique, 1815-1931*, Atlande, 2010.

Indice n°4

Les pays investissant à l'étranger en 1914

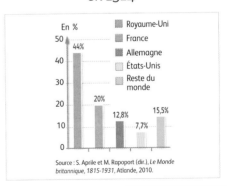

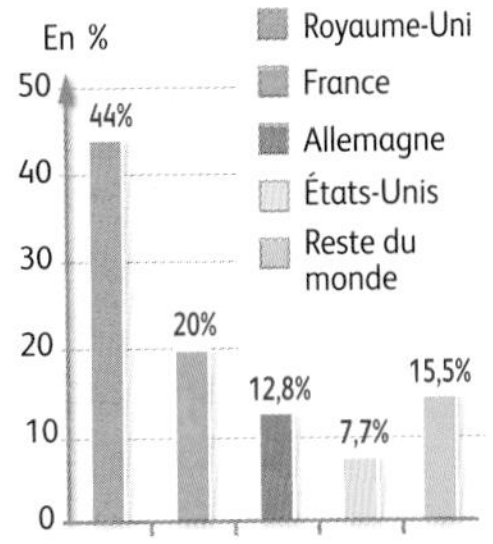

En %
50
40
30
20
10
0
44%
20%
12,8%
7,7%
15,5%
Royaume-Uni
France
Allemagne
États-Unis
Reste du monde

Source : S. Aprile et M. Rapoport (dir.), *Le Monde britannique, 1815-1931*, Atlande, 2010.

Avez-vous pris connaissance des indices ? Quelle est votre hypothèse : qui devient le principal concurrent du Royaume-Uni ?

Par équipe, complétez le carnet de l'enquêteur :

1. Par qui les Britanniques pensent-ils être concurrencés ? Pourquoi ?
2. Le Royaume-Uni est-il toujours la première puissance mondiale ? Pourquoi ?

Faites part de votre rapport d'enquête aux autres équipes.

L'atelier d'écriture

Vers la tâche complexe

Pourquoi l'utilisation des machines à vapeur transforme-t-elle la société ?

À l'aide de vos connaissances, rédigez un texte qui explique pourquoi l'utilisation des machines à vapeur transforme la société.

Travail préparatoire (au brouillon)

1. Expliquez bien les mots du sujet.

Machines à vapeur = mot-clé à comprendre et à définir.

2. Comprenez bien le sujet en répondant aux questions du « pense pas bête ».

3. Vérifiez que vous avez bien mobilisé le vocabulaire appris.

Pense pas bête

- Quand ? Quelle est la période concernée ?
- Quoi ? Avec quelle énergie fonctionnent-elles ?
- Qui et comment ? Par qui et comment sont-elles utilisées ?
- Pourquoi ? Pour quelles raisons utilise-t-on les machines à vapeur ?
- Et donc ? Quelles sont les conséquences de l'utilisation des machines à vapeur sur la société ?
- Où ? Où trouve-t-on des machines à vapeur ?

Travail de rédaction (au propre)

À vous de choisir votre niveau de difficulté et votre ceinture !

Je rédige un texte **sans aide.**

Organisez vos idées en paragraphes
- Commencez par une introduction qui définit le mot-clé du sujet et précise la période concernée.

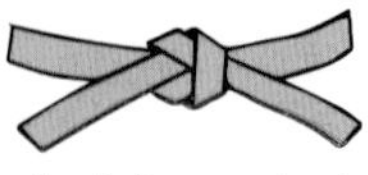

Je rédige un texte **avec un guidage léger.**

Rédigez à l'aide des conseils suivants :
- Commencez par une introduction qui définit le mot-clé du sujet et précise la période concernée. Puis rédigez deux paragraphes :
  – le 1er paragraphe reprend les éléments quoi ?, où ? et comment ? du « pense pas bête ».
  – le 2e paragraphe reprend les éléments pourquoi ?, et donc ? du « pense pas bête ».

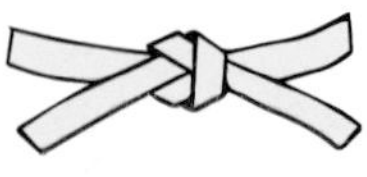

Je rédige un texte **avec un guidage plus important.**

Rédigez votre texte à l'aide des conseils suivants :
- Commencez par une introduction qui définit le mot-clé du sujet et précise la période concernée. Puis rédigez deux paragraphes :
  – le 1er paragraphe présente les lieux d'utilisation et les différentes machines à vapeur.
  – le 2e paragraphe explique l'intérêt de l'utilisation de la vapeur ainsi que les transformations de la société, du travail dans les usines et des déplacements.

EMC

▸ **Objet d'enseignement** *Les libertés fondamentales et les droits fondamentaux de la personne*

Parcours citoyen

Le rôle des syndicats en France

1860 1870 1880 1890 1900

1864 Droit de grève
1884 Liberté syndicale
1891 Célébration du 1er mai en France
1895 Création de la CGT

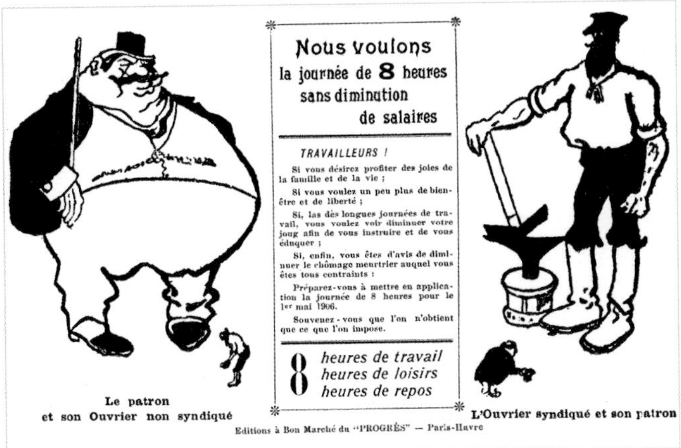

Nous voulons la journée de 8 heures sans diminution de salaires
TRAVAILLEURS !
Si vous désirez profiter des joies de la famille et de la vie ;
Si vous voulez un peu plus de bien-être et de liberté ;
Si, las des longues journées de travail, vous voulez voir diminuer votre joug afin de vous instruire et de vous éduquer ;
Si, enfin, vous êtes d'avis de diminuer le chômage meurtrier auquel vous êtes tous contraints :
Préparez-vous à mettre en application la journée de 8 heures pour le 1er mai 1906.
Souvenez-vous que l'on n'obtient que ce que l'on impose.
8 heures de travail
8 heures de loisirs
8 heures de repos
Le patron et son Ouvrier non syndiqué
L'Ouvrier syndiqué et son patron
Editions à Bon Marché du "PROGRÈS" — Paris-Havre

1 **Les revendications syndicales de la CGT en 1906**
Affiche de la Confédération générale du travail (CGT) pour les grèves du 1er mai 1906.

2 La charte d'Amiens

Cette charte est une reconnaissance de la lutte de classes, de toutes les formes d'exploitation et d'expression de la classe capitaliste contre la classe ouvrière. En revendiquant la diminution des heures de travail ou l'augmentation des salaires, le syndicat défend les ouvriers et préconise comme moyen d'action la grève.

D'après la Charte d'Amiens adoptée par la CGT en octobre 1906.

cgt
FO
Solidaires
SALARIÉS, JEUNES, CHOMEURS, RETRAITÉS
NSEMBLE MOBILISÉS POUR NOS DROITS
ETRAIT DU PROJET DE LOI TRAV

3 **Manifestation contre la loi travail le 24 mars 2016**

4 Les syndicats de l'usine Renault signent un accord de compétitivité

L'accord de compétitivité que devrait signer Renault avec les syndicats permettra au constructeur de réaliser 500 millions d'euros d'économies par an, déclare son président, Carlos Ghosn.
Il souligne d'autre part que les syndicats qui approuvent l'accord représentent deux employés sur trois. « S'il y a une forte adhésion, c'est parce que chacun a conscience qu'il n'y avait pas de plan B pour Renault en France. »
Cet accord de compétitivité prévoit notamment une augmentation de 6,5 % du temps de travail, un gel des salaires en 2013 et 7 500 suppressions nettes d'emplois d'ici fin 2016.

« Renault : l'accord de compétitivité signé mercredi par trois syndicats », *Le Monde*, 13/03/2013.

Le droit et la règle

1. DOC. 2 Pourquoi les syndicats sont-ils créés ?
2. DOC. 1 À 4 Quels sont les moyens d'action des syndicats ?

L'engagement : agir individuellement et collectivement

3. DOC. 1 ET 2 Quelles sont les revendications des syndicats au début du XXe siècle ?
4. DOC. 3 ET 4 Aujourd'hui, quelles sont leurs revendications ?

Vocabulaire

Accord de compétitivité : mesure qui modifie le temps de travail des salariés pour résister à la concurrence.

Revendication syndicale : réclamation des syndicats pour défendre l'intérêt des ouvriers et des salariés sous forme de textes, de discours ou d'affiches.

5 Conquêtes et sociétés coloniales

Comment les Européens dominent-ils le monde au XIXe siècle ? Comment les esclaves obtiennent-ils leur liberté ?

Souvenez-vous !
Quelles activités économiques se sont développées entre les métropoles européennes et leurs colonies depuis le XVIIIe siècle ?

JEAN-BAPTISTE BLANCHARD
AU DAHOMEY
PAR
ADOLPHE BADIN
P. KAUFFMANN
illustrateur
ARMAND COLIN & Cie
ÉDITEURS
PARIS 5. rue de Mézières

1 La France à la conquête du monde

Cet ouvrage retrace les aventures des soldats français lors des deux guerres de conquête du Dahomey (actuel Bénin) en 1890 et 1894.

A. Badin, *Jean-Baptiste Blanchard au Dahomey, journal de la campagne par un marsouin* (soldat des troupes coloniales), 1895.

Vocabulaire

Colonie : territoire conquis et administré par une puissance étrangère (la métropole).

1820	1830	1840	1850

- **1815** Congrès de Vienne (abolition de la traite négrière)
- **1830** Début de la conquête de l'Algérie par la France
- **1833** La Grande-Bretagne abolit l'esclavage
- **1848** La France abolit l'esclavage

▶ **Socle** *Se repérer dans l'espace et le temps*

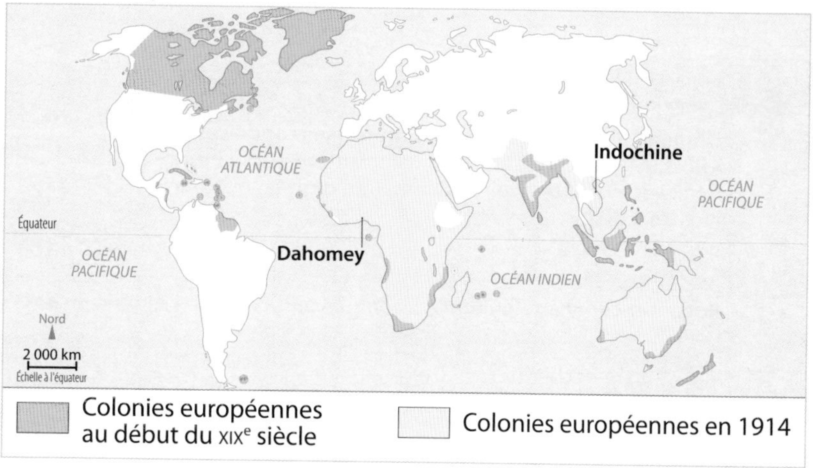

OCÉAN ATLANTIQUE
OCÉAN PACIFIQUE
OCÉAN PACIFIQUE
OCÉAN INDIEN
Équateur
Indochine
Dahomey
Nord
2 000 km
Échelle à l'équateur
Colonies européennes au début du XIXe siècle
Colonies européennes en 1914

2 | **Scène de la vie quotidienne en Indochine (colonie française) vers 1880**

1. DOC. 1 Comment la France colonise-t-elle le Dahomey ?
2. DOC. 1, 2 ET CARTE Sur quels continents les Européens fondent-ils de nouvelles colonies ?
3. DOC. 1 ET 2 **Formulez une hypothèse** pour répondre à la question suivante : qui domine la société dans les colonies ?

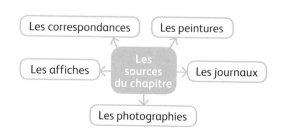

Les sources du chapitre : Les correspondances ; Les peintures ; Les affiches ; Les journaux ; Les photographies

Étude

L'Algérie devint française

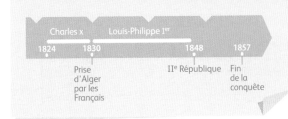

Charles x		Louis-Philippe Ier	
1824	1830	1848	1857
	Prise d'Alger par les Français	IIe République	Fin de la conquête

Tâche complexe

L'Algérie est l'une des colonies françaises conquises au XIXe siècle. Sa conquête et sa colonisation par la France bouleversent le territoire et la société algérienne pour plus de 130 ans.

Boîte à outils

Des acteurs et des dates

Acteurs : roi de France, armée française, Abd el-Kader

Dates : 1830, 1848

Votre mission :

Racontez comment la France a conquis puis colonisé l'Algérie au XIXe siècle.

Besoin d'aide ? *Voir p. 115*

Biographie

Abd el-Kader (1808-1883)

Émir de l'Ouest algérien, il s'oppose à la conquête française de 1831 à 1847. Vaincu, il part en exil au Maroc et en Syrie.

1
2
3

1 La France à la conquête de l'Algérie

H. Vernet, *Combat de l'Habrah* (3 décembre 1835), huile sur toile, 713 x 512 cm, 1840, musée du Château de Versailles.

1 Soldats algériens menés par Abd el-Kader

2 Expédition française du général Clauzel

3 Soldats algériens alliés aux Français

2 Les objectifs français en Algérie

L'insulte publique que le Dey[1] a faite à notre Consul a été la cause immédiate d'une rupture. Le Dey a ruiné et détruit tous nos établissements de la Côte d'Afrique. Cela nous a convaincu de développer la guerre. Le Roi Charles X a résolu de faire tourner au profit de la Chrétienté tout entière l'expédition dont il ordonnait les préparatifs ; il a décidé :
– la destruction définitive de la piraterie
– l'abolition absolue de l'esclavage des Chrétiens
– la suppression du tribut que les puissances chrétiennes payent à la Régence[2].
Et si dans la lutte qui va s'engager il arrivait que le Gouvernement même existant à Alger venait à se dissoudre, alors le Roi se concerterait avec ses alliés pour arrêter quel devrait être le nouveau régime en Algérie.

D'après une lettre du prince de Polignac (ministre des Affaires étrangères) au duc de Laval (ambassadeur français auprès de la couronne britannique), le 12 mars 1830.

1. En 1827, le Dey d'Algérie Hussein (gouverneur du sultan ottoman) frappe le consul de France Pierre Deval qui refuse de rembourser une dette française.
2. Taxe payée au profit du Dey d'Algérie.

3 Le sort réservé aux Algériens

Les villes indigènes ont été envahies, bouleversées, saccagées par notre administration plus encore que par nos armes. [...] Dans les environs même d'Alger, des terres très fertiles ont été arrachées des mains des Arabes et données à des Européens qui, ne pouvant ou ne voulant les cultiver eux-mêmes, les ont louées à ces mêmes « indigènes » [...]. Ailleurs, des tribus ou des fractions de tribus qui ne nous avaient pas été hostiles, bien plus, qui avaient combattu avec nous et quelquefois sans nous, ont été poussées hors de leur territoire.

D'après A. de Tocqueville, *Rapport sur le projet de loi relatif aux crédits extraordinaires demandés pour l'Algérie*, 1847.

Qui est-il ? Alexis de Tocqueville (1805-1859)
Politicien et écrivain français. Partisan de l'expansion coloniale française, il dénonce toutefois les injustices commises lors de la colonisation, notamment l'esclavage.

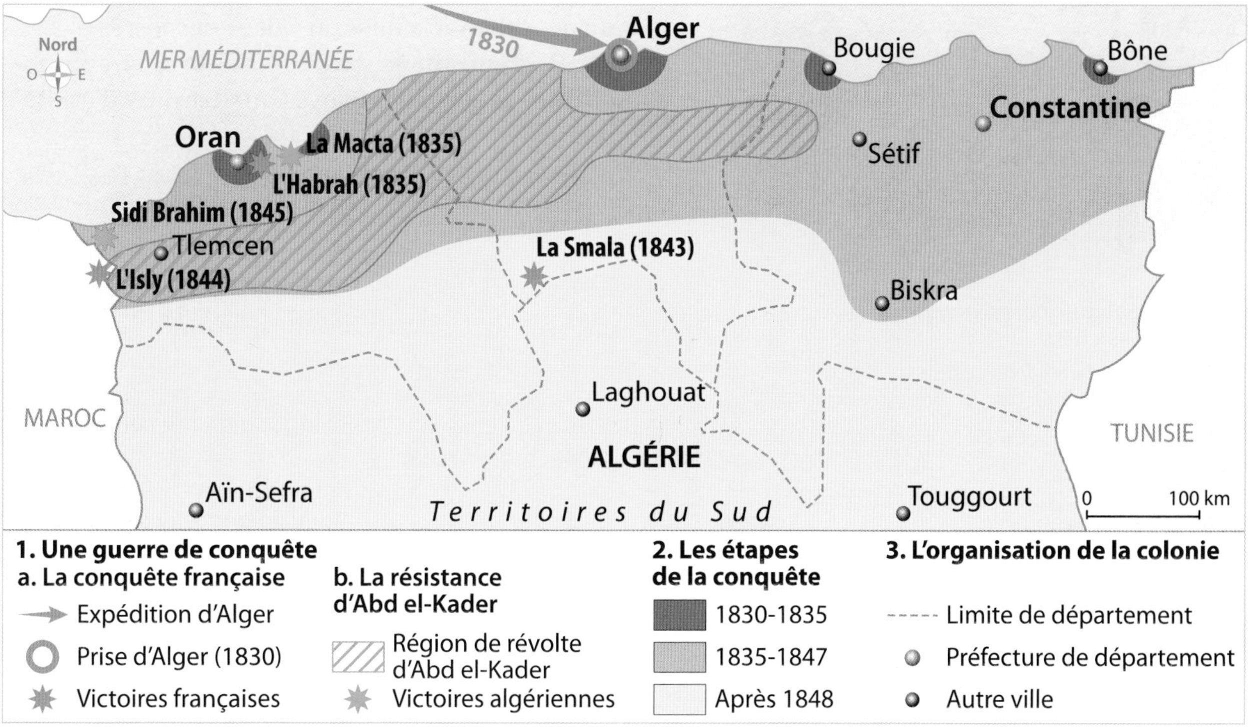

Nord
O
E
S
MER MÉDITERRANÉE
1830
Alger
Bougie
Bône
Constantine
Sétif
Oran
La Macta (1835)
L'Habrah (1835)
Sidi Brahim (1845)
Tlemcen
L'Isly (1844)
La Smala (1843)
Biskra
Laghouat
MAROC
ALGÉRIE
TUNISIE
Aïn-Sefra
Territoires du Sud
Touggourt
0
100 km
1. Une guerre de conquête
a. La conquête française
Expédition d'Alger
Prise d'Alger (1830)
Victoires françaises
b. La résistance d'Abd el-Kader
Région de révolte d'Abd el-Kader
Victoires algériennes
2. Les étapes de la conquête
1830-1835
1835-1847
Après 1848
3. L'organisation de la colonie
Limite de département
Préfecture de département
Autre ville

4 L'expansion coloniale française en Algérie

Besoin d'un peu d'aide ?
Racontez le déroulement de la conquête de façon chronologique en utilisant les acteurs et les dates indiqués dans la boîte à outils.

Besoin d'un peu plus d'aide ?
Vous organisez votre texte autour de trois idées :
- Les raisons de la conquête (DOC. 2)
- Une conquête longue et difficile (DOC. 1, 3 ET 4)
- Les conséquences de la conquête (DOC. 3 ET 4)

Étude

▸ **Socle** *Identifier un document et son point de vue – Organiser son travail pour élaborer une production collective*

La société coloniale en Algérie

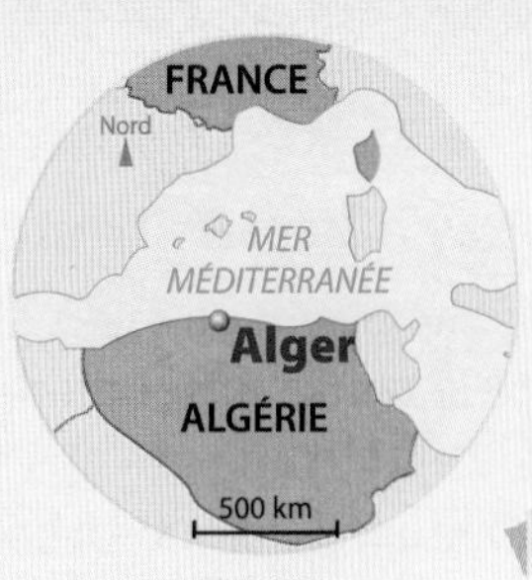
FRANCE
Nord
MER MÉDITERRANÉE
Alger
ALGÉRIE
500 km

Comment l'installation d'Européens crée-t-elle une nouvelle société en Algérie ?

Rappel du chapitre 1

Qui composait la société au XVIIIe siècle dans la colonie de Saint-Domingue ?

ALMANACH
DU
Petit Colon
ALGÉRIEN
1893

1 **L'idéal du « colon-paysan »**
Couverture de *l'Almanach*, publié par le quotidien français à Alger *Le Petit Colon algérien*, 1893.

2 L'Algérie, une colonie de peuplement

Les députés français attribuent 50 millions de francs pour établir 12 000 colons en Algérie.

Art. 1. Les colonies agricoles ont pour but la mise en valeur des terres qui seront concédées gratuitement par l'État en Algérie.
Art. 5. Les colons seront transportés aux frais de l'État.
Art. 8. Les colons cultivateurs recevront gratuitement :
1. une habitation que l'État fera construire ;
2. un lot de terre de 2 à 10 hectares ;
3. les semences, les outils de culture et les bestiaux, indispensables à la mise en valeur des terres.

Art. 9. Pendant la morte-saison, les colons cultivateurs seront employés aux travaux d'utilité publique.

D'après le Décret pour l'établissement de colonies agricoles en Algérie du 19 septembre 1848.

3 Une société coloniale inégalitaire

	Population musulmane (« indigènes »)	Européens
Population (1891)	3 559 700	548 400
Possession de la terre **• en 1863** **• en 1917**	 86 % 52 %	 12 % 38 %
Part des enfants scolarisés dans le primaire (1889)	2 %	84 %
Part de la population urbaine (1886)	8,2 %	68,6 %
Statut civique	Sujets[1]	Citoyens
Statut juridique	Code de l'indigénat	Droit français

1. Ont la nationalité française mais pas de droits civiques.

D'après K. Kateb, *Européens, « indigènes » et Juifs en Algérie*, INED, 2001 ; B. Droz, Les collections de l'Histoire, n° 55 ; F. Abécassis, G. Boyer, *La France et l'Algérie*, INRP, 2007.

Vocabulaire

Code de l'indigénat : règles (travaux forcés, corvées) et sanctions (amendes, peines) strictes réservées aux colonisés.

Colonie de peuplement : territoire où des colons venus de la métropole s'installent en grand nombre.

« Indigène » (ou autochtone) : personne originaire du territoire dans lequel elle vit.

Mission civilisatrice : discours et politiques (éducative, sanitaire, linguistique) ayant pour but de diffuser dans les colonies des valeurs européennes considérées comme universelles.

Société coloniale : ensemble des personnes vivant dans une colonie.

4 Alger, ville coloniale

Vue d'Alger depuis la jetée vers 1880.

Archives nationales d'outre-mer.

1. La Casbah (ville indigène)
2. Les quartiers européens (ville nouvelle)
3. Port de commerce
4. Voie ferrée

5 Les revendications d'un Algérien

Le programme de la République, qui est le régime en France et en Algérie, ne comprend-il pas : le droit de vote à tous, le service militaire pour tous, l'instruction gratuite et obligatoire des enfants des deux sexes ? Eh bien ! Pourquoi nous traiter en parias ? Nous sommes sujets français et ne pouvons tarder à devenir citoyens français. Nous ne cesserons de solliciter le droit de voter, comme de verser notre sang pour la patrie.

Nous demandons qu'une partie des impôts que nous payons soit prélevée pour apprendre à nos fils à parler le français, à aimer la France, à cultiver leurs champs.

D'après M. Et. Zittari, « L'Instruction aux Arabes », *El Hack* (« La Vérité »), journal franco-algérien, 11/02/1894.

6 L'école, outil de la « mission civilisatrice »

Une leçon en français et en arabe à l'école d'Eugénie Luce[1] vers 1856.

F. J. Antoine Moulin, dans *L'Algérie photographiée*, T.2, BNF, Paris.

1. Fondatrice de la première école franco-arabe pour les jeunes filles musulmanes à Alger.

Activités

Socle *Identifier un document et son point de vue*

1. Parmi les documents, identifiez les sources historiques et distinguez celles issues des colonisateurs et des « indigènes ».

Socle *Organiser son travail pour élaborer une production collective*

2. Vous menez un travail en groupes. Chaque groupe d'élèves prélève des arguments dans les documents pour justifier l'une des quatre affirmations du schéma.

La société coloniale en Algérie

- **1) Plusieurs groupes sociaux qui se côtoient** – *Arguments*
- **2) Des apports européens dans la colonie** – *Arguments*
- **3) Des inégalités fortes entre les groupes sociaux** – *Arguments*
- **4) Des tensions sociales fortes entre les groupes sociaux** – *Arguments*

Pour conclure À l'aide du schéma, répondez à l'oral à la question suivante :

Comment l'installation d'Européens a-t-elle créé une nouvelle société en Algérie ?

L'atelier de l'historien

▶ Socle *Confronter des documents et exercer son esprit critique*

Confronter différents points de vue

La « mission civilisatrice » dans les sociétés coloniales

Vous travaillez sur l'action des Européens dans les sociétés coloniales. Que vous apprennent les sources des colonisateurs et des colonisés sur cette « mission civilisatrice » ?

Source 1

« Le fardeau de l'homme blanc »

Ô Blanc, reprends ton lourd fardeau
Envoie au loin les meilleurs de tes enfants,
Jette tes fils dans l'exil,
Pour servir les besoins de tes captifs.
Pour, lourdement équipés, veiller
Sur les peuples sauvages et agités,
Sur tes peuples récemment conquis
Mi-diables, mi-enfants.

Ô Blanc, reprends ton lourd fardeau,
Les sauvages guerres de la paix
Nourris la bouche de la famine
Fais cesser la maladie ;
Et tu toucheras au but
Que tu désires pour ces autres.

Ô Blanc, reprends ton lourd fardeau ;
Tes récompenses sont dérisoires :
Le blâme de ceux que tu ne veux qu'aider,
La haine de ceux sur qui tu veilles.
Les cris de ceux que tu assistes
Que tu les guides vers la lumière. [...]

D'après Rudyard Kipling, *Le fardeau de l'homme blanc*, 1899.

Qui est-il ? Rudyard Kipling (1865-1936)
Écrivain et poète britannique.

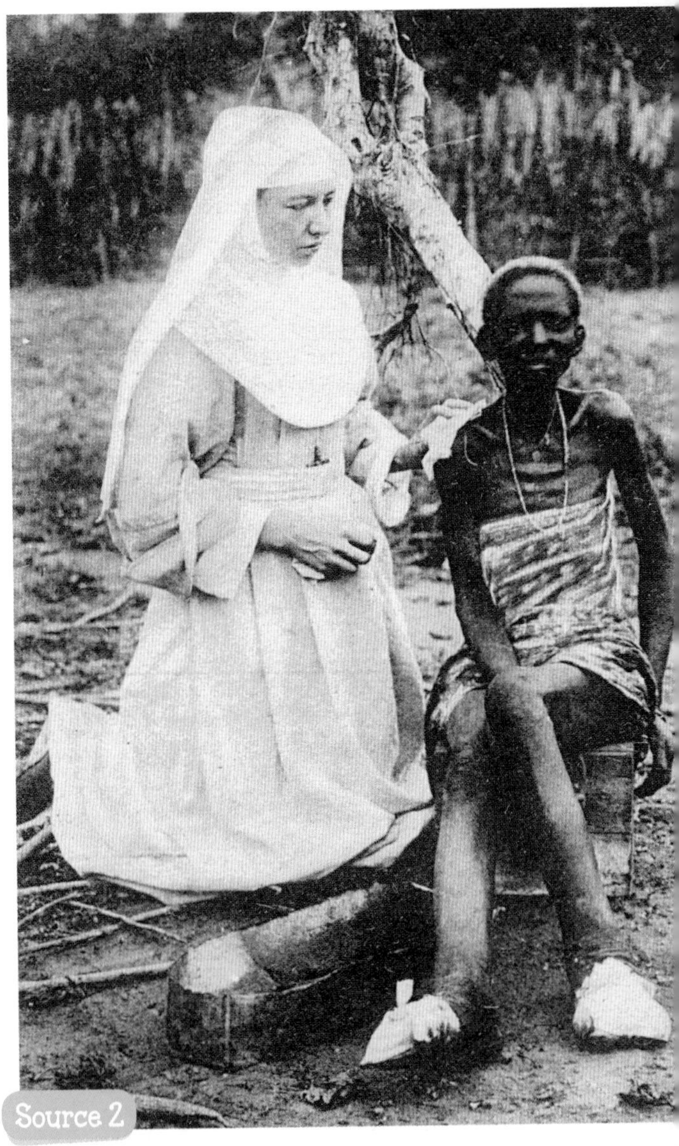

Source 2

Une missionnaire au dispensaire

Infirmière catholique néerlandaise avec un patient atteint de la lèpre (maladie infectieuse pouvant entraîner la perte de membres), Dahomey (actuel Bénin), vers 1910.

Vocabulaire

Mission civilisatrice : voir p. 116.
Missionnaire : religieux cherchant à propager sa religion et menant des œuvres de charité.

Source 3

Un missionnaire témoigne de la récolte du caoutchouc

Après l'appel du matin, tous, hommes et femmes, transformés en récolteurs, se dispersaient pour l'arrachage des rhizomes[1] et, à leur retour au village, chaque fagot était minutieusement contrôlé. Que de malheureux, abrutis par les mauvais traitements, n'ai-je pas vus défiler. Affamés, malades, ils tombaient comme des mouches. Les malades et les petits enfants, abandonnés au village, y mouraient de faim. Par suite de ce lamentable état de choses, dans de nombreux villages, il n'existait plus que des ruines ; les populations étaient réduites à la plus noire misère et plongées dans le désespoir. Pour détourner l'attention, on allait mettre tous les malheurs occasionnés par l'inhumaine exploitation du caoutchouc à l'actif de la maladie du sommeil qui, il faut le reconnaître, avait fait aussi de graves ravages depuis une dizaine d'années.

D'après Père Daigre, *Oubangui-Chari. Témoignage sur son évolution (1900-1940)*, 1947.

1. Racines.

Verre
d'alcool

Source 4

Les Européens dans l'art des colonisés

Statues commémoratives en bois peint, XIXe siècle, galerie Antenna, Dakar (Sénégal).

Source 5

La colonisation en Inde dénoncée par un journal indien

Les infidèles et perfides gouvernants britanniques ont monopolisé le commerce de toutes les marchandises de qualité et de valeur, telles que l'indigo, les textiles et autres produits. Les autochtones employés dans les services civils et l'armée ne reçoivent que peu de considération, et tous les postes prestigieux sont réservés à des Anglais. Les Européens, en introduisant les produits britanniques en Inde, ont fait perdre leur emploi aux artisans locaux, alors réduits à la mendicité.

D'après le *Delhi Gazette* du 29/09/1857.

Quel est-il ? *Delhi Gazette*

Journal publié en Inde qui cherche à améliorer la vie dans la colonie britannique.

Point méthode

La démarche de l'historien

Étape 1 ▶ Identifier et comprendre les documents sources

1. Pour chacune des sources :
   a. Précisez si c'est une source provenant des Européens ou des colonisés.
   b. Indiquez la vision qu'elle donne de l'action des Européens dans les colonies. Justifiez par des éléments précis extraits du document source.

Étape 2 ▶ Confronter les documents sources et conclure

2. Que vous ont appris ces sources sur la perception de la « mission civilisatrice » chez les Européens et chez les colonisés ?
3. Pourquoi est-il important que les sources de l'historien croisent les points de vue pour étudier la « mission civilisatrice » ?

Parcours artistique et culturel

Les « désirs d'Orient » en Europe

Comment l'Orient fascine-t-il les Européens et transforme-t-il leurs goûts artistiques ?

1 **Le sultan du Maroc devant son palais**

E. Delacroix, *Moulay Abd-er-Rahman, sultan du Maroc, sortant de son palais de Meknès, entouré de sa garde et de ses principaux officiers*, huile sur toile, 340 x 377 cm, 1845, musée des Augustins, Toulouse.

Biographie

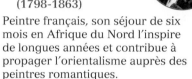

Eugène Delacroix (1798-1863)

Peintre français, son séjour de six mois en Afrique du Nord l'inspire de longues années et contribue à propager l'orientalisme auprès des peintres romantiques.

3 **Pierre Loti dans son salon**

Julien Viaud, dit Pierre Loti (1850-1923), écrivain français, dans sa maison de Rochefort en costume perse, vers 1890.

2 Le désir d'Orient

De retour de ses voyages en Orient, Pierre Loti se penche sur ce qui, enfant, l'attirait dans ces terres lointaines.

Oh ! « les colonies » ! Comment dire tout ce qui cherchait à s'éveiller dans ma tête, au seul appel de ce mot ! Un fruit des colonies, un oiseau de là-bas, un coquillage, devenaient pour moi tout de suite des objets presque enchantés. Il y avait une quantité de choses des colonies chez cette petite Antoinette : un perroquet, des oiseaux de toutes les couleurs, des collections de coquilles et d'insectes. Dans les tiroirs, j'avais vu de bizarres colliers de graines pour parfumer ; dans ses greniers, on trouvait des peaux de bêtes…

D'après Pierre Loti, *Le Roman d'un enfant*, éd. Calmann-Lévy, 1890, Paris.

Biographie

Pierre Loti (1850-1923)

Marin et écrivain, il rapporte de ses voyages dans les colonies de nombreux souvenirs qu'il raconte dans ses ouvrages et qu'il entrepose dans la maison familiale à Rochefort (Charente-Maritime).

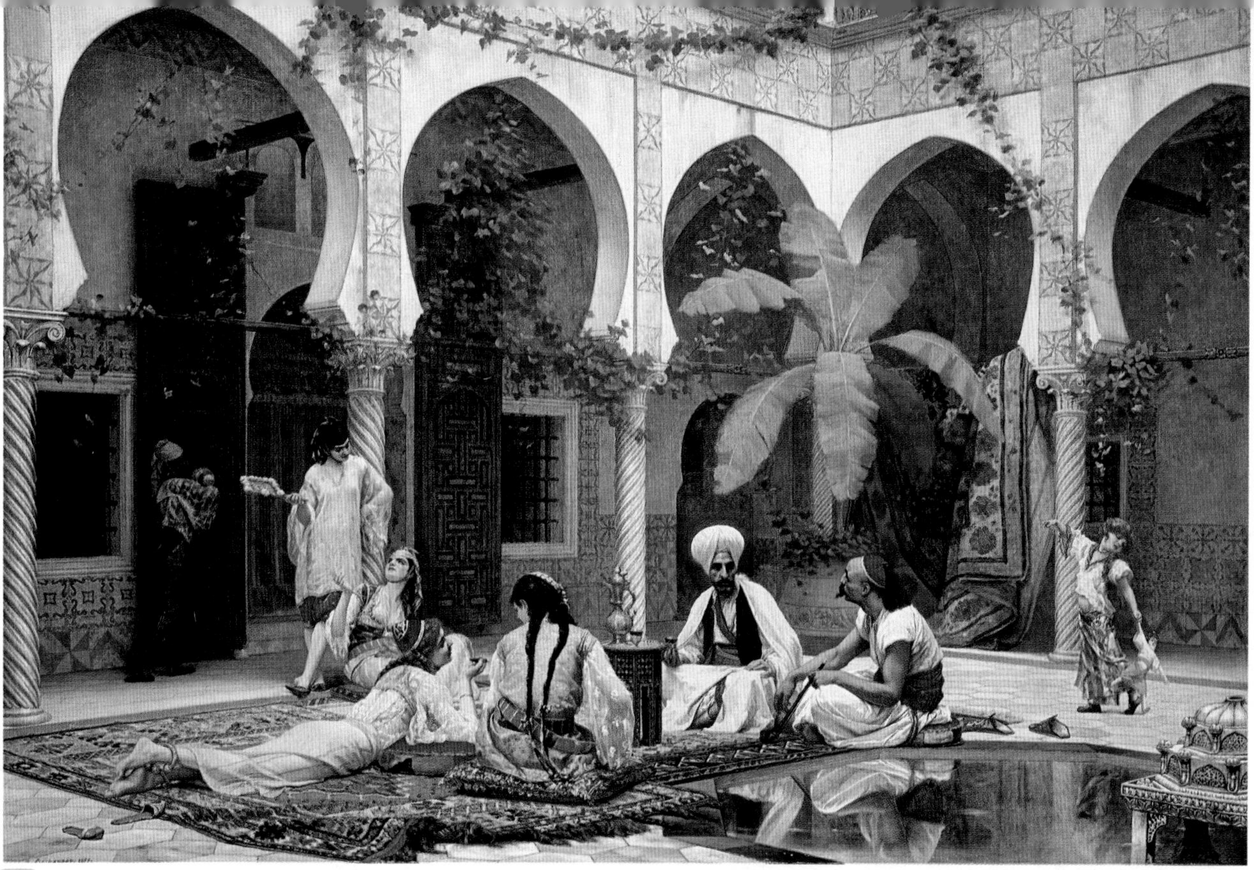

4 **Une scène de vie en Algérie**
G. Boulanger, *La cour du palais de Khedaoudj el Amia à Alger*, huile sur toile, 838 x 1 143 cm, 1877, collection particulière.

Qui est-il ? Gustave Boulanger (1824-1888)
Peintre orientaliste français, il séjourna dans sa jeunesse en Algérie.

Point art

L'orientalisme

Mouvement artistique né au XIXe siècle ayant pour sujet le monde musulman. Les scènes représentées évoquent l'exotisme à travers la vie quotidienne, les femmes, les villageois et les villes d'un monde que les Européens découvrent lors des conquêtes et de la colonisation.

Pour aller plus loin…
Dans un moteur de recherche, tapez « maison Pierre Loti » et entrez sur le site officiel. Cliquez sur l'onglet « visite 360° » pour effectuer une visite virtuelle en 3D de la maison. Visitez le « salon turc » et « la chambre arabe » (2e étage). Quels éléments du salon et de la chambre rappellent l'Orient ?

Identifier et analyser une œuvre d'art

Présenter

1. DOC. 1 ET 4 Présentez les deux œuvres (nature, auteur, date de réalisation, technique utilisée…).

Décrire et comprendre

2. Reproduisez et complétez le tableau suivant :

	DOC. 1	DOC. 4
Lieu où se déroule la scène		
Les personnages représentés (sexe, vêtements, objets)		
L'attitude des personnages (les expressions, les positions, les mouvements)		

3. DOC. 2 ET 3 Quelle image Pierre Loti a-t-il de l'Orient ?
4. DOC. 1 À 4 Pourquoi ces œuvres témoignent-elles du désir d'Orient des artistes européens ?

Exprimer sa sensibilité et conclure

5. DOC. 1 ET 4 Quel regard porté sur l'Orient préférez-vous ? Expliquez votre choix.

Étude

▸ **Socle** *Extraire des informations pertinentes – Confronter un document – S'informer dans le monde numérique*

XIXe

Abolition de l'esclavage par les puissances européennes

• 1804 Proclamation de la République d'Haïti

• 1848 Abolition de l'esclavage par la France

L'Europe abolit l'esclavage

Comment et pour quelles raisons les métropoles européennes ont-elles aboli l'esclavage au XIXe siècle ?

1 **Révolte d'esclaves à Saint-Domingue (1791-1804)**

Cette révolte donne naissance au premier État fondé par d'anciens esclaves : la République d'Haïti.
J. Suchodolski, *Bataille à Saint-Domingue (1802-1803)*, 1845, Musée de l'Armée polonaise, Varsovie (Pologne).

Industrie et Commerce

2 **Le Congrès de Vienne (1815) : les puissances européennes abolissent la traite négrière**

Les Anglais faisant part aux Africains du traité de paix des puissances alliées du 20 novembre 1815, sur l'abolition de la traite des Noirs, estampe, BNF, Paris.

Vocabulaire

Abolitionniste : personne s'opposant à l'esclavage et menant un combat pour obtenir sa suppression.

Émancipation : acte par lequel une personne devient libre.

Esclavage : fait qu'un être humain (esclave) est la propriété d'un autre (maître).

Traite négrière : commerce d'esclaves noirs africains.

3 L'action du mouvement abolitionniste

Les abolitionnistes demandent, au nom de la justice, de l'humanité et de la religion, l'émancipation immédiate et complète, à condition de protéger la sécurité des Blancs et maintenir l'ordre dans les colonies.
En attendant, l'enfant est toujours marqué au fer rouge à sa naissance. La femme est lâchement flagellée. L'homme est conduit au travail par le fouet. Des milliers de Noirs sont saisis, échangés, vendus, séparés de tout ce qui leur est cher.

D'après G. de Félice, *Émancipation immédiate et complète des esclaves. Appel aux abolitionnistes*, Paris, Delay, 1846.

Qui est-il ? Guillaume de Félice (1803-1871)
Pasteur français et membre de la Société française pour l'abolition de l'esclavage (créée en 1834).

4 27 avril 1848, la France abolit l'esclavage

Le Gouvernement provisoire décrète :
Art. 1 : L'esclavage sera entièrement aboli dans toutes les colonies françaises. Tout châtiment corporel, toute vente de personnes non libres, seront absolument interdits.
Art. 4 : Sont amnistiés les anciens esclaves condamnés à des peines pour des faits qui, imputés à des hommes libres, n'auraient point entraîné ce châtiment.
Art. 5 : L'Assemblée nationale réglera l'indemnité qui devra être accordée aux colons.

Fait à Paris, en conseil du Gouvernement, le 27 avril 1848.

1
2
3
4
Biard

5 L'annonce de l'abolition de l'esclavage dans une colonie française

F. Biard, *L'abolition de l'esclavage (27 avril 1848)*, 1849, huile sur toile, 391 x 261 cm, musée du Château de Versailles.
1. Député français dans une colonie
2. Décret du 27 avril 1848 proclamant l'abolition de l'esclavage
3. Marins français
4. Esclaves émancipés

Activités

Socle *Extraire des informations pertinentes*

1. DOC. 2 Quand la traite négrière est-elle abolie ?

Socle *Confronter des documents*

2. DOC. 1 ET 3 Qui s'oppose à l'esclavage dans les colonies ? en métropole ? Expliquez pour quelles raisons.

Socle *Extraire des informations pertinentes*

3. DOC. 4 ET 5 Quand et pourquoi la France abolit-elle l'esclavage ? Quelles conséquences cette abolition a-t-elle dans les sociétés coloniales ?

Socle *S'informer dans le monde numérique*

4. Dans un moteur de recherche, tapez les mots-clés « musée esclavage ».
Entrez sur le site officiel du Mémorial de l'abolition de l'esclavage à Nantes. Dans le menu « Esclavage et lutte pour la liberté » entrez dans la rubrique « Le long combat des abolitions » et répondez aux questions suivantes : Quand la France a-t-elle pour la première fois aboli l'esclavage ? Qui l'a rétabli ?

Pour conclure À l'aide de vos réponses, réalisez un schéma fléché pour ensuite répondre à l'oral à la question suivante :

Comment et pour quelles raisons les métropoles européennes ont-elles aboli l'esclavage au XIXe siècle ?

Contexte

Les Européens face aux enjeux coloniaux

A. Les empires coloniaux

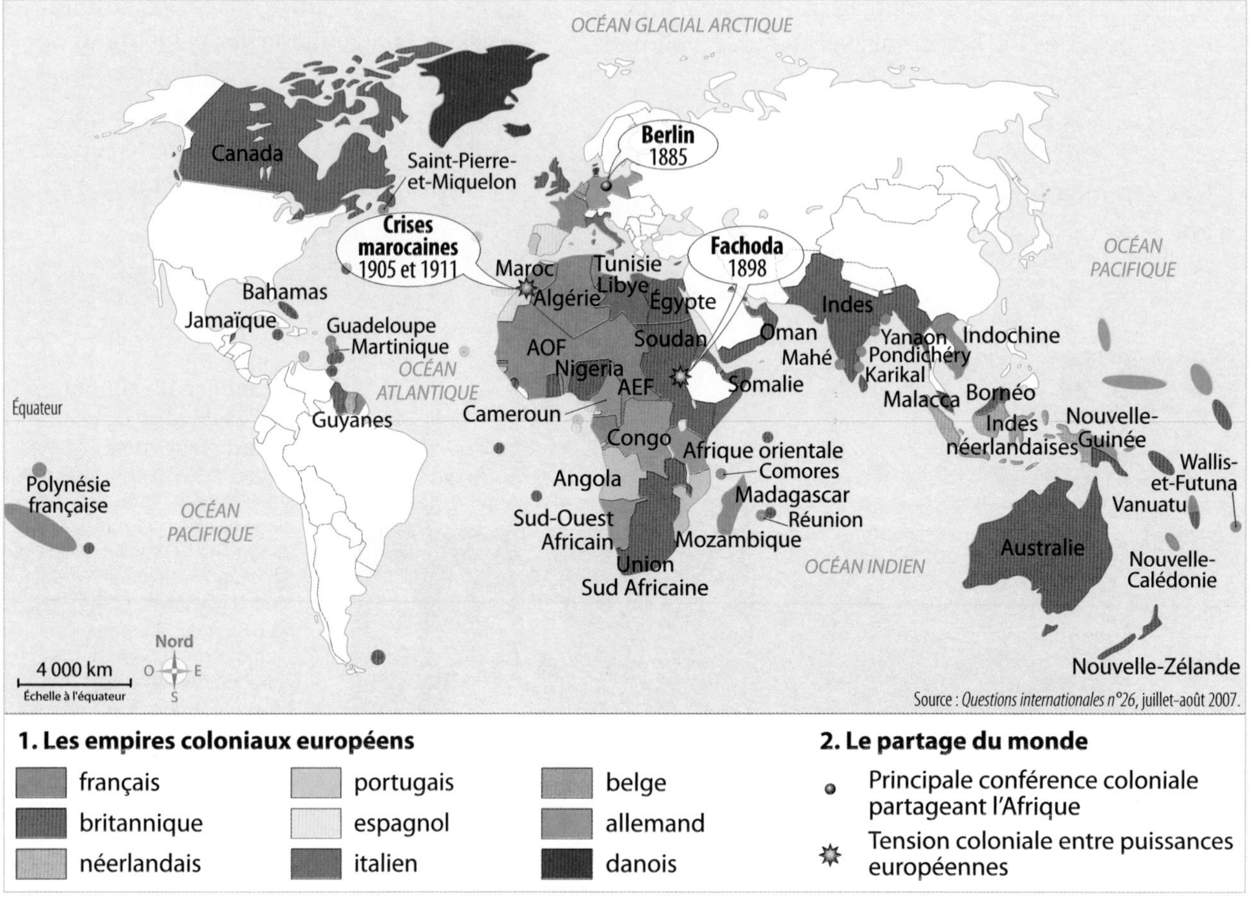
OCÉAN GLACIAL ARCTIQUE
Canada
Saint-Pierre-et-Miquelon
Berlin 1885
Crises marocaines 1905 et 1911
Fachoda 1898
Maroc
Tunisie
Libye
Algérie
Égypte
Bahamas
Jamaïque
Guadeloupe
Martinique
OCÉAN ATLANTIQUE
AOF
Soudan
Nigeria
AEF
Oman
Mahé
Indes
Yanaon
Pondichéry
Karikal
Indochine
Malacca
Bornéo
Somalie
OCÉAN PACIFIQUE
Équateur
Guyanes
Cameroun
Congo
Afrique orientale
Comores
Madagascar
Réunion
Indes néerlandaises
Nouvelle-Guinée
Wallis-et-Futuna
Vanuatu
Polynésie française
Angola
Sud-Ouest Africain
Mozambique
Union Sud Africaine
OCÉAN INDIEN
Australie
Nouvelle-Calédonie
Nouvelle-Zélande
Nord
O E S
4 000 km
Échelle à l'équateur
Source : Questions internationales n°26, juillet-août 2007.
1. Les empires coloniaux européens
français
portugais
belge
britannique
espagnol
allemand
néerlandais
italien
danois
2. Le partage du monde
Principale conférence coloniale partageant l'Afrique
Tension coloniale entre puissances européennes

1 | Le monde des empires coloniaux au XIXe siècle

2 Colonies et sociétés coloniales

Les historiens en parlent

Au XIXe siècle, « colonie » désigna des territoires distants de la métropole, dans lesquels des États étrangers – notamment la Grande-Bretagne, la France, l'Allemagne, la Belgique et le Portugal – envoyaient des armées, des fonctionnaires, des entrepreneurs ou des compagnies commerciales qui exerçaient le pouvoir et exploitaient des ressources sans nécessairement s'installer de façon permanente. Parfois, comme au Kenya ou au Vietnam, certaines terres étaient expropriées au bénéfice des colons ; les terres restantes étaient laissées aux paysans ou aux élites locales, qui les cultivaient ou en exportaient les matières premières. Dans les deux cas la colonisation mit en place de sévères contraintes sur les habitants du territoire incorporé – taxes, tracés de chemins de fer et de routes.

D'après D. Barjot et J. Frémeaux, *Les sociétés coloniales à l'âge des empires*, Paris, SEDES, 2012.

Vocabulaire

Empire colonial : territoire qu'un État puissant a conquis et qu'il domine.

Société coloniale : voir p. 116.

B. L'abolition de la traite négrière et de l'esclavage

3 L'abolition de l'esclavage

Les historiens en parlent

Après plus de deux siècles de résistance des esclaves à la servitude, certains Occidentaux s'engagent dans le combat anti-esclavagiste. Les protestants américains sont les premiers : le Vermont interdit l'esclavage dans sa Constitution en 1777. En Grande-Bretagne et en France, les écrivains des Lumières s'insurgent contre ces « crimes ». Aux Caraïbes, en 1791, les esclaves de Saint-Domingue se révoltent. L'esclavage y est aboli en 1793. La mesure est étendue à l'ensemble des colonies françaises par la Convention en 1794, mais l'esclavage est rétabli par Napoléon Bonaparte en 1802. La Grande-Bretagne, après avoir interdit à ses navires la pratique de la traite négrière en 1807 et voté l'abolition de l'esclavage en 1833, prend la tête des courants abolitionnistes mondiaux. La France abolit l'esclavage dans ses colonies en 1848, précédée par la Suède (1847), suivie du Danemark (1848) et des Pays-Bas (1863). Le Brésil, en 1888, est le dernier pays d'Amérique à abolir l'esclavage. Les propriétaires d'esclaves sont indemnisés dans les colonies britanniques et françaises. Quant aux esclaves, ils ne reçoivent aucune compensation, ni foncière, ni financière.

D'après N. Schmidt, *L'Histoire*, n° 280.

4 La progressive abolition de la traite et de l'esclavage

	Abolition de la traite	Abolition de l'esclavage
Danemark	1803	1848
Angleterre	1806-1807	1833-1838
États-Unis	1808	1863-1865
Pays-Bas	1814	1863
France	1815-1831	1794 (1re abolition) 1848 (2de abolition)
Espagne	1866	1870

5 Des travailleurs forcés sur le chantier d'une voie ferrée

La compagnie de chemin de fer réquisitionne les populations indigènes pour la construction de nouvelles voies, Dahomey, début du XXe siècle.

Comprendre le contexte

L'Europe à la conquête du monde

1. DOC. 1 ET 2 Quelles sont les puissances européennes qui colonisent le monde ? Sur quels continents ces puissances européennes disposent-elles de colonies ?
2. DOC. 2 Quelles sont les conséquences de la colonisation pour les métropoles ? pour les colonies ?

L'abolition de la traite et de l'esclavage

3. DOC. 3 ET 4 Pourquoi peut-on dire que l'abolition de l'esclavage suit un long processus ?
4. DOC. 5 Comment les colons européens contournent-ils l'abolition de l'esclavage ?

Leçon

Conquêtes et sociétés coloniales

Comment les Européens dominent-ils le monde au XIXe siècle ?
Comment les esclaves obtiennent-ils leur liberté ?

I Les Européens à la conquête du monde

- Au début du XIXe siècle, les puissances européennes (Grande-Bretagne, France, Pays-Bas, Russie, Prusse, Italie) se lancent dans une course aux colonies. La colonisation leur permet de développer leur commerce, d'accroître leur puissance et d'étendre la civilisation européenne. Les puissances européennes se partagent le monde lors de la conférence de Berlin (en 1885) et se disputent des colonies.
- **Les longues et difficiles conquêtes sont suivies de la colonisation des terres par les puissances européennes afin d'établir durablement leur domination.** L'armée permet de pacifier et administrer les territoires pour en faire des **colonies de peuplement** (Algérie) ou **d'exploitation** (Dahomey, actuel Bénin).

II La fin de sociétés coloniales

- **L'installation de colons donne naissance à des sociétés coloniales dominées par « l'homme blanc » venu d'Europe.** Les « indigènes » sont traités comme des êtres inférieurs qu'il faut éduquer : c'est la « mission civilisatrice ». L'instruction, la conversion au christianisme, l'apport de la médecine et de l'industrie européennes bouleversent les sociétés coloniales.
- Des colonisés se révoltent pour dénoncer ces changements ainsi que les inégalités économiques, sociales et politiques auxquelles ils sont soumis. Ces soulèvements sont durement réprimés dans le sang.

III La fin de l'esclavage dans les colonies

- Si l'esclavage n'existe plus en Europe, il se poursuit dans les colonies pour exploiter les terres. Né au XVIIIe siècle dans l'Europe des Lumières, le mouvement abolitionniste prône la suppression de la traite et de l'esclavage. Dans les colonies, les révoltes d'esclaves se multiplient pour dénoncer les conditions de vie et de travail.
- **La multiplication des révoltes et la pression des abolitionnistes poussent les gouvernements européens à abolir progressivement la traite puis l'esclavage dans les colonies** (1833 en Grande-Bretagne, 1848 en France). Le travail forcé permet néanmoins de continuer à exploiter la main-d'œuvre indigène dans les colonies.

Vocabulaire

Colonie : territoire conquis et administré par une puissance étrangère. Elle peut être peuplée par un grand nombre de colons (colonie de peuplement) ou exploitée pour ses richesses (colonie d'exploitation).

Mission civilisatrice : discours et politiques (éducative, sanitaire, linguistique) ayant pour but de diffuser dans les colonies des valeurs européennes considérées comme universelles.

Sociétés coloniales : ensemble des personnes vivant dans une colonie.

« Indigène » : personne originaire du territoire dans lequel elle vit.

Mouvement abolitionniste : groupe de personnes s'opposant à l'esclavage et menant un combat pour obtenir sa suppression.

Je retiens l'essentiel

L'essentiel en schéma

Au XIXe siècle, les Européens se lancent à la conquête de nouvelles colonies

Une volonté de posséder de nouvelles terres…

- Ils fondent de nouvelles colonies en Afrique, en Asie et aux Antilles.

… qui aboutit à un partage du monde

DAHOMEY

- Ils se partagent le monde lors de la conférence de Berlin et se disputent des colonies.

… et aux deux systèmes coloniaux

- Colonie de peuplement
- Colonie d'exploitation

L'installation de colons fait naître des sociétés coloniales

Des sociétés coloniales fortement inégalitaires

Petit Colon

- Des sociétés où la minorité des colons européens domine la majorité des colonisés.

Des échanges multiples au contact de l'Autre

- Des sociétés bouleversées par la « mission civilisatrice ».

L'exploitation des colonies pose la question de l'esclavage

La multiplication des révoltes d'esclaves…

- Une révolte d'esclaves à Saint-Domingue (Haïti).

… et le développement des mouvements abolitionnistes

- En métropole, pression des mouvements abolitionnistes sur les gouvernements européens.

… entraînent une progressive abolition de la traite et de l'esclavage

- En 1848 la France abolit définitivement l'esclavage dans ses colonies.

1820 — 1830 — 1840 — 1850

- 1815 Congrès de Vienne (abolition de la traite négrière)
- 1830 Début de la conquête de l'Algérie par la France
- 1833 La Grande-Bretagne abolit l'esclavage
- 1848 La France abolit l'esclavage

J'apprends, je m'entraîne

▸ **Socle** *Méthodes et outils pour apprendre*

PDF FICHE DE RÉVISION À TÉLÉCHARGER Fiche 5

Conquêtes et sociétés coloniales

1. Construire sa fiche de révision : notez le titre de la leçon sur votre feuille

Je connais...

Objectif 1 ▸ Connaître les repères historiques et géographiques

1. Reproduisez la frise chronologique et placez-y les repères suivants :
   – La conquête de l'Algérie par la France
   – L'abolition de la traite négrière par les puissances européennes
   – L'abolition de l'esclavage par la France

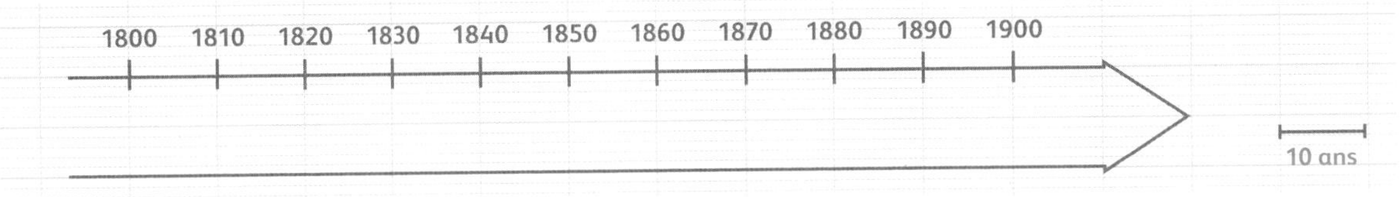

1800
1810
1820
1830
1840
1850
1860
1870
1880
1890
1900
10 ans

À l'aide de la carte, répondez aux questions suivantes :

2. Nommez le continent des puissances coloniales Ⓐ et nommez la colonie française correspondant à la lettre Ⓑ.

3. Reproduisez et complétez la légende.

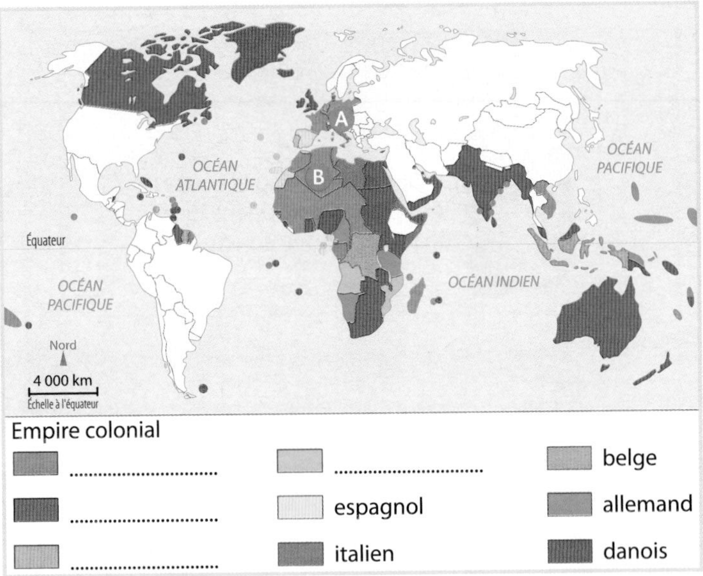

A
B
OCÉAN ATLANTIQUE
OCÉAN PACIFIQUE
OCÉAN PACIFIQUE
OCÉAN INDIEN
Équateur
Nord
4 000 km
Échelle à l'équateur
Empire colonial
....
....
....
....
espagnol
italien
belge
allemand
danois

Objectif 2 ▸ Connaître les mots-clés

Notez la définition des mots-clés demandés ci-dessous :

Colonie – Société coloniale – Mission civilisatrice – Abolitionniste.

Je suis capable de...

Objectif 3 ▸ Expliquer pourquoi les Européens se lancent à la conquête du monde

Aide *Rappelez les raisons politiques, économiques, culturelles et religieuses qui motivent les Européens lors des conquêtes coloniales.*

Objectif 4 ▸ Expliquer le fonctionnement d'une société coloniale

Aide *Citez les différents groupes sociaux qui composent une société coloniale et rappelez les inégalités qui existent entre eux au sein de la colonie.*

Objectif 5 ▸ Montrer que l'abolition de l'esclavage a été une longue conquête

Aide *Évoquez d'abord l'abolition progressive de la traite puis l'abolition de l'esclavage par plusieurs pays européens.*

2. S'entraîner

1 Construire des repères historiques — Représenter la société coloniale

Quels sont les groupes sociaux ①, ② et ③ représentés ci-dessous ? Pour chacun d'eux, rédigez deux ou trois phrases pour présenter leur situation et leur rôle dans les colonies.

1
2

Noël en Indochine, de jeunes Indochinoises répètent le cantique « Il est né le divin enfant », vers 1900.

2
3

J.E Killingworth, *Noël aux Indes britanniques*, 1881.

2 Analyser et comprendre une image — L'empire où le soleil ne se couche jamais

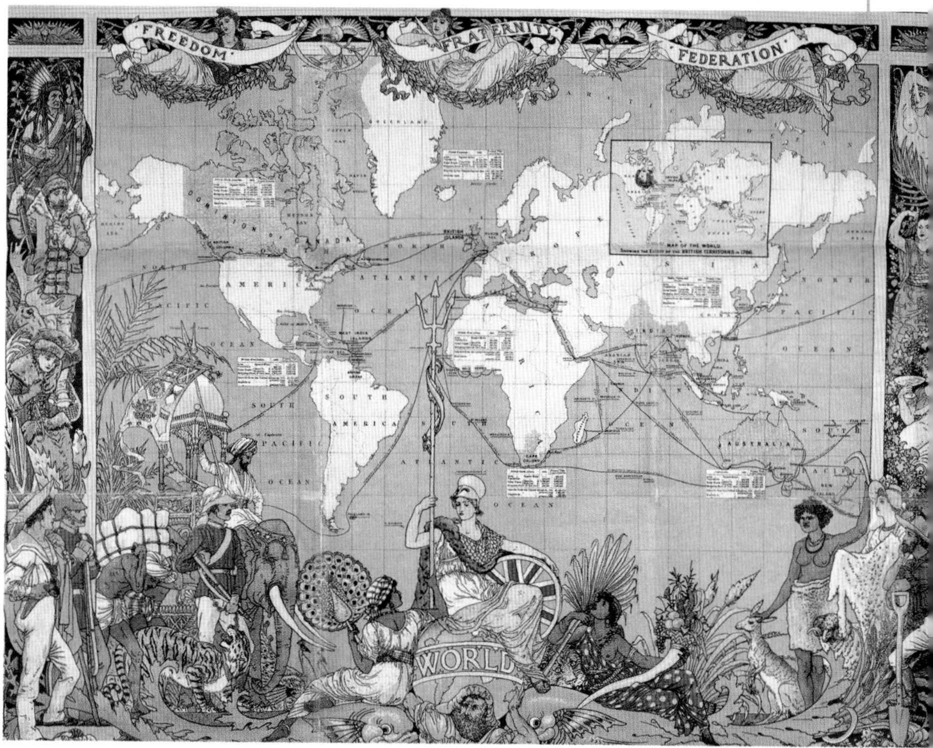

FREEDOM
FRATERNITY
FEDERATION
WORLD

Carte de l'Empire britannique en 1886, publiée dans *The Graphic*, British Library, Angleterre.

Identifier le document

1. Présentez le document (nature, auteur, date).
2. Identifiez la puissance coloniale européenne évoquée dans le document.

Extraire des informations

3. Quels personnages représentent les peuples colonisés ? et les colons ?

Utiliser ses connaissances

4. Comment l'auteur montre-t-il la domination de la puissance coloniale sur le monde ?
5. Cette vision du monde est-elle réelle ou idéale ? Justifiez.

Auto-Évaluation Je me positionne sur une marche :

1. Question 1
   - **J'observe la carte.**
   - **Je la présente.**
2. Questions 1, 2 et 3
   - J'observe la carte.
   - Je la présente.
   - **Je comprends le thème traité.**
3. Questions 1, 2, 3 et 4
   - J'observe la carte.
   - Je la présente.
   - Je comprends le thème traité.
   - **Je sélectionne des informations pertinentes pour répondre.**
4. Questions 1, 2, 3, 4 et 5
   - J'observe la carte.
   - Je la présente.
   - Je comprends le thème traité.
   - Je sélectionne des informations pertinentes pour répondre.
   - **J'utilise mes connaissances pour expliciter.**

Pour progresser, j'analyse mes axes de progrès. Que devrais-je améliorer ?

Vers le brevet

1 Analyser et comprendre des documents

A. Discours de Jules Ferry sur la nécessité des colonies

Messieurs, la politique d'expansion coloniale peut être rattachée à trois ordres d'idées.
Sur le terrain économique, le besoin ressenti par les populations industrielles de l'Europe et de la France, de débouchés.
Le second point : c'est le côté humanitaire et civilisateur.
Rayonner sans agir, en regardant comme un piège toute expansion vers l'Afrique ou vers l'Orient, pour une grande nation, croyez-le bien, c'est descendre du premier rang au troisième ou au quatrième. Et personne ne peut envisager une pareille destinée pour notre pays.
La France doit répandre son influence sur le monde, et porter partout où elle le peut sa langue, ses mœurs, son drapeau, ses armes, son génie.

D'après le discours de Jules Ferry à la Chambre des députés le 28 juillet 1885.

B. Réponse de Georges Clemenceau à Jules Ferry

Quant à moi, mon patriotisme est en France. Aussi, avant de me lancer dans des expéditions coloniales, monsieur Jules Ferry, j'ai besoin de regarder autour de moi [...] et je vois un pays dévasté par une longue succession de coups de force, de révolutions, d'invasions... Vraiment, lorsque vous vous lancez dans ces aventures coloniales, lorsque je vois de nouvelles folies succéder aux anciennes déjà commises, je déclare que je garde mon patriotisme pour la défense du sol national.

D'après le discours de Georges Clemenceau à la Chambre des députés le 31 juillet 1885.

Identifier les documents

1. Présentez les documents (nature, auteur, date, contexte).

Extraire des informations pertinentes et utiliser ses connaissances pour expliciter

2. Que souhaite faire Jules Ferry ?
3. Montrez que Jules Ferry illustre le sentiment d'une supériorité de la France sur ses colonies.
4. Complétez le tableau ci-dessous en précisant la position des deux auteurs sur les conquêtes coloniales et relevez dans leurs discours les arguments utilisés.

	Jules Ferry	Georges Clemenceau
Position concernant les conquêtes coloniales		
Arguments cités dans le discours		

2 Maîtriser différents langages pour raisonner et se repérer

1. Sous la forme d'un développement construit d'une quinzaine de lignes, et en citant des dates et des acteurs étudiés en classe, racontez la conquête de l'Algérie par la France au XIXe siècle.
2. Reproduisez et complétez le tableau ci-dessous :

Événement	Révolte d'esclaves à Saint-Domingue (qui devient Haïti)	Fin du trafic d'esclaves par les puissances européennes	La France interdit l'esclavage pour la seconde fois
Date de l'événement			
Mot-clé / Vocabulaire du chapitre lié à l'événement			

Enquêter

Comment le travail forcé a-t-il remplacé l'esclavage dans les colonies ?

Les faits

Construction d'une route à Nouméa (Nouvelle-Calédonie)

57. Percement de la Rue de Rivoli à NOUMEA
par les condamnés aux travaux forcés J. C.

On y lit « Percement de la Rue de Rivoli à Nouméa (Nouvelle-Calédonie) par les condamnés aux travaux forcés », Carte postale, musée de la ville de Nouméa.

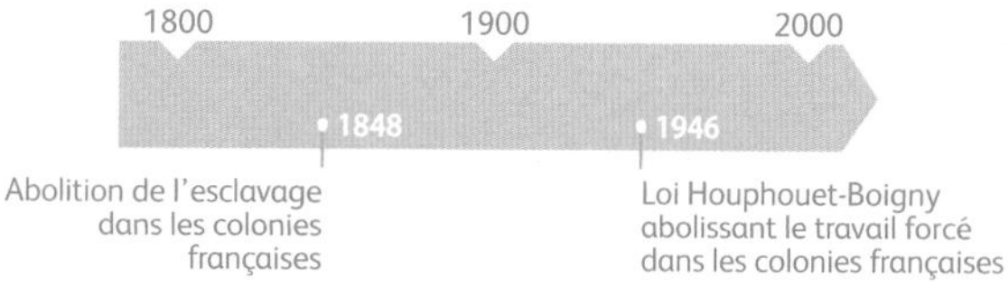
1800
1900
2000
1848
1946
Abolition de l'esclavage dans les colonies françaises
Loi Houphouet-Boigny abolissant le travail forcé dans les colonies françaises

Indice n°1

La récolte du caoutchouc

Le lundi matin, nous comptions les hommes avant de les faire partir au caoutchouc. S'il en manquait à l'appel, nous allions les chercher dans leur lieu de refuge. Nous devions attacher les fuyards, ramasser leurs femmes et les mener à l'usine d'où elles n'étaient retirées que contre du caoutchouc.

Témoignage recueilli et cité par Butel (inspecteur des concessions) au Commissaire spécial à Yatumbo (Congo français), le 19 novembre 1907.

Indice n°2

Le bagne colonial

Six mille condamnés renfermés dans nos bagnes [métropolitains] grèvent le budget d'une charge énorme, et menacent la société. Il me semble possible de rendre la peine des travaux forcés plus efficace, en l'utilisant aux progrès de la colonisation française.

Louis Napoléon Bonaparte (Président de la IIe République), novembre 1850.

Disciplinaires coloniaux aux Saintes, carte postale, vers 1900.

Indice n°3

La « mission civilisatrice »

Le travail obligatoire est nécessaire pour sortir les « indigènes » de l'état d'infériorité où ils se trouvent pour les rendre plus aptes par le travail à coloniser le pays. On ne peut espérer donner à ces peuplades le goût du travail qu'en le leur imposant d'abord.

Conférence de l'explorateur et journaliste Raymond Colrat au Cercle National et Colonial, citée dans le journal *L'Information*, le 11/06/1903.

Avez-vous pris connaissance des différents indices ? Quelle est votre conviction : comment le travail forcé a-t-il remplacé l'esclavage dans les colonies françaises ?

Par équipe, complétez le carnet de l'enquêteur.

1. Relevez pour chaque document la forme de travail forcé effectué par les colonisés.
2. Relevez dans les documents les raisons pour lesquelles les Français ont établi le travail forcé dans leurs colonies.

Rédigez en quelques lignes votre rapport d'enquête.

L'atelier d'écriture

Vers la tâche complexe

Paysage d'une ville coloniale, Hanoï

À l'aide de vos connaissances, rédigez un texte qui décrit un paysage d'une ville coloniale, Hanoï.

RAPPELS

Décrire, c'est dire ce que l'on voit.

Carte postale de la rue Paul-Bert, vers 1900, Hanoï, Vietnam.

Travail préparatoire (au brouillon)

1. Comprenez bien le sujet :

« Décrivez un paysage d'une ville coloniale, Hanoï »

Paysage : tous les éléments visibles à l'œil nu (bâtiments, individus, actions…).
Ville coloniale : un espace où se côtoient différents groupes sociaux d'une société coloniale.

2. Observez le paysage et notez toutes les observations que vous faites sur le premier plan et le second plan.

3. Remobilisez le vocabulaire spécifique appris dans ce chapitre.

RAPPELS

Au début de votre texte, pensez à indiquer l'époque et l'espace dans lesquels se situe la photographie.

Travail de rédaction (au propre)

À vous de choisir votre niveau de difficulté et votre ceinture !

Je rédige un texte **sans aide**.

Rédigez votre texte en vérifiant que :
- Vous organisez vos idées en paragraphes.
- Vous commencez par une introduction qui précise l'espace et la période concernés.

Je rédige un texte **avec un guidage léger.**

Rédigez votre texte à l'aide des conseils suivants :
- Commencez par une introduction qui précise l'espace et la période concernés. Puis rédigez deux paragraphes décrivant la ville coloniale.
- Au premier plan, on voit…
- Au second plan, on reconnaît…

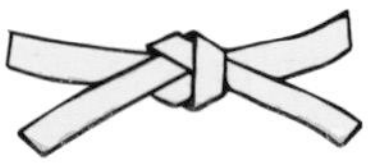

Je rédige un texte **avec un guidage plus important.**

Rédigez votre texte à l'aide des conseils suivants :
- Commencez par une introduction qui précise l'espace et la période concernés. Vous pouvez utiliser les mots-clés suivants : rue, Vietnam, colonie, XIXe siècle.
- Votre 1er paragraphe décrit le premier plan.
  Il peut commencer par l'amorce suivante : Au premier plan, on voit…
- Votre 2nd paragraphe décrit le paysage urbain du second plan. Il peut commencer par l'amorce suivante : Au second plan, on reconnaît…

Objet d'enseignement *Distinguer une inégalité d'une discrimination*

Parcours citoyen

Pourquoi faut-il condamner le racisme ?

PNEU
COLONIAL
GAND
920 x 120
COLONIAL RUBBER. S.té A.
BON PNEUMATIQUE.
JAMAIS MISÈRES.
TOUJOURS TEUF-TEUF."

1 **Une publicité pour les pneus Colonial**
Carte postale publicitaire belge, vers 1910.

2 « Y'a bon Banania » disparaît

Le Mouvement contre le racisme et pour l'amitié entre les peuples (MRAP) a obtenu jeudi devant la cour d'appel de Versailles que cesse la vente de produits portant le slogan « Y'a bon ». [...]

Inventé en pleine Première Guerre mondiale en référence aux régiments de tirailleurs sénégalais, le slogan est perçu aujourd'hui comme raciste et portant atteinte à la dignité humaine.

« On ne peut pas distiller aux enfants dès le biberon qu'un Noir, au visage grossier, dit "Y'a bon" et ne sait pas parler autre chose qu'un français simplifié » a déclaré l'avocat de l'association.

D'après « Y'a bon Banania disparaîtra bel et bien », *lexpress.fr*, le 25/05/2011.

3 Racisme : un blogueur condamné à de la prison ferme

Un blogueur ultranationaliste, déjà condamné pour racisme, s'est vu infliger pour la première fois une peine de prison ferme. Reconnu coupable de provocation à la discrimination raciale, le militant devra être incarcéré six mois. Il était poursuivi pour avoir attaqué en raison de la couleur de sa peau un musicien d'un orchestre breton.

Le blogueur, dont le site Internet est hébergé à l'étranger, a déjà été condamné par la justice française, notamment pour des propos antisémites.

D'après un article publié sur *lemonde.fr*, 29/05/2015.

4 Ce que dit la loi Gayssot (1990)

Art. 1er. - Toute discrimination fondée sur l'appartenance ou la non-appartenance à une ethnie, une nation, une race ou une religion est interdite.

D'après la loi n° 90-615 du 13 juillet 1990 tendant à réprimer tout acte raciste, antisémite ou xénophobe.

Vocabulaire

Discrimination : distinction injuste et illégitime envers une personne en raison d'une différence.

Le jugement : penser par soi-même et avec les autres

1. DOC. 4 Qu'est-ce que le racisme ? Depuis quand le racisme est-il puni par la loi en France ?
2. DOC. 1 ET 4 Pourquoi cette affiche est-elle jugée discriminatoire ?

Le droit et la règle : des principes pour vivre avec les autres

3. DOC. 2 À 4 Pourquoi le blogueur et l'entreprise ont-ils été condamnés pour racisme ? Quelles sanctions ont été prises ?
4. DOC. 2 Comment l'association MRAP lutte-t-elle contre le racisme ? Son action a-t-elle été efficace ?

6 Une difficile conquête : voter de 1815 à 1870

Comment le droit de vote s'étend-il à tous les Français ?

1 **En juillet 1830, le peuple entre à nouveau en révolution**
La population parisienne se soulève contre une tentative de restriction du suffrage censitaire masculin : le roi Charles X est renversé lors de cette révolution.
E. Delacroix, *La Liberté guidant le peuple*, huile sur toile, 1830, musée du Louvre, Paris.

Vocabulaire

Suffrage : acte par lequel un citoyen déclare son opinion, donne son avis.

Socle *Se repérer dans le temps*

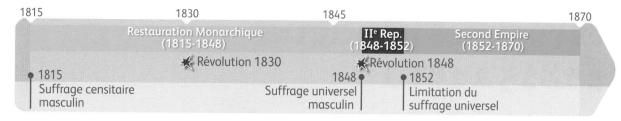

1815 — 1830 — 1845 — 1870

- Restauration Monarchique (1815-1848)
- IIe Rep. (1848-1852)
- Second Empire (1852-1870)
- Révolution 1830
- Révolution 1848
- 1815 Suffrage censitaire masculin
- 1848 Suffrage universel masculin
- 1852 Limitation du suffrage universel

1
2
3
4
5
URNE ÉLECTORALE
DROITS DE L'HOMME

2 | **La Seconde République et le suffrage universel réconcilient les Français**

Allégorie du suffrage universel dédiée à Ledru-Rollin, homme politique qui a fait adopter par décret le suffrage universel masculin en mars 1848.

F. Sorrieu, *Le suffrage universel dédié à Ledru-Rollin*, lithographie, 1850, musée Carnavalet, Paris.

1 Alexandre Ledru-Rollin 2 L'urne du suffrage universel 3 Marianne 4 La société du passé, effrayée
5 La société de la IIe République, unie.

1. DOC. 1 Relevez les éléments qui montrent que toutes les catégories du peuple protestent contre la limitation du droit de vote.
2. DOC. 2 Relevez ce qui montre que tout le peuple est en faveur du suffrage universel masculin.
3. DOC. 1 et 2 **Formulez une hypothèse** pour répondre à la question suivante : comment les Français obtiennent-ils le droit de vote ?

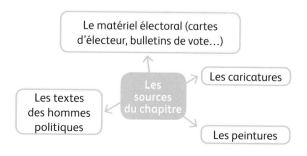

Les sources du chapitre
- Le matériel électoral (cartes d'électeur, bulletins de vote…)
- Les caricatures
- Les textes des hommes politiques
- Les peintures

Contexte

Les régimes politiques de 1815 à 1870

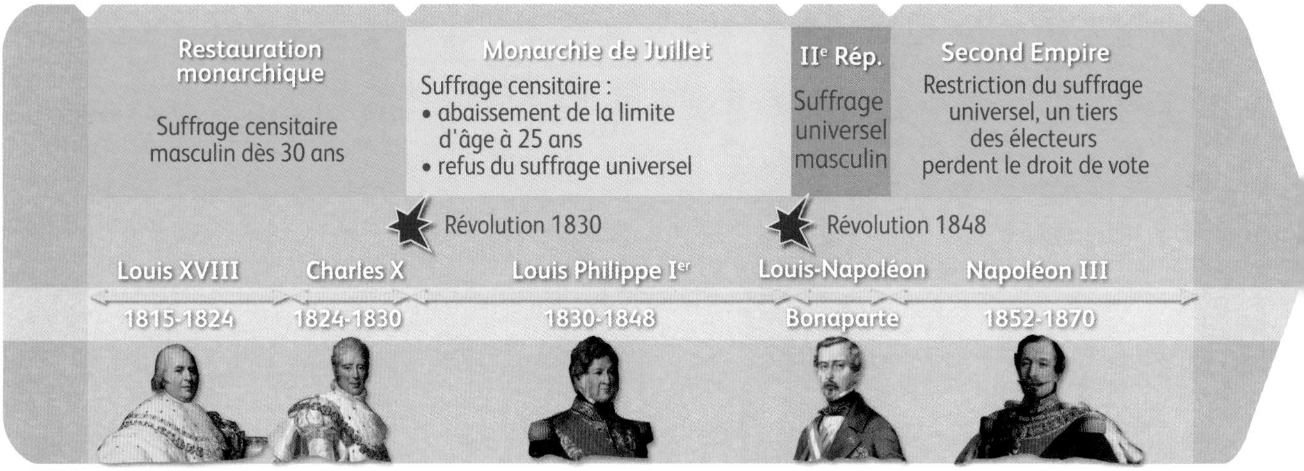

1815
1830
1848
1852
1870
Restauration monarchique
Suffrage censitaire masculin dès 30 ans
Monarchie de Juillet
Suffrage censitaire :
• abaissement de la limite d'âge à 25 ans
• refus du suffrage universel
IIe Rép.
Suffrage universel masculin
Second Empire
Restriction du suffrage universel, un tiers des électeurs perdent le droit de vote
Révolution 1830
Révolution 1848
Louis XVIII
1815-1824
Charles X
1824-1830
Louis Philippe Ier
1830-1848
Louis-Napoléon Bonaparte
Napoléon III
1852-1870

1 | Les souverains et les régimes politiques transforment les règles électorales

2 | Évolution du suffrage en France (1815-1870)

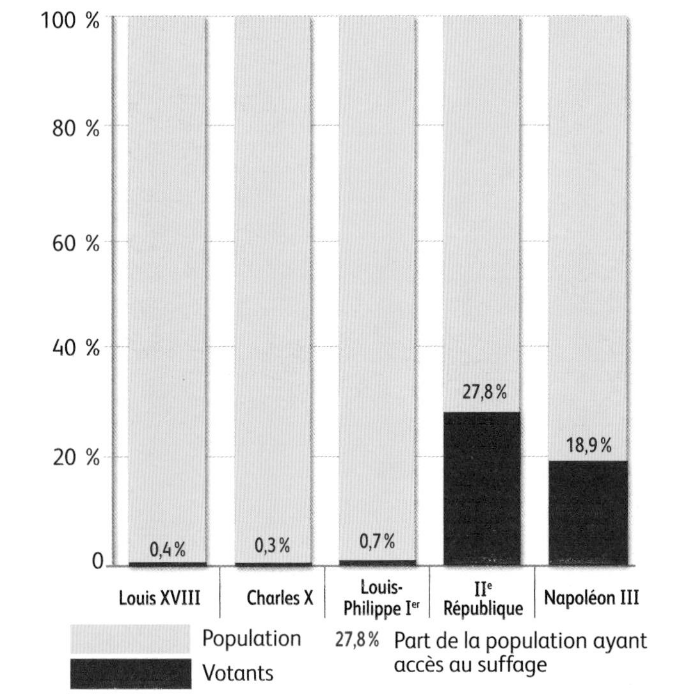

100 %
80 %
60 %
40 %
20 %
0
0,4 %
0,3 %
0,7 %
27,8 %
18,9 %
Louis XVIII
Charles X
Louis-Philippe Ier
IIe République
Napoléon III
Population
Votants
27,8 % Part de la population ayant accès au suffage

Source : Ph. Bourdin, *Citoyenneté, démocratie, république, 1789-1899*, Belin, 2014.

3 Victor Hugo justifie le suffrage universel

Méditez ceci, en effet : sur cette terre d'égalité et de liberté, tous les hommes respirent le même air et le même droit. Il y a dans l'année un jour où celui qui vous obéit se voit votre pareil, où celui qui vous sert se voit votre égal. Il y a un jour dans l'année où le gagne-pain, le journalier, le manœuvre, l'homme qui traîne des fardeaux, l'homme qui casse des pierres au bord des routes, juge le Sénat, prend dans sa main, durcie par le travail, les ministres, les représentants, le président de la République, et dit : « La puissance, c'est moi ! ». Il y a un jour dans l'année où [tous les citoyens sont égaux].

D'après V. Hugo, « Discours sur le suffrage universel », Assemblée nationale, 21 mai 1850.

Vocabulaire

Suffrage censitaire masculin : droit de vote accordé aux hommes majeurs en capacité de payer un impôt appelé « cens ».

Suffrage universel masculin : droit de vote accordé à tous les hommes majeurs, sans condition de revenu.

4 Les aspirations à la liberté du peuple français

a Le retour de la monarchie, 1814-1848

Les années 1814-1848 correspondent à l'âge des monarchies dites constitutionnelles ou censitaires. La **Restauration** (1815-1830) est une monarchie de quasi-droit divin, la **Monarchie de Juillet** (1830-1848) est une monarchie élective, Louis-Philippe héritant du pouvoir par les députés. Ces deux régimes ont en commun l'apprentissage par le peuple de la vie parlementaire. L'exclusion de l'immense majorité des Français de la vie politique motive en réaction des prises de parole tous azimuts, la réapparition de manifestations violentes, d'émeutes et d'insurrections.

D'après E. Fureix, *Le siècle des possibles, 1814-1914*, PUF, 2014.

E. Deveria, *Louis Philippe Ier prête serment de maintenir la Charte de 1830*, peinture, 1,1 m x 0, 77 m, 1836, musée du Château, Versailles.

b La IIe République, un bref moment de liberté, 1848

La **Deuxième République** inaugure d'abord un temps d'explosion démocratique, de fête, de liberté et de fraternité. Le nouveau régime, proclamé dans une cérémonie de grande ampleur, le 4 mai 1848, abolit la peine de mort et instaure le suffrage universel au mois de mars 1848. Au lendemain des émeutes de juin 1848[1], la République est dirigée par d'anciens royalistes et des Républicains modérés. Elle abandonne peu à peu son ambition démocratique et sociale, les libertés sont réduites, le suffrage limité, la presse censurée, les réunions des opposants interdites.

D'après E. Fureix, *Le siècle des possibles, 1814-1914*, PUF, 2014.

1. Émeutes des ouvriers qui ont faim.

H. F. Philippoteaux, *Lamartine rejetant le drapeau rouge en 1848*, peinture, musée du Petit Palais, Paris.

c Sous le Second Empire, une opposition politique surveillée, 1852-1870

Les débuts de l'**Empire** voient la mise en place d'un système de contrôle sévère de l'opinion. La vie politique est en sommeil dans un pays désormais bien encadré par l'appareil administratif et par la police. Après le coup d'État[1], nombreux sont les opposants qui ont pris le chemin de l'exil vers la Belgique et l'Angleterre. Victor Hugo choisit de s'installer dans les îles anglaises pour « bombarder Napoléon le Petit ».

D'après S. Aprile, *1815-1870, La révolution inachevée*, Belin, 2014.

1. 2 décembre 1851.

C. P. Larivière, *Entrée triomphante du prince Louis Napoléon Bonaparte à Paris en 1852*, peinture, 5 m x 3,45 m, 1859, musée du Château, Versailles.

Comprendre le contexte

Une succession de régimes politiques

1. DOC. 1 Combien de régimes politiques se succèdent de 1815 à 1870 ? Classez ces régimes en plusieurs catégories.
2. DOC. 2 Quelle est la part des votants suivant les régimes ? Quel régime est le plus démocratique ? Justifiez.
3. DOC. 3 Comment Victor Hugo justifie-t-il le suffrage universel ?

Les aspirations à la liberté du peuple français

4. DOC. 4a Que réclame le peuple pendant la période de restauration monarchique ?
5. DOC. 4b Pourquoi peut-on qualifier la IIe République de « bref moment de liberté » ?
6. DOC. 2 ET 4c Peut-on parler de démocratie sous Napoléon III ?

Étude

Socle *Extraire des informations pertinentes*

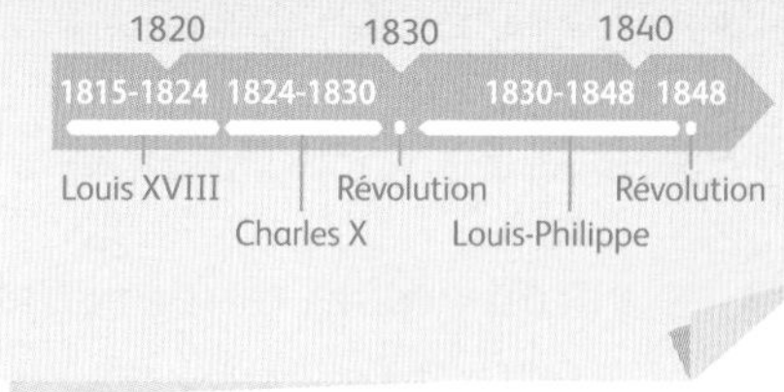
1820
1830
1840
1815-1824
1824-1830
1830-1848
1848
Louis XVIII
Charles X
Révolution
Louis-Philippe
Révolution

Le suffrage censitaire sous la monarchie

Comment le suffrage censitaire fonctionne-t-il lors de la Restauration ? Fait-il l'unanimité ?

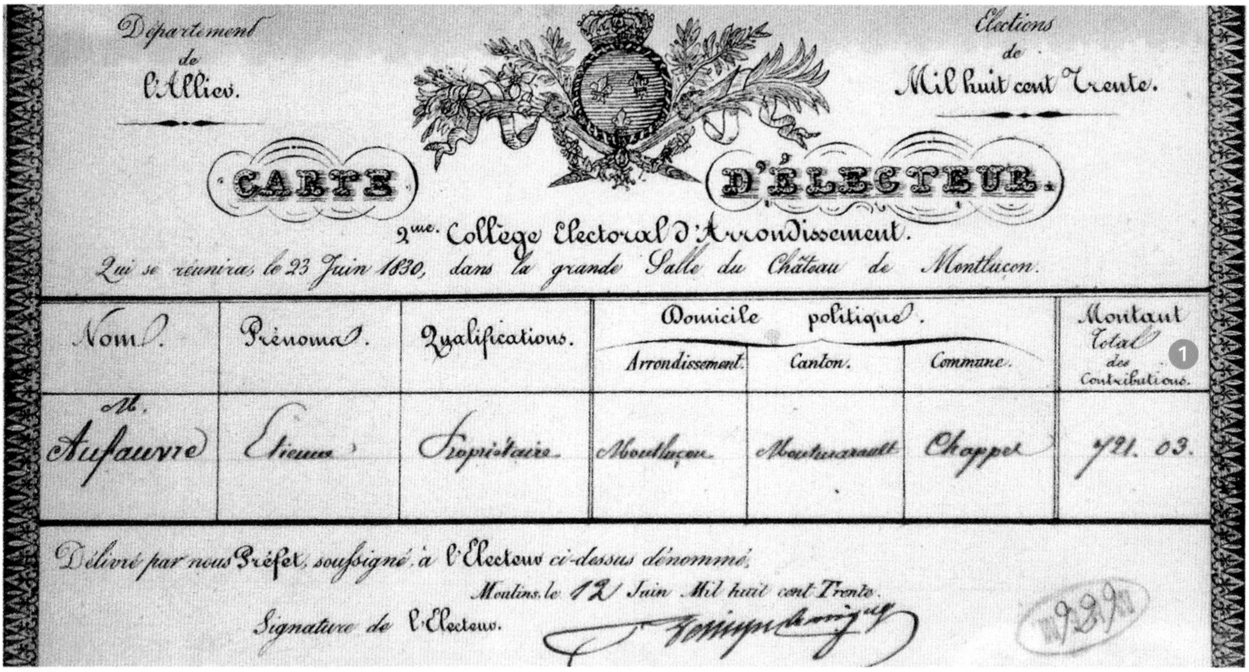

Département de l'Allier.

Élections de Mil huit cent Trente.

CARTE D'ÉLECTEUR.

2me. Collège Électoral d'Arrondissement.

Qui se réunira le 23 Juin 1830, dans la grande Salle du Château de Montluçon.

Nom.	Prénoms.	Qualifications.	Domicile politique. Arrondissement.	Canton.	Commune.	Montant Total des Contributions.
M. Aufauvre	Étienne	Propriétaire	Montluçon	Montmarault	Chappes	721. 03.

Délivré par nous Préfet, soussigné, à l'Électeur ci-dessus dénommé,

Moulins, le 12 Juin Mil huit cent Trente.

Signature de l'Électeur.

1 Une carte électorale pour le suffrage censitaire sous Charles X

Carte d'électeur, 1830, musée de l'histoire vivante, Montreuil.

(1) Montant total de l'impôt : 721,03 francs

2 L'avis de François Guizot sur le suffrage universel

Entre 1847 et 1848, les opposants républicains demandent l'élargissement du suffrage.

Guizot : Le principe du suffrage universel est en soi-même absurde.

Garnier-Pagès [député républicain] : Son jour viendra.

Guizot : Il n'y a pas de jour pour le suffrage universel. Il n'y a pas de jour où toutes les créatures humaines, quelles qu'elles soient, puissent être appelées à exercer des droits politiques.

D'après F. Guizot, président du Conseil, et L.-A. Garnier-Pagès, « Débat à la chambre des députés », 26 mars 1847.

Qui est-il ? François Guizot (1787-1874)
Homme politique français monarchiste, président du Conseil (Premier ministre) en 1847.

3 L'évolution des conditions de vote de 1814 à 1848

Années	Cens (en francs)	Corps électoral	
		Âge	Nombre d'électeurs
1814	300	30	110 000
1827			89 000*
1831	200	25	166 000
1847			248 000*

* évolutions dues à l'appauvrissement ou à l'enrichissement de la population.

Source : D'après Ph. Bourdin, *Citoyenneté, démocratie, république, 1789-1799*, Belin, 2014.

Vocabulaire

Cens : impôt dont un électeur doit s'acquitter pour pouvoir voter.

Notable : personne importante dans une ville : bourgeois, patron, élu…

Républicains : hommes politiques en faveur de la République, pour l'élargissement du suffrage.

Suffrage censitaire masculin : droit de vote accordé aux hommes majeurs en capacité de payer le cens.

1
2
3

4 La Monarchie de Juillet, une monarchie de notables

H. Daumier, *Récompense honnête aux électeurs obéissants*, dessin, 1840-1849.

1 Électeurs 2 Le roi Louis-Philippe récompensant les électeurs pour avoir « bien voté » 3 Décorations offertes en récompense aux électeurs corrompus

5 L'avis d'un républicain sur le suffrage

La souveraineté du peuple, tel est, en effet, le grand principe qu'il y a près de cinquante années, nos pères ont proclamé. Mais cette souveraineté, qu'est-elle devenue ? Aujourd'hui, le peuple, c'est un troupeau conduit par quelques privilégiés comme vous, comme moi, messieurs, qu'on nomme électeurs, puis par quelques autres, plus privilégiés encore, qu'on salue du titre de député. Et si ce peuple, qui n'est point représenté, se lève pour revendiquer ses droits, on le jette dans les cachots. Messieurs, la réforme électorale est le premier pas à faire. Cette réforme, il la faut radicale. Que tout citoyen soit électeur, que le député soit l'homme de la nation, non de la fortune ; qu'il soit désigné pour sa vertu.

D'après A. Ledru-Rollin, député républicain, « Discours aux électeurs de la Sarthe », 23 juillet 1841.

1
2
Va te faire pendre ailleurs !
G.R.

6 La République chasse la Monarchie de Juillet

En 1848, face au refus de Louis-Philippe d'étendre le suffrage, une révolution éclate, la République et le suffrage universel sont décrétés.

H. Daumier, *Va te faire pendre ailleurs !*, estampe, 1848, BNF, Paris.

1 Marianne, symbole de la République et du suffrage universel

2 Louis-Philippe

Qui est-il ? Honoré Daumier (1808-1879)

Caricaturiste du XIXe siècle.

Activités

Socle *Identifier un document*

1. DOC. 1 Relevez les informations qui figurent sur cette carte d'électeur (nom et domicile de l'électeur, dates mentionnées, montant de l'impôt).
2. DOC. 1 Qui délivre cette carte ?

Socle *Extraire des informations pertinentes*

3. DOC. 3 Comment le nombre d'électeurs évolue-t-il de 1815 à 1848 ? Expliquez pourquoi.
4. DOC. 2 Qui est François Guizot ? Quelle est son opinion sur le suffrage universel ?
5. DOC. 4 Que dénonce cette caricature sur la pratique du suffrage sous Louis-Philippe ?
6. DOC. 5 Relevez les arguments utilisés par Ledru-Rollin pour critiquer le suffrage censitaire.
7. DOC. 2, 5 ET 6 Que réclament Ledru-Rollin et les députés républicains ? Comment l'obtiennent-ils ?

Pour conclure Sous la forme d'un paragraphe argumenté, répondez à la question suivante :

Comment le suffrage censitaire fonctionne-t-il lors de la Restauration ? Fait-il l'unanimité ?

Étude

Le suffrage universel sous la IIe République

Février 1848	Mars 1848	10 décembre 1848	Mai 1850
IIe République	Suffrage universel direct masculin	Louis-Napoléon Bonaparte	Limitation du suffrage universel

Tâche complexe

Le 23 avril 1848 a lieu la première élection au suffrage universel en France.

Votre mission :

Expliquez sur le blog du collège comment le suffrage universel a été mis en place et quelles ont été ses limites.

Besoin d'aide ? *Voir p. 141*

Boîte à outils

Les mots de l'historien

Suffrage universel masculin : droit de vote accordé à tous les hommes majeurs, sans condition de revenu.

Autres mots-clés : Bureau de vote – électeurs/électrices – limitation du suffrage.

1 **Un bureau de vote à Paris en 1848**
L'illustration, 1848

2 Le suffrage universel masculin est décrété par la IIe République

Art. 5 : Le suffrage sera direct et universel.

Art. 6 : Sont électeurs tous les Français âgés de 21 ans résidant dans la commune depuis six mois et non judiciairement privés ou suspendus de l'exercice des droits civiques.

Art. 8 : Le scrutin sera secret.

Art. 10 : Chaque représentant du peuple recevra une indemnité de 25 f. par jour, pendant la durée de la session.

D'après le décret du 5 mars 1848.

3 Les femmes face au suffrage universel

Il ne suffit pas d'énoncer un grand principe [l'égalité] et de proclamer bien haut que l'on en accepte toutes les conséquences ; il faut se dévouer à la réalisation de ce principe et témoigner par tous ses actes que l'on a le courage de son opinion. En 1849, une femme vient encore frapper à la porte de la cité, réclamer pour les femmes le droit de participer aux travaux de l'Assemblée législative. Elle vient demander [aux députés] de protester contre une injuste exclusion, et de proclamer par leur vote qu'ils veulent sincèrement l'abolition de tous les privilèges de sexe, de race, de naissance, de fortune…

D'après Jeanne Deroin, candidate aux élections législatives de 1849.

Vocabulaire

Souveraineté : possession du pouvoir.

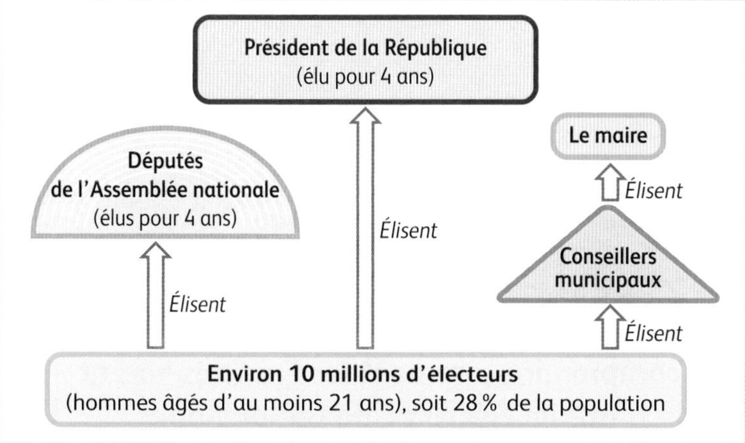
Président de la République
(élu pour 4 ans)
Députés
de l'Assemblée nationale
(élus pour 4 ans)
Élisent
Le maire
Élisent
Conseillers
municipaux
Élisent
Élisent
Environ 10 millions d'électeurs
(hommes âgés d'au moins 21 ans), soit 28 % de la population

4 | Le suffrage universel au cœur de la IIe République

5 Victor Hugo défend le suffrage universel

Élu député en 1848, V. Hugo défend le suffrage universel contre un projet de loi qui vise à réduire le nombre des électeurs.

Le suffrage universel dit à tous : « Soyez tranquilles, vous êtes souverains ». Il ajoute : « Vous souffrez ? Eh bien ! Vous allez travailler vous-mêmes à la destruction de la misère, par des hommes en qui vous mettrez votre âme, et qui seront, en quelque sorte, votre main. Il n'appartient pas à une fraction de défaire ni de refaire l'œuvre collective. Vous êtes citoyens, vous êtes libres, votre heure reviendra, sachez l'attendre ».

D'après V. Hugo, « Le suffrage universel », discours prononcé à l'Assemblée nationale, 21 mai 1850.

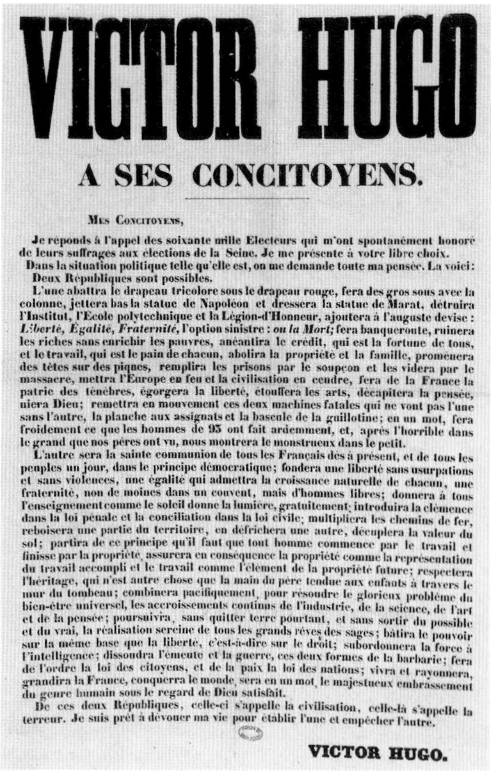
VICTOR HUGO

A SES CONCITOYENS.

MES CONCITOYENS,

Je réponds à l'appel des soixante mille Electeurs qui m'ont spontanément honoré de leurs suffrages aux élections de la Seine. Je me présente à votre libre choix.

Dans la situation politique telle qu'elle est, on me demande toute ma pensée. La voici :

Deux Républiques sont possibles.

L'une abattra le drapeau tricolore sous le drapeau rouge, fera des gros sous avec la colonne, jettera bas la statue de Napoléon et dressera la statue de Marat, détruira l'Institut, l'Ecole polytechnique et la Légion-d'Honneur, ajoutera à l'auguste devise : *Liberté, Égalité, Fraternité,* l'option sinistre : *ou la Mort;* fera banqueroute, ruinera les riches sans enrichir les pauvres, anéantira le crédit, qui est la fortune de tous, et le travail, qui est le pain de chacun, abolira la propriété et la famille, promènera des têtes sur des piques, remplira les prisons par le soupçon et les videra par le massacre, mettra l'Europe en feu et la civilisation en cendre, fera de la France la patrie des ténèbres, égorgera la liberté, étouffera les arts, décapitera la pensée, niera Dieu; remettra en mouvement ces deux machines fatales qui ne vont pas l'une sans l'autre, la planche aux assignats et la bascule de la guillotine; en un mot, fera froidement ce que les hommes de 93 ont fait ardemment, et, après l'horrible dans le grand que nos pères ont vu, nous montrera le monstrueux dans le petit.

L'autre sera la sainte communion de tous les Français dès à présent, et de tous les peuples un jour, dans le principe démocratique; fondera une liberté sans usurpations et sans violences, une égalité qui admettra la croissance naturelle de chacun, une fraternité, non de moines dans un couvent, mais d'hommes libres; donnera à tous l'enseignement comme le soleil donne la lumière, gratuitement; introduira la clémence dans la loi pénale et la conciliation dans la loi civile; multipliera les chemins de fer, reboisera une partie du territoire, en défrichera une autre, décuplera la valeur du sol; partira de ce principe qu'il faut que tout homme commence par le travail et finisse par la propriété, assurera en conséquence la propriété comme la représentation du travail accompli et le travail comme l'élément de la propriété future; respectera l'héritage, qui n'est autre chose que la main du père tendue aux enfants à travers le mur du tombeau; combinera pacifiquement, pour résoudre le glorieux problème du bien-être universel, les accroissements continus de l'industrie, de la science, de l'art et de la pensée; poursuivra, sans quitter terre pourtant, et sans sortir du possible et du vrai, la réalisation sereine de tous les grands rêves des sages; bâtira le pouvoir sur la même base que la liberté, c'est-à-dire sur le droit; subordonnera la force à l'intelligence; dissoudra l'émeute et la guerre, ces deux formes de la barbarie; fera de l'ordre la loi des citoyens, et de la paix la loi des nations; vivra et rayonnera, grandira la France, conquerra le monde, sera en un mot, le majestueux embrassement du genre humain sous le regard de Dieu satisfait.

De ces deux Républiques, celle-ci s'appelle la civilisation, celle-là s'appelle la terreur. Je suis prêt à dévouer ma vie pour établir l'une et empêcher l'autre.

VICTOR HUGO.

6 | **Victor Hugo candidat**
Affiche pour les élections législatives de juin 1848 au suffrage universel direct.

LA PATRIE
URNE

7 | **Une critique de la restriction du suffrage universel après le vote de la loi (mai 1850)**
C. Vernier, *Convoi, service et enterrement de feu le Suffrage universel*, lithographie coloriée, 29 cm x 18 cm, 1850.

1 Adolphe Thiers, responsable de la limitation du suffrage universel sous la IIe République en mai 1850

2 L'urne du suffrage universel

Besoin d'un peu d'aide ?

Racontez la mise en place du suffrage en 1848 : qui est électeur, qui peut être élu ? Comment se déroule une élection ? Puis évoquez les limites (les femmes, la nouvelle loi électorale de mai 1850).

Besoin d'un peu plus d'aide ?

Vous organiserez votre réflexion autour des questions suivantes :
- Qui est électeur et qui peut être élu (DOC. 2) ?
- Comment se déroule une élection (DOC. 1 ET 4) ?
- Quelle place est laissée aux femmes par le suffrage universel (DOC. 3) ?
- Comment la caricature et Victor Hugo dénoncent-ils les limites faites au suffrage universel (DOC. 5 ET 7) ?

L'atelier de l'historien

▸ **Socle** *Confronter des documents et exercer son esprit critique*

Comprendre l'utilisation du suffrage universel sous le Second Empire

1852-1870 : Voter sous le Second Empire

Vous êtes historien et vous cherchez à comprendre comment les Français votent sous le Second Empire. Vous disposez du matériel électoral, de témoignages et de caricatures. Comment le suffrage universel est-il utilisé sous le Second Empire ?

Contexte : Le Second Empire, quelques dates clés
- 2 décembre 1851 : Coup d'État de Louis-Napoléon Bonaparte
- 21 décembre : Plébiscite qui reconnaît le Coup d'État
- 21 novembre 1852 : Plébiscite sur l'Empire
- 2 décembre 1852 : Napoléon III devient Empereur
- 4 septembre 1870 : Déchéance de l'Empire, avènement de la IIIe République

Source 1

Une candidature officielle après le coup d'État de Louis-Napoléon Bonaparte (2 décembre 1851)

Préfecture de Seine-et-Oise.
LE SEUL CANDIDAT
DU PRINCE
LOUIS-NAPOLÉON
Est pour la 2.me Circonscription électorale.
M. DARBLAY JEUNE.

Candidat aux élections des 29 février et 14 mars 1852, Aimé Stanislas Darblay est élu avec plus de 80 % des suffrages.
Affiche pour les élections législatives dans le département de la Seine-et-Oise, 1852.

Source 2 **Bulletins de vote au plébiscite de 1852**

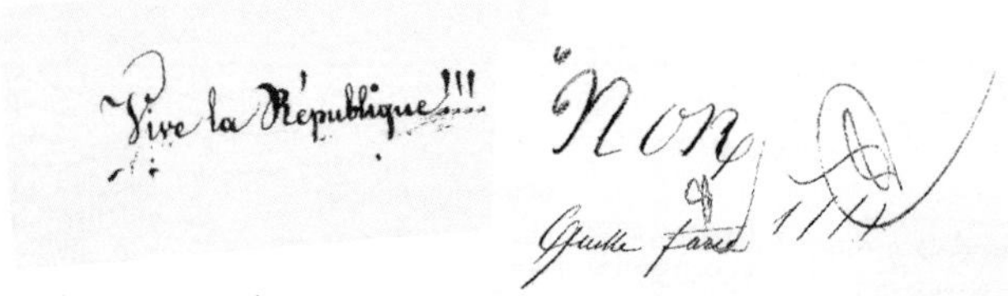
Vive la République!!!
Non

Archives nationales,
Département de la Seine, Paris.

Source 3

Le témoignage d'un maire ayant œuvré pour la victoire du plébiscite

Moi, j'étais maire ; j'avais reçu l'ordre de M. le sous-préfet de faire les publications pour le plébiscite, et d'engager tous les honnêtes gens à voter oui, s'ils voulaient conserver la paix ; parce que tous les gueux[1] allaient voter non, pour avoir la guerre. C'est aussi ce que je fis, engageant tout le monde à venir sans faute, et envoyant le garde champêtre porter les billets[2] de la préfecture, jusque dans les dernières baraques de la montagne.
Le cousin Georges arriva la veille du plébiscite [afin de voter]. Je le reçus très-bien, comme on reçoit un parent riche, qui n'a pas d'enfants. Il paraissait très content de nous voir, et dîna chez nous de bonne humeur. Il avait, dans une petite malle en cuir, des habits, des souliers, des chemises, tout ce qu'il lui fallait, et ne manquait de rien.
Ce jour-là, tout alla très-bien, mais le lendemain, entendant les publications du garde champêtre Martin Kopp, il se rendit à la brasserie Reibell, qui fourmillait de monde, et se mit à prêcher contre le plébiscite.

D'après Erckmann-Chatrian, *Histoire du plébiscite racontée par un des 7 500 000 oui*, Hetzel, 1872.

1. Terme péjoratif, partisans du renversement de l'Empereur.
2. Bulletins de vote des candidats officiels.

Vocabulaire

Plébiscite : vote lors duquel les électeurs répondent à une question par oui ou non afin de rendre légitime une décision (ex. : retour de l'Empire).

– M'sieur l'Maire, quoi donc que c'est qu'un bibiscite ?
– C'est un mot latin qui veut dire oui.

Source 4

La pratique du plébiscite par les ouvriers
H. Daumier, *Le Plébiscite*, lithographie, 21 cm x 23 cm, 1870, BNF, Paris.

Est-elle bien morte ? se demande Louis-Napoléon Bonaparte en soulevant le couvercle du cercueil où gît la République.
Née le 24 février 1848, morte le 2 décembre 1851, étouffée.

Source 5

Louis-Napoléon Bonaparte, le fossoyeur de la République
Est-elle bien morte ?, lithographie, 21 cm x 26 cm, BNF, Paris.

Source 6 L'émergence d'une opposition

Au nom du suffrage universel, [nous] donnons mandat à notre député d'affirmer les principes de la démocratie radicale et de revendiquer énergiquement :
– l'application la plus radicale du suffrage universel (…)
– la liberté individuelle
– la liberté de la presse dans toute sa plénitude et la suppression des brevets d'imprimerie et de librairie
– la liberté de réunion et d'association pleine et entière
– l'instruction primaire laïque, gratuite et obligatoire
LIBERTÉ, ÉGALITE, FRATERNITÉ, le comité électoral de Belleville.

D'après L. Gambetta, *Discours de Belleville*, 1869.

Qui est-il ? **Léon Gambetta (1838-1869)**
Avocat et homme politique, il est élu député en 1869.

Point méthode

Étape 1 ▶ Identifier les documents sources

1. Pour chacune des sources de l'ensemble documentaire, relevez : son auteur, sa nature et sa date.
2. Pour chacune d'elles déterminez si elle provient de personnes favorables ou défavorables au suffrage universel.

Étape 2 ▶ Comprendre et confronter les documents sources

3. SOURCES 1 ET 3 Comment le suffrage universel s'exerce-t-il sous le Second Empire ?
4. SOURCES 3 ET 4 Quel est le rôle des notables lors des campagnes électorales ?
5. SOURCES 5 ET 6 Que reprochent les opposants politiques à Napoléon III ?
6. SOURCE 6 Montrez que les propositions de Léon Gambetta et de son comité de Belleville favorisent l'exercice du suffrage universel.

Étape 3 ▶ Conclure

Que vous ont appris ces sources sur l'usage du suffrage universel sous le Second Empire ?

Parcours artistique et culturel

Le vote et la caricature

Que révèlent les caricatures de Daumier sur la vie politique du XIXe siècle ?

A
B
C
Gargantua

Biographie

Honoré Daumier (1808-1879)

Peintre, sculpteur, graveur, Honoré Daumier est surtout un caricaturiste français. Il a réalisé plus de 500 œuvres sur la vie politique et sociale du XIXe siècle.

1 **Le suffrage censitaire dénoncé par la caricature sous la Monarchie de Juillet**

Louis-Philippe (A) caricaturé en Gargantua[1] dévore les écus arrachés au peuple miséreux (B).
Sous le trône, des députés corrompus se servent dans les caisses et vont à l'Assemblée (C).
Ce dessin valut six mois de prison à H. Daumier.

H. Daumier, *Gargantua* : Louis-Philippe et les impôts, lithographie, 1831, BNF, Paris.

1. Héros d'un roman de Rabelais (XVIe siècle), c'est un ogre ridicule, un très gros mangeur.

Point art

La caricature

Définition : représentation grotesque obtenue par l'exagération et la déformation des traits d'un personnage dans le but de s'en moquer, de dénoncer une situation. La tête de Louis-Philippe est systématiquement représentée en forme de poire par H. Daumier.

SUFFRAGE UNIVERSEL
SUFFRAGE RESTREINT

2 La critique du suffrage restreint sous la Seconde République

En 1850, le gouvernement issu du parti de l'ordre restreint l'accès au suffrage universel.

H. Daumier, *Suffrage universel – suffrage restreint*, lithographie, XIXe siècle, BNF, Paris.

1. Adolphe Thiers, chef du gouvernement
2. Un ouvrier/un paysan
3. Les rênes montrent la limitation du suffrage universel : près de 3 millions d'ouvriers en sont exclus en 1851.

FRANCE
PARIS 1851
1870 SEDAN

3 La France cernée par le règne de Napoléon III

Daumier dénonce le coup d'État de 1851 (1) et la défaite de Napoléon III face à la Prusse en 1870 (2) qui chacun menacent la France, représentée ici en Marianne (3).

H. Daumier, *Histoire d'un règne*, lithographie, 1870, BNF, Paris.

oui oui oui oui oui oui oui oui oui oui oui

4 La critique du plébiscite et du Second Empire

H. Daumier, *Ceci a tué cela*, lithographie, 1870, BNF, Paris.

Pour aller plus loin

Rendez-vous sur le site de la Bibliothèque nationale http://expositions.bnf.fr/daumier/ pour découvrir les autres caricatures de Daumier.

Identifier et analyser des œuvres d'art

Présenter

1. DOC. 1, 2, 3 ET 4 Présentez les quatre œuvres (nature, auteur, date, lieu de conservation).

Décrire et comprendre

2. DOC. 1 Décrivez le roi (son allure, la forme de son visage et sa taille en rapport avec le titre de la caricature).
3. DOC. 2 Quelle est l'opinion de Daumier sur la restriction du suffrage universel ? Comment le montre-t-il ?
4. DOC. 3 ET 4 Quelle est l'expression de ces deux femmes (leur corps, leur visage ou leur position) ? Que représentent-elles ?

Conclure et exercer son esprit critique

Pensez-vous que les caricatures de Daumier permettent de comprendre la vie politique de son époque ?

Leçon

Une difficile conquête : voter de 1815 à 1870

Comment le droit de vote s'étend-il à tous les Français ?

Voter sous la monarchie

En 1815, **Louis XVIII**, frère de Louis XVI, restaure la monarchie en France. Il **met en place un** suffrage censitaire **masculin mais restreint : seuls les hommes âgés de plus de trente ans et payant le** cens **peuvent voter**, soit moins de 0,5% de la population du royaume.

Louis XVIII meurt en 1824 ; **son frère Charles X lui succède. Il tente de revenir sur certains symboles de la Révolution, souhaite augmenter le cens et censurer la presse** : il est finalement **renversé lors des Trois Glorieuses** les 27, 28 et 29 juillet 1830.

En 1830, un troisième roi lui succède, **Louis-Philippe Ier** : il **se présente comme l'héritier de la Révolution française. Il abaisse le cens et l'âge de la majorité à 25 ans ; le nombre d'électeurs est multiplié par plus de deux.** Le camp des Républicains est favorable à un abaissement du cens encore plus important, ce qui aurait favorisé l'accès au vote des plus pauvres. En 1848, Louis-Philippe fait interdire les réunions des républicains : **une nouvelle révolution éclate**, le roi est chassé du pouvoir.

Voter sous la République

En mars 1848, l'une des **premières décisions de la IIe République** est l'instauration du suffrage universel direct **masculin. Plus de dix millions d'électeurs** sont appelés aux urnes. **En décembre 1848, pour l'élection à la présidence de la République, les Français élisent massivement Louis-Napoléon Bonaparte.** Ce neveu de Napoléon Ier incarne l'ordre et l'autorité que réclame le peuple.

En décembre 1851, le prince Louis-Napoléon Bonaparte organise un coup d'État et le fait valider dans la foulée par un plébiscite. Il modifie les procédures électorales, **impose des candidats officiels lors des élections législatives de 1852**, et donne des consignes aux maires et aux préfets pour orienter le vote de la population en faveur de ces candidats. **La France devient une dictature.**

Voter sous l'Empire

En novembre 1852, les Français valident par un plébiscite le retour à l'Empire. Le 2 décembre 1852, 48 ans après son oncle, **Louis-Napoléon Bonaparte devient l'Empereur Napoléon III.** Afin de faire valider ses décisions politiques, **il a recours aux plébiscites. Sous le Second Empire, le suffrage universel est restreint : les candidats sont nommés par l'État et les députés n'ont que très peu de pouvoir.**

Vocabulaire

Cens : impôt dont un électeur doit s'acquitter pour pouvoir voter.

Suffrage censitaire masculin : droit de vote accordé aux hommes majeurs en capacité de payer le cens.

Suffrage universel masculin : droit de vote accordé à tous les hommes majeurs, sans condition de revenu.

Plébiscite : vote lors duquel les électeurs répondent à une question par oui ou non.

Républicains : hommes politiques en faveur de la République, pour l'élargissement du suffrage.

Je retiens l'essentiel

L'essentiel en schéma

Une difficile conquête : voter de 1815 à 1870

Voter sous la monarchie

Sous Louis XVIII et Charles X

- Les électeurs doivent payer le cens et avoir plus de trente ans.

CARTE D'ÉLECTEUR

Sous Louis-Philippe

- La majorité passe à 25 ans,
- Le cens diminue,
- Le nombre d'électeurs double.

1848

- Les républicains réclament un plus large accès au suffrage, le roi refuse : une troisième révolution éclate.

Voter sous la République, 1848

Le suffrage universel masculin

SUFFRAGE UNIVERSEL

- Il est proclamé en mars 1848.

L'élection du président de la République

- Louis-Napoléon Bonaparte est largement élu en décembre 1848.

Le coup d'État

- Le prince président limite l'usage du suffrage à partir de décembre 1851.

LE SEUL CANDIDAT
DU PRINCE
LOUIS-NAPOLÉON

Voter sous l'Empire, 1852-1870

L'Empire et le sacre

- Plébiscite sur l'Empire en novembre 1852, Sacre de Napoléon III le 2 décembre 1852.

Votes et plébiscites

- Plébiscites, suffrage universel restreint.

1815 — 1830 — 1845 — 1870

Restauration Monarchique (1815-1848) | IIe Rep. (1848-1852) | Second Empire (1852-1870)

Révolution 1830 — Révolution 1848

- 1815 Suffrage censitaire masculin
- 1848 Suffrage universel masculin
- 1852 Limitation du Suffrage universel

J'apprends, je m'entraîne

▶ **Socle** *Méthodes et outils pour apprendre*

FICHE DE RÉVISION À TÉLÉCHARGER — PDF — Fiche 6

Une difficile conquête : voter de 1815 à 1870

1. Construire sa fiche de révision : notez le titre de la leçon sur votre feuille

Je connais…

Objectif 1 ▶ Connaître les repères historiques

Reproduisez et complétez la frise chronologique suivante :

1. Indiquez le nom des régimes politiques demandés.
2. Associez à chaque régime le type de suffrage qui lui correspond : suffrage censitaire, suffrage universel.

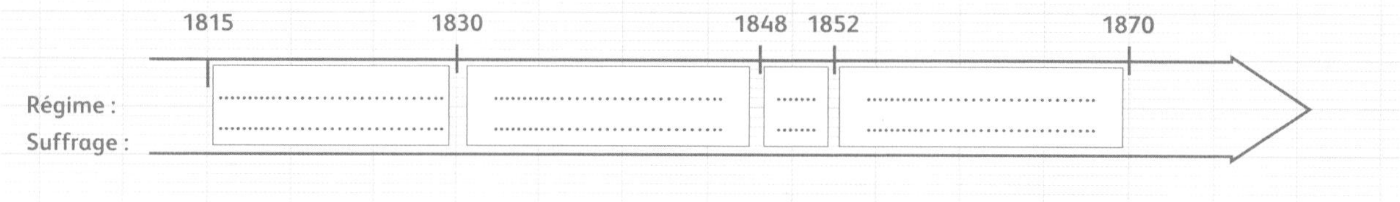
1815
1830
1848
1852
1870
Régime :
Suffrage :

3. Présentez chacun des personnages suivants par une phrase :

Objectif 2 ▶ Connaître les mots-clés

Recopiez les mots suivants et donnez leur définition :
suffrage censitaire – suffrage universel – plébiscite.

Je suis capable de…

Pour chacun des objectifs suivants, construisez une réponse à la consigne.

Objectif 3 ▶ Expliquer les conditions du vote sous la monarchie constitutionnelle

Aide (*Expliquez que le suffrage est très restreint, mais qu'il tend à s'élargir.*

Objectif 4 ▶ Expliquer comment le suffrage universel masculin se met en place

Aide (*Montrez que certaines personnes militent pour un élargissement du suffrage avant la IIe République.*
Expliquez qui a le droit de voter sous le suffrage universel.

Objectif 5 ▶ Expliquer comment Napoléon III utilise le suffrage universel pour maintenir son autorité

Aide (*Montrez qu'il s'appuie sur le plébiscite, et expliquez comment les élections se déroulent sous le Second Empire.*

Objectif 6 ▶ Compléter ce schéma de « Qui vote en France ? »

Aide (*Précisez l'âge, les conditions de revenus des électeurs…*

Qui vote sous les monarchies constitutionnelles ? …………… → Qui vote sous la Seconde République ? …………… → Qui vote sous le Second Empire ? ……………

2. S'entraîner

1 Construire des repères historiques

Voter : une longue et difficile conquête

1. Reproduisez le tableau suivant. Complétez-le à l'aide des idées clés suivantes :
Type de suffrage : suffrage censitaire masculin / suffrage universel masculin
Pratiques électorales/événement marquant : Révolutions/plébiscite/ candidats officiels

Régime politique	Chef(s) d'État	Type de suffrage	Pratiques électorales/événement marquant
1815-1848			
1848-1851			
1851-1870			

2 Analyser et comprendre un texte

Le premier vote au suffrage universel

Au lever du soleil, les populations recueillies et émues de patriotisme se formèrent en colonnes à la sortie des temples, sous la conduite des maires, des curés, des instituteurs, des juges de paix, des citoyens influents, s'acheminèrent par villages et hameaux aux chefs-lieux d'arrondissement, et déposèrent dans les urnes sans autre impulsion que celle de leur conscience, sans violences… les noms des hommes dont l'honneteté, les lumières, la vertu, le talent et surtout la modération leur inspiraient le plus de confiance pour le salut commun et pour l'avenir de la République.

Il en fut de même dans les villes. On voyait les citoyens riches et pauvres, soldats ou ouvriers, propriétaires ou prolétaires, sortir un à un du seuil de leurs maisons, porter leurs suffrages écrits au scrutin… les déposer dans l'urne et revenir avec la satisfaction peinte sur les traits comme d'une pieuse cérémonie.

D'après A. de Lamartine, *Histoire de la révolution de 1848*, 1849.

Qui est-il ? **Alfonse de Lamartine (1790-1869)**
Poète français, il participe à la révolution de 1848 et il devient chef du gouvernement provisoire.

1. Présentez le document et son auteur.
2. Quel type de suffrage Lamartine évoque-t-il dans ce texte ? Donnez-en la définition.
3. a. D'après le premier paragraphe, comment le vote dans les campagnes se déroule-t-il ?
   b. Quels personnages participent au bon déroulement du scrutin ?
4. D'après le second paragraphe, quelles catégories de Français se déplacent pour voter ?
5. Quelles sont, pour Lamartine, les qualités dont doit disposer un élu ?
6. Lamartine est-il favorable ou défavorable à ce type de suffrage ? Justifiez votre réponse.

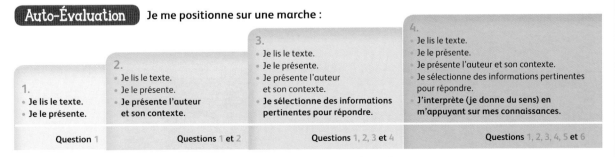

Auto-Évaluation **Je me positionne sur une marche :**

1.
- **Je lis le texte.**
- **Je le présente.**

Question 1

2.
- Je lis le texte.
- Je le présente.
- **Je présente l'auteur et son contexte.**

Questions 1 et 2

3.
- Je lis le texte.
- Je le présente.
- Je présente l'auteur et son contexte.
- **Je sélectionne des informations pertinentes pour répondre.**

Questions 1, 2, 3 et 4

4.
- Je lis le texte.
- Je le présente.
- Je présente l'auteur et son contexte.
- Je sélectionne des informations pertinentes pour répondre.
- **J'interprète (je donne du sens) en m'appuyant sur mes connaissances.**

Questions 1, 2, 3, 4, 5 et 6

Pour progresser, j'analyse mes axes de progrès. Que devrais-je améliorer ?

Vers le brevet

1 Analyser et comprendre une image

Louis-Napoléon Bonaparte en campagne électorale

« L'ombre de l'Empereur le présente à la France », illustration du *Manifeste de Louis-Napoléon Bonaparte aux électeurs*, gravure sur bois, 27 cm x 30 cm, 1848, BNF, Paris.

1 Napoléon Ier
2 Louis-Napoléon Bonaparte
3 La France

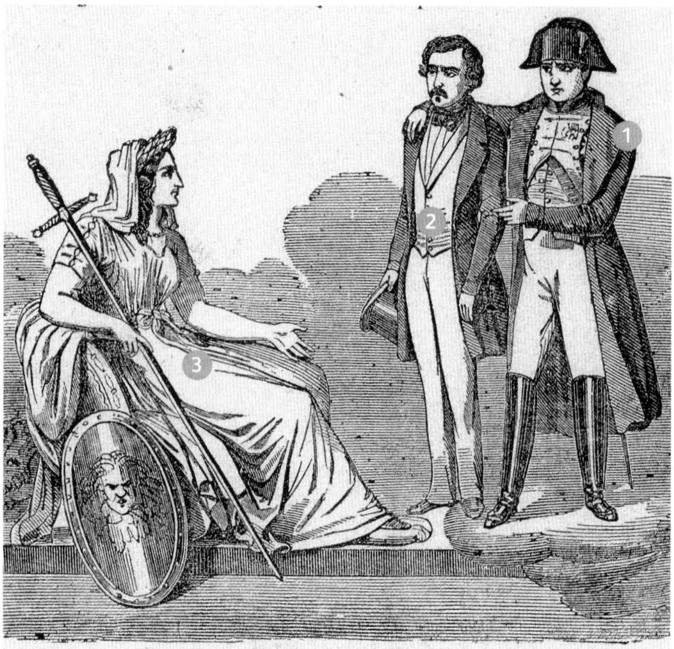

1
2
3

L'ombre de l'Empereur le présente à la France.

Identifier le document

1. Présenter le document (sa nature, sa date, le sujet traité).
2. Décrivez la scène représentée.

Extraire des informations pertinentes et utiliser ses connaissances pour expliciter

3. Décrivez le personnage qui incarne la France. Comment appelle-t-on ce genre de représentation ?
4. Pourquoi Louis-Napoléon Bonaparte met-il en scène Napoléon Ier sur son affiche de campagne électorale ?
5. En vous appuyant sur ce document et sur vos connaissances, expliquez comment et pourquoi Louis-Napoléon Bonaparte est élu président de la République.

2 Maîtriser différents langages pour raisonner et se repérer

1. Sous la forme d'un développement construit d'une quinzaine de lignes, en vous appuyant sur vos connaissances et ce chapitre, expliquez comment Louis-Napoléon Bonaparte détourne le suffrage universel.
2. Reproduisez le schéma ci-dessous et indiquez le nom des régimes politiques et les suffrages qui leur correspondent.

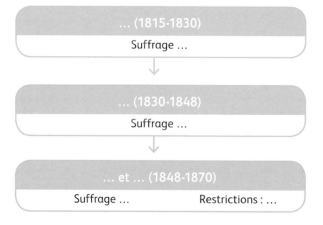

… (1815-1830)
Suffrage …

↓

… (1830-1848)
Suffrage …

↓

… et … (1848-1870)
Suffrage … — Restrictions : …

Enquêter

Comment les paysans votent-ils ?

Les faits

Les paysans votent.

1 Les notables et paysans

2 Le maire surveillant et influençant le vote

G. Gostiaux, *Suffrage universel : bureaux de vote en Bretagne*, dessin, XIXe siècle.

2
1

Indice n°1

Les paysans se déplacent pour voter

Alexis de Tocqueville emmène les habitants de son village voter en 1848.

Nous devions aller voter ensemble au bourg de Saint-Pierre, éloigné d'une lieue [5 km] de notre village. Tous les électeurs se mirent à la file deux par deux, suivant l'ordre alphabétique. Je rappelai à ces braves gens : « Que personne n'entre dans une maison pour prendre de la nourriture ou pour se sécher (il pleuvait ce jour-là) avant d'avoir accompli son devoir. » Tous les votes furent donnés en même temps, et j'ai lieu de penser qu'ils le furent presque tous au même candidat.

D'après A. de Tocqueville, *Souvenirs,* 1893.

Indice n°2

Le président préparant son coup d'État flatte le peuple

Je suis heureux de me trouver parmi vous. Mes amis les plus sincères, les plus dévoués, ne sont pas dans les palais, ils sont sous le chaume[1]. Ils sont dans les ateliers, dans les campagnes. Je sens que ma fibre répond à la vôtre, que nous avons les mêmes intérêts et les mêmes instincts. Persévérez dans cette voie honnête et laborieuse qui conduit à l'aisance.

Louis-Napoléon Bonaparte en visite à Saint-Quentin, le 9 juin 1850.

1. Fait référence aux maisons des campagnes, les chaumières.

Indice n°3

La critique du vote paysan

Depuis plus de vingt ans que le suffrage règne,
Arme[1] qui fait trembler les tyrans et les rois,
Pourquoi [vous les paysans et ouvriers], n'avez-vous pas voulu qu'on vous enseigne
Comment on doit se servir [du suffrage] pour conquérir ses droits
Si j'avais eu l'honneur de faire votre école,
En une ou deux leçons je vous aurais appris
Que Napoléon III, votre dieu, votre idole[2],
Gaspillait notre argent et perdrait le pays !
Vous n'avez écouté, timides laboureurs,
Que les conseils du maire ou des gardes-champêtres,

J.-B. Cassan, *Napoléon III et nos paysans ou Le vote des campagnes : vers dédiés aux laboureurs,* 1871, BNF, Paris.

1. 1848 : instauration du suffrage universel.
2. Représentation d'une divinité.

Avez-vous pris connaissance des faits et des indices ?
Quelle est votre conviction : Comment les paysans votent-ils ?

Par équipe, complétez le carnet de l'enquêteur :

1. Où se déroulent les élections ?
2. Le vote des paysans est-il influencé ? Justifiez.
3. Finalement, pour qui votent les paysans ?
4. Quelle critique certains adressent-ils au vote des paysans ?

Rédigez votre rapport d'enquête.

Voter au XIXe siècle

À l'aide de vos connaissances, rédigez un texte pour répondre à la question suivante : comment la pratique du droit de vote évolue-t-elle au cours du XIXe siècle ?

Travail préparatoire (au brouillon)

1. Recopiez le sujet, définissez les grandes ruptures dans la pratique du droit de vote et donnez une définition de suffrage universel, censitaire, plébiscite.

2. Recopiez et complétez cette carte mentale pour vérifier que vous avez bien compris le sujet :

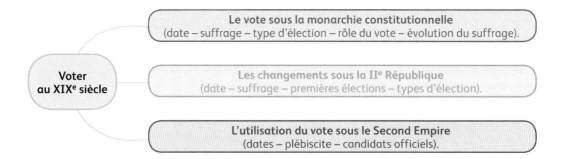

Voter au XIXe siècle

- **Le vote sous la monarchie constitutionnelle** (date – suffrage – type d'élection – rôle du vote – évolution du suffrage).
- **Les changements sous la IIe République** (date – suffrage – premières élections – types d'élection).
- **L'utilisation du vote sous le Second Empire** (dates – plébiscite – candidats officiels).

Travail de rédaction (au propre)

À vous de choisir votre niveau de difficulté et votre ceinture !

Je rédige un texte **sans aide**.

Rédigez votre texte en vérifiant que :

- Vous organisez vos idées en paragraphes.
- Vous commencez par une introduction qui définit les mots-clés du sujet et précise les grandes ruptures dans la manière de voter au XIXe siècle.

Je rédige un texte **avec un guidage léger.**

Rédigez votre texte à l'aide des conseils suivants :

- Rédigez trois paragraphes après avoir, dans une phrase d'introduction, défini les mots-clés et précisé la période concernée.
  – Le 1er paragraphe précise les conditions de vote pendant la période monarchique (1815-1848).
  – Le 2e paragraphe indique les changements opérés lors de la IIe République.
  – Le 3e paragraphe explique l'utilisation du vote sous le Second Empire.

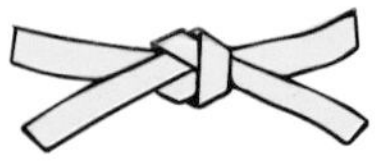

Je rédige un texte **avec un guidage plus important.**

Rédigez votre texte à l'aide des conseils suivants :

- Rédigez trois paragraphes après avoir défini, en introduction, le sens du terme « suffrage ».
  – Le 1er paragraphe précise les conditions de vote pendant la période monarchique (1815-1848). Il utilise les informations des branches violettes.
  – Le 2e paragraphe indique les changements opérés lors de la IIe République. Il utilise les informations des branches orangées.
  – Le 3e paragraphe explique l'utilisation du vote sous le 2nd Empire. Il utilise les informations des branches rouges.

L'abstention a-t-elle un sens dans une démocratie ?

1 Contre le vote

Surtout, souviens-toi que l'homme qui sollicite tes suffrages est, de ce fait, un malhonnête homme, parce qu'en échange de la situation et de la fortune où tu le pousses, il te promet un tas de choses merveilleuses qu'il n'est pas en son pouvoir de te donner. L'homme que tu élèves ne représente ni ta misère, ni tes aspirations, ni rien de toi ; il ne représente que ses propres passions et ses propres intérêts, lesquels sont contraires aux tiens. Donc, rentre chez toi, bonhomme, et fais la grève du suffrage universel.

D'après O. Mirbeau, « La grève des électeurs », *Le Figaro*, 28/11/1888.

VOTER ! C'est exister

3 **Manifestation en faveur du vote et des inscriptions sur les listes électorales en banlieue**
Manifestation du collectif AC le feu, de Clichy-sous-Bois à Paris, 25 octobre 2016.

2 Les jeunes et l'abstention

En novembre 2015, l'Association nationale des conseils d'enfants et de jeunes (Anacej) a présenté les résultats d'une enquête sur le comportement électoral des jeunes.

« 72% des jeunes interrogés pensent ne pas se rendre aux urnes pour les élections régionales, ce qui, souligne Frédéric Dabi de l'Ifop, confirme la **surreprésentation des jeunes dans l'abstention aux élections intermédiaires** ». Leurs motifs ? « Arrive en tête le fait qu'ils seraient au moment du scrutin en week-end, en congé ou en déplacement. » La conviction que ces élections ne changeront rien à leur situation, qu'aucun candidat ne défend leurs intérêts, le fait qu'ils ne connaissent pas les candidats ou encore la volonté de manifester leur mécontentement sont autant de motifs justifiant leur non-participation.

D'après http://www.courrierdesmaires.fr.

Le droit et la règle : des principes pour vivre avec les autres

1. DOC. 1 Quel conseil Octave Mirbeau donnait-il au XIXe siècle ?
2. DOC. 2 Quelles raisons les jeunes donnent-ils pour expliquer leur abstention ?
3. DOC. 3 Quels sont les arguments de l'affiche en faveur du vote ?

Le jugement : penser par soi-même et avec les autres

4. Rédigez un texte d'une dizaine de lignes où vous répondrez à la question suivante : doit-on rendre le vote obligatoire ?

Vocabulaire

Abstention : fait de ne pas voter.
Démocratie : forme de gouvernement où le peuple et ses représentants détiennent le pouvoir.

7 La Troisième République

Comment, malgré les contestations, la IIIe République s'impose-t-elle en France après 1870 ?

Souvenez-vous !
Quand la France a-t-elle précédemment été une République ?

A
A LA
GLOIRE
DE LA
RÉPVBLIQVE
FRANÇAISE
PARIS
MDCCCLXXIX
PATRIE
R.F.
RF

1 **Le défilé du 14 juillet, place de la République à Paris**
Des élèves des écoles primaires défilent en 1880 sur la place de la République.
Lithographie, 1883, musée Carnavalet, Paris.
Ⓐ Marianne

Vocabulaire

République : système politique où le peuple détient le pouvoir. Il le confie à des représentants qui exercent le pouvoir en son nom.

▶ **Socle** *Se repérer dans l'espace et dans le temps*

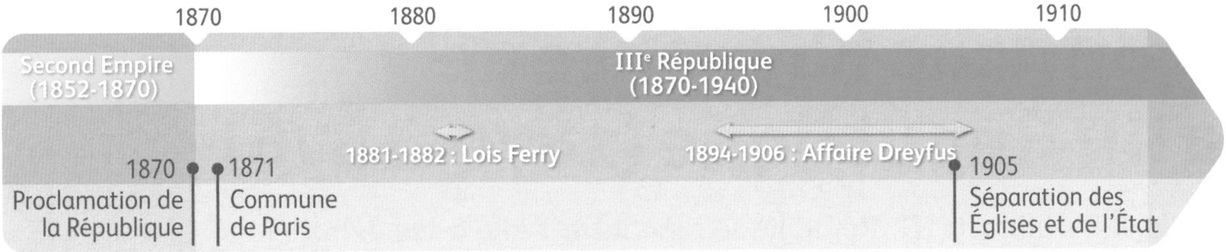
1870
1880
1890
1900
1910
Second Empire (1852-1870)
IIIe République (1870-1940)
1881-1882 : Lois Ferry
1894-1906 : Affaire Dreyfus
1870 Proclamation de la République
1871 Commune de Paris
1905 Séparation des Églises et de l'État

B
1
2
3
4
C

2 Place de la Nation à Paris : le triomphe de la République

Cette œuvre monumentale représente la République (B) surplombant le génie de la liberté (1) (symbole de l'esprit des Lumières), ainsi qu'une représentation du travail (2), de la justice (3) du peuple et du suffrage universel (4).

(C) Génie de la Liberté, place de la Bastille.

A.-J. Dalou (1838-1902), *Le triomphe de la République*, sculpture en bronze de 12 mètres de haut, 1879 (inauguration en 1899), place de la Nation, Paris.

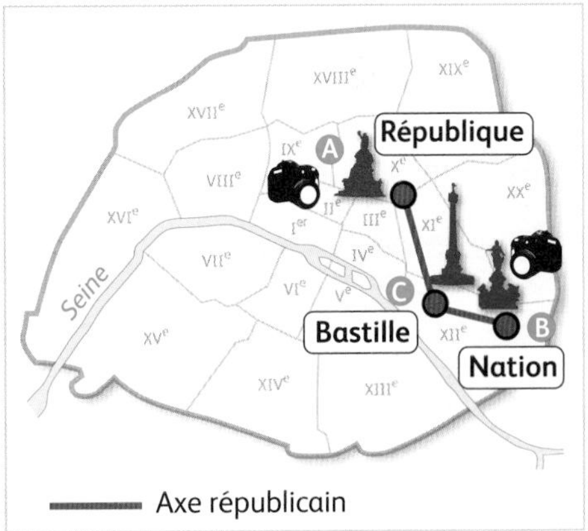
XVIIIe
XIXe
XVIIe
République
IXe
A
Xe
VIIIe
XXe
XVIe
IIe
IIIe
XIe
Ier
IVe
VIIe
Seine
VIe
Ve
C
Bastille
XIIe
B
XVe
Nation
XIVe
XIIIe
Axe républicain

1. DOC. 1 Quels symboles républicains apparaissent sur cette représentation du défilé du 14 juillet ?
2. DOC. 2 Comment la République est-elle représentée ? Sur quelles valeurs s'appuie-t-elle ?
3. DOC. 1 ET 2 **Formulez une hypothèse** pour répondre à la question suivante : à quelle période historique les symboles et les valeurs de la IIIe République font-ils référence ?

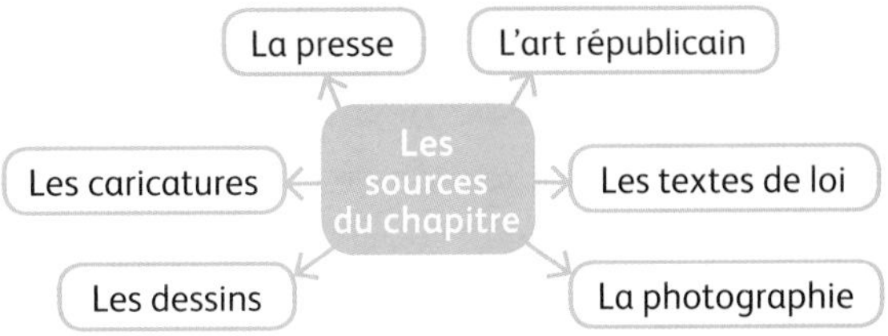
Les sources du chapitre
La presse
L'art républicain
Les caricatures
Les textes de loi
Les dessins
La photographie

Contexte

La difficile naissance de la IIIe République (1870-1876)

Quelles difficultés la IIIe République rencontre-t-elle à ses débuts ?

Les historiens en parlent

1 Une République née d'une défaite et d'une révolution

À l'annonce de la défaite de Napoléon III[1] face à la Prusse, s'engage à Paris une révolution pacifique. Elle aboutit à la proclamation de la République, le 4 septembre 1870, et à la mise en place d'un gouvernement de défense nationale dirigé par Léon Gambetta.

Avec plus de 100 000 victimes, le bilan de la guerre est lourd et est aggravé par l'occupation prussienne. Celle-ci s'achève par l'armistice du 28 janvier 1871 dont les conditions sont dures : outre l'Alsace et une partie de la Lorraine, la France doit verser cinq milliards de francs d'indemnités de guerre.

Des élections sont organisées en février 1871 ; elles offrent une nette majorité aux royalistes. Certaines villes s'insurgent alors contre la politique du nouveau chef de gouvernement, Adolphe Thiers[2]. À Paris, la Commune renoue avec le vieux projet de « république démocratique et sociale ». Au bout de 72 jours, Paris tombe aux mains des troupes du gouvernement lors d'une terrible répression.

D'après A.-D. Houte, « La France sous la IIIe République, 1870-1914 », *Documentation photographique*, septembre-octobre 2014.

1. Fondateur du Second Empire (1852-1870).
2. Président de la République entre août 1871 et mai 1873.

ROYAUME-UNI
EMPIRE ALLEMAND
Nord
MANCHE
Sedan
Metz
Paris
Strasbourg
SUISSE
OCÉAN ATLANTIQUE
ITALIE
200 km
ESPAGNE
MER MÉDITERRANÉE

Avancées prussiennes
Défaite et abdication de Napoléon III (2 sept. 1870)
Siège de Paris (janvier 1870 à janvier 1871)
Commune de Paris (mars à mai 1871)
Territoires annexés par la Prusse (1871)

2 La violente répression de la Commune de Paris (mai 1871)

147 insurgés sont exécutés au cimetière du Père-Lachaise.

A.-H. Darjou, *Mur des fédérés, cimetière du Père-Lachaise*, dessin au crayon rehaussé de gouache, 1871, musée Carnavalet, Paris.

Vocabulaire

Commune de Paris : nom donné au gouvernement révolutionnaire de Paris entre mars et mai 1871.

Élections législatives : élection des députés de l'Assemblée nationale.

Lois constitutionnelles : lois votées en 1875 et qui instaurent définitivement la IIIe République.

Président du Conseil : chef du gouvernement sous la IIIe République.

Régime parlementaire : régime politique dans lequel le Parlement contrôle le gouvernement et partage le pouvoir avec lui.

Royalistes : partisans du retour de la monarchie.

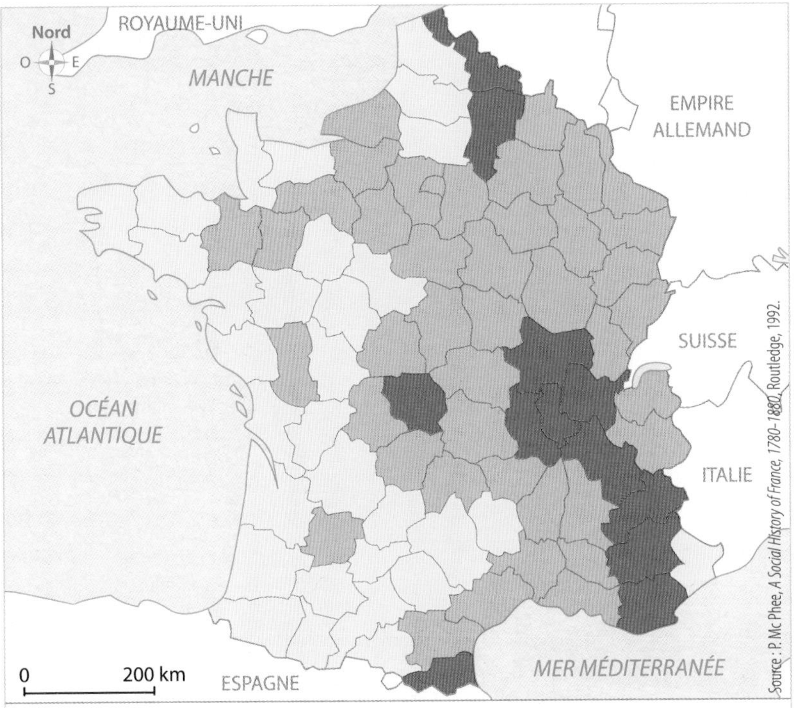
Nord
ROYAUME-UNI
MANCHE
EMPIRE ALLEMAND
SUISSE
OCÉAN ATLANTIQUE
ITALIE
0 200 km
ESPAGNE
MER MÉDITERRANÉE
Source : P. Mc Phee, A Social History of France, 1780-1880, Routledge, 1992.

Un territoire conquis par les Républicains en 1876

Plus de 70 % | De 50 % à 70 % | Moins de 50 %

3 Un territoire devenu républicain

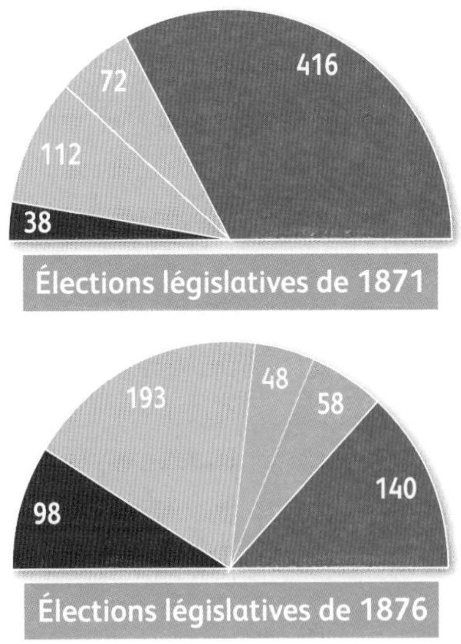
416
72
112
38
Élections législatives de 1871
193
48
58
140
98
Élections législatives de 1876

Sièges pourvus :
- Républicains radicaux
- Républicains modérés
- Libéraux
- Centre gauche
- Centre droit
- Royalistes et mouvements hostiles à la République

4 Élections législatives : les républicains s'imposent lentement

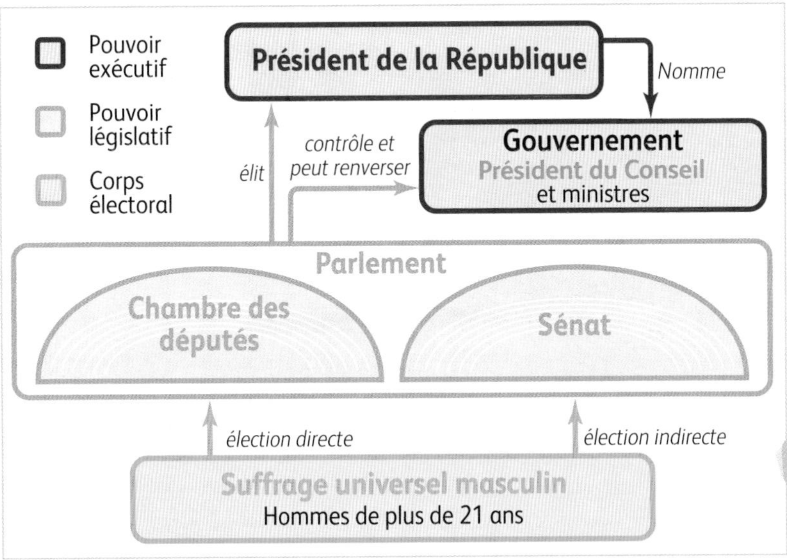
Pouvoir exécutif
Pouvoir législatif
Corps électoral
Président de la République
Nomme
Gouvernement
Président du Conseil
et ministres
élit
contrôle et peut renverser
Parlement
Chambre des députés
Sénat
élection directe
élection indirecte
Suffrage universel masculin
Hommes de plus de 21 ans

5 Une constitution républicaine

Votées en 1875, des lois constitutionnelles instaurent la IIIe République dans le cadre d'un régime parlementaire.

Comprendre le contexte

La République naît dans les difficultés

1. DOC. 1 Quel événement est à l'origine de la proclamation de la République le 4 septembre 1870 ?
2. DOC. 1 Quelles sont les conséquences de la défaite de la France face à la Prusse ?
3. DOC. 2 ET 3 La République est-elle acceptée par tous en 1870-1871 ? Justifiez votre réponse.

La République s'installe lentement

4. DOC. 4 Pourquoi l'implantation de la République semble-t-elle progressive entre 1870 et 1876 ?
5. DOC. 5 La IIIe République est-elle démocratique ? Justifiez votre réponse.

Aide (*Montrez que les pouvoirs exécutif et législatif sont séparés.*

Étude

Des lieux où la République s'enracine

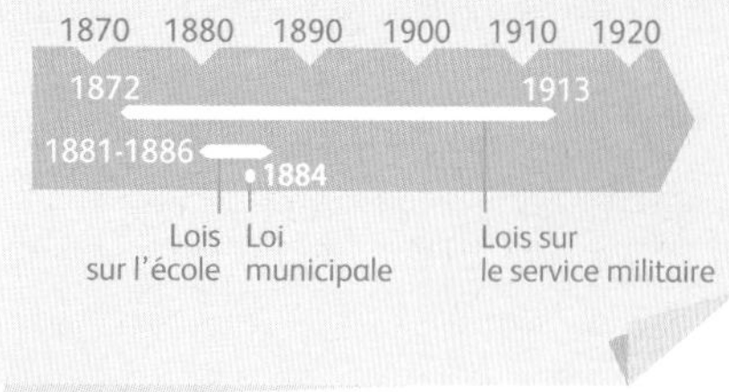
1870 1880 1890 1900 1910 1920
1872
1913
1881-1886
1884
Lois sur l'école
Loi municipale
Lois sur le service militaire

Tâche complexe

Dès les années 1870, l'école, la municipalité et la caserne deviennent des lieux de diffusion et d'enracinement des idées républicaines. Ceux-ci concernent la vie de tous les Françaises et Français et imprègnent la société en profondeur.

Votre mission : **Vous proposez une affiche dans laquelle vous présentez le rôle de l'école, de la municipalité et de la caserne dans l'enracinement des idées républicaines à partir des années 1870.**

Besoin d'aide ? *Voir p. 159.*

Boîte à outils

Les mots de l'historien pour évoquer l'enracinement de la République en France :
école – caserne – municipalité – mairie.

MAIRIE
EXPOSITION GÉNÉRALE
LOUVRE
CULTURE
LAGNY SUR MARNE
RÉPUBLIQUE FRANÇAISE
5c
POSTES
SEINE
(E.L.D.)
BROU (S.-et-M.). — La Mairie et l'Ecole.

1 À l'école de la République
École et mairie de Brou-sur-Chantereine (Seine-et-Marne), carte postale, XXe siècle.

2 L'école, le lieu d'une éducation républicaine

Art. 1 : Il ne sera plus perçu de rétribution scolaire dans les écoles primaires publiques.

Extrait de la loi Ferry du 16 juin 1881.

Art. 1 : L'enseignement primaire comprend : l'instruction morale et civique ; la lecture et l'écriture ; l'histoire et la géographie, particulièrement celles de la France ; les éléments des sciences naturelles, physiques et mathématiques ; leurs applications à l'agriculture, à l'hygiène, aux arts industriels, travaux manuels et usage des outils des principaux métiers ; la gymnastique ; pour les garçons, les exercices militaires ; pour les filles, les travaux à l'aiguille.
Art. 4 : L'instruction primaire est obligatoire pour les enfants des deux sexes âgés de 6 à 13 ans ; elle peut être donnée soit dans les établissements publics et privés, soit dans les familles par le père de famille lui-même ou par toute personne qu'il aura choisie.

Extrait de la loi Ferry du 28 mars 1882.

Art. 11 : Toute commune doit être pourvue au moins d'une école primaire publique.
Art. 17 : Dans les écoles publiques de tout ordre, l'enseignement est exclusivement confié à un personnel laïque.

Extrait de la loi Goblet du 30 octobre 1886.

Qui est-il ? Jules Ferry (1832-1893)
Homme politique français à l'origine des grandes lois scolaires définissant l'école laïque, gratuite et obligatoire (1881-1882).

3 La foule devant la mairie un jour d'élection
Chazelles-sur-Lyon, début XXe siècle.

4 Le maire, un personnage au cœur de la République

Une des premières actions de la municipalité sera de faire bâtir une nouvelle école de garçons. En 1881, le maire fait reconstruire le lavoir. En 1886, il fait construire une école de hameau au sud de la commune. En 1889, il fait réparer l'école des filles. Tous les ans, il fait inscrire au budget des sommes importantes pour construire de nouveaux chemins. Tout cela allait très bien mais dès que l'action du maire touchait aux habitudes et aux croyances, la commune s'agitait. Le cimetière était auprès de l'église, en plein centre, et le maire voulait le déplacer sur un terrain situé dans la direction de la gare. Beaucoup s'indignaient à l'idée que leurs morts puissent être déterrés et transférés ailleurs qu'à l'endroit où ils avaient été enterrés. Le prêtre entretenait cette indignation. Et le Conseil municipal dut abandonner le projet devant le vœu, sinon de la majorité, du moins d'une notable partie de la population. Le maire accusait le prêtre d'être responsable de sa défaite.

D'après R. Thabault, *1848-1941, L'ascension d'un peuple, mon village*, 1944.

Qui est-il ? Roger Thabault (1895-1979)
Pédagogue français qui raconte des débuts de la République dans son village d'origine.

5 La caserne, un lieu d'apprentissage
Album de photographies de l'infanterie, *Le repas au réfectoire*, 1892-1895, musée de l'Armée, Paris.

Contexte : Lois sur le service militaire

Inspirée par la période révolutionnaire, la IIIe République précise les modalités de recrutement et de durée du service militaire.

– 1872 : le service militaire devient obligatoire pour tous les Français âgés de 19 ans. Chaque conscrit tire au sort la durée de son service (1 à 5 ans).
– 1889 : fin du tirage au sort, la durée du service militaire est fixée à 3 ans pour tous (et 1 an pour les diplômés et les ecclésiastiques).
– 1905 : la durée du service devient égale pour tous et est portée à 2 ans.
– 1913 : la durée du service actif est portée à 3 ans.

Besoin d'un peu d'aide ?

Présentez les différents lieux concernés et expliquez en quoi ils sont utiles pour favoriser l'implantation de la République en France après 1870.

Besoin d'un peu plus d'aide ?

Vous organisez votre affiche autour des idées suivantes :
- La présentation des lieux concernés (DOC. 1, 2 ET 5).
- La façon dont ils facilitent la diffusion des idées républicaines (DOC. 1, 3 ET 4).
- Les éventuelles résistances rencontrées (DOC. 4).

L'atelier de l'historien

Socle *Confronter des documents et exercer son esprit critique*

Analyser les objectifs politiques de l'école

L'école diffuse les valeurs de la République

Vous êtes un historien et vous travaillez sur l'école des années 1880-1890. Que vous apprennent les manuels scolaires sur la façon dont l'école transmet les valeurs de la République aux élèves ?

Mardi 1er août
Plus fait douceur que violence
Leçon d'Écriture.
Principes.
Plus

Source 1

Une salle de classe vers 1900

École de garçons de Damvillers (Meuse). *Leçon d'écriture*, 1899.

Source 2

L'instruction civique au service de la France et de la République

Depuis 1870, notre patrie est mutilée, les Prussiens nous ont enlevé l'Alsace-Lorraine. Mais si ces deux provinces ont été arrachées de vive force à la mère patrie, elles sont restées françaises par le cœur : voici un fait qui le prouve bien. Dernièrement, un inspecteur des écoles allemandes vint visiter une école des environs de Colmar. Il interrogea les élèves sur tout ce qui s'enseigne dans les écoles. Il montra du doigt une carte d'Europe pendue au mur et s'adressant à un élève à la mine éveillée et intelligente, il lui demanda ironiquement :

– Voyons, où est la France ?

– Où est la France ! Elle est ici, répondit l'enfant sans hésiter et en posant vivement sa main sur son cœur. Et l'écolier prit aussitôt un air triste et grave.

L'inspecteur resta muet, mais il dut se dire en lui-même que l'Allemagne n'arriverait pas facilement à faire oublier la patrie à des enfants tels que celui qu'il interrogeait.

Manuel de morale et d'instruction civique, école primaire, fin XIXe siècle.

Source 3

Dans le manuel d'Ernest Lavisse, cette illustration accompagne le texte suivant : « Charlemagne aimait les écoliers travailleurs ; il mit une école dans sa maison ; il allait la voir souvent ».

Charlemagne dans un manuel scolaire des années 1880

Charlemagne (1) gronde un élève devant les autres pour l'exemple.

E. Lavisse, *Manuel d'histoire de France pour le cours élémentaire*, illustration colorisée, années 1880.

Qui est-il ? Ernest Lavisse (1842-1922)

Historien et pédagogue français dont les manuels scolaires ont marqué de nombreuses générations d'élèves.

Source 4

Les hauts-fourneaux du Creusot

Dans la nuit, on entendait comme des grondements formidables. Julien était de plus en plus inquiet :

– Monsieur Gertal, qu'y a-t-il donc ici ?

– Nous sommes en face du Creusot, la plus grande usine de France et d'Europe. Il y a ici quantité de machines et de fourneaux, et plus de seize mille ouvriers.

– Il y a trois grandes usines, dit le patron, et chacune est reliée à l'autre par des chemins de fer.

– Ces hautes tours de quinze à vingt mètres, ce sont les hauts-fourneaux. Il y en a une quinzaine au Creusot qui produisent chaque jour plus de 500 000 kilogrammes de fer ou de fonte.

– Voici une des merveilles de l'industrie.

G. Bruno, *Le tour de la France par deux enfants*, Belin, 1877.

Quel est-il ? *Le tour de la France par deux enfants* (1877)

Manuel de lecture qui fait le récit du voyage de deux orphelins.

Source 5

Des élèves lors d'une leçon de géographie

A. Bettannier, *La Tache noire*, huile sur toile, 1,5 m x 1,1 m, 1887, Deutsches Historisches Museum, Berlin.

Point méthode

La démarche de l'historien

Étape 1 ▶ Identifier les documents sources

1. Pour chaque source, relevez : sa nature, sa date et, lorsque c'est possible, son auteur. Quel public est visé ?

Étape 2 ▶ Comprendre les documents sources

2. SOURCES 2 ET 5 Quels départements ont été enlevés à la France ? À l'occasion de quel conflit ?
3. SOURCE 3 Quel rôle le manuel d'histoire donnait-il à Charlemagne ?
4. SOURCE 4 Selon cette description, quel est l'intérêt du site du Creusot ?

Étape 3 ▶ Conclure

Indiquez comment l'école et les manuels scolaires permettent de transmettre les valeurs et principes de la République.

Étude

▶ **Socle** *Extraire des informations pertinentes - Extraire des informations pour réaliser une production graphique*

L'affaire Dreyfus, la République menacée ?

Pourquoi l'affaire Dreyfus illustre-t-elle les fragilités de la République ?

Biographie

Alfred Dreyfus (1859-1935)

Juif français d'origine alsacienne, Dreyfus est un officier de l'armée française victime d'une erreur judiciaire qui divise fortement la société française.

Contexte : L'affaire Dreyfus

1894 : Dreyfus est reconnu coupable d'espionnage au profit de l'Allemagne.
1895 : Condamnation et déportation de Dreyfus en Guyane.
1896 : Esterhazy, le vrai coupable, est identifié.
1898 : Zola publie « J'accuse » où il demande la révision du procès.
1899 : Dreyfus est à nouveau condamné le 9 septembre, mais il est gracié le 19 septembre par le président de la République.
1906 : Réhabilitation de Dreyfus qui reçoit la Légion d'honneur.

«Le traître ou La dégradation de Dreyfus», *Petit Journal*, 13/01/1895.

TRAÎTRE

1 **Les antidreyfusards dans la presse antisémite**

V. Lenepreu, *Dreyfus en traître pendu*, caricature en couverture du *Musée des horreurs*, n°35, 1900.

Quel est-il ? *Le Musée des horreurs*
Journal satirique antidreyfusard de la fin du XIXe siècle.

2 **Une opinion publique divisée par l'Affaire**

Caran d'Ache, *Un dîner en famille : «Surtout, ne parlons pas de Dreyfus», «Ils en ont parlé»*, dessin paru dans *Le Figaro*, 14/02/1898.

Qui est-il ? E. Poiré, dit Caran d'Ache (1858-1909)
Caricaturiste français antidreyfusard.

Vocabulaire

Antidreyfusard/dreyfusard : personne pour ou contre la condamnation de Dreyfus.
Antisémitisme : haine envers les Juifs.

▸ **Socle** *Extraire des informations pertinentes*

3 Émile Zola s'engage dans le camp dreyfusard

Émile Zola interpelle le président de la République pour que le procès de Dreyfus soit révisé. Il est condamné à un an de prison.

Monsieur le Président,

La vérité, je la dirai, car j'ai promis de la dire, si la justice, régulièrement saisie, ne le faisait pas. Mon devoir est de parler. Mes nuits seraient hantées par le spectre de l'innocent puni pour un crime qu'il n'a pas commis.

La vérité est en marche et rien ne l'arrêtera. Quand on enferme une vérité sous terre, elle y prend une force telle d'explosion que, le jour où elle éclate, elle fait tout sauter avec elle.

J'accuse le général Mercier[1] de s'être rendu complice d'une des plus grandes injustices du siècle.

J'accuse le général Billot[2] d'avoir eu entre les mains les preuves certaines de l'innocence de Dreyfus et de les avoir étouffées, dans un but politique.

J'accuse les trois experts en écriture d'avoir fait des rapports mensongers et frauduleux.

J'accuse les bureaux de la guerre d'avoir mené dans la presse une campagne pour égarer l'opinion.

J'accuse enfin le premier conseil de guerre d'avoir violé le droit, en condamnant un accusé sur une pièce restée secrète, et j'accuse le second conseil de guerre d'avoir couvert cette illégalité en commettant à son tour le crime juridique d'acquitter volontairement un coupable.

D'après É. Zola, « J'accuse », *L'Aurore*, 13/01/1898.

1. Ministre de la Guerre entre 1893 et 1895.
2. Ministre de la Guerre entre 1896 et 1898.

Quel est-il ? *L'Aurore*
Quotidien dirigé par Georges Clemenceau, il prend le parti d'Alfred Dreyfus.

a. À quel personnage important s'adresse Émile Zola ?

b. Pour quelles raisons Émile Zola s'adresse-t-il à lui ? Que souhaite-t-il lui prouver ?

c. Quels sont les arguments utilisés par Émile Zola pour justifier sa position ?

d. Qui sont les vrais coupables selon Émile Zola ? Pourquoi ont-ils menti ?

e. Qui est Émile Zola ? Quels sont ses engagements sous la IIIe République ?

Aide *Vous pouvez relire le chapitre 4 p. 90.*

Cinq Centimes
ERNEST VAUGHAN
L'AURORE
Littéraire, Artistique, Sociale
J'Accuse...!
LETTRE AU PRÉSIDENT DE LA RÉPUBLIQUE
Par ÉMILE ZOLA

Activités

▸ **Socle** *Extraire des informations pour réaliser une production graphique*

Reproduisez et complétez la carte mentale suivante :

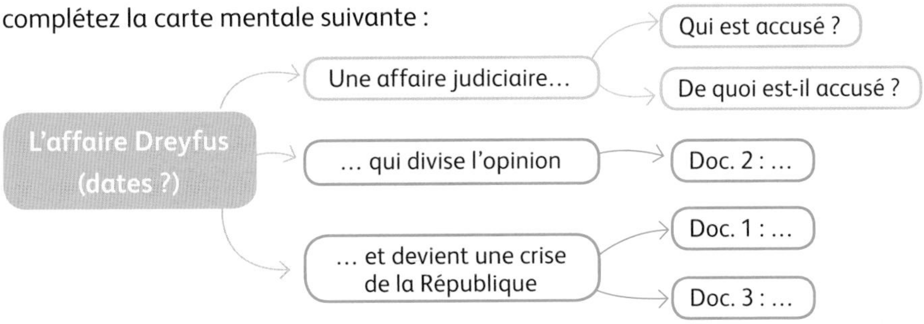
L'affaire Dreyfus (dates ?)
Une affaire judiciaire…
Qui est accusé ?
De quoi est-il accusé ?
… qui divise l'opinion
Doc. 2 : …
… et devient une crise de la République
Doc. 1 : …
Doc. 3 : …

1. Vous présenterez l'Affaire en répondant aux questions (branches vertes).
2. Vous la caractériserez en justifiant les affirmations données (branches bleues).

Aide *Relevez au moins un argument par document.*

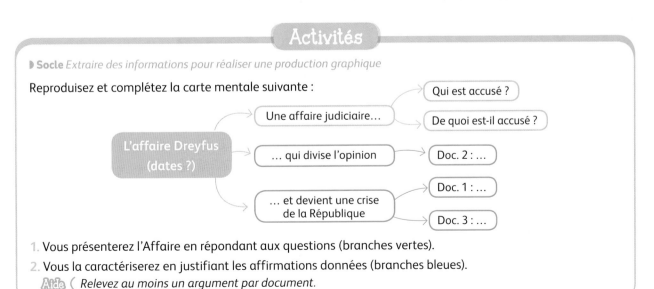

Histoire des Arts

Parcours artistique et culturel

Marianne, les visages de la République

Comment les images de Marianne traduisent-elles l'affirmation de la République ?

LES DROITS DE L'HOMME
CHARTE DOTATIONS
DROIT DIVIN
SEDAN

1 **La République s'impose : Marianne triomphante, 1875**

Anonyme, *Triomphe de la République*, estampe, 1875, musée Carnavalet, Paris.

1. Marianne, coiffée du bonnet phrygien, tient d'une main le glaive de la justice, de l'autre le drapeau tricolore, et piétine les symboles du pouvoir royal
2. Marianne est soutenue par le peuple
3. Tous les ennemis de la République (les monarchistes, les Allemands) sont renversés

Point art

L'allégorie

Définition : L'allégorie permet de représenter quelque chose d'abstrait en lui donnant une forme humaine et/ou animale. Ainsi, depuis la Révolution française, la République est-elle représentée sous les traits de Marianne.

Vocabulaire

Estampe : image issue de l'impression, sur papier, bois ou métal, puis de la coloration d'une gravure.

PATRI
GAMBETTA
1848
1870
SUFFRAGE UNIVERSEL

2 La République s'installe : Marianne pacifiée, 1870

Marianne ① est représentée le glaive baissé ②. On aperçoit les portraits de Gambetta ③ et de Mirabeau ④.

Allégorie du suffrage universel, gravure, 1870, musée Carnavalet, Paris.

LA GUEUSE
Dans aucun pays il n'a été répandu autant de sang ouvrier que dans la république française pendant les douze dernières années.
Le Socialiste Kantsky au Congrès d'Amsterdam en 1903
M. Sauville.
ÉDITÉ PAR LES CAMELOTS DU ROI

3 La République rejetée ? Marianne la « gueuse »

Carte postale, éditée par les Camelots du roi, vers 1903.

Qui sont-ils ? Les Camelots du roi

Organisation de jeunes étudiants proche de l'Action française à partir des années 1900.

Pour aller plus loin

Rendez-vous sur le site *L'Histoire par l'image* : https://www.histoire-image.org/

Dans l'onglet « Thématiques », vous pourrez observer d'autres représentations de Marianne datant des Ire et IIde Républiques.

Identifier et analyser des œuvres d'art

Présenter

1. DOC. 1 Présentez cette allégorie (titre, auteur, sujet).

Décrire et comprendre

2. DOC. 1 Quels sont les éléments qui caractérisent la République ? Comment les ennemis de la République sont-ils représentés (place, allure, gestes) ?
3. DOC. 1 ET 2 Quels sont les éléments communs à ces deux représentations de la République ?
4. DOC. 2 ET 3 Quels messages délivrent ces représentations de la République ? Pourquoi ces deux représentations sont-elles en totale opposition ?

Exprimer sa sensibilité et conclure

5. Choisissez une des représentations de la République afin de la décrire. Expliquez votre choix.

Étude

▸ **Socle** *Comprendre le sens général d'un document – Confronter des documents*

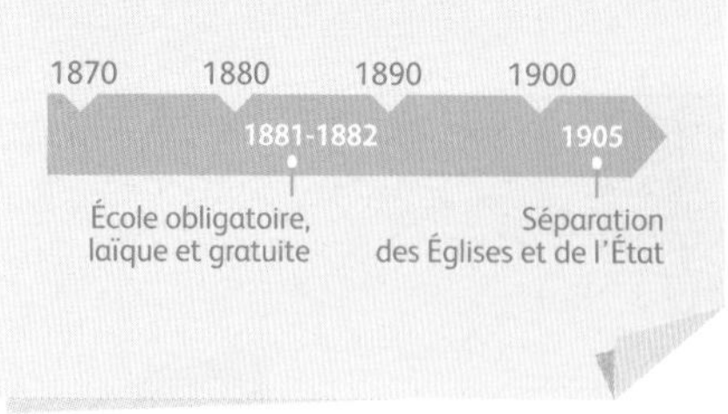
1870
1880
1890
1900
1881-1882
1905
École obligatoire, laïque et gratuite
Séparation des Églises et de l'État

1905, la République devient laïque

Comment la laïcité est-elle devenue un fondement de la République en France ?

1 La laïcité : une nécessité pour les républicains

Le premier devoir d'une République est de faire des républicains, et l'on ne fait pas un républicain comme on fait un catholique. Pour faire un catholique, il suffit de lui imposer la vérité toute faite : la voilà, il n'a plus qu'à l'avaler. Le maître a parlé, le fidèle répète. Je dis catholique, mais j'aurais dit tout aussi bien protestant ou un croyant quelconque.

Pour faire un républicain, il faut prendre l'être humain le plus inculte, le travailleur le plus fatigué par l'excès de travail, et lui donner l'idée qu'il faut penser par lui-même, qu'il ne doit ni foi, ni obéissance à personne, que c'est à lui de rechercher la vérité et non pas à la recevoir toute faite d'un maître, d'un directeur, d'un chef.

D'après F. Buisson, *La foi laïque, extraits de discours et de d'écrits (1878-1911)*, 1913.

Qui est-il ? Ferdinand Buisson (1841-1932)

Philosophe, éducateur et homme politique français partisan d'un enseignement laïque.

1
2
3
4
5

2 Une vision anticléricale de la loi de 1905

Émile Combes ①, inspiré par les Lumières ② s'apprête à rompre les liens entre la République ③ et l'Église, représentée par le pape ④ et un moine sous l'emprise de l'alcool ⑤.

Anonyme, lithographie, 1904-1905, musée Jean Jaurès, Castres.

Qui est-il ? Émile Combes (1835-1921)

Homme politique français, Émile Combes est élu président du Conseil en 1905, c'est un des artisans de la loi de séparation des Églises et de l'État.

Vocabulaire

Anticlérical : opposé à l'influence du clergé dans les affaires publiques.

Inventaire : description des biens de l'Église après la loi de 1905.

3 La loi de 1905

La loi de séparation des Églises et de l'État est adoptée le 9 décembre 1905.

Art. 1 : La République assure la liberté de conscience. Elle garantit le libre exercice des cultes.
Art. 2 : La République ne reconnaît, ne salarie ni ne subventionne aucun culte.
Art. 12 : Les édifices qui servent à l'exercice public des cultes (cathédrales, églises, chapelles, temples, synagogues, etc.) sont et demeurent propriétés de l'État, des départements, des communes.
Art. 28 : Il est interdit d'élever ou d'apposer aucun signe ou emblème religieux sur les monuments publics, à l'exception des édifices servant au culte, des monuments funéraires, ainsi que des musées ou expositions.

D'après la loi du 9 décembre 1905.

4 L'attitude des populations face aux inventaires dans une paroisse du Nord

Conformément à la loi de 1905, le commissaire de police de Roubaix est chargé de l'inventaire de l'église de Steenwerck (Nord). Il en précise le déroulement.

Aussitôt l'arrivée de l'infanterie en gare, nous nous sommes dirigés vers l'église. Bien avant notre arrivée, la cloche sonnait. Sur la place se trouvaient environ 40 personnes et 50 femmes criant « Liberté ! » et excitées par un prêtre. L'arrêté de Monsieur le Préfet remis au presbytère et les sommations faites, les soldats ont attaqué la porte qu'ils ont enfoncée ; ils ont dû enlever une grande quantité de chaises amoncelées pour nous livrer le passage. À l'intérieur, un second prêtre et une trentaine de femmes exaltées chantaient des cantiques et voulaient s'opposer à notre entrée, j'ai dû les faire repousser par les gendarmes. Enfin, à 10 heures, l'inventaire était terminé sans autre incident que les cris et 3 contraventions pour refus de circuler.

Rapport du Commissaire de Police au Sous-préfet du Département, 1906.

5 La résistance contre l'inventaire de l'église de Guignen

La loi de 1905 prévoit que tous les biens des églises soient recensés, y compris ceux servant à faire la messe. Les catholiques y voient une provocation et, dans certaines régions, s'opposent à l'entrée des agents de l'État.
Église de Guignen (Ille-et-Vilaine), 1906.

Activités

Socle *Comprendre le sens général d'un document*

1. DOC. 1 Pourquoi faut-il détacher la République de la religion selon l'auteur ?
2. DOC. 3 La loi de 1905 permet de séparer les Églises de l'État. Justifiez cette affirmation à l'aide de deux éléments.

Socle *Confronter des documents*

3. DOC. 1 ET 2 Quelle Église est la plus concernée par la loi de 1905 ? Que lui reproche-t-on pour justifier la loi de 1905 ?
4. DOC. 4 ET 5 Qui s'oppose à la loi de 1905 ? Avec quels arguments ?

Pour conclure Préparez une réponse à la question suivante :

Comment la laïcité est-elle devenue un fondement de la République en France ?

Aide *Précisez les motivations qui justifient la loi de 1905.*
Expliquez comment cette loi a pu diviser la société française.

Leçon

La IIIe République

Comment, malgré les contestations, la IIIe République s'impose-t-elle en France après 1870 ?

I La difficile naissance de la IIIe République (1870-1879)

- **La République est proclamée le 4 septembre 1870** à la chute du Second Empire de Napoléon III (1852-1870) et de la défaite face à la Prusse. **Les débuts de la IIIe République sont difficiles et incertains.**
- Les royalistes sortent majoritaires des premières élections et restent critiques sur ce nouveau régime, tandis que les révolutionnaires de la Commune de Paris voudraient se passer de gouvernement, même démocratique.
- Pourtant, **la République réussit à remporter l'adhésion des Français.** La répression de la Commune (la « Semaine sanglante », mai 1871), la division des royalistes et l'action des républicains aboutissent aux lois constitutionnelles (1875). La IIIe République est un régime parlementaire que dominent définitivement les républicains à partir de 1879.

II L'enracinement progressif de la République (1879-1899)

- Le **vote des grandes lois républicaines** permet d'établir les libertés d'expression, de presse (1881) et les libertés syndicales. La vie démocratique est rythmée par des élections régulières que remportent majoritairement les républicains.
- L'école devient l'outil principal de la diffusion des principes, des valeurs et des symboles de la République. Les lois de Jules Ferry (1881-1882) établissent **l'école primaire gratuite, laïque et obligatoire.** La mairie et la caserne sont les autres lieux de l'apprentissage républicain.
- Pourtant, **les contestations ne manquent pas.** La République est confrontée à des crises politiques. Elles sont à l'origine de l'antiparlementarisme et d'une contestation parfois violente (anarchisme).

III L'apogée de la République (1900-1914)

- Dans les années 1900, **la République est solidement enracinée.** Elle a su surmonter les crises et emporter le soutien de la grande majorité des Français qui adhèrent aux valeurs républicaines.
- Avec la loi de séparation des Églises et de l'État de 1905, l'État garantit la liberté religieuse de tous mais ne s'occupe d'aucune religion. Il s'agit du principe de laïcité. La loi divise les Français, notamment dans certaines régions comme la Bretagne, où les catholiques sont réticents. Toutefois, l'adhésion républicaine reste forte et n'est pas remise en question.
- À la veille de la Première Guerre mondiale, la République, ses valeurs et ses principes se sont largement diffusés et font consensus au sein de la société française.

Vocabulaire

Régime parlementaire : régime politique dans lequel le Parlement contrôle le gouvernement et partage le pouvoir avec lui.

République : système politique où le peuple détient le pouvoir. Il le confie à des représentants qui exercent le pouvoir en son nom.

Anarchisme : idéologie hostile aux lois et à l'État.

Antiparlementarisme : opposition au régime parlementaire.

Libertés syndicales : reconnaissance des droits des travailleurs (droit de grève, d'appartenir à un syndicat).

Je retiens l'essentiel

L'essentiel en schéma

1870-1879 : Le temps de l'émergence difficile de la République

La proclamation de la République…

- Elle a lieu le 4 septembre 1870

… rencontre des oppositions

- La Commune de Paris

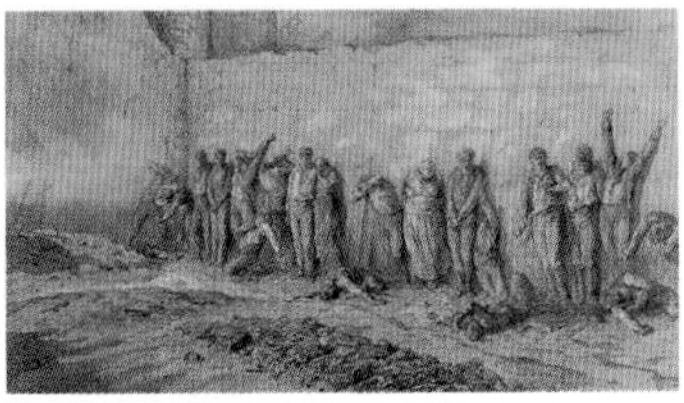

Mais la République s'impose

- Les républicains l'emportent

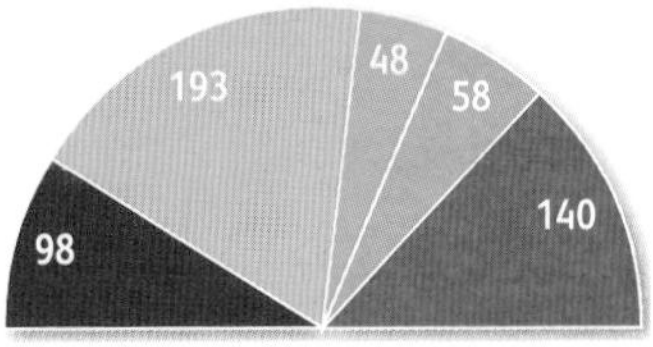
193
48
58
140
98

1879-1899 : Le temps de l'enracinement républicain

Des lois

- Elles favorisent l'adhésion aux idées républicaines

Des symboles

- Ils facilitent la consolidation des idées républicaines

Une République enracinée

MUSÉE
HORREURS
TRAÎTRE

- Malgré les crises

1899-1914 : Le temps de l'apogée de la République

La République réaffirme ses principes

- Avec la loi de séparation des Églises et de l'État

La République reconnue par la majorité des Français

- Les Français célèbrent le projet républicain

1870 — 1880 — 1890 — 1900 — 1910

Second Empire (1852-1870)

IIIe République (1870-1940)

- 1870 : Proclamation de la République
- 1871 : Commune de Paris
- 1881-1882 : Lois Ferry
- 1894-1906 : Affaire Dreyfus
- 1905 : Séparation des Églises et de l'État

J'apprends, je m'entraîne

▶ **Socle** *Méthodes et outils pour apprendre*

PDF FICHE DE RÉVISION À TÉLÉCHARGER Fiche 7

La IIIe République au XIXe siècle

1. Construire sa fiche de révision : notez le titre de la leçon sur votre feuille

Je connais...

Objectif 1 ▶ Connaître les repères historiques et géographiques

1. a. Retrouvez la signification des dates : 4 septembre 1870 – 1875 – 1905.
   b. Présentez les personnages suivants : Jules Ferry - Dreyfus.
2. Reproduisez la frise chronologique suivante et placez-y les dates et personnages évoqués ci-dessus.

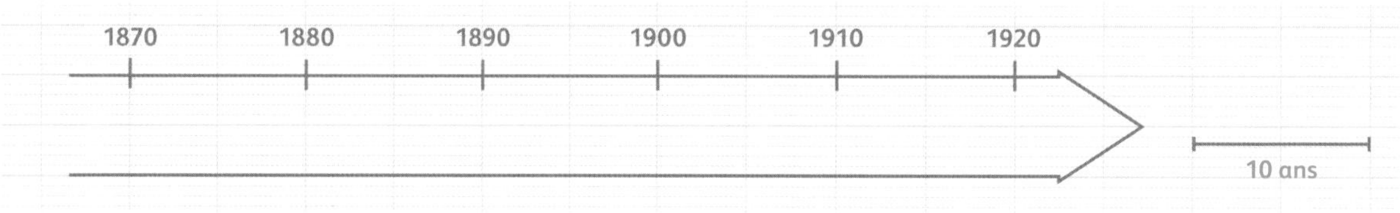
1870
1880
1890
1900
1910
1920
10 ans

3. Nommez les 3 lieux représentés sur les photographies et précisez le rôle qu'ils jouent dans la République.

EXPOSITION
LOUVRE
BROU (S.-et-M.). — La Mairie et l'École.

Objectif 2 ▶ Connaître les mots-clés

Notez la définition des mots-clés demandés ci-dessous :
République – Dreyfusards – Laïque – Régime parlementaire – Radicaux – République.

Je suis capable de...

Pour chacun des objectifs suivants, construisez une réponse à la consigne.

Objectif 3 ▶ Expliquer les caractéristiques de l'école de Jules Ferry

Aide (*Rappelez les fondements et les principes de cette école à partir des années 1880.*

Objectif 4 ▶ Expliquer les enjeux de l'affaire Dreyfus

Aide (*Racontez les faits et montrez que l'Affaire remet en cause certaines valeurs de la République.*

Objectif 5 ▶ Expliquer la séparation des Églises et de l'État

Aide (*Rappelez la date de la loi de séparation et ses conséquences, puis montrez comment elle divise les Français.*

1 S'informer dans le monde du numérique

Les présidents de la IIIe République

À l'aide d'un moteur de recherche, rendez-vous sur le site *Histoire par l'image*. Entrez sur le site puis cliquez sur les onglets « Thématiques » et « Républiques ». Recherchez alors le thème « Portraits de présidents de la République » puis répondez aux questions suivantes :

1. À l'aide des portraits présentés, nommez et datez les présidents de la République de la période 1870-1914. Précisez l'identité du tout premier président de la IIIe République.
2. Quels sont les points communs et les différences entre ces portraits de présidents ?
3. À l'aide d'un moteur de recherche, retrouvez l'image officielle de l'actuel président de la République. Comparez celle-ci avec les représentations des portraits des présidents sous la IIIe République.

Félix Faure (1895-1899), gravure tirée du *Petit Journal*, 26/02/1899.

2 Analyser et comprendre un texte

Les limites de l'école publique, gratuite et obligatoire

Vers 1910, j'avais obtenu mon certificat d'études, et la question se posait : quel métier apprendre ? Je désirais passionnément devenir instituteur, tant j'aimais l'ambiance de la classe et éprouvais une grande admiration pour mes maîtres. J'aidais déjà ma sœur à faire ses devoirs et à apprendre ses leçons. À mes yeux, c'était le plus beau des métiers.
J'en parlai à mon père. Sa première réaction fut brutale. Voyant mes larmes prêtes à jaillir devant mon rêve qui, d'un seul coup, s'écroulait, il regretta sa réponse et m'expliqua que les études coûtaient très cher et qu'il était trop pauvre pour les payer, que j'étais devenu grand et qu'il fallait commencer à gagner mon pain. J'entrai donc comme apprenti mouleur à la fonderie, celle-là même où mon père travaillait.

D'après F. Grenier, *Ce bonheur-là... De l'horizon d'un homme à l'horizon de tous*, Éditions sociales, 1974.

1. Présentez le texte (sa nature, le sujet évoqué, la période concernée, son auteur).
2. Quel homme politique de la IIIe République est à l'origine de l'école publique, gratuite et obligatoire ? Quelles sont les lois qui ont permis d'organiser cette école ?
3. Quelles raisons poussent ce jeune homme à vouloir devenir instituteur ?
4. Pour quels motifs le père refuse-t-il le choix de son fils ?
5. À l'aide de vos connaissances et du cours, expliquez quelle est l'importance de l'école dans l'enracinement de la République.

Auto-Évaluation **Je me positionne sur une marche :**

1.	2.	3.	4.
• **Je lis le texte.** • **Je le présente.**	• Je lis le texte. • Je le présente. • **Je définis les repères et les notions importants.**	• Je lis le texte. • Je le présente. • Je définis les repères et les notions importants. • **Je sélectionne des informations pertinentes pour répondre.**	• Je lis le texte. • Je le présente. • Je définis les repères et les notions importants. • Je sélectionne des informations pertinentes pour répondre. • **J'utilise mes connaissances pour expliquer.**
Question 1	**Questions 1 et 2**	**Questions 1, 2, 3 et 4**	**Questions 1, 2, 3, 4 et 5**

Pour progresser, j'analyse mes axes de progrès. Que devrais-je améliorer ?

Vers le brevet

1 Analyser et comprendre des documents

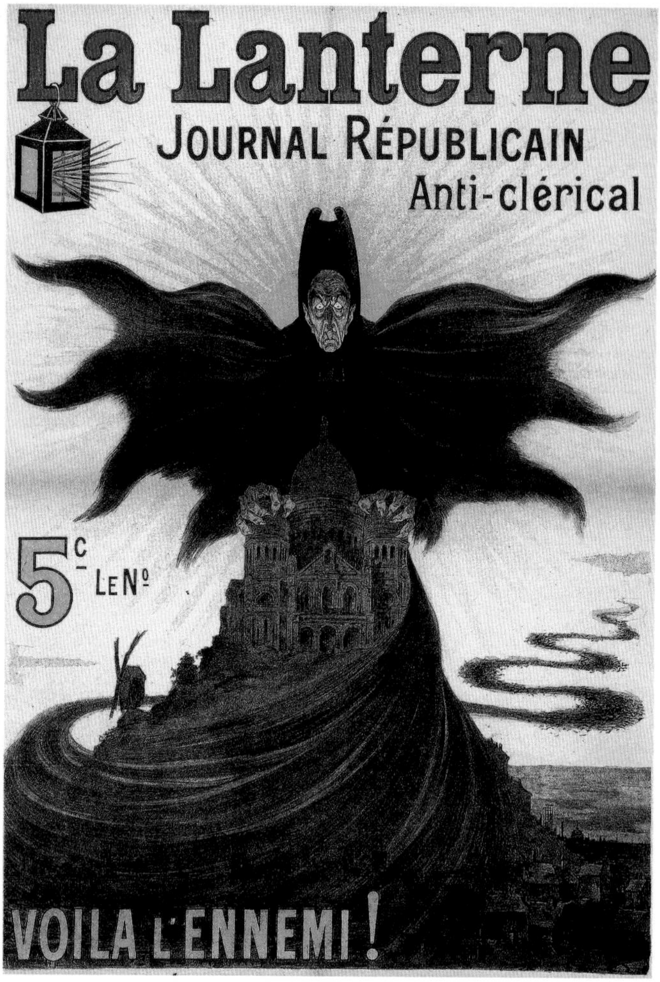
La Lanterne
JOURNAL RÉPUBLICAIN
Anti-clérical
5c LE No
VOILA L'ENNEMI !

Affiche pour le journal *La Lanterne*, 1902.
L'édifice représenté est la basilique du Sacré-Cœur, construite à Paris après les événements de la Commune. Il est le symbole de l'influence du catholicisme sur la France de l'époque.

Identifier le document

1. Présentez le document.

Extraire des informations pertinentes et utiliser ses connaissances pour expliciter

2. Comment reconnaît-on que le personnage est un prêtre ?
3. Sous quelle forme est-il représenté ?
4. Quelle impression l'auteur veut-il donner de la religion ? Justifiez à partir des éléments de l'affiche.

Confronter le document à ce que l'on sait du sujet

5. Au moment où cette affiche est dessinée, l'État et les Églises sont-ils séparés ?
6. Qu'est-ce que cette affiche nous apprend sur les relations entre certains républicains et le catholicisme de l'époque ?

2 Maîtriser différents langages pour se repérer et raisonner

1. Associez les numéros sur la frise chronologique avec les faits suivants. Pour chaque fait, vous indiquerez la date (ou les dates) qui lui correspond(ent) :
   Lois Ferry, affaire Dreyfus, lois constitutionnelles, loi de séparation des Églises et de l'État, proclamation de la République, Commune de Paris, défaite face à la Prusse, lois sur les libertés.

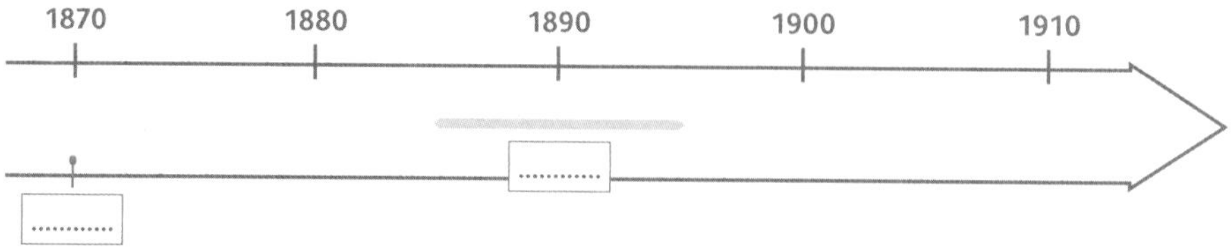
1870
1880
1890
1900
1910
....
....

2. Sous la forme d'un développement construit d'une quinzaine de lignes, et en vous appuyant sur les faits classés sur la frise, répondez au sujet :
   La IIIe République s'impose et s'enracine durablement malgré des difficultés (1870-1910).

Enquêter

Comment et pourquoi le président Sadi Carnot est-il assassiné (1894) ?

Les faits

ICI
LE 24 JUIN 1894
FRANÇOIS MARIE SADI CARNOT
PRÉSIDENT DE LA RÉPUBLIQUE FRANÇAISE
FUT POIGNARDÉ MORTELLEMENT
PAR L'ANARCHISTE CASERIO
UNE DALLE ROUGE INSÉRÉE DANS LA CHAUSSÉE MARQUE LE LIEU DE L'ATTENTAT

Dalle commémorative de l'assassinat du président Sadi Carnot à Lyon, le 24 juin 1894.

L'assassinat du président Sadi Carnot à Lyon le 24 juin 1894.

Le Petit Journal
SUPPLÉMENT ILLUSTRÉ
ASSASSINAT DU PRÉSIDENT CARNOT

« Une » du *Petit Journal*, 2 juillet 1894.

Les acteurs

Sadi Carnot (1837-1894). Homme politique français, président de la République (1887-1894).

Caserio

Sante Geronimo Caserio (1873-1894). Anarchiste italien.

Indice n°1

Le suspect s'exprime

Jugé les 2 et 3 août 1894, Caserio déclare au tribunal :

Si les gouvernements emploient contre nous les fusils, les chaînes, les prisons, devons-nous, nous les anarchistes, rester enfermés chez nous ? Non. Nous répondons aux gouvernements avec la dynamite, la bombe, le poignard. Nous devons détruire la bourgeoisie et les gouvernements.

D'après P. Hemery, *Le Figaro*, 10 décembre 1893.

Indice n°2

Un autre anarchiste s'explique

J'ai voulu montrer à la bourgeoisie que désormais il n'y aurait plus pour elle de joies complètes, que ses triomphes insolents seraient troublés. J'ai voulu faire comprendre aux mineurs qu'il n'y a que les anarchistes qui comprennent leurs souffrances. Mais je sais que mes actes ne seront pas compris.

D'après É. Henry[1], procès du 28 avril 1894.

1. Auteur de deux attentats à la bombe à Paris.

Indice n°3

Nos lecteurs ont appris l'affreux attentat dont a été victime le président de la République, à Lyon. Un assassin d'origine italienne de 22 ans lui a plongé un poignard dans le ventre. Cette fin tragique a impressionné la France entière. À Vienne[1], les édifices publics avaient leurs drapeaux en berne en signe de deuil. Des incidents se sont produits contre des établissements tenus par des Italiens.

D'après *Le Moniteur viennois*[2], 29 juin 1894.

1. Ville du département de l'Isère (France).
2. Journal de la ville de Vienne et de sa région.

Avez-vous pris connaissance des faits et indices ?
Comment et pourquoi le président Sadi Carnot est-il assassiné (1894) ?

Par équipe, complétez le carnet de l'enquêteur :

1. Nom et statut des acteurs : ...
2. Lieu et déroulement de l'assassinat : ...
3. Motivations du coupable : ...

Faites part de votre rapport d'enquête aux autres équipes.

L'affaire Dreyfus, la République renforcée ?

À l'aide de vos connaissances et d'une carte mentale, expliquez pourquoi l'affaire Dreyfus (1894-1906) est un moment important pour le renforcement de la République.

Travail préparatoire (au brouillon)

1. Analysez le sujet :

L'affaire Dreyfus, la République renforcée ?

2. Organisez vos idées en reproduisant la carte mentale ci-dessous et en répondant aux questions.

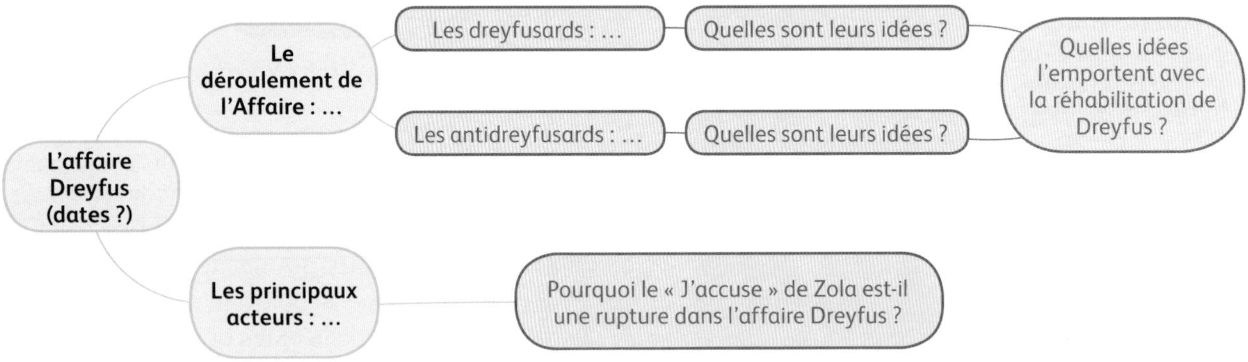
L'affaire Dreyfus (dates ?)
Le déroulement de l'Affaire : …
Les dreyfusards : …
Quelles sont leurs idées ?
Les antidreyfusards : …
Quelles sont leurs idées ?
Quelles idées l'emportent avec la réhabilitation de Dreyfus ?
Les principaux acteurs : …
Pourquoi le « J'accuse » de Zola est-il une rupture dans l'affaire Dreyfus ?

3. Vérifiez avec votre cahier et votre manuel la cohérence de vos réponses.

Travail de rédaction (au propre)

À vous de choisir votre niveau de difficulté et votre ceinture !

Je rédige un texte **sans aide.**

Rédigez votre texte en vérifiant que :
- Vous citez toutes les informations de la carte mentale.
- Vous organisez les informations de la carte mentale en différents paragraphes.

Je rédige un texte **avec un guidage léger.**

Rédigez votre texte à l'aide des conseils suivants :
- Organisez les informations de la carte mentale en rédigeant trois paragraphes qui correspondent aux trois couleurs de la carte mentale :
  L'affaire Dreyfus se déroule en… avec…
  L'affaire Dreyfus divise l'opinion publique…
  La réhabilitation de Dreyfus renforce la République et ses valeurs…

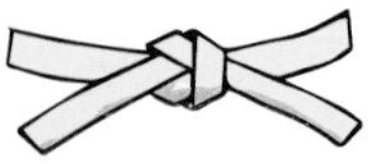

Je rédige un texte **avec un guidage plus important.**

Rédigez trois paragraphes à l'aide des conseils suivants :
- Votre 1er paragraphe précise les grandes étapes de l'affaire Dreyfus. Il indique quels en sont les acteurs (ceux qui interviennent durant celle-ci). Il reprend les réponses vertes de la carte mentale.
- Votre 2e paragraphe explique pourquoi l'affaire Dreyfus divise la société française et quelles sont les grandes idées mises en avant pour ou contre Dreyfus. Il reprend les réponses rouges de la carte mentale.
- Votre 3e paragraphe montre comment l'affaire Dreyfus permet en définitive de renforcer les principes et les valeurs de la République. Il reprend les réponses violettes de la carte mentale.

Quels sont les symboles de la République française ?

RF

1 La République et ses symboles
Lithographie anonyme publiée à l'occasion de la première grande fête nationale du 14 juillet, en 1880.

2 L'histoire de *La Marseillaise*

À l'origine chant de guerre révolutionnaire et hymne à la liberté, *La Marseillaise* accompagne aujourd'hui la plupart des manifestations officielles.

D'après *Elysee.fr*.

I. Pils, *Claude Joseph Rouget de Lisle chantant* La Marseillaise, huile sur toile, 1849, musée historique de Strasbourg.

3 La jeunesse et les symboles de la République aujourd'hui

Ils sont une quinzaine de lycéens à s'être réunis, jeudi 26 novembre, dans un café de la place Stanislas, à Nancy. Là même où, depuis le 13 novembre, s'entassent bougies, fleurs et petits mots en hommage aux victimes des attentats de Paris. Des dessins, aussi, où se distingue le drapeau bleu-blanc-rouge, un peu comme certains de ceux qui ornent le « mur d'expression » dans leur établissement pour mettre en forme l'émotion de ces jeunes. « Pas besoin de grandes actions pour montrer qu'on est touchés et solidaires », témoigne Raphaël. « Afficher sur son profil Facebook l'emblème tricolore, certains trouvent peut-être que c'est un effet de mode. Mais à mes yeux, ça fait sens : les terroristes, c'est bien notre mode de vie occidental qu'ils veulent combattre, à nous de leur montrer qu'on n'y renonce pas. » Au soir des attentats, c'est de « manière virale » que des milliers d'internautes ont fait le choix de personnaliser leur compte avec le drapeau français. « Ça revenait, pour moi, à montrer que tout le monde était touché, que la souffrance était partagée », renchérit Titouan.

D'après M. Battaglia, A. Collas, B. Floc'h et A. de Tricornot, « La jeunesse s'empare des symboles républicains », *Le Monde*, 27/11/2015.

4 Que dit la loi aujourd'hui ?

Art. 2 : La langue de la République est le français. L'emblème national est le drapeau tricolore. L'hymne national est *La Marseillaise*. La devise est « Liberté, Égalité, Fraternité. »

D'après la Constitution de la Ve République.

Le droit et la règle

1. DOC. 1 Quels sont les symboles républicains représentés ?
2. DOC. 1 ET 2 À quelle période de l'histoire de France la plupart de ces symboles se réfèrent-ils ? Quel nouveau symbole est évoqué en DOC. 2 ?
3. DOC. 4 Qu'est-ce qui fait de ces symboles un des fondements de notre République ?

L'engagement

4. DOC. 3 Pourquoi et comment ces symboles sont-ils utilisés après les attentats de novembre 2015 ?
5. Par petits groupes, imaginez une situation où vous seriez amenés à utiliser un symbole républicain.

8 Conditions féminines dans une société en mutation

Quels sont le rôle et la place des femmes au XIXe siècle ? Quelles sont leurs conditions de vie et leurs revendications ?

Souvenez-vous !
Quand le suffrage universel masculin est-il instauré en France ?

1 **La maison bourgeoise**
A. Renoir, *Madame Georges Charpentier et ses enfants*, 1878, peinture, Metropolitan Museum of Art, New York.

Vocabulaire

Suffragisme : fait d'être favorable au droit de vote des femmes et à leur éligibilité.

1800 — 1900

- **1804** Code Napoléon défavorable aux femmes
- **1848** Suffrage universel masculin
- **1892** Interdiction du travail des femmes la nuit
- **1909** Création du congé maternité
- **1913** Le congé maternité est obligatoire et indemnisé

▸ **Socle** *Se repérer dans le temps et dans l'espace*

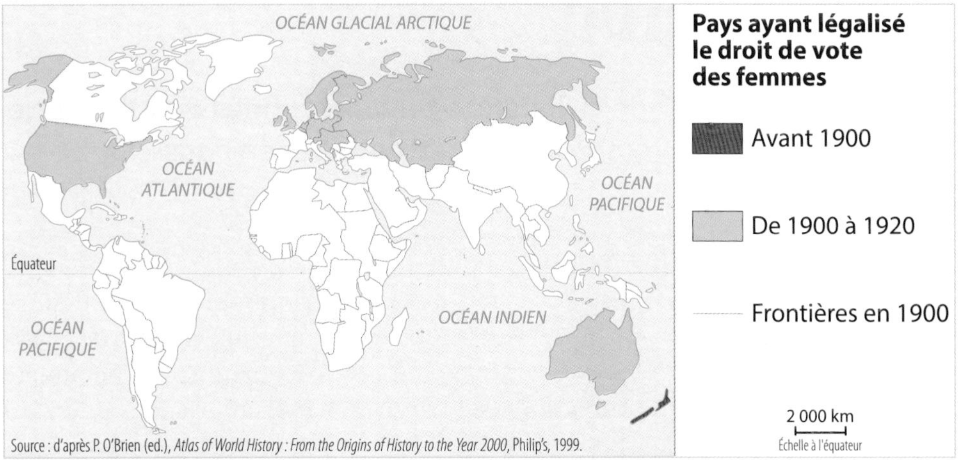
OCÉAN GLACIAL ARCTIQUE
OCÉAN ATLANTIQUE
OCÉAN PACIFIQUE
Équateur
OCÉAN PACIFIQUE
OCÉAN INDIEN
Pays ayant légalisé le droit de vote des femmes
Avant 1900
De 1900 à 1920
Frontières en 1900
2 000 km
Échelle à l'équateur

Source : d'après P. O'Brien (ed.), *Atlas of World History : From the Origins of History to the Year 2000*, Philip's, 1999.

SOCIÉTÉ
LE
SUFFRAGE
DES
FEMMES
Fondée en 1876
DESSINS
GRAVURES

2 **Une manifestation de femmes**

Une manifestation **suffragiste**, en faveur du droit de vote des femmes, à Paris, le 5 juin 1914.

1. **DOC. 1** Décrivez le tableau. Quel est le rôle attribué aux femmes de la bourgeoisie ?
2. **DOC. 1 ET 2** En quoi ces deux images s'opposent-elles ?
3. **DOC. 1 ET 2** **Formulez des hypothèses** pour répondre aux questions suivantes : à quels rôles la société du XIXe siècle réduit-elle les femmes ? Quel droit leur est interdit ?

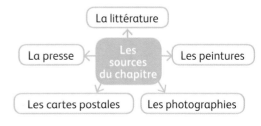

Les sources du chapitre
- La littérature
- La presse
- Les peintures
- Les cartes postales
- Les photographies

Étude

▶ **Socle** *Extraire des informations pertinentes*

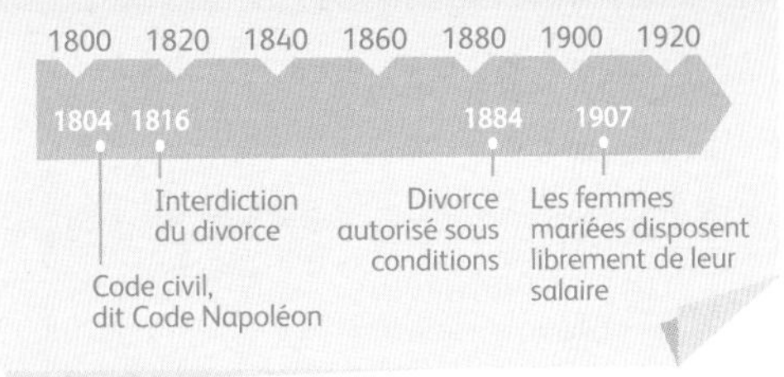

1800 1820 1840 1860 1880 1900 1920
1804
1816
1884
1907
Interdiction du divorce
Divorce autorisé sous conditions
Les femmes mariées disposent librement de leur salaire
Code civil, dit Code Napoléon

Le statut inférieur des femmes dans le Code civil

Quel rôle social le Code civil donne-t-il aux femmes au XIXe siècle ? Comment certaines femmes le remettent-elles en cause ?

1 Le Code civil et les femmes

Le Code civil (1804) est le recueil de lois qui fixe le statut des personnes et des biens et régit les relations privées entre les citoyens.

Art. 213 : Le mari doit protection à sa femme, la femme obéissance à son mari.

Art. 308 : La femme contre laquelle la séparation de corps sera prononcée pour cause d'adultère, sera condamnée par le même jugement, et sur réquisition du ministère public, à la réclusion dans une maison de correction pendant un temps déterminé, qui ne pourra être moindre de trois mois ni excéder deux années.

Art. 1421 : Le mari administre seul les biens de la communauté. Il peut les vendre sans le concours de sa femme.

D'après le Code civil de 1804.

2 Une scène quotidienne
M. Drolling, *L'intérieur d'une cuisine*, huile sur toile, 80 cm x 65 cm, 1815, musée du Louvre, Paris.

3 Une manifestation en faveur du divorce

« Citoyennes... on fait courir le bruit que le divorce est sur le point de nous être refusé... Constituons-nous ici en permanence et déclarons que la patrie est en danger ! ... »
H. Daumier, *Les citoyennes*, lithographie publiée dans *Le Charivari*, 4 août 1848.

4 La gestion des biens du ménage

Jeanne, une riche aristocrate, épouse Julien, un homme sans fortune.

Le lendemain de leur arrivée, elle dit à Julien :
– Mon chéri, veux-tu me rendre l'argent de maman parce que je vais faire mes emplettes ?
Il se tourna vers elle avec un visage mécontent.
– Combien te faut-il ? Elle fut surprise et balbutia :
– Mais... ce que tu voudras. Il reprit :
– Je vais te donner cent francs ; surtout ne les gaspille pas. Elle ne savait plus que dire, interdite, et confuse. Enfin elle prononça en hésitant :
– Mais... Je... t'avais remis cet argent pour... Il ne la laissa pas achever.
– Oui, parfaitement. Que ce soit dans ta poche ou dans la mienne, qu'importe, du moment que nous avons la même bourse.

D'après G. de Maupassant, *Une vie*, 1883.

Qui est-il ? Guy de Maupassant (1850-1893)
Écrivain français connu pour ses œuvres décrivant la société française du XIXe siècle et ses nouvelles fantastiques.

5 Justifier l'infériorité des femmes

Inférieure à l'homme par la conscience autant que par la puissance intellectuelle et la force musculaire, la femme se trouve définitivement, comme membre de la société tant domestique que civile, rejetée au second plan : au point de vue moral, comme au point de vue physique et intellectuel, sa valeur comparative est encore comme 2 à 3. Et puisque la société est constituée sur la combinaison de ces trois éléments, travail, science, justice, la valeur totale de l'homme et de la femme, leur apport et conséquemment leur part d'influence, comparés entre eux, seront comme 3 X 3 X 3 est à 2 X 2 X 2, soit 27 à 8. Dans ces conditions, la femme ne peut prétendre à balancer la puissance virile ; sa subordination[1] est inévitable.

D'après P.-J. Proudhon, *De la justice dans la Révolution et dans l'Église*, Garnier frères, 1858.

1. Fait de devoir obéir à quelqu'un.

Qui est-il ? Pierre-Joseph Proudhon (1809-1865)
Journaliste et philosophe français, il théorise le socialisme et fonde l'anarchisme.

Activités

Socle *Extraire des informations pertinentes*

1. DOC. 1 Choisissez deux exemples qui montrent que les femmes n'ont pas les mêmes droits que les hommes.
2. DOC. 1 ET 4 Quel article du Code civil est illustré par cet exemple ?
3. DOC. 2 ET 3 Quelle place de la femme est valorisée dans la société ? Quel rôle semble inacceptable pour une femme au XIXe siècle ?
4. DOC. 5 Comment Pierre-Joseph Proudhon justifie-t-il l'inégalité des femmes dans la société du XIXe siècle ? Sur quelle science s'appuie-t-il ?

Pour conclure Construisez une réponse courte à la question suivante pour l'exposer à l'oral :

Quel statut le Code civil donne-t-il aux femmes au XIXe siècle ? Comment certaines femmes le remettent-elles en cause ?

▸ **Socle** *Extraire des informations pertinentes - Raisonner*

L'éducation des filles, du foyer au monde du travail

À quel rôle éduque-t-on les filles au XIXe siècle ?
Comment l'éducation des jeunes filles évolue-t-elle ?

1 Portrait d'une jeune fille bien éduquée de l'aristocratie

Je connais une fille de dix-huit ans qui s'exprime aussi bien en anglais et en allemand que dans sa propre langue. Elle unit à ces talents la plus grande adresse dans tous les ouvrages de son sexe, depuis la simple couture jusqu'à l'art des fleurs artificielles ; et cependant cette réunion de talents divers nuit si peu à son goût pour les modestes occupations du ménage, que, l'été à la campagne, les fromages, les compotes, les pâtisseries faciles, sont toujours à sa façon ; elle visite les pauvres du village, les secourt ; le soir, elle anime les réunions du salon, en chantant avec goût des romances, ou bien en faisant danser ses jeunes amies au son du piano. Une piété[1] sincère, une modestie charmante, sont les solides bases de tant d'avantages dus à la plus vertueuse des mères.

D'après Madame Campan, *De l'éducation*, 1824.

1. Fait d'être très croyant et très pratiquant.

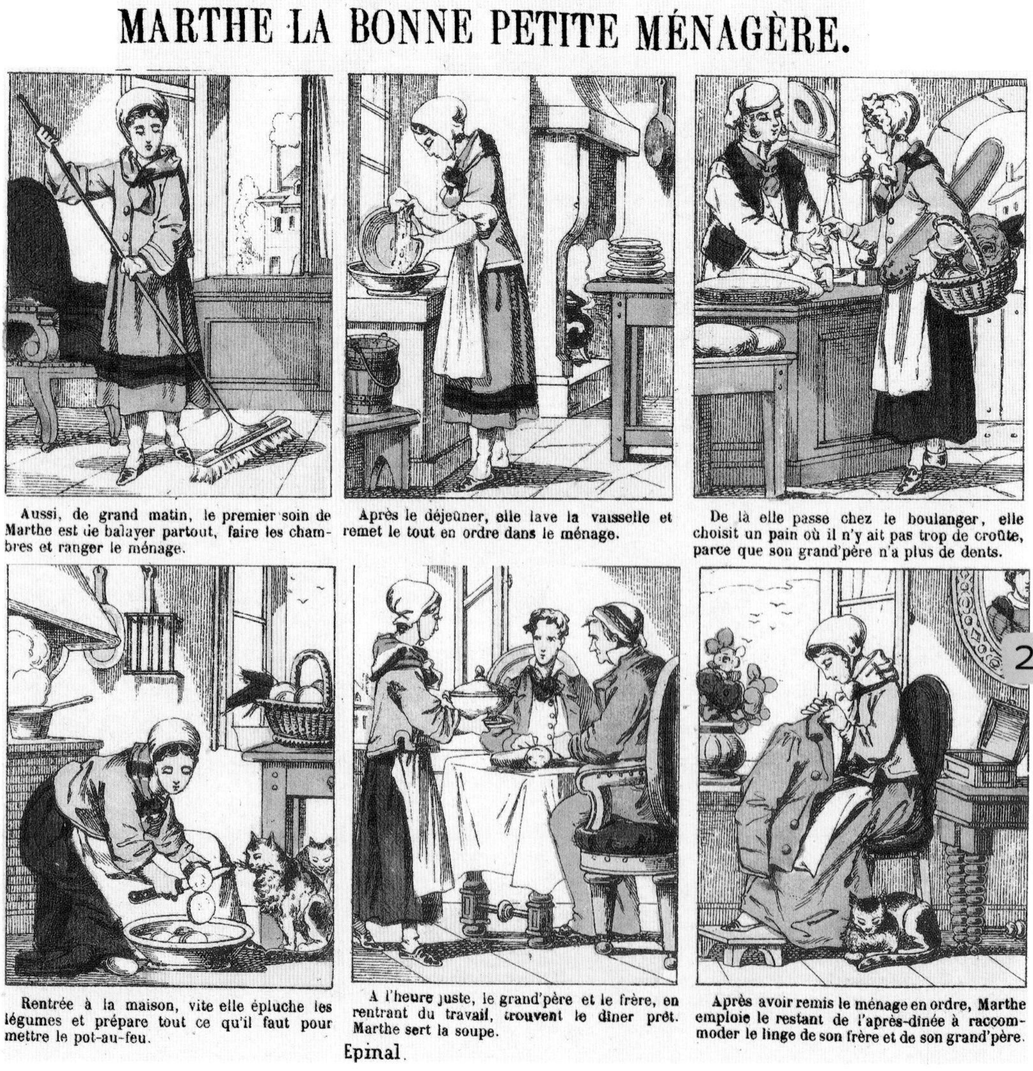
MARTHE LA BONNE PETITE MÉNAGÈRE.
Aussi, de grand matin, le premier soin de Marthe est de balayer partout, faire les chambres et ranger le ménage.
Après le déjeûner, elle lave la vaisselle et remet le tout en ordre dans le ménage.
De là elle passe chez le boulanger, elle choisit un pain où il n'y ait pas trop de croûte, parce que son grand'père n'a plus de dents.
Rentrée à la maison, vite elle épluche les légumes et prépare tout ce qu'il faut pour mettre le pot-au-feu.
A l'heure juste, le grand'père et le frère, en rentrant du travail, trouvent le dîner prêt. Marthe sert la soupe.
Après avoir remis le ménage en ordre, Marthe emploie le restant de l'après-dînée à raccommoder le linge de son frère et de son grand'père.
Epinal.

2 La journée de Marthe

Marthe, jeune fille de la classe moyenne, s'occupe de sa famille et de la maisonnée.

F. Bail, *Marthe, la bonne petite ménagère*, lithographie coloriée, 41 cm x 27,9 cm, 1868, musée des civilisations de l'Europe et de la Méditerranée, Marseille.

3 Les apprentissages des filles et des garçons à l´école primaire

L´école primaire doit faire aux exercices du corps une part suffisante pour préparer les garçons aux futurs travaux de l´ouvrier et du soldat, les filles aux soins du ménage et aux ouvrages de femme. Pour les garçons, les exercices se destinent d´une façon générale à délier les doigts, à faire acquérir justesse des mouvements, et au dessin, et particulièrement le dessin industriel.

Le travail manuel des filles, outre les ouvrages de couture et de coupe, comporte un certain nombre de leçons, de conseils, d´exercices, au moyen desquels la maîtresse inspirera l´amour de l´ordre, développera les qualités sérieuses de la femme de ménage et les mettra en garde contre les goûts frivoles ou dangereux.

D'après l'arrêté du 27 juillet 1882 réglant l'organisation pédagogique des écoles primaires publiques.

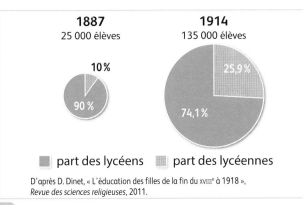

1887 25 000 élèves — **1914** 135 000 élèves

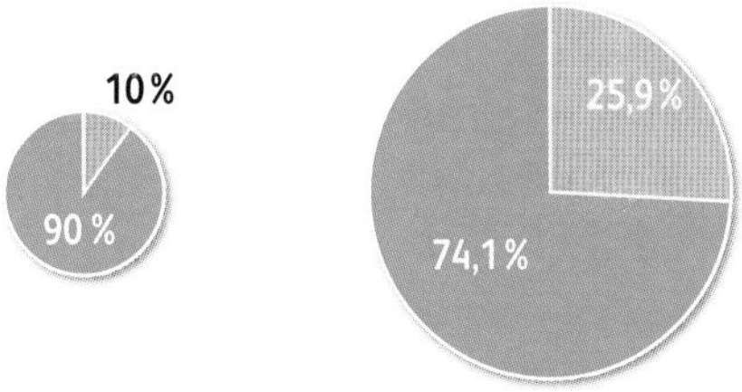

10 %
90 %
25,9 %
74,1 %

■ part des lycéens ■ part des lycéennes

D'après D. Dinet, « L'éducation des filles de la fin du XVIIIe à 1918 », *Revue des sciences religieuses*, 2011.

4 Des lycéens plus nombreux que les lycéennes

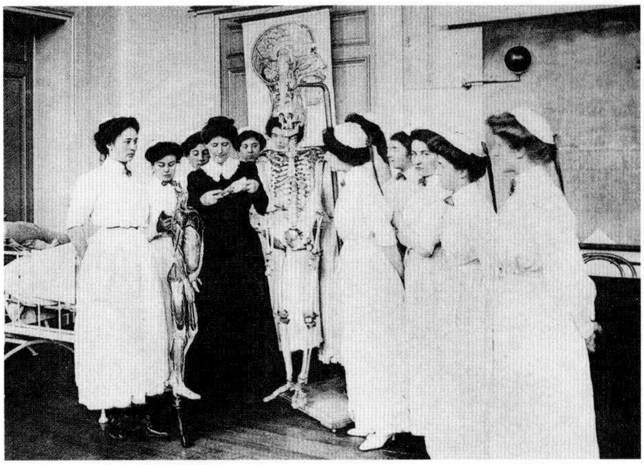

5 De nouveaux apprentissages pour les filles à l'école

À partir de la seconde moitié du XIXe siècle, l'école forme les femmes à de nouveaux métiers.

Cours de dactylographie à la Société d'enseignement moderne, Paris, 1910 et Carte postale de l'École d'infirmières de l'assistance publique, « La leçon de physiologie », 1910-1919.

Activités

Socle *Extraire des informations pertinentes*

1. DOC. 1 ET 2 Comparez le portrait de la jeune aristocrate et celui de Marthe.
2. DOC. 3 À quel rôle l'école primaire destine-t-elle les filles ?
3. DOC. 4 Comparez l'enseignement des filles et celui des garçons au XIXe siècle. Que pouvez-vous en dire ?
4. Dans un moteur de recherche, entrez « première femme bachelière » : dans l'onglet vidéo, choisissez l'émission « le jour où ». Qui est Julie-Victoire Daubié ? Pourquoi est-elle connue ? Quels obstacles a-t-elle surmontés ?
5. DOC. 4 ET 5 Quels nouveaux métiers sont enseignés aux femmes au XIXe siècle ?
6. **Formulez une hypothèse** : comment la place des femmes dans la société évolue-t-elle ?

Pour conclure **Socle** *Raisonner*

Recopiez et complétez cette carte mentale pour répondre à la question suivante :

À quel rôle éduque-t-on les filles au XIXe siècle ?

L'éducation des filles au XIXe siècle
- → Les qualités qu'on cherche à développer : … → Pourquoi ? …
- → Les inégalités par rapport aux garçons : … → Des avancées timides : …

Étude

▸ **Socle** *Extraire des informations pertinentes pour réaliser une production graphique*

George Sand, une femme libre

Comment cette écrivaine a-t-elle exercé sa liberté dans une société où les femmes en avaient peu ? Comment sa conduite a-t-elle été perçue par ses contemporains ?

Biographie

George Sand (1804-1876)

George Sand, pseudonyme d'Amantine Aurore Lucile Dupin, s'est engagée dans la vie littéraire et politique. Son mode de vie était avant-gardiste : divorcée, elle n'a jamais voulu se remarier.

CHAMBRE DES DÉPUTÉS
CHAMBRE DE MÈRES !
INDIANA
Si de Georges Sand ce portrait,
Laisse l'esprit un peu perplexe,
C'est que le Génie est abstrait,
Et comme on sait n'a pas de sexe.

1 Une femme en pantalon

A.-J. Lorentz, *Miroir drolatique : George Sand*, estampe, musée Carnavalet, Paris.

1. « Chambre des députés, chambre des mères ! » George Sand avait imaginé une chambre des mères pour débattre entre femmes, à côté de la chambre des députés.
2. Œuvres de George Sand : *Indiana, La Mare au Diable, La Petite Fadette...*
3. « Si de George Sand ce portrait,
Laisse l'esprit un peu perplexe,
C'est que le Génie est abstrait,
Et comme on sait n'a pas de sexe. »
4. À partir de 1800, le port du pantalon est interdit aux femmes.

2 Une écrivaine engagée au service des plus faibles

Les femmes reçoivent une déplorable éducation ; et c'est là le grand crime des hommes envers elles. Ils ont porté l'abus partout, accaparant les avantages des institutions les plus sacrées. Ils ont réussi à consommer cet esclavage et cet abrutissement[1] de la femme, qu'ils disent aujourd'hui d'institution divine et de législation[2] éternelle. Pour empêcher la femme d'accaparer par sa vertu l'ascendant moral sur la famille et sur la maison, l'homme a dû trouver le moyen de détruire en elle le sentiment de la force morale, afin de régner sur elle par la seule force brutale ; il fallait étouffer son intelligence ou la laisser inculte. C'est le parti qui a été pris.
Le seul secours moral laissé à la femme fut la religion, et l'homme, s'affranchissant de ses devoirs civils et religieux, trouva bien que la femme gardât le précepte chrétien de souffrir et se taire.

D'après G. Sand, « Lettres à Marcie », *Œuvres complètes*, Perrotin éditeur, 1843.

1. Fait de rendre bête. **2.** Loi.

3 Une vie sentimentale mouvementée

1822-1830 : George Sand se sépare de son mari Casimir Dudevant
1833-1835 : Elle est l'amante d'Alfred de Musset
1836-1847 : Elle est l'amante de Frédéric Chopin
1850-1865 : Elle est l'amante d'Alexandre Manceau

4 Un engagement politique

George Sand, dans une lettre à un ami, fait le récit de la révolution de 1848, qui met en place la IIde République.

Vive la République ! Quel rêve, quel enthousiasme, et, en même temps, quelle tenue, quel ordre à Paris ! J'en arrive, j'y ai couru, j'ai vu s'ouvrir les dernières barricades sous mes pieds. J'ai vu le peuple grand, sublime, naïf, généreux, le peuple français, réuni au cœur de la France, au cœur du monde ; le plus admirable peuple de l'univers ! J'ai passé bien des nuits sans dormir, bien des jours sans m'asseoir. On est fou, on est ivre, on est heureux de s'être endormi dans la fange[1] et de se réveiller dans les cieux. Que tout ce qui vous entoure ait courage et confiance !
La République est conquise, elle est assurée, nous y périrons tous plutôt que de la lâcher.

G. Sand, « Lettre à Charles Poncy du 9 mars 1848 », *Correspondance (1848-1853)*, Calmann-Lévy, 1883.

1. Boue.

MŒURS CONJUGALES N° 6.
h.D.
Au Bureau du Charivari R. du Croissant 16
Imp. d'Aubert & Cie
Je me fiche bien de votre Mme SAND... qui empêche les femmes de raccommoder les pantalons et qui est cause que les dessous de pied sont décousus !... Il faut rétablir le divorce.. ou supprimer cet auteur là !

5 Un exemple à ne pas suivre selon certains

H. Daumier, *Mœurs conjugales n° 6*, estampe, 1839-1842, musée Carnavalet, Paris.

Activités

Socle *Extraire des informations pertinentes pour réaliser une production graphique*

Recopiez la carte mentale ci-dessous et remplissez-la en vous aidant des informations tirées des documents.

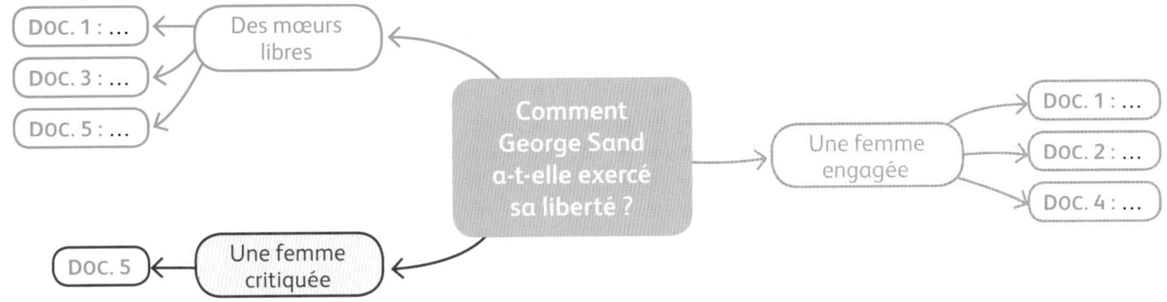
Comment George Sand a-t-elle exercé sa liberté ?
Des mœurs libres
Doc. 1 : ...
Doc. 3 : ...
Doc. 5 : ...
Une femme engagée
Doc. 1 : ...
Doc. 2 : ...
Doc. 4 : ...
Une femme critiquée
Doc. 5

Pour conclure Écrivez quelques lignes pour répondre à la question suivante :

Comment George Sand a-t-elle exercé sa liberté dans un siècle où les femmes en avaient peu ?

Étude

▸ **Socle** *Extraire des informations pertinentes - Comprendre le sens général d'un document*

Louise Michel, un engagement politique

Comment Louise Michel s'est-elle engagée dans la vie politique française au XIXe siècle ?

Biographie

Louise Michel (1830-1905)

Institutrice, elle est condamnée à la déportation en Nouvelle-Calédonie pour avoir participé à la Commune de Paris. De retour en métropole en 1880, elle reprend ses activités politiques.

Rappel du chapitre 4

Quel projet avaient les Communards ? Comment s'est terminée cette révolte ?

2 L'arrestation de Louise Michel

J. Girardet, *L'arrestation de Louise Michel*, huile sur toile, 1883, musée d'Art et d'histoire, Saint-Denis.

Qui est-il ? Jules Girardet (1856-1938)

Peintre d'histoire, il est un des premiers à représenter Louise Michel.

1 Un rôle actif dans la Commune

Pendant la Commune, Louise Michel fait l'école gratuitement aux enfants de Paris et participe aux combats qui opposent Versaillais et Communards.

J'étais souvent avec les ambulancières, mais plus souvent encore avec mes camarades ; ayant commencé avec eux, j'y restais et je crois que je n'étais pas un mauvais soldat. Ainsi j'eus pour compagnon d'armes les enfants perdus dans les hautes bruyères, les artilleurs à Issy et à Neuilly, les éclaireurs de Montmartre, et je vis combien furent braves les armées de la Commune, combien mes amis comptèrent leur vie pour peu.

D'après L. Michel, *La Commune, Histoire et souvenirs*, P. V. Stock, 1878.

Biographie

Victor Hugo (1802-1885)

Poète et écrivain français. Il s'oppose à Napoléon III et doit s'exiler sur l'île anglo-normande de Jersey (1851-1870). Il entretient avec Louise Michel une correspondance avant même la Commune.

3 Un poème en hommage à Louise Michel

Et ceux qui comme moi te savent incapable
De tout ce qui n'est pas héroïsme et vertu
Qui savent que si Dieu te disait : D'où viens-tu ?
Tu répondrais : Je viens de la nuit où l'on souffre ;
Dieu, je sors du devoir dont vous faites un gouffre !
Ceux qui savent tes vers mystérieux et doux,
Tes jours, tes nuits, tes soins, tes pleurs, donnés à tous,
Ton oubli de toi-même à secourir les autres [...].

D'après V. Hugo, « Viro Major », 1871, manuscrit, BNF, Paris.

4 **Une femme parfois critiquée**

① Les femmes ayant soutenu la Commune sont accusées d'avoir mis le feu à Paris.

② Ce couteau ensanglanté rappelle le nombre important de morts lors de la Commune.

Caricature parue dans le supplément du *Monde parisien*, fin XIXe siècle.

BOULANGERIE 13
DU PAIN OU LA MORT

5 **Louise Michel au côté des ouvriers**

Louise Michel brandissant le drapeau noir lors d'une manifestation ouvrière à Paris en 1883.
Couverture du *Monde illustré*, 1883.

6 Une féministe

Elles sont dégoûtées, les femmes ! Elles saisissent vite ce qu'il y a d'épatant à voir des gommeux, des petits-crevés enfin, jeunes ou vieux, crétinisés par un tas de choses malpropres et dont la race est finie, soupeser dans leurs pattes sales les cerveaux des femmes, comme s'ils sentaient monter la marée de ces affamées de savoir, qui ne demandent que cela au vieux monde : le peu qu'il sait. Ils sont jaloux, ces êtres qui ne veulent rien faire, de toutes les ardeurs nouvelles.

D'après L. Michel, *Mémoires de Louise Michel écrites par elle-même*, F. Foy, 1886.

Activités

Socle *Extraire des informations pertinentes*

1. DOC. 1 Quels rôles Louise Michel a-t-elle joués dans la Commune ?
2. DOC. 1 ET 2 Quelle fut la conséquence de son implication dans ces événements ?

Socle *Comprendre le sens général d'un document*

3. DOC. 3 ET 4 Montrez que les avis sur Louise Michel étaient très divisés.
4. DOC. 5 ET 6 Après la Commune, pour quelles causes Louise Michel s'engage-t-elle ?

Pour conclure Écrivez quelques lignes pour répondre à la question suivante :

Comment Louise Michel s'est-elle engagée dans la vie politique française au XIXe siècle ?

Étude

Ouvrières et paysannes au travail

Tâche complexe

La révolution industrielle transforme le travail des hommes comme celui des femmes. Cependant, la répartition des tâches reste différente entre les hommes et les femmes.

Votre mission :

Vous devez préparer une intervention orale sur le travail des femmes au XIXe siècle, dans le cadre de la Journée internationale des droits de la femme, le 8 mars.

Besoin d'aide ? *Voir p. 187.*

Boîte à outils

Donnez des exemples : ils doivent marquer les esprits.

Donnez des chiffres : ils doivent être précis.

Faites appel aux sentiments pour que votre public se mette à la place de ces femmes.

1 Une journée de dentellière

E.-A. Melotte, *La veillée (Rigolette)*, huile sur toile, 97 cm x 130 cm, avant 1892, musée des Beaux-Arts, Rouen.

2 Le règlement d'une usine de papier

Art. 14 Pour perdre de la place quand on étend le papier, on est à l'amende de 15 cts.
Art. 16 Pour étendre dans un autre étendoir que celui qui sera désigné, on sera à l'amende de 25 cts.
Art. 23 L'heure à laquelle on devra commencer le matin, pour les ouvrières aux pièces[1], est fixée ainsi : la première heure à 6 heures du matin en été, à 7 heures en hiver [...]. Il est bien entendu qu'une fois entrée, on ne peut ressortir qu'aux heures des repas ou à la fin du travail, 6 ou 8 heures du soir, autrement, il faudrait un laissez-passer du chef d'atelier.
Art. 27 Pour ne pas travailler le dimanche quand il y a nécessité, on sera à l'amende de 50 cts.
Art. 56 Pour retenir un ouvrier à causer pendant les heures de travail, on est à l'amende de 50 cts.

D'après le *Règlement de l'usine de MM. Dumas et Fremy, à Ivry-sur-Seine*, 1861, BNF, Paris.

1. Ouvrière payée à la feuille de papier fabriquée.

3 Les secteurs d'activité et les salaires des femmes à la fin du XIXe siècle

a. Les femmes dans les différents secteurs d'activité dans le département de la Mayenne, en 1896

	Part des femmes parmi les travailleurs (en %)
Culture, élevage	38
Mine	1
Textile	91
Banque, assurance	0
Domestique	79
Travail de l'acier, des métaux divers	2

D'après *Résultats statistiques du recensement des industries et professions*, Imprimerie nationale, 1900.

b. Les salaires dans les filatures du nord de la France

Salaires quotidiens (en francs)	
Hommes	Femmes
De 4,5 à 6,50	De 3 à 3,50

D'après le *Bulletin de la société de géographie de Lille*, juin 1808.

4 **Les femmes dans les campagnes**
J. Breton, *La Fin du travail*, huile sur toile, 120 cm x 84 cm, 1887, Brooklyn Museum of Art, New York.

5 **Le travail pénible des ateliers de couture**
Dans l'usine de pneumatiques Dunlop, les ouvrières travaillent aux ateliers de couture, Argenteuil, 1908.

6 La protection de la femme au travail

Art. 3. Les filles au-dessus de dix-huit ans et les femmes ne peuvent être employées à un travail effectif de plus de onze heures par jour.
Les heures de travail ci-dessus indiquées seront coupées par un ou plusieurs repos dont la durée totale ne pourra être inférieure à une heure et pendant lesquels le travail sera interdit.
Art. 4. Les enfants âgés de moins de 18 ans, les filles mineures et les femmes ne peuvent être employés à aucun travail de nuit [dans les usines, manufactures, mines, minières et carrières, chantiers, ateliers].

Loi du 2 novembre 1892.

Le saviez-vous ?

Le congé maternité n'apparaît qu'en 1909, mais il n'est ni obligatoire, ni indemnisé.
Il ne le devient qu'en 1913.

Besoin d'un peu d'aide ?

Pour chaque document, cherchez l'idée principale et notez-la au brouillon. Regardez toujours si les différences entre hommes et femmes sont abordées.

Besoin d'un peu plus d'aide ?

Vous organisez votre texte autour de 3 idées :
- Dans quels secteurs les femmes travaillent-elles principalement ?
- Quels sont leurs conditions de travail et leur salaire ?
- Quelles améliorations apparaissent au XIXe siècle ?

Comprendre les arguments d'un débat politique

Des femmes réclament le droit de vote

Vous êtes historien et vous travaillez sur le XIXe siècle. Que vous apprennent les sources suivantes sur les raisons pour lesquelles les femmes étaient exclues du droit de vote et sur la lutte des suffragettes pour obtenir ce droit ?

ACTUALITÉS.
175.
Aubert, Pl. de la Bourse.
Imp. Aubert & Cie
BANQUET FEMINO-SOCIALISTE
À l'abolition de la famille!

Source 1

Une vision de l'engagement politique des femmes

Le banquet fémino-socialiste est un grand repas imaginaire entre des femmes socialistes à l'image des banquets qui réunissaient les hommes politiques : « À l'abolition de la famille ! ».
Ch.-É. de Beaumont, *Banquet fémino-socialiste*, estampe, musée Carnavalet, Paris.

Source 2

Regard masculin sur les femmes et la démocratie

Mais ceux qui ont fréquenté les endroits où les féministes tiennent leurs assises, qui ont pu étudier la composition de ces conciliabules[1], en connaître le personnel bruyant, mais restreint, suivre leurs débats, ceux-là n'ont pas tardé à perdre toute illusion. Ils savent que la plupart de ces créatures sont visiblement dévorées du besoin de s'agiter, de pérorer[2], de jouer à la présidente, à la secrétaire générale, d'avoir des ordres ou des signatures à donner, de parader sur des estrades, d'être enfin un petit personnage ! Nous avons interrogé l'histoire et aussi la psychologie féminine. L'une et l'autre témoignent chez la femme d'une nature qui ne se prête guère [à la politique]. Aisément influençable, portée à l'exagération, vouée à tous les écarts du sentiment et à toutes les suggestions de l'intolérance, sans offrir le contrepoids d'une volonté ferme et constante.

D'après Th. Joran, *Le Suffrage des femmes,* Académie des sciences morales et politiques, 1913.

1. Terme péjoratif qui désigne une assemblée.
2. Parler d'une façon prétentieuse.

Vocabulaire

Féminisme : ensemble d'idées qui visent à obtenir l'égalité entre les hommes et les femmes dans la société.

Suffragette : femme revendiquant le droit de vote de manière active et publique.

Le Petit Journal
SUPPLÉMENT ILLUSTRÉ
DIMANCHE 17 MAI 1908

Source 3

Les suffragettes envahissent un bureau de vote

Lors des élections municipales, Hubertine Auclert renverse une urne électorale pour protester contre l'exclusion des femmes.

L'action féministe, chromotypographie, *Petit Journal*, 17/05/1908.

Qui est-elle ? **Hubertine Auclert (1848-1914)**
Féministe et suffragette française, elle combat en faveur du droit de vote des femmes.

Source 4

Hubertine Auclert justifie le vote des femmes

Mesdames, il faut bien nous le dire, l'arme du vote sera pour nous ce qu'elle est pour l'homme, le seul moyen d'obtenir des réformes que nous désirons. Pendant que nous serons exclues de la vie civique, les hommes penseront à leurs intérêts plutôt qu'aux nôtres. Nous sommes neuf millions de femmes majeures qui formons une nation d'esclaves dans la nation d'hommes libres. Par le fait qu'on paie l'impôt, on a le droit de participer à l'établissement de l'impôt.

D'après H. Auclert, *Le Droit politique des femmes*, Hugonis, 1878.

Point méthode

La démarche de l'historien

Étape 1 ▶ Identifier et comprendre les documents sources

1. Pour chaque source, relevez sa nature, sa date et son auteur.
2. Quelles sont les sources produites par ceux qui s'opposent au droit de vote des femmes ? Quelles sont celles qui soutiennent le droit de vote des femmes ?

Étape 2 ▶ Confronter les documents sources

3. Recopiez et complétez le tableau ci-dessous.

SOURCE 2 Arguments des opposants au droit de vote des femmes	SOURCES 1 ET 4 Arguments des féministes	SOURCE 3 Actions organisées par les suffragettes
....	....	....

4. Recherchez sur Internet le nom d'autres suffragettes françaises qui se sont battues pour leurs droits avant 1914. Quelles actions ont-elles mises en place ?
Aide *Choisissez les entrées parmi les sites d'histoire connus (ex. : Thucydide.com ou histoire-image.org ou ac-rennes.fr).*

Étape 3 ▶ Conclure

5. Vous êtes un historien et vous devez expliquer les débats entre opposants et défenseurs du vote des femmes.
Aide *Rappelez-vous le rôle auquel l'éducation prépare les femmes au XIXe siècle, p. 180.*

Parcours artistique et culturel

Les femmes dans la peinture réaliste

Qu'est-ce que le réalisme ? Quel regard apporte-t-il sur la condition féminine au XIXe siècle ?

Rappel de 5e

Quel type de scène est le plus représenté au Moyen Âge ? Et à la Renaissance ?

1 **Des paysannes au travail**
G. Courbet, *Les Cribleuses de blé*, huile sur toile, 1,67 m x 1,31 m, 1855, musée des Beaux-Arts, Nantes.

Qui est-il ? Gustave Courbet (1819-1877)
Peintre français, il crée et théorise le genre du réalisme. Artiste reconnu, il est proche des anarchistes et participe à la Commune. Il s'exile ensuite en Suisse.

Point art

Le réalisme

Définition : Courant littéraire et artistique du XIXe siècle qui s'oppose au romantisme et à l'idéalisme. Ses principaux représentants dans la littérature sont Honoré de Balzac, Émile Zola, Gustave Flaubert, Stendhal. Leurs œuvres veulent représenter le réel y compris dans ses aspects déplaisants.

2 Une femme lisant
J.-B. Corot, *La Lecture interrompue*, huile sur toile, 65 cm x 92 cm, 1870, Art Institute of Chicago, Chicago.

Qui est-il ? Jean-Baptiste Corot (1796-1875)
Peintre et graveur français, il est très connu pour ses paysages d'Italie ou de France et ses portraits.

3 Femmes du peuple
H. Daumier, *La Blanchisseuse*, huile sur bois, 33 cm x 49 cm, 1863, musée d'Orsay, Paris.

Qui est-il ? Honoré Daumier (1808-1879)
Peintre et sculpteur, il est très connu pour ses dessins de presse et ses gravures de scènes quotidiennes de la vie parisienne.

4 Le travail au lavoir

Le lavoir était situé vers le milieu de la rue. C'était un immense hangar, à plafond plat, monté sur des piliers de métal, fermé par de larges fenêtres. Un plein jour blafard passait librement dans la buée chaude suspendue comme un brouillard laiteux. Des fumées montaient de certains coins, noyant les fonds d'un voile bleuâtre. Il pleuvait une humidité lourde, chargée d'une odeur savonneuse, moite, continue ; et par moments, des souffles d'eau de javel dominaient. Le long des batteries[1], aux deux côtés de l'allée centrale, il y avait des files de femmes, les bras nus jusqu'aux épaules. Elles tapaient furieusement, riaient, se renversaient pour crier un mot dans le vacarme, se penchaient au fond de leur baquets[2].

D'après É. Zola, *L'Assommoir*, 1877.

1. Bassin où l'on lave le linge. **2.** Bassine en bois.

Qui est-il ? Émile Zola (1840-1902)
Journaliste et romancier. Grâce à des enquêtes de terrain, il décrit la vie des petites gens au XIXe siècle. Son art très réaliste est à l'origine du naturalisme.

Identifier et analyser des œuvres d'art

Décrire et comprendre

1. DOC. 1, 2 ET 3 Présenter les œuvres en donnant le nom de l'auteur, le titre et la date de réalisation.
2. DOC. 1, 2 ET 3 Comment sont choisis les personnages représentés ?
3. DOC. 1, 2 ET 3 Quels points communs retrouve-t-on dans ces trois peintures ?
4. DOC. 1, 2 ET 3 Les scènes représentées vous semblent-elles proches de la réalité de l'époque ? Selon vous, est-ce une volonté délibérée des peintres ?

Comprendre

5. À partir de la définition donnée, montrez que ces œuvres appartiennent au courant réaliste.

Exprimer sa sensibilité et conclure

6. DOC. 4 À quel tableau peut-on relier le texte d'Émile Zola ? Justifiez votre choix en vous appuyant sur les éléments du tableau et du texte.

Leçon

La condition féminine dans une société en mutation

Quels sont le rôle et la place des femmes au XIXe siècle ?
Quelles sont leurs conditions de vie et leurs revendications ?

I L'éducation des filles

- **Au XIXe siècle, l'éducation des filles, quelle que soit leur classe sociale, consiste à les préparer à leur futur rôle d'épouse et de mère**. Cette éducation est donc essentiellement tournée vers les travaux domestiques. La scolarisation des filles est en retard au début du siècle par rapport à celle des garçons mais elle s'améliore grâce à la législation adoptée par le IInd Empire, puis la République.
- **L'éducation religieuse joue un rôle important.** Au début du siècle, les congrégations religieuses assurent la plus grande part de l'instruction des filles.
- Par ailleurs, le Code civil impose aux épouses l'obéissance à leur mari, interdit le divorce jusqu'en 1884 et les relations hors mariage des épouses sont punies de peine de prison.

II Les inégalités dans le travail

- Même si de plus en plus de femmes travaillent dans les usines, le modèle de la femme au foyer est dominant. Beaucoup optent pour le statut de travailleuse isolée. Elles sont payées à la tâche et travaillent de chez elles. Perçu avant tout comme un complément au salaire masculin par le patronat, comme par les syndicats ouvriers, **le travail féminin est beaucoup moins bien payé**.
- **La séparation des tâches et des métiers entre les sexes est forte**. Les femmes sont cantonnées dans certains domaines : les travaux agricoles, l'industrie textile ou du papier, les travaux domestiques pour des particuliers et l'enseignement pour les plus diplômées.
- À la fin du siècle, une législation se met en place pour protéger les femmes : limitation du temps de travail, congé maternité.

III L'exclusion de la sphère politique

- **Les femmes sont exclues du suffrage tout au long du XIXe siècle**. La question du vote féminin se pose avec insistance dès 1848, quand est mis en place le suffrage universel masculin. Au départ, le suffragisme est marginal dans la société, mais certaines femmes réclament ce droit.
- L'apparition de la IIIe République en 1870 relance les débats en faveur du vote des femmes. **Le suffragisme et le féminisme se répandent dans l'opinion publique et les revendications se font plus radicales avec les suffragettes, dont Hubertine Auclert est la figure principale**.
- Cependant, malgré une opinion publique de plus en plus favorable au vote des femmes, elles restent exclues du suffrage.

Vocabulaire

Féminisme : ensemble d'idées qui visent à obtenir l'égalité entre les hommes et les femmes dans la société.
Suffragette : femme revendiquant le droit de vote de manière active et publique.
Suffragisme : fait d'être favorable au droit de vote des femmes et à leur éligibilité.

Je retiens l'essentiel

L'essentiel en schéma

L'éducation des filles

Début XIXe siècle

- Une éducation tournée vers le rôle d'épouse et de mère

Début XXe siècle

- De plus en plus de femmes suivent un enseignement secondaire et universitaire : elles apprennent un métier

Le travail des femmes

Début XIXe siècle

- Les emplois réservés aux femmes sont encore plus pénibles que ceux des hommes et encore plus mal payés

Début XXe siècle

- Quelques améliorations : une loi limite la durée du travail des femmes et le congé maternité est mis en place

L'exclusion de la sphère politique

Début XIXe siècle

- Les femmes sont privées du droit de vote. De plus le Code civil les maintient dans une forte situation d'inégalité

Début XXe siècle

- L'opinion publique devient plus favorable au droit de vote des femmes, mais elles restent exclues du vote

1800
1900
1914
Suffrage universel masculin
1848
1804 Code Napoléon
1887 H. Auclert fonde la société Le Droit des femmes
1892 Interdiction du travail nocturne pour les femmes
1913 Congé maternité obligatoire et indemnisé

J'apprends, je m'entraîne

FICHE DE RÉVISION À TÉLÉCHARGER
Fiche 8

Condition féminine dans une société en mutation

1. Construire sa fiche de révision : notez le titre de la leçon sur votre feuille

Je connais…

Objectif 1 ▶ Connaître les repères historiques

1. Recopiez la frise puis placez-y :
La création du Code civil – L'obligation pour les communes de plus de 800 habitants d'avoir une école primaire de filles – Le suffrage universel masculin – La création du congé maternité – L'indemnisation du congé maternité.

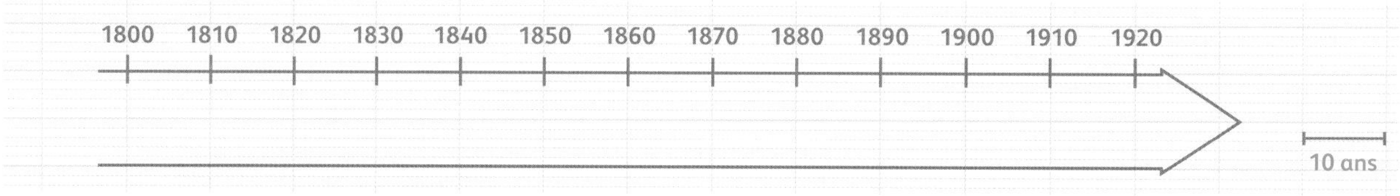

1800
1810
1820
1830
1840
1850
1860
1870
1880
1890
1900
1910
1920
10 ans

Objectif 2 ▶ Connaître les mots-clés

2. Recopiez les mots suivants et donnez leur définition :
Suffragisme – Suffragette – Féminisme – Code civil

Je suis capable de…

Pour chacun des objectifs suivants, construisez une réponse à la consigne.

Objectif 3 ▶ Décrire comment le Code civil donne un statut inférieur aux femmes en 1804

Aide : *Quelle position la femme mariée doit-elle adopter face à son mari ? Qui gère les biens du couple ? Quelle avancée obtiennent les femmes à partir de la fin du XIXe siècle ?*

Objectif 4 ▶ Décrire l'éducation des filles au XIXe siècle

Aide : *À quel rôle les éduque-t-on ? Pour cela, que leur apprend-on ? Comment la loi a-t-elle progressivement favorisé la scolarisation des filles ?*

Objectif 5 ▶ Décrire le travail des femmes au XIXe siècle

Aide : *Quels sont les métiers féminins du XIXe siècle ? Comment peut-on caractériser ces métiers ? Comment la loi commence-t-elle à protéger les femmes ?*

Objectif 6 ▶ Décrire la conquête du droit de vote par les femmes au XIXe siècle

Aide : *Comment appelle-t-on les femmes qui luttent pour la conquête de ce droit ? Quel moyens emploient-elles en France ? En Grande-Bretagne (p. 197) ? Quels résultats obtiennent-elles ?*

Objectif 7 ▶ Reconnaître les femmes qui ont marqué le XIXe siècle et expliquer quel fut leur rôle

A

B

C

2. S'entraîner

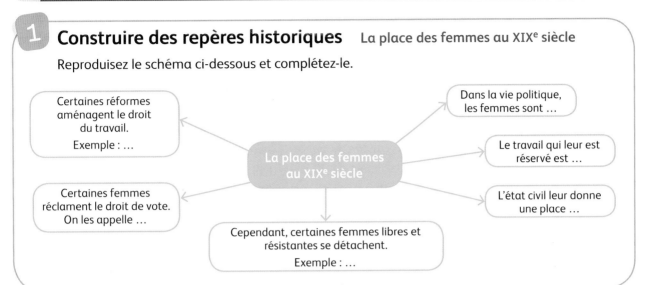

1 Construire des repères historiques — La place des femmes au XIXe siècle

Reproduisez le schéma ci-dessous et complétez-le.

La place des femmes au XIXe siècle

- Certaines réformes aménagent le droit du travail. Exemple : …
- Certaines femmes réclament le droit de vote. On les appelle …
- Cependant, certaines femmes libres et résistantes se détachent. Exemple : …
- Dans la vie politique, les femmes sont …
- Le travail qui leur est réservé est …
- L'état civil leur donne une place …

2 Comprendre un texte

L'opinion de Jules Ferry sur l'éducation des filles

L'égalité d'éducation, c'est l'unité reconstituée dans la famille. Il y a aujourd'hui une barrière entre la femme et l'homme, entre l'épouse et le mari, ce qui fait que beaucoup de mariages, harmonieux en apparence, recouvrent les plus profondes différences d'opinions, de goûts, de sentiments ; mais alors ce n'est plus un vrai mariage, car le vrai mariage, Messieurs, c'est le mariage des âmes. Eh bien, dites-moi s'il est fréquent ce mariage des âmes ? Dites-moi s'il y a beaucoup d'époux unis par les idées, par les sentiments, par les opinions ? Il se rencontre beaucoup de ménages où les deux époux sont d'accord sur toutes les choses extérieures, où il y a communauté absolue entre eux sur les intérêts communs ; mais quant aux pensées intimes et aux sentiments, qui sont le tout de l'être humain, ils sont aussi étrangers l'un à l'autre que s'ils n'étaient que de simples connaissances.

D'après J. Ferry, Conférence populaire faite à la salle Molière, 10 avril 1870.

Identifier le texte

1. Quelle est la nature du document ?
2. Cherchez dans le manuel qui est Jules Ferry. D'après vos connaissances du chapitre, rappelez le contexte de l'éducation des filles en 1870.

Extraire des informations pertinentes

3. Que cherche à obtenir Jules Ferry ?
4. Quel argument utilise-t-il ? Qu'en pensez-vous ?
5. Selon vous, pour répondre à la demande de Jules Ferry, dans quels domaines l'État devait-il améliorer l'instruction ?

Auto-Évaluation Je me positionne sur une marche :

1.
- **Je lis le texte.**
- **Je le présente.**

Question 1

2.
- Je lis le texte.
- Je le présente.
- **Je présente l'auteur et son contexte.**

Questions 1 et 2

3.
- Je lis le texte.
- Je le présente.
- Je présente l'auteur et son contexte.
- **Je sélectionne des informations pertinentes pour répondre.**

Questions 1, 2, 3 et 4

4.
- Je lis le texte.
- Je le présente.
- Je présente l'auteur et son contexte.
- Je sélectionne des informations pertinentes pour répondre.
- **J'interprète (je donne du sens) en m'appuyant sur mes connaissances.**

Questions 1, 2, 3, 4 et 5

Pour progresser, j'analyse mes axes de progrès. Que devrais-je améliorer ?

Vers le brevet

1 Analyser et comprendre des documents

Hubertine Auclert réclame des droits pour les femmes

Que diriez-vous, hommes, si l'on vous enfermait dans le cercle étroit d'un rôle ? Si l'on vous disait : « Toi, parce que tu es forgeron, ton rôle est de forger du fer. Tu n'auras pas de droits. » [...] C'est aussi logique que de dire : « Toi, femme, parce que la nature t'a donné la faculté d'être mère, tu n'auras pas de droits. »
La femme est comme l'homme, **un être libre et autonome**. À elle, comme à lui, la liberté de choisir la voie qui lui convient. [...]
Nous voulons pour [la femme] comme pour vous l'instruction intégrale, **les mêmes facilités de développement physique, moral, intellectuel, professionnel**. Nous voulons pour les femmes comme pour les hommes, liberté de conscience, liberté d'opinion, liberté d'action.
Nous réclamons pour les femmes, comme pour les hommes, l'indépendance économique [...].
Nous voulons, pour les femmes, comme pour les hommes, voix délibérative dans la commune, dans l'État, ou dans le groupe ; parce que les femmes, comme les hommes, sont intéressées aux lois et règlements qui se font. Parce que les femmes payant les impôts ont autant de droits que les hommes d'exiger une bonne répartition de ces impôts.

D'après H. Auclert, Discours prononcé au congrès du parti socialiste de Marseille, 1879.

Qui est-elle ? Hubertine Auclert (1848-1914)
Voir page 189.

1. Identifiez la nature et la date du texte.
2. Qui est Hubertine Auclert ?
3. Quels droits réclame-t-elle pour les femmes ? Recopiez et complétez le tableau en vous aidant des phrases en gras.

Droit 1	...
Droit 2	...
Droit 3	...

4. Avec vos connaissances, montrez que ses revendications sont justifiées.
5. Quels sont ses arguments pour justifier sa demande d'égalité homme-femme dans la société ?

2 Maîtriser différents langages pour raisonner et se repérer

Les améliorations de la condition féminine au XIXe siècle

1. Reproduisez et complétez le schéma ci-dessous :

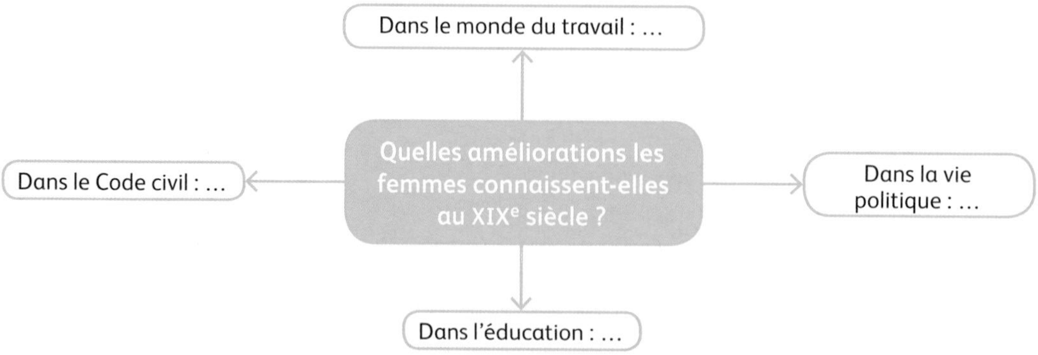
Dans le monde du travail : ...
Dans le Code civil : ...
Quelles améliorations les femmes connaissent-elles au XIXe siècle ?
Dans la vie politique : ...
Dans l'éducation : ...

2. Sous la forme d'un développement construit d'une quinzaine de lignes, montrez que la femme est dans une position d'infériorité par rapport à l'homme au XIXe siècle. Vous veillerez à aborder différents domaines (la loi, le monde du travail, le droit de vote...).

Enquêter

Comment les suffragettes anglaises luttent-elles pour le vote des femmes ?

Les faits

Droit de vote des femmes (1900 – 1950)

- 1883 Nouvelle-Zélande
- 1906 Finlande
- 1918 Grande-Bretagne (femmes de plus de 30 ans)
- 1945 France

Indice n°1

La création du W.S.P.U. par Emmeline Pankhurst

C'est en octobre 1903 que j'invitai un certain nombre de femmes dans ma maison de Nelson Street à Manchester pour que nous nous organisions. Nous avons voté pour appeler notre nouvelle organisation l'Union sociale et politique des femmes (Women's Social and Political Union, WSPU). Nous avons décidé de limiter nos membres exclusivement aux femmes et de tout mettre en action pour notre cause. « Des actes, pas des mots » était notre devise.

D'après E. Pankhurst, *My own Story, Eveleigh Nash*, 1914.

Indice n°2

VOTES FOR WOMEN
VOTES FOR WOMEN

Une manifestation des suffragettes anglaises pour la sortie de prison de deux des leurs.
Illustration du *Petit Journal*, septembre 1908.

Indice n°3

PHIL COOPER

Lors du derby d'Epsom, la suffragette Emily Davison s'est jetée sous les sabots du cheval du roi pour réclamer le droit de vote. Elle en est morte.
« Une femme se précipite sur le champ de course, saisit la bride d'un cheval et blesse le jockey », *Daily Mirror*, 5/06/1913.

Avez-vous pris connaissance des indices ? Quelles sont vos hypothèses : comment les suffragettes anglaises luttent-elles pour le droit de vote des femmes ?

Par équipe, complétez le carnet de l'enquêteur :

1. Leur organisation : ...
2. Leurs méthodes : ...
3. Ce qu'elles risquent : ...

Rédigez en quelques lignes le rapport d'enquête.

Le travail des femmes au XIXe siècle

À l'aide de vos connaissances, rédigez un texte qui explique ce qu'était le travail des femmes au XIXe siècle.

Travail préparatoire (au brouillon)

1. Notez au brouillon tout ce que vous évoque le travail des femmes au XIXe siècle.
2. Comprenez bien le sujet en répondant aux questions autour du « pense pas bête ».

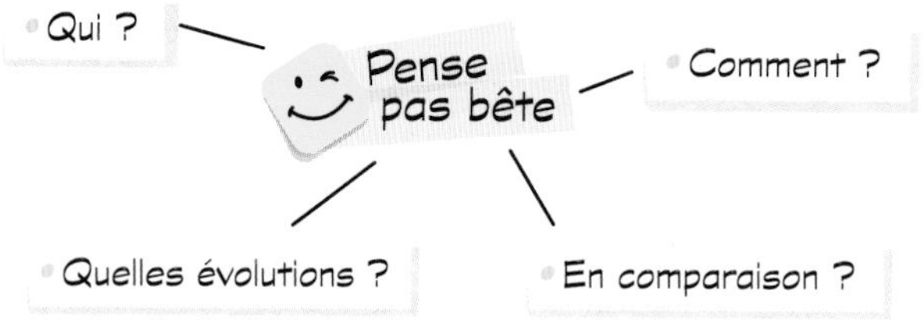
Pense pas bête
Qui ?
Comment ?
Quelles évolutions ?
En comparaison ?

3. Pensez à une phrase d'introduction qui explique le thème dont vous devez parler et situez-le dans le temps.
4. Rédigez une phrase de conclusion où vous répondez à la question : les femmes sont-elles favorisées ou défavorisées dans le monde du travail au XIXe siècle ?

Travail de rédaction (au propre)

À vous de choisir votre niveau de difficulté et votre ceinture !

Je rédige un texte **sans aide.**

Rédigez votre texte en vérifiant que :
- Vous n'oubliez pas les phrases d'introduction et de conclusion.
- Vous organisez votre texte en paragraphes.

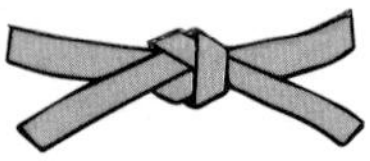

Je rédige un texte **avec un guidage léger.**

Rédigez votre texte à l'aide des conseils suivants :
- Réfléchissez à trois grands thèmes sur le travail des femmes que vous pourriez aborder pour organiser votre texte en paragraphes.
- N'oubliez pas les phrases d'introduction et de conclusion.

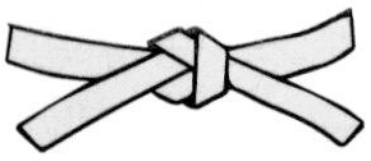

Je rédige un texte **avec un guidage plus important.**

Rédigez votre texte à l'aide des conseils suivants :
- La première partie porte sur les secteurs et les tâches réservées aux femmes.
- La seconde partie porte sur les salaires et les conditions de travail des femmes.
- La dernière partie explique les évolutions du droit du travail.
- N'oubliez pas les phrases d'introduction et de conclusion.

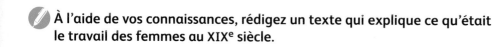

Comment encourager la mixité dans la recherche scientifique ?

1 Marie Curie, la première femme scientifique française

Qui est-elle ? Marie Curie (1867-1934)
Chimiste, elle a travaillé avec son mari Pierre Curie sur le radium et a découvert la radioactivité. Elle a reçu les prix Nobel de chimie et de physique.

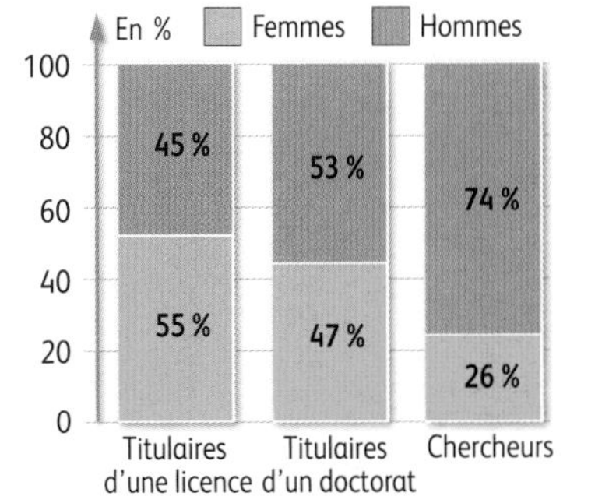
En %
Femmes
Hommes
100
80
60
40
20
0
45 %
55 %
53 %
47 %
74 %
26 %
Titulaires d'une licence
Titulaires d'un doctorat
Chercheurs

Sources : Données Unesco d'après « Recherche scientifique : où sont les femmes ? », *Leparisien.fr*, 27/10/2014

2 Les filles et la recherche aujourd'hui

3 Aude Bernheim et Flora Vincent

Ingénieures agronomes, Aude et Flora se sont rencontrées à AgroParisTech. Elles ont enchaîné respectivement sur une thèse en microbiologie marine à l'École normale supérieure, et en génétique et génomique des bactéries à l'Institut Pasteur. Aude et Flora partagent l'idée que **la vision des sciences aujourd'hui est complètement déformée** : « La science de notre quotidien est belle, captivante, intrigante, créative alors qu'elle est souvent vue comme ennuyeuse et difficile, notamment par les jeunes. »
C'est pour réduire cet écart de perception que les jeunes femmes ont décidé de créer, il y a un peu plus de trois ans, **une association qui promeut la mixité dans les sciences et la déconstruction des stéréotypes :** WAX Science. Elles ont développé plusieurs projets, tout d'abord une plateforme collaborative en ligne, puis des événements, des outils de sensibilisation, des expositions et aujourd'hui le dernier en date, une application smartphone de sciences citoyennes pour aborder le sujet de la parité d'une façon innovante : ItCounts.

For Girls in Science
#LesFillesAussi
#LesFillesAussi

D'après « Portrait de 12 étudiantes et jeunes diplômées talentueuses », http://laruche.wizbii.com, 8/03/2016.

La sensibilité, soi et les autres

1. DOC. 1 En quoi Marie Curie était-elle une femme exceptionnelle pour son époque ?
2. DOC. 2 Quel problème met en valeur ce graphique ? Qu'en pensez-vous ?

L'engagement, agir individuellement et collectivement

3. DOC. 3 Quel est le constat d'Aude et Flora ? Quelles solutions proposent-elles ? Qu'en pensez-vous ?
4. Allez sur le site *Onisep.fr*, cliquez sur l'onglet « Métier », puis « Métier par secteur ». Sélectionnez la rubrique « recherche » et choisissez un métier. Après avoir lu la fiche-métier, imaginez une affiche pour inciter les filles à s'orienter vers ce métier.

Propositions d'EPI

Votre mission EPI 1

Réaliser un reportage

Disciplines associées
Histoire : Le XVIIIe siècle. Expansions, Lumières et révolutions.
Français : Vivre en société, participer à la société

Thématique EPI **Information, communication et citoyenneté**

Sujet EPI : **Réaliser un reportage « Comme si vous y étiez », l'année 1789**

➔ chapitres 2 p. 34 et 3 p. 56

Vous êtes un voyageur américain à Paris durant l'été 1789. Depuis que la France a participé à la naissance de votre pays, vous rêviez de la visiter. Vous rapportez dans un journal américain les événements marquants auxquels vous assistez.

Par équipe, vous allez imaginer et rédiger les articles de presse. Voici les grands événements qui ont marqué et changé l'histoire de la France pendant l'année 1789.

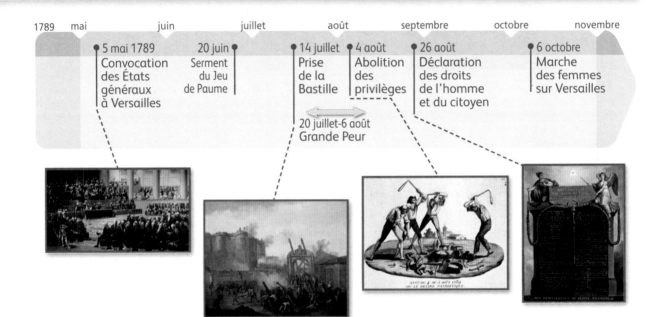

1789 — mai — juin — juillet — août — septembre — octobre — novembre

- 5 mai 1789 : Convocation des États généraux à Versailles
- 20 juin : Serment du Jeu de Paume
- 14 juillet : Prise de la Bastille
- 20 juillet-6 août : Grande Peur
- 4 août : Abolition des privilèges
- 26 août : Déclaration des droits de l'homme et du citoyen
- 6 octobre : Marche des femmes sur Versailles

Point méthode — Écrire des articles de presse

Étape 1 ▶ Organiser sa recherche préalable sur un événement

1. Reformulez le sujet en plusieurs questions : *Où ? Quoi ? Qui ? Quand ? Comment ? Pourquoi ? Quelles conséquences ?*
2. Cherchez et sélectionnez les informations nécessaires pour répondre à ces questions :
   – le lieu où s'est déroulée l'action ;
   – les acteurs importants qui y ont pris part, leurs motivations, leurs buts ;
   – les causes qui ont amené à cet événement ;
   – le déroulement de l'événement ;
   – les premières conséquences visibles.
3. Notez les références des ouvrages ou des sites consultés lors des séances de recherche.

Pour évaluer votre travail de recherche, allez voir la **Fiche méthode** *« Je m'informe » p. 420.*

Étape 2 ▶ Préparer son article de presse

4. Organisez votre récit en reprenant les réponses trouvées aux questions : *Où ? Quoi ? Qui ? Quand ? Comment ? Pourquoi ? Quelles conséquences ?*
5. Imaginez un titre accrocheur à votre article de presse pour en présenter le contenu.

Étape 3 ▶ Mettre au point son article avant l'édition dans le journal

6. Rédigez votre reportage, vous pouvez donner des titres accrocheurs à chacune de vos parties.
7. Choisissez les illustrations éventuelles qui vont accompagner le reportage en vérifiant qu'elles sont libres de droits.

Pour évaluer votre travail d'écriture, allez voir la **Fiche méthode** *« J'écris » p. 422.*

Un exemple de travail d'élève

Tom et Nicolas ont choisi de travailler sur le Serment du Jeu de Paume. Voici les questions qu'ils ont préparées au préalable pour rédiger leur article de presse avec leurs recherches en suivant l'étape 1 du **Point méthode**.

Contexte ? Réunion des États généraux à Versailles le 5 mai 1789 après la convocation du roi Louis XVI pour trouver une solution au déficit financier du royaume.

Quand ? Le 20 juin 1789.

Quoi ? Un serment que font les députés : ne pas se séparer avant d'avoir donné une Constitution à la France.

Qui ? Les députés du tiers état, des députés du clergé et de la noblesse.

Où ? À Versailles, dans la Salle du Jeu de Paume.

Pourquoi ? Refus de Louis XVI de laisser se réunir les députés qui se sont déclarés Assemblée Nationale quelques jours auparavant.

Comment ? Dans la Salle du Jeu de Paume le député Bailly lit le texte rédigé par quelques députés déclarant qu'ils ne se sépareront pas et se réuniront partout où les circonstances l'exigeront tant qu'ils n'auront pas donné au pays une Constitution.

Conséquences ? Pouvoir absolu du roi remis en cause.

Ils ont ensuite réalisé l'article de presse suivant selon les étapes 2 et 3 du **Point méthode**.

Un vent de liberté souffle sur la France !

Notre envoyé spécial à Paris, John Bridge, poursuit sa narration des événements, qui bouleversent depuis quelques semaines la France en cet été 1789. Il nous raconte ce qu'on appelle déjà à Paris le « Serment du Jeu de Paume ».

Les États généraux se sont réunis à Versailles le 5 mai 1789 à la suite de la convocation du roi Louis XVI pour trouver une solution au déficit financier du royaume. Les débats étaient animés ces derniers jours mais personne n'aurait imaginé un tel retournement de situation !

Les députés du tiers état, rejoints par quelques députés du clergé, se sont déclarés Assemblée Nationale, c'est-à-dire représentants légaux du peuple. Le roi Louis XVI a alors décidé, ce 20 juin 1789, de les empêcher de se rassembler à Versailles pour délibérer, faisant fermer les portes de leur salle de réunion.

Qui ?
Quand ?
Pourquoi ?

Mécontents, les députés du tiers état et du clergé ont décidé de se replier dans un autre espace de Versailles, assez insolite, une salle où se pratique un sport appelé Jeu de Paume.

Où ?

C'est alors qu'eut lieu ce qu'on appelle ici le Serment du Jeu de Paume. Très solennellement, Bailly, un député du tiers état, est monté sur une table et a pris la parole pour proclamer au nom de tous qu'ils resteront unis tant qu'ils n'auront pas donné à la France une Constitution.

Comment ?

Inspirerions-nous nos amis français, nous qui en avons une depuis 1787 ?

L'enthousiasme était palpable dans la salle, tous étant conscients d'être les témoins d'un événement majeur pour le pays. En effet, les répercussions sont déjà mesurables : le pouvoir absolu du roi est remis en cause, la souveraineté appartient au peuple, les pouvoirs jusque-là dans les mains du monarque seront séparés.

Conséquences ?

John Bridge, Paris

Louis XVI avait-il imaginé ce qui allait se passer en empêchant l'accès des députés du tiers état à leur salle de réunion, ce 20 juin ?

Propositions d'EPI

Votre mission EPI 2

Réaliser un catalogue

Thématique EPI **Sciences, technologie et société**

Sujet EPI : **Réaliser un catalogue des inventions et progrès technologiques du XIXe siècle**

➔ chapitre 4 p. 82

Disciplines associées

Histoire : L'Europe et le monde au XIXe siècle

Technologie : Comparer et commenter les évolutions des objets et des systèmes

Vous êtes chargé par un musée de réaliser le catalogue de l'exposition qui présente les inventions et les progrès technologiques du XIXe siècle.

Par équipe, vous allez rédiger une présentation d'un de ces progrès et inventions, puis réaliser la planche de dessin qui l'accompagne. Voici les noms des inventions et des progrès technologiques qui ont vu le jour durant le XIXe siècle, mais vous pouvez en proposer d'autres !

Le bateau à vapeur · Le téléphone · Le télégraphe · Le cinématographe

L'avion · Le tracteur · L'électricité · Le vaccin contre la rage · La bicyclette

La locomotive à vapeur

L'automobile

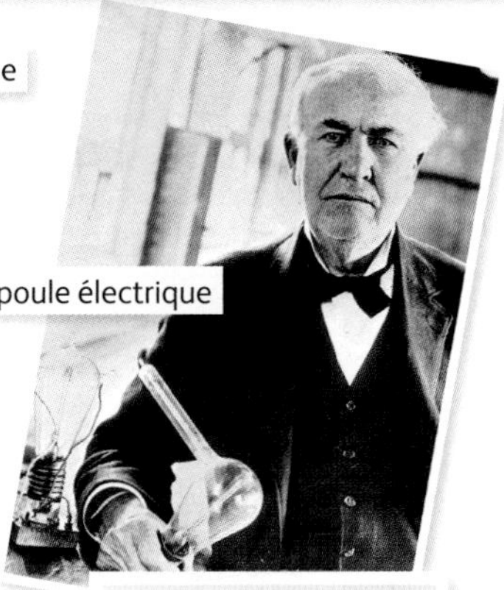
L'ampoule électrique

L'acier

La photographie

Le phonographe

Point méthode — Réaliser un catalogue

Étape 1 ▶ Organiser sa recherche préalable sur l'invention choisie

1. Reformulez le sujet en plusieurs questions : *Où ? Quoi ? Qui ? Quand ? Comment ? Pourquoi ? En quoi est-ce révolutionnaire ? Quelles conséquences ? …*
2. Cherchez et sélectionnez les informations nécessaires pour répondre à ces questions.
3. Sélectionnez des illustrations en vérifiant qu'elles sont libres de droits.
4. Notez les références des ouvrages ou des sites consultés lors des séances de recherche.

Pour évaluer votre travail de recherche, allez voir la **Fiche méthode** *« Je m'informe » p. 420.*

Étape 2 ▶ Mettre au point sa page du catalogue

5. Rédigez des phrases courtes qui donnent une indication sur les éléments présentés sur la planche.
6. Positionnez sur votre page vos illustrations et leurs explications en trouvant des titres accrocheurs pour chacune d'elles.

Pour évaluer votre travail d'écriture, allez voir la **Fiche méthode** *« J'écris » p. 422.*

Un exemple de travail d'élève

Élisa et Justine ont choisi de travailler sur l'acier et la construction de la Tour Eiffel. Voici les questions qu'elles ont préparées au préalable pour réaliser leur page de catalogue avec leurs recherches en suivant l'étape 1 du **Point méthode**.

Quoi ? La Tour Eiffel.

Quand ? Entre juillet 1887 et mars 1889. Pour l'exposition universelle de Paris.

Qui ? L'ingénieur Gustave Eiffel (1832-1923).

Où ? À Paris, Champs de Mars.

Comment ? 18 000 pièces d'acier fixées grâce à des rivets.

Pourquoi ? Mise en valeur de l'acier, matériau révolutionnaire pour l'époque.

En quoi est-ce révolutionnaire ? Première construction dans ce matériau, entièrement démontable.

Sources pour les recherches : La fabuleuse aventure de la tour Eiffel, Pascal Varejka, Prisma, Paris, 2014. http://www.maison.com

Elles ont ensuite réalisé leur page du catalogue suivant selon l'étape 2 du **Point méthode**.

LA TOUR D'ACIER DE GUSTAVE EIFFEL, LE FLEURON DE L'EXPOSITION UNIVERSELLE DE PARIS EN 1889

Qui ?

1 LE DÉFI D'UN INGÉNIEUR

La Tour Eiffel a été conçue par un ingénieur, Gustave Eiffel.

Quoi ? Quand ? Où ?

2 UNE TOUR D'ACIER EN CONSTRUCTION

La construction de la Tour commence en juillet 1887 sur le champ de Mars à Paris. 18 000 pièces d'acier, fabriquées dans une usine de Levallois-Perret, sont nécessaires pour construire la Tour Eiffel. Chacun des éléments d'acier est calculé au dixième de millimètre près et assemblé.

Comment ?

3 DES GESTES PRÉCIS

Les pièces d'acier de la Tour Eiffel sont fixées par 500 000 rivets, posés à chaud. Ils se resserrent au moment de leur refroidissement. Quatre hommes sont nécessaires pour poser un rivet : un qui assure la chauffe de la pièce, un pour le tenir en place, un pour modeler la tête et enfin un dernier pour achever son installation par un coup de masse.

4 ALLER PLUS HAUT !

Un système d'ascenseurs a été mis au point pour pouvoir se rendre au plus haut de cette tour, qui mesure 300 mètres.

Quoi ?

5 UNE NOUVELLE SILHOUETTE DANS LE CIEL PARISIEN

Vingt-six mois ont été nécessaires pour ériger cette tour, cinq mois pour les fondations et vingt-et-un pour le montage. Le 31 mars 1889, Paris met à l'honneur une innovation du XIXe siècle, l'acier, parfaitement démontable.

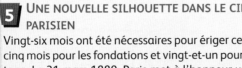

Propositions d'EPI

Votre mission EPI 3

Réaliser des interviews fictives

Disciplines associées
Histoire : Société, culture et politique dans la France du XIXe siècle
Français : Agir sur le monde

Thématique EPI **Culture et création artistiques**

Sujet EPI : **Réaliser des interviews fictives des femmes qui ont marqué le XIXe siècle**

➔ chapitres 8 p. 182, 184, 188 et 199

Vous êtes un reporter-voyageur du temps. Vous devez réaliser des interviews fictives des femmes qui ont marqué le XIXe siècle et contribué à la reconnaissance de l'égalité hommes/femmes. Votre reportage sera diffusé sur le site du collège.

Par équipe, vous allez imaginer, rédiger et jouer ces interviews. Voici les noms de certaines de ces personnalités qui ont marqué leur époque.

Des femmes politiques

Louise Michel, institutrice et figure majeure de la Commune de Paris.

Hubertine Auclert, militante favorable au droit de vote des femmes.

Jeanne Deroin, institutrice, socialiste et féministe.

Caroline Rémy, féministe française mais aussi journaliste. Plus connue sous le nom de Séverine.

Des femmes actrices

Rachel, une actrice tragédienne, qui marqua la première moitié du XIXe siècle.

Sarah Bernhardt, tragédienne elle aussi, elle est surnommée la Divine.

Des écrivaines

George Sand, auteure qui scandalisa son époque en s'habillant en homme.

Flora Tristan, auteure de *Promenades dans Londres*, mais aussi militante socialiste et féministe.

Colette, journaliste, auteure de romans.

Des femmes de sciences

Madeleine Brès, la première femme médecin de France.

Marie Curie, physicienne et chimiste, prix Nobel de chimie pour ses travaux sur le radium.

Point méthode – Procéder à une interview

Étape 1 ▶ Découvrir le projet et préparer son interview

1. Listez les thèmes à aborder lors de l'interview dans des fiches :
   - **Fiche d'identité de la personnalité choisie** : ses dates de vie et de mort, le milieu social dans lequel elle a vécu, les études suivies, etc.
   - **Contexte dans lequel elle a vécu** : quelle période ? quels grands événements ?
   - **Domaines dans lesquels elle s'est illustrée** : l'œuvre laissée, l'influence qu'elle a pu avoir à son époque ou après.

Étape 2 ▶ Faire les recherches préalables

2. Cherchez et sélectionnez les informations nécessaires pour répondre aux consignes de l'étape 1.
3. Notez les références des ouvrages ou des sites consultés lors des séances de recherche au CDI.
4. Notez les références des sites visités.

Pour évaluer votre travail de recherche, allez voir la **Fiche méthode** *« Je m'informe » p. 420.*

Étape 3 ▶ Formuler les questions de l'interview et préparer les réponses

5. Préparez et rédigez des questions progressives et cohérentes avec les informations trouvées.
6. Rédigez les réponses à ces questions pour créer un dialogue.
7. Imaginez une accroche à votre interview pour présenter votre invitée.
8. N'oubliez pas d'utiliser des formules de politesse.

Pour évaluer votre travail d'écriture, allez voir la **Fiche méthode** *« J'écris » p. 422.*

Étape 4 ▶ Mettre en scène l'interview

9. Répartissez-vous les rôles : qui est le journaliste ? qui est l'interviewée ? qui annonce l'interview ? qui est le technicien qui enregistre ? …
10. Répétez ensemble votre texte de manière à avoir une diction parfaite au moment de l'enregistrement de l'interview.

Un exemple de travail d'élève

Clélia et Zuleya ont choisi de travailler sur George Sand. Voici la fiche d'identité qu'elles ont réalisée avec leurs recherches en suivant les étapes 1 et 2 du **Point méthode**.

Fiche d'identité de George Sand

Nom de naissance : Aurore Dupin.

Date de vie et de mort : 1804 - 1876.

Origine sociale : Ascendance aristocratique et bourgeoise.

Éducation : Enfant rebelle, elle est placée par sa grand-mère dans un couvent pour y parfaire son éducation. Elle apprécie les textes des Lumières, comme ceux de Rousseau, Montesquieu...

Activités : L'écriture sous le pseudonyme masculin, George Sand.

Œuvres laissées : *Des romans, Valentine, Indiana, La Mare au Diable, Le Compagnon du Tour de France, Consuelo...*

Action pour l'égalité homme/femme : Défense des droits des femmes, opposition aux oppressions dont elles peuvent être victimes. Elle choque aussi en décidant de porter des pantalons comme les hommes, et de fumer comme eux.

Action politique : Défense du monde ouvrier, dénonciation de la pauvreté, des idées socialistes et démocratiques, participation à la création de trois journaux dont *La Cause du Peuple*.

Contexte : Révolution de Juillet, « les Trois Glorieuses » de 1830, abolition de la monarchie en 1848.

Son influence : Elle inspire des hommes politiques de l'époque comme Alexandre Ledru-Rollin. Elle est aussi connue pour sa vie amoureuse tumultueuse, avec Alfred de Musset et Frédéric Chopin.

Elles ont ensuite réalisé l'interview suivante selon l'étape 3 du **Point méthode**.

L'interview de George Sand

> Reprise des éléments de la biographie.

Lancement, présentation de l'invitée : Elle aurait pu se contenter d'une vie tranquille, mais cette femme a décidé de bousculer les conventions en choisissant un nom d'homme comme pseudonyme et en s'illustrant dans un domaine jusque-là réservé aux hommes. On la connaît aujourd'hui pour son œuvre littéraire, son roman *La Mare au diable*… Je reçois aujourd'hui une femme, icône du combat pour l'égalité hommes/femmes. Bonjour Mme Sand.

> Pourquoi le personnage contribue-t-il à l'égalité homme/femme ?

Journaliste : Votre vie confortable pouvait faire rêver des milliers de personnes, pourtant vous avez choisi de vous illustrer dans le domaine littéraire et de vous battre pour la reconnaissance de l'égalité hommes/femmes. Quelles ont été vos motivations ?

George Sand : Il est vrai que j'ai eu la chance de recevoir une éducation qui m'a fait réfléchir sur le monde qui m'entoure. J'ai cependant éprouvé le besoin de faire bouger une société trop figée. J'ai eu la chance de rencontrer des personnalités qui se battaient pour défendre leurs causes et qui m'ont inspirée. J'étais révoltée à l'idée de ne pas me sentir l'égale d'un homme, pourquoi une telle situation ? Il fallait changer les choses. D'ailleurs, c'est la raison pour laquelle je porte des vêtements d'homme, pourquoi ne pourrais-je pas revêtir des pantalons !

> Comment le personnage contribue-t-il à l'égalité homme/femme ?

Journaliste : Quels moyens avez-vous utilisés pour contribuer à la reconnaissance de cette égalité ?

George Sand : Hé bien déjà, j'ai toujours gardé à l'esprit qu'il ne fallait jamais baisser les bras mais se battre. La rédaction de mes romans prouve qu'une femme est tout aussi capable qu'un homme d'écrire. Je peux ainsi transmettre mon message. Je m'engage aussi politiquement en participant à la création de journaux comme *La Cause du Peuple*.

> Référence aux mentalités de l'époque du personnage.

Journaliste : Comment avez-vous réagi face aux hommes qui vous critiquaient ?

George Sand : Cela m'a motivée encore plus ! Nos revendications n'ont pas encore trouvé un aboutissement, le combat continue !

> Conclusion de l'interview, utilisation des formules de politesse.

Journaliste : Merci Mme George Sand de nous avoir consacré un peu de votre temps pour nous expliquer votre combat.

Elles ont pour finir réalisé et mis en scène l'interview.

1 | La Terre vue de l'espace

Détroit de Béring
OCÉAN
GLACIAL ARCTIQUE
Nord
O
E
S
Groenland
(Danemark)
ALASKA
(États-Unis)
Yukon
Mont MacKinley
6 193 m
Anchorage
CANADA
OCÉAN
PACIFIQUE
Seattle
Portland
Grands
Lacs
Saint-Laurent
GRANDES
PLAINES
MONTAGNES ROCHEUSES
SIERRA NEVADA
GRAND
BASSIN
Saint-Paul
Minneapolis
Mississippi
Missouri
Detroit
Boston
Cleveland
New York
Philadelphie
Baltimore
Washington
Chicago
Pittsburgh
APPALACHES
San Francisco
Salt Lake City
Denver
Kansas
City
Saint-Louis
Colorado
Ohio
ÉTATS-UNIS
Los Angeles
San Diego
Phœnix
Tennessee
Atlanta
Dallas
La Nouvelle-
Orléans
Houston
Rio Grande
Tampa
Miami
OCÉAN
ATLANTIQUE
GOLFE
DU MEXIQUE
MEXIQUE
CUBA
HAWAÏ
200 km
0
500 km
Grandes chaînes
de montagne
Plateaux
Plaines
Grands
fleuves
Principales
métropoles

2 | Le relief des États-Unis d'Amérique

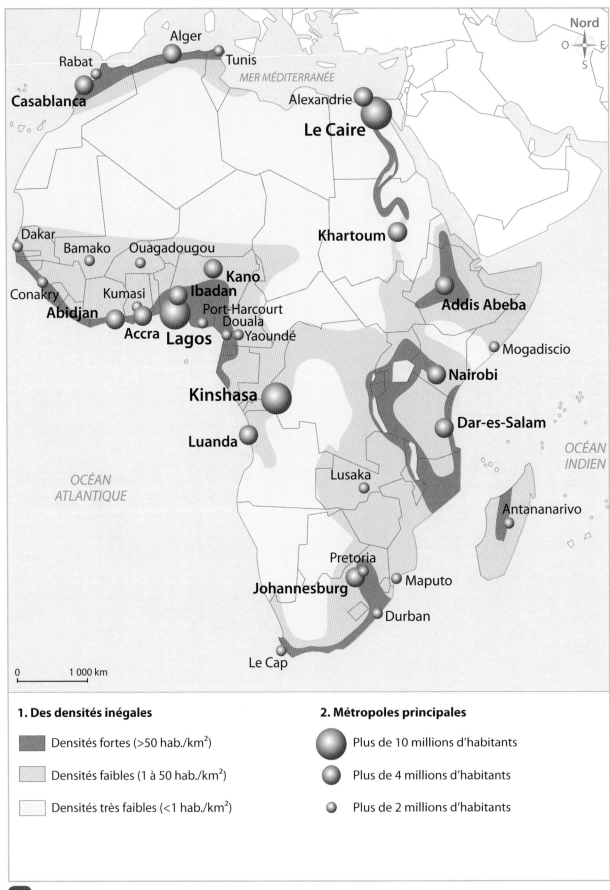

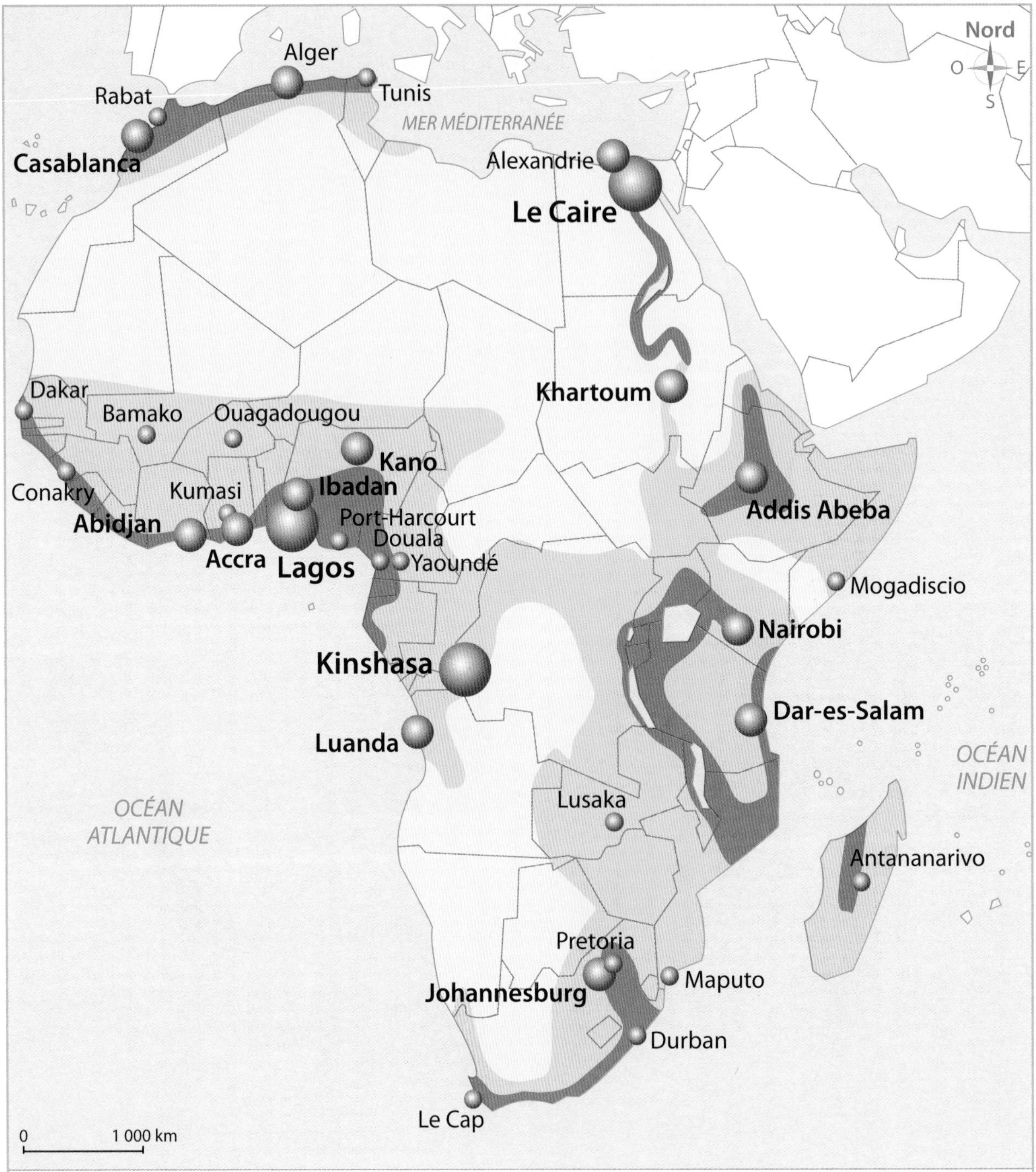
Nord
O
E
S
Alger
Rabat
Tunis
MER MÉDITERRANÉE
Casablanca
Alexandrie
Le Caire
Khartoum
Dakar
Bamako
Ouagadougou
Kano
Conakry
Kumasi
Ibadan
Addis Abeba
Abidjan
Port-Harcourt
Douala
Accra
Lagos
Yaoundé
Mogadiscio
Nairobi
Kinshasa
Dar-es-Salam
Luanda
OCÉAN INDIEN
Lusaka
OCÉAN ATLANTIQUE
Antananarivo
Pretoria
Maputo
Johannesburg
Durban
Le Cap
0
1 000 km

1. Des densités inégales

- Densités fortes (>50 hab./km^2)
- Densités faibles (1 à 50 hab./km^2)
- Densités très faibles (<1 hab./km^2)

2. Métropoles principales

- Plus de 10 millions d'habitants
- Plus de 4 millions d'habitants
- Plus de 2 millions d'habitants

1 | La population de l'Afrique

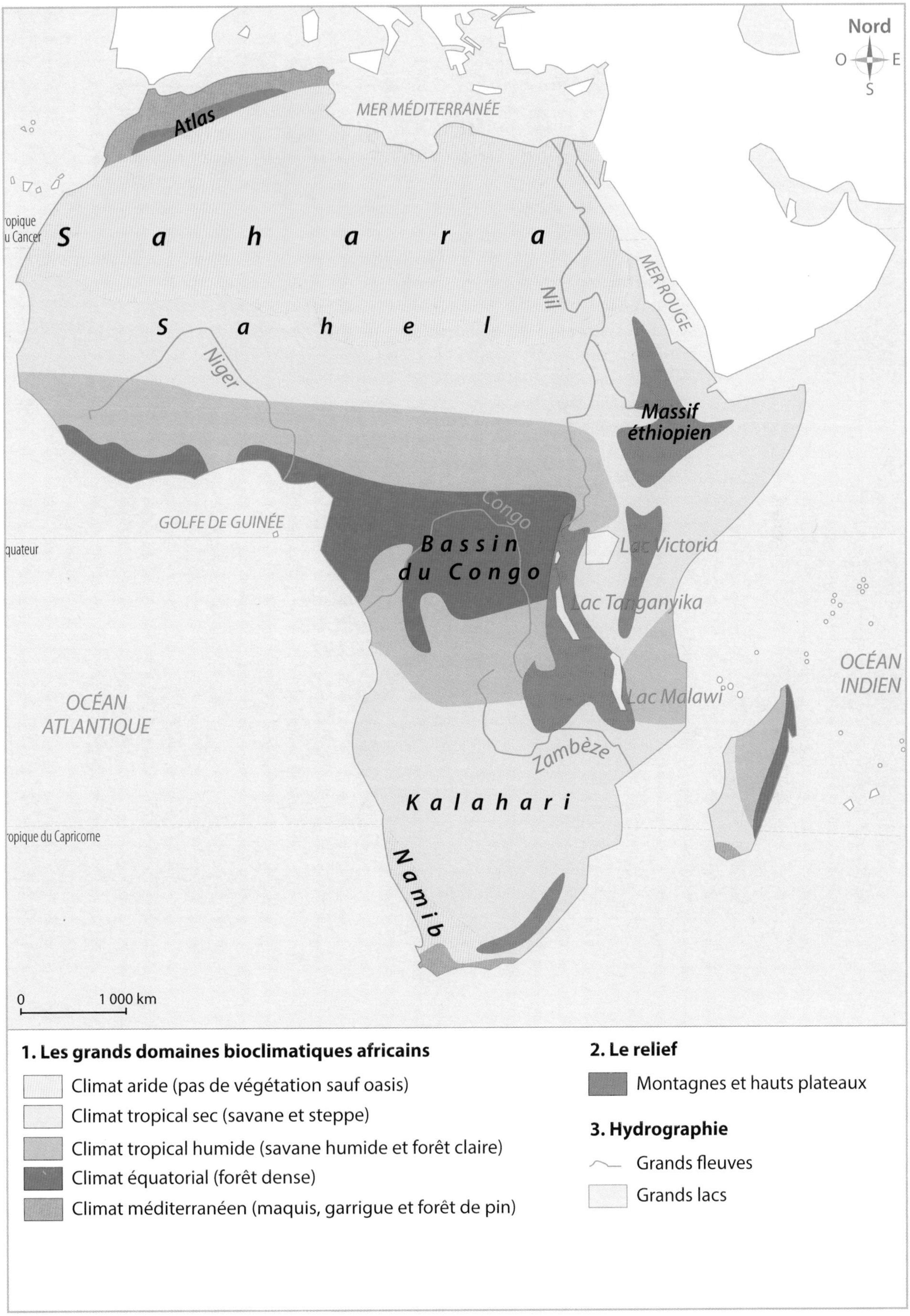
Nord
O
E
S
MER MÉDITERRANÉE
Atlas
ropique
u Cancer
S a h a r a
S a h e l
Nil
MER ROUGE
Niger
Massif éthiopien
Congo
GOLFE DE GUINÉE
quateur
Bassin du Congo
Lac Victoria
Lac Tanganyika
OCÉAN INDIEN
OCÉAN ATLANTIQUE
Lac Malawi
Zambèze
Kalahari
ropique du Capricorne
Namib
0
1 000 km
1. Les grands domaines bioclimatiques africains
Climat aride (pas de végétation sauf oasis)
Climat tropical sec (savane et steppe)
Climat tropical humide (savane humide et forêt claire)
Climat équatorial (forêt dense)
Climat méditerranéen (maquis, garrigue et forêt de pin)
2. Le relief
Montagnes et hauts plateaux
3. Hydrographie
Grands fleuves
Grands lacs

2 | Les climats de l'Afrique

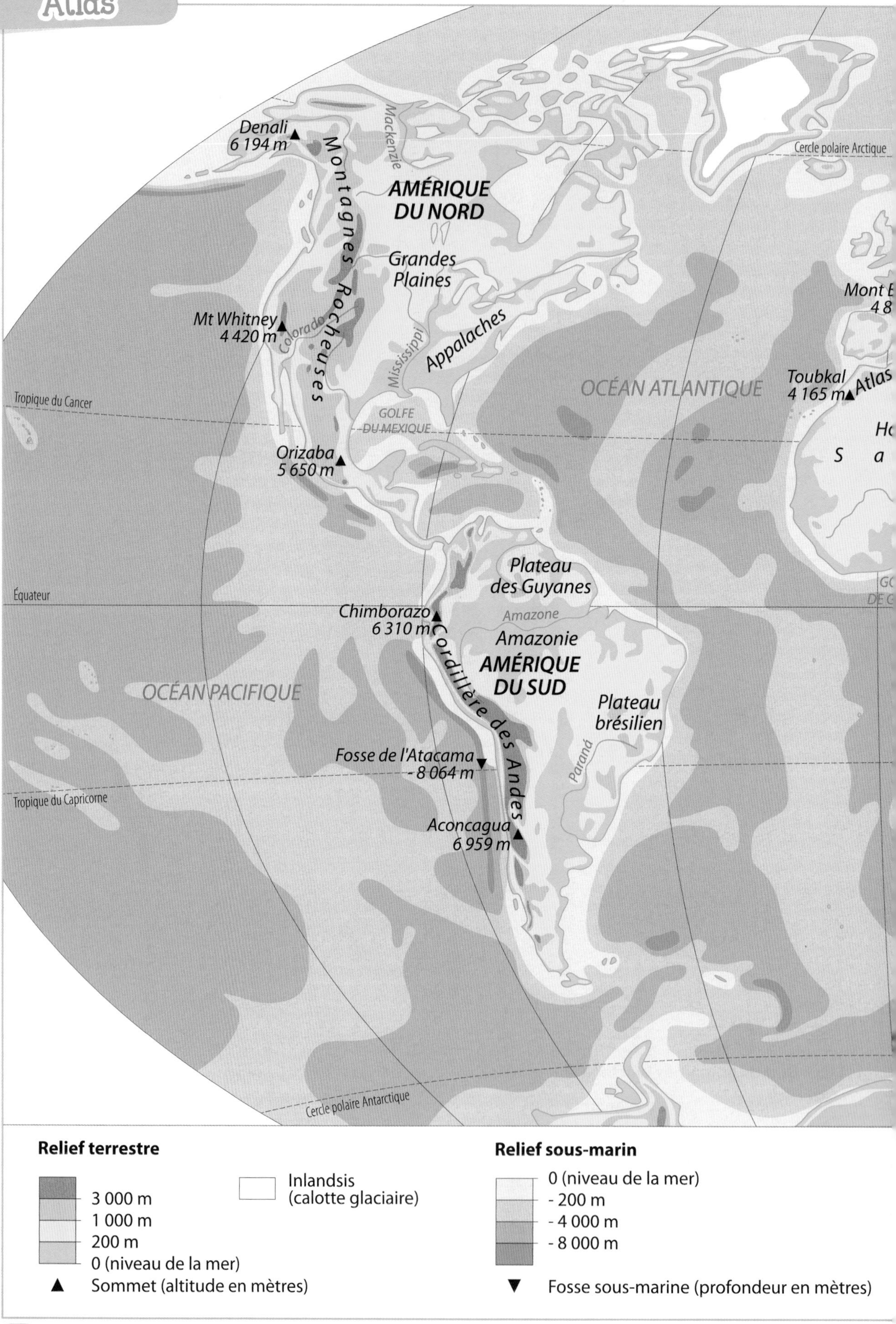
Denali
6 194 m
Montagnes Rocheuses
Mackenzie
AMÉRIQUE
DU NORD
Grandes
Plaines
Mt Whitney
4 420 m
Colorado
Mississippi
Appalaches
Tropique du Cancer
GOLFE
DU MEXIQUE
Orizaba
5 650 m
Cercle polaire Arctique
OCÉAN ATLANTIQUE
Toubkal
4 165 m
Atlas
Équateur
Plateau
des Guyanes
Amazone
Chimborazo
6 310 m
Amazonie
AMÉRIQUE
DU SUD
Cordillère des Andes
OCÉAN PACIFIQUE
Plateau
brésilien
Paraná
Fosse de l'Atacama
- 8 064 m
Tropique du Capricorne
Aconcagua
6 959 m
Cercle polaire Antarctique
Relief terrestre
3 000 m
1 000 m
200 m
0 (niveau de la mer)
Sommet (altitude en mètres)
Inlandsis
(calotte glaciaire)
Relief sous-marin
0 (niveau de la mer)
- 200 m
- 4 000 m
- 8 000 m
Fosse sous-marine (profondeur en mètres)

1 | Le relief terrestre et sous-marin

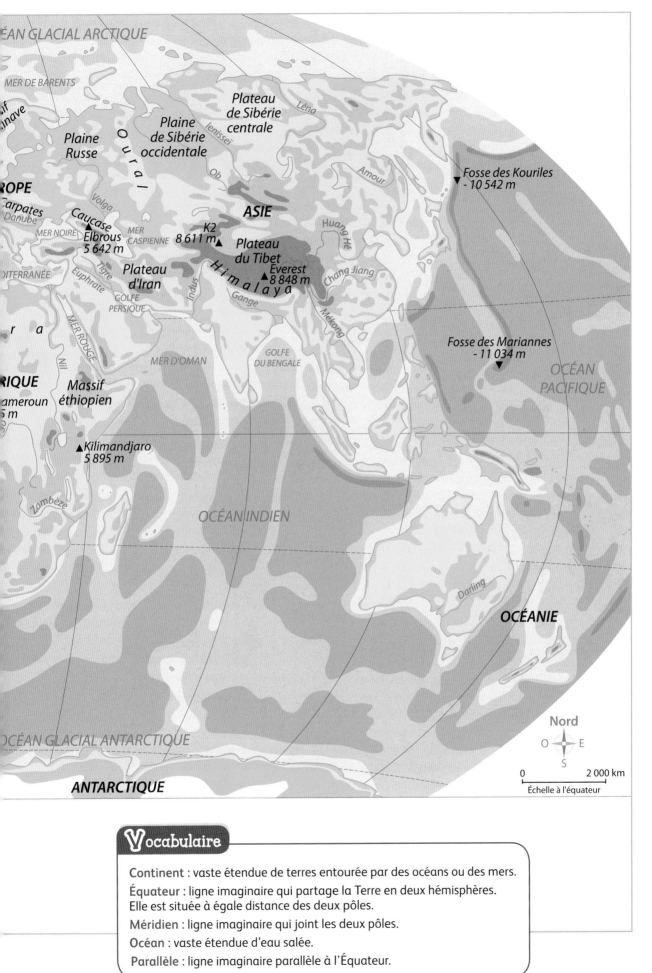

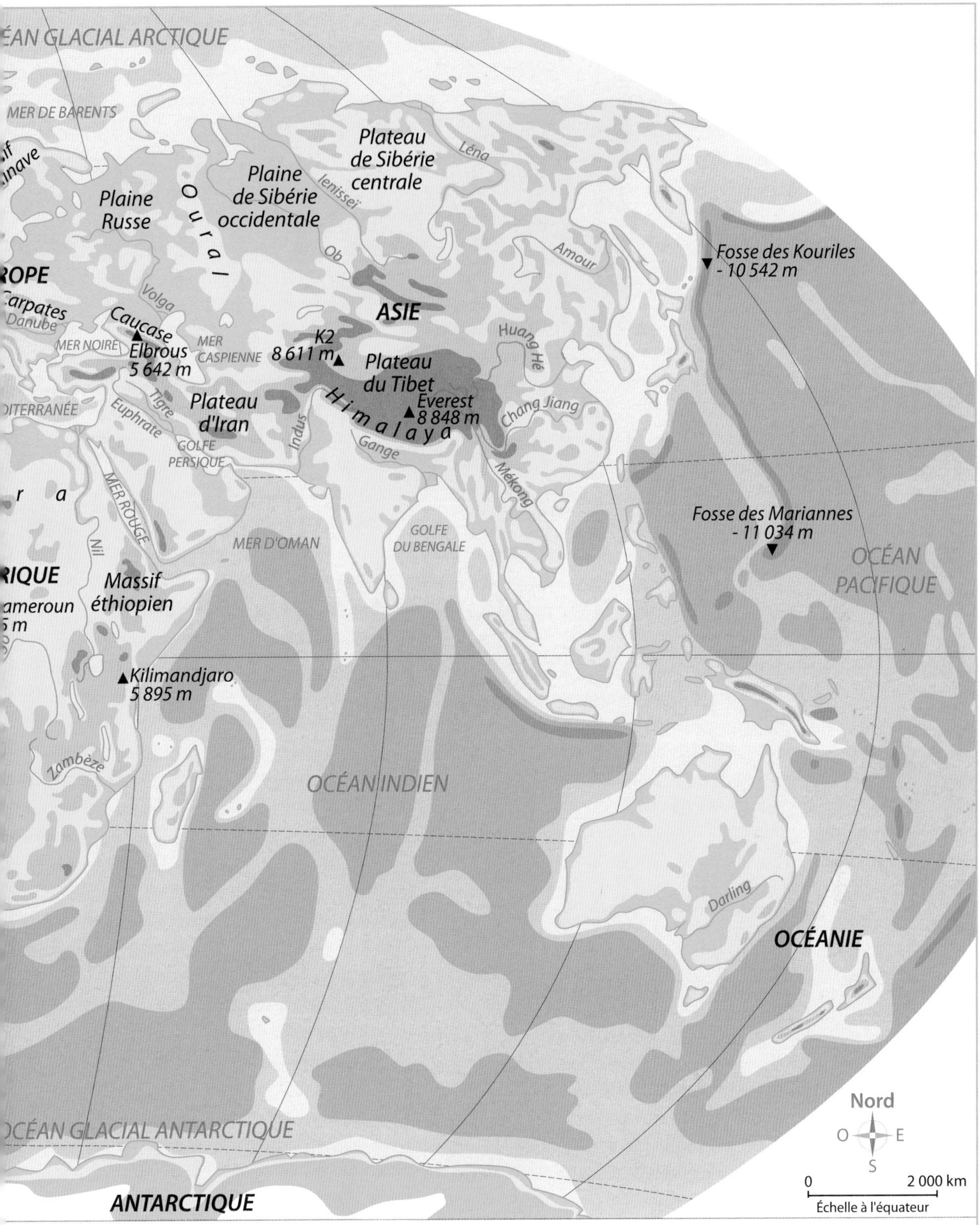
OCÉAN GLACIAL ARCTIQUE
MER DE BARENTS
Plaine Russe
Oural
Plaine de Sibérie occidentale
Plateau de Sibérie centrale
Iénissei
Léna
Ob
Amour
Fosse des Kouriles - 10 542 m
ASIE
Volga
Carpates
Danube
Caucase
MER NOIRE
Elbrous 5 642 m
MER CASPIENNE
K2 8 611 m
Plateau du Tibet
Huang Hé
Plateau d'Iran
Himalaya
Everest 8 848 m
Chang Jiang
Tigre
Euphrate
GOLFE PERSIQUE
Indus
Gange
Mékong
MER ROUGE
Nil
MER D'OMAN
GOLFE DU BENGALE
Fosse des Mariannes - 11 034 m
OCÉAN PACIFIQUE
Massif éthiopien
Kilimandjaro 5 895 m
Zambèze
OCÉAN INDIEN
Darling
OCÉANIE
OCÉAN GLACIAL ANTARCTIQUE
ANTARCTIQUE
Nord
O
E
S
0
2 000 km
Échelle à l'équateur

Vocabulaire

Continent : vaste étendue de terres entourée par des océans ou des mers.

Équateur : ligne imaginaire qui partage la Terre en deux hémisphères. Elle est située à égale distance des deux pôles.

Méridien : ligne imaginaire qui joint les deux pôles.

Océan : vaste étendue d'eau salée.

Parallèle : ligne imaginaire parallèle à l'Équateur.

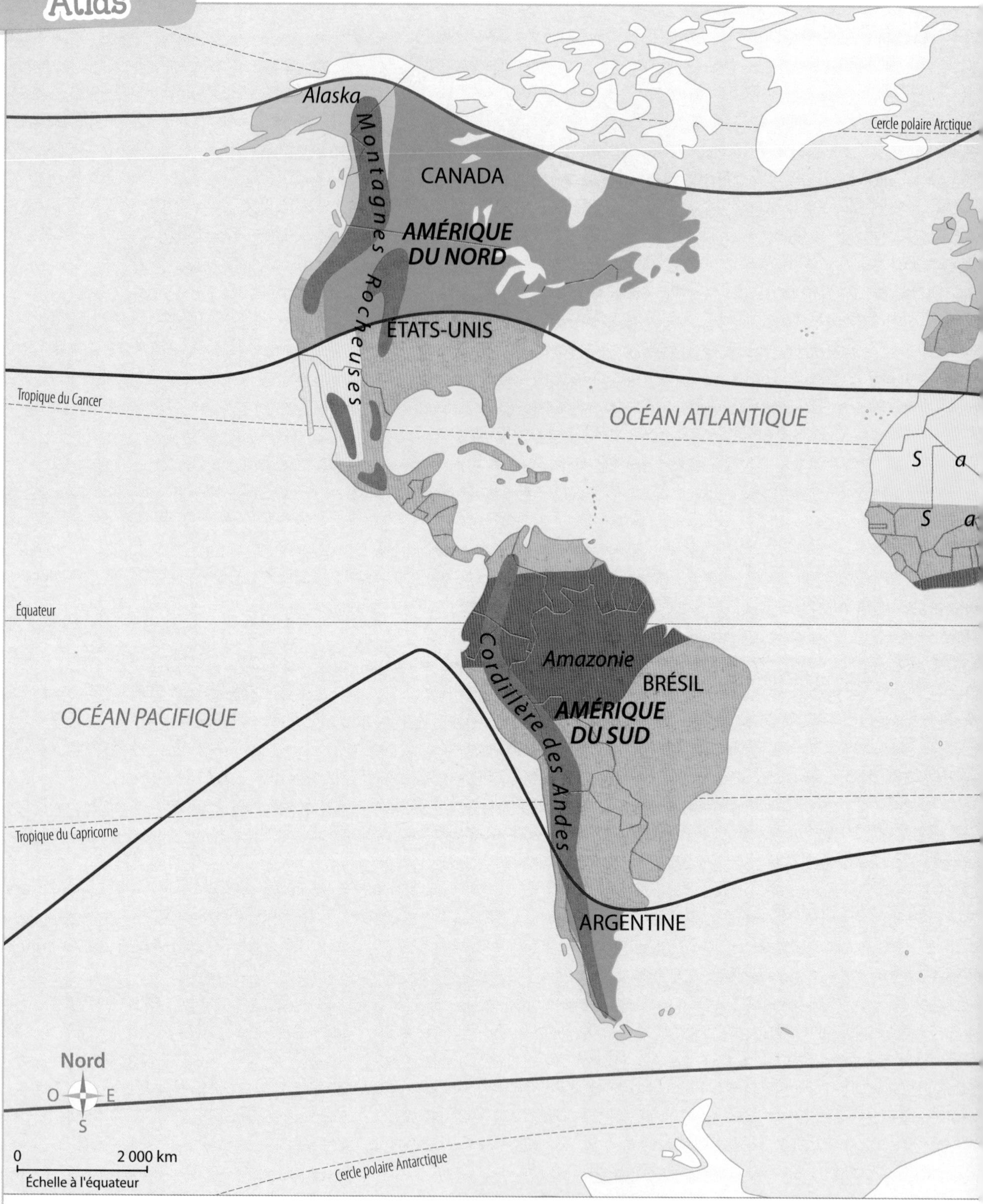
Alaska
Montagnes Rocheuses
CANADA
AMÉRIQUE DU NORD
ÉTATS-UNIS
Cercle polaire Arctique
Tropique du Cancer
OCÉAN ATLANTIQUE
S a
S a
Équateur
Amazonie
BRÉSIL
AMÉRIQUE DU SUD
Cordillère des Andes
OCÉAN PACIFIQUE
Tropique du Capricorne
ARGENTINE
Nord
O E S
0 2 000 km
Échelle à l'équateur
Cercle polaire Antarctique

Le domaine froid

- Climat polaire (froid et sec toute l'année). Pas de végétation ou une végétation rase (toundra).
- Climat montagnard (températures qui diminuent avec l'altitude). Étagement de la végétation (forêts puis alpages).

Les domaines tempérés

- Climat océanique (doux et humide toute l'année). Forêt de feuillus (chênes, hêtres…).
- Climat continental (hiver froid et sec, été chaud et pluvieux). Forêt de conifères (taïga).
- Climat méditerranéen (été chaud et sec, hiver doux, fort précipitations d'automne). Maquis ou garrigue (arbustes

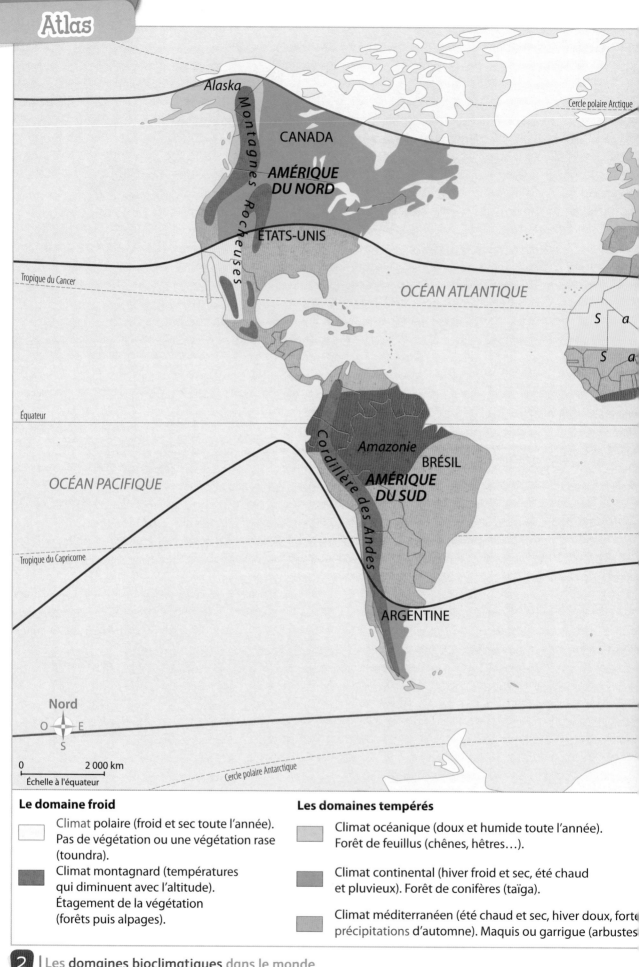

2 | Les **domaines bioclimatiques** dans le monde

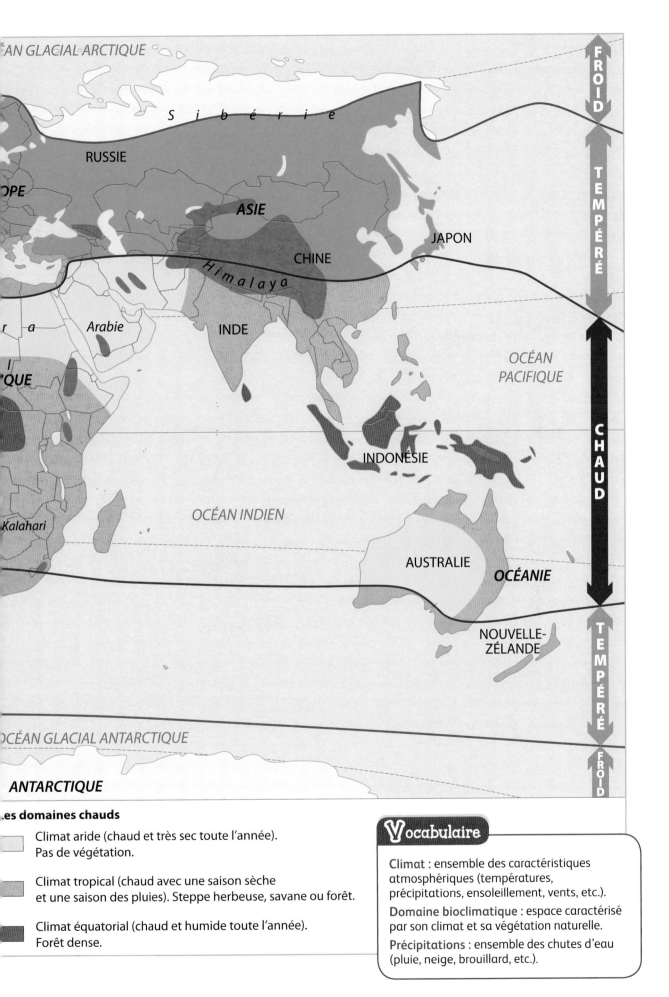

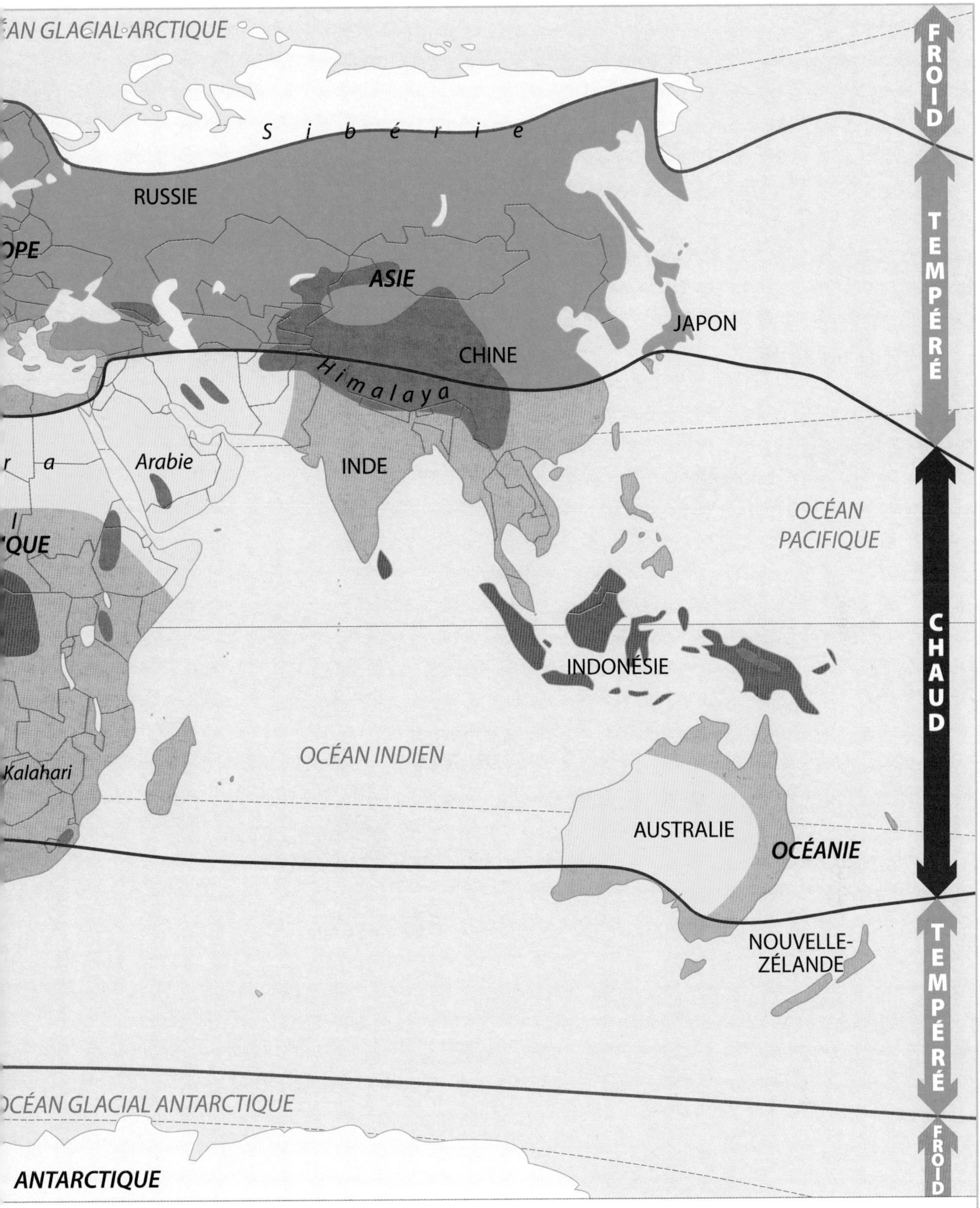
AN GLACIAL ARCTIQUE
Sibérie
RUSSIE
OPE
ASIE
JAPON
CHINE
Himalaya
Arabie
INDE
OCÉAN PACIFIQUE
QUE
INDONÉSIE
OCÉAN INDIEN
Kalahari
AUSTRALIE
OCÉANIE
NOUVELLE-ZÉLANDE
CÉAN GLACIAL ANTARCTIQUE
ANTARCTIQUE
FROID
TEMPÉRÉ
CHAUD
TEMPÉRÉ
FROID

.es domaines chauds

- Climat aride (chaud et très sec toute l'année). Pas de végétation.
- Climat tropical (chaud avec une saison sèche et une saison des pluies). Steppe herbeuse, savane ou forêt.
- Climat équatorial (chaud et humide toute l'année). Forêt dense.

Vocabulaire

Climat : ensemble des caractéristiques atmosphériques (températures, précipitations, ensoleillement, vents, etc.).

Domaine bioclimatique : espace caractérisé par son climat et sa végétation naturelle.

Précipitations : ensemble des chutes d'eau (pluie, neige, brouillard, etc.).

OCÉAN GLACIAL ARCTIC
AMÉRIQUE DU NORD
Londres
EUROP
Paris
Ista
Los Angeles
New York
OCÉAN ATLANTIQUE
MER MÉDITER
Mexico
MER DES CARAÏBES
AFRIQ
Lagos
OCÉAN PACIFIQUE
AMÉRIQUE DU SUD
Rio de Janeiro
São Paulo
Gau
Buenos Aires
OCÉAN GLACIAL ANTARCTIQU

Source : d'après G. Baudelle, *Géographie du peuplement*, Colin ; données à jour de 2015.

· Chaque point représente environ 500 000 habitants

Les plus grandes villes du monde en 2015

● Très grandes villes (plus de 12 millions d'habitants)

Tokyo Les plus grandes métropoles (population supérieure à 20 millions d'habitants)

QUELQUES DONNÉES MONDIALES

Population	7,3 milliards d'habitants
Superficie	19,8 millions de km²
Densité	50 habitants par km²

3 | La répartition de la population mondiale

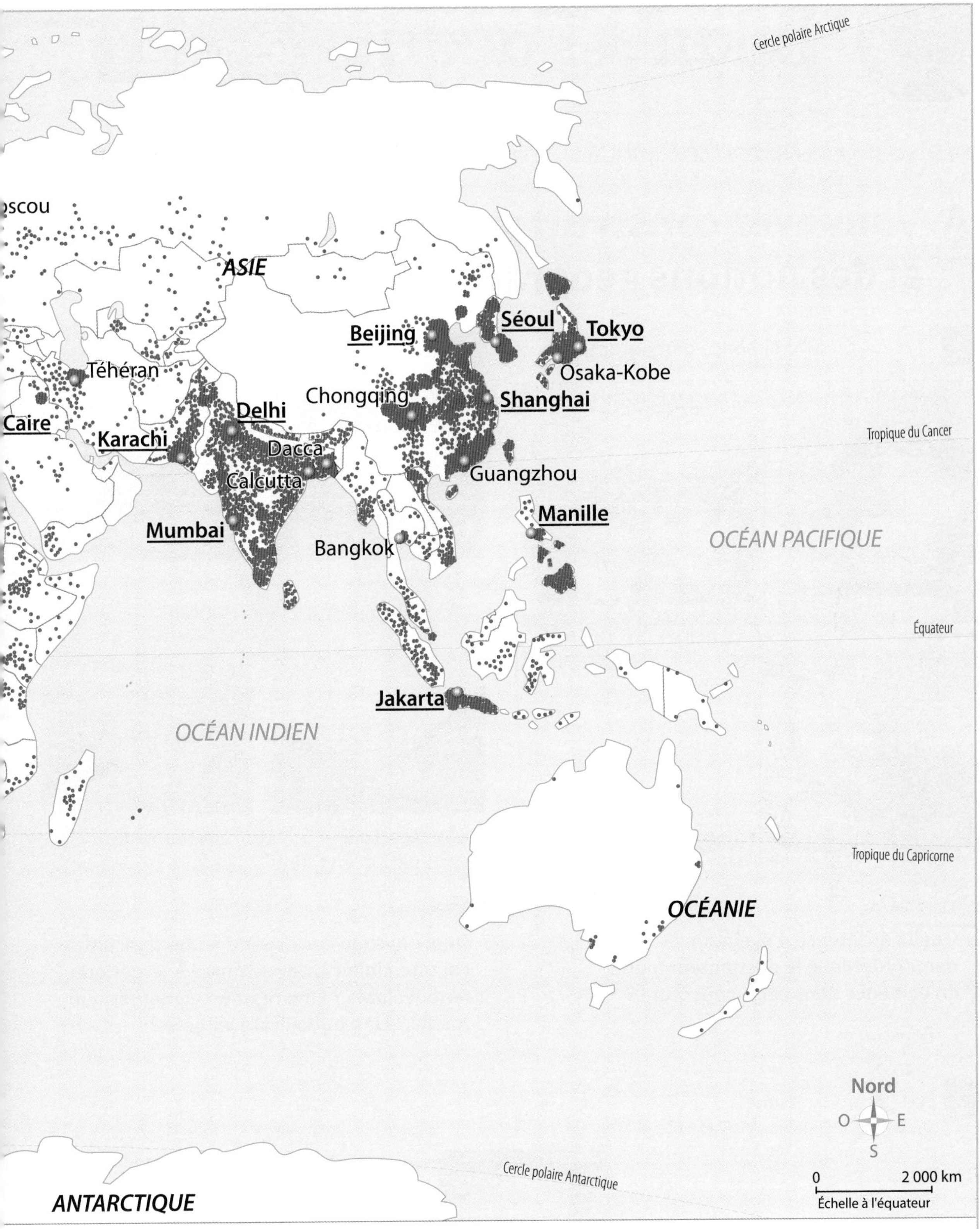
Cercle polaire Arctique
oscou
ASIE
Téhéran
Caire
Karachi
Delhi
Dacca
Calcutta
Mumbai
Beijing
Séoul
Tokyo
Osaka-Kobe
Chongqing
Shanghai
Guangzhou
Tropique du Cancer
Manille
Bangkok
OCÉAN PACIFIQUE
Équateur
Jakarta
OCÉAN INDIEN
Tropique du Capricorne
OCÉANIE
Nord
O
E
S
0
2 000 km
Échelle à l'équateur
Cercle polaire Antarctique
ANTARCTIQUE

Souvenez-vous !

La densité : c'est le nombre d'habitants vivant sur 1 km² (hab./km²)

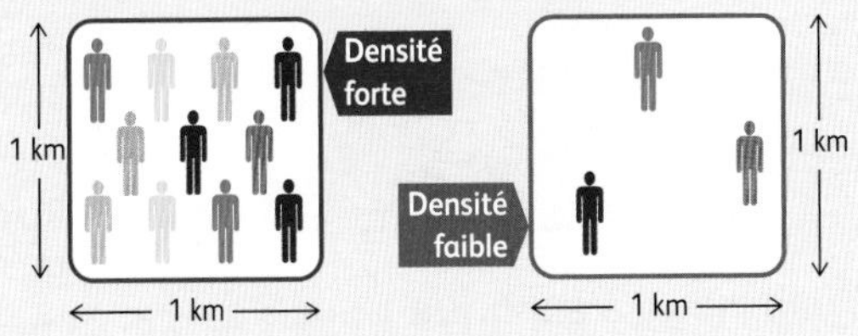
1 km
Densité forte
1 km
Densité faible
1 km
1 km

Bilan des acquis Géographie

En 5e, vous avez continué de découvrir le monde et compris la fragilité des espaces humains.

A. Vous avez construit des repères et des notions géographiques

1 | La notion de croissance démographique

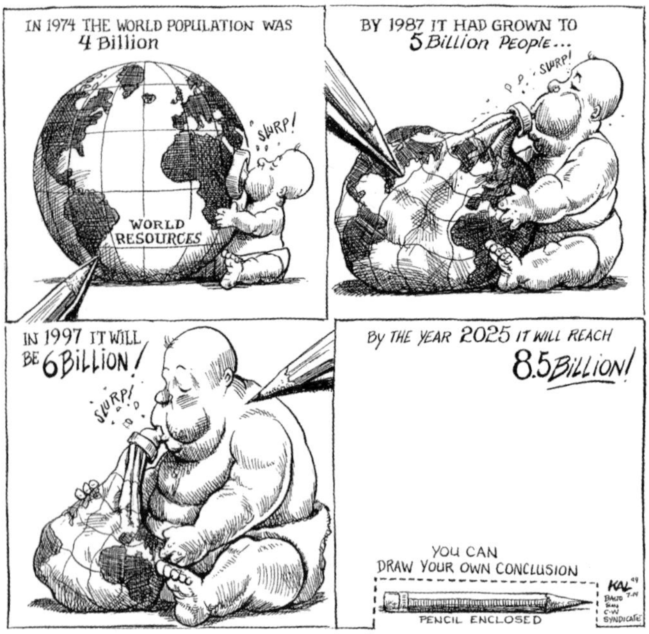

IN 1974 THE WORLD POPULATION WAS 4 Billion
SLURP!
WORLD RESOURCES
BY 1987 IT HAD GROWN TO 5 Billion People...
SLURP!
IN 1997 IT WILL BE 6 BILLION!
SLURP!
By THE YEAR 2025 IT WILL REACH 8.5 BILLION!
YOU CAN DRAW YOUR OWN CONCLUSION
PENCIL ENCLOSED
KAL

Question

- **Quelle différence d'évolution démographique le dessinateur met-il en évidence dans cette caricature ?**

2 | La notion de ressource naturelle

a. L'agriculture en Allemagne

b. L'agriculture au Mali

c. Une centrale au charbon en Chine

d. Une centrale solaire au Maroc

Question

- **Quel paysage correspond à une agriculture commerciale ? Une ressource énergétique renouvelable ? Une ressource énergétique fossile ? Une agriculture vivrière ?**

3 | La notion de risque

L'exemple de Fukushima (Japon)

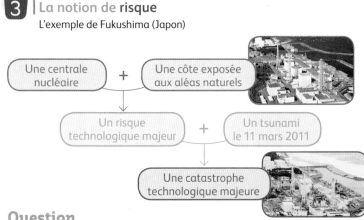

Une centrale nucléaire + Une côte exposée aux aléas naturels

↓

Un risque technologique majeur + Un tsunami le 11 mars 2011

↓

Une catastrophe technologique majeure

Question

- **Comment la catastrophe de Fukushima s'explique-t-elle ?**

Vocabulaire

Croissance démographique : augmentation de la population.

Ressource naturelle : élément naturel exploité par les populations.

Risque : danger qui menace un groupe humain.

B. Vous avez compris la nécessité de travailler à différentes échelles

Observez la richesse et la pauvreté dans le monde

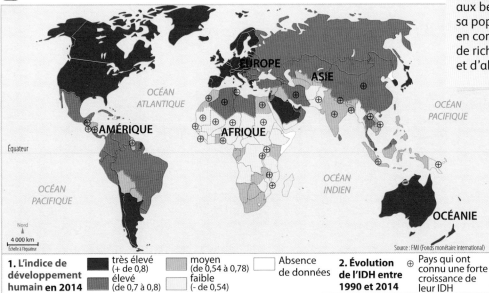

> **Souvenez-vous !**
> L'IDH (indicateur de développement humain) mesure la capacité d'un pays à répondre aux besoins de sa population. Il prend en compte le niveau de richesse, de santé et d'alphabétisation.

1 | À l'échelle mondiale

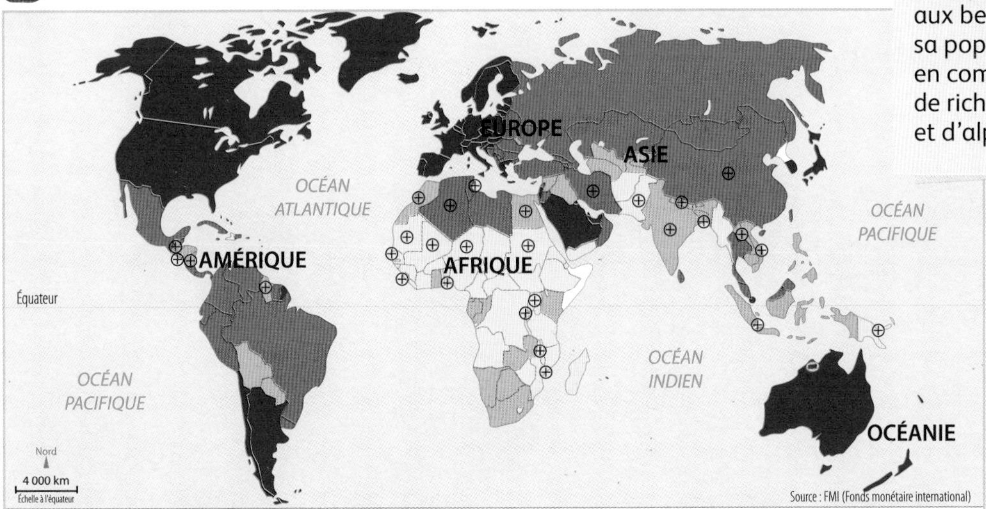
EUROPE
ASIE
AMÉRIQUE
AFRIQUE
OCÉANIE
OCÉAN ATLANTIQUE
OCÉAN PACIFIQUE
OCÉAN INDIEN
OCÉAN PACIFIQUE
Équateur
Nord
4 000 km
Échelle à l'équateur
Source : FMI (Fonds monétaire international)

1. L'indice de développement humain en 2014			2. Évolution de l'IDH entre 1990 et 2014
très élevé (+ de 0,8)	moyen (de 0,54 à 0,78)	Absence de données	⊕ Pays qui ont connu une forte croissance de leur IDH
élevé (de 0,7 à 0,8)	faible (- de 0,54)		

L'inégal développement en 2014

2 | À l'échelle locale

Nord
AFRIQUE
RWANDA
Kigali
Équateur
OCÉAN ATLANTIQUE
OCÉAN INDIEN
2 000 km
Échelle à l'équateur

a. Kigali (Rwanda)

Nord
OCÉAN PACIFIQUE
Los Angeles
ÉTATS-UNIS
OCÉAN ATLANTIQUE
2 000 km

b. Los Angeles (États-Unis)

Questions

1. Quel est l'IDH du Rwanda ? Des États-Unis ?
2. Relevez les indices de pauvreté dans les deux paysages.
3. Pourquoi est-il indispensable de changer d'échelle pour étudier un phénomène ?

Alors continuons et approfondissons notre connaissance du monde.

9 L'urbanisation du monde

Quels sont les espaces et paysages créés par l'**urbanisation** ? Comment les paysages traduisent-ils l'inégale intégration des **métropoles** à la **mondialisation** ?

Souvenez-vous !

Pouvez-vous rappeler quelques noms de grandes métropoles ?

Nord
CHINE
Hong Kong
MER DE CHINE
2 000 km

1 Hong Kong vue de Victoria Peak.

Vocabulaire

Métropole : ville qui exerce son influence sur un territoire à des échelles différentes (régionale, nationale, mondiale).

Mondialisation : mise en relation de régions et de peuples. Elle se traduit par des échanges de marchandises, de capitaux et de populations.

Urbanisation : processus de croissance de la population des villes et d'extension de l'espace urbain.

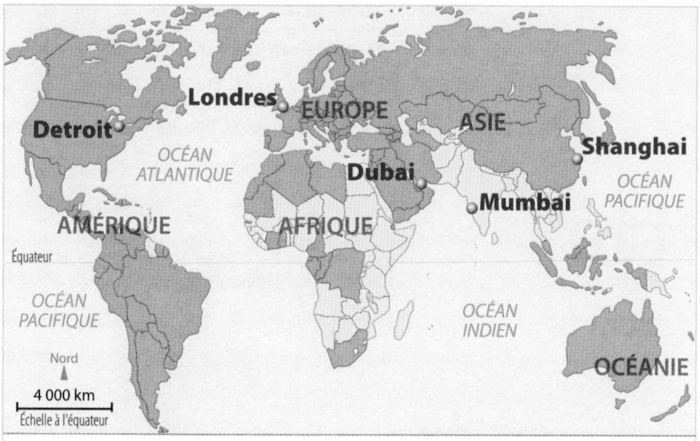
Londres
EUROPE
ASIE
Detroit
Shanghai
OCÉAN ATLANTIQUE
Dubai
OCÉAN PACIFIQUE
Mumbai
AMÉRIQUE
AFRIQUE
Équateur
OCÉAN PACIFIQUE
OCÉAN INDIEN
Nord
4 000 km
Échelle à l'équateur
OCÉANIE

Plus de 50 % de population urbaine

Moins de 50 % de population urbaine

Dubai Ville traitée dans le chapitre

Nord
INDE
Mumbai
OCÉAN INDIEN
1 000 km

2 | Une urbanisation anarchique à Mumbai (Inde)

1. **DOC. 1 ET 2** Relevez les points communs et différences qui existent entre les paysages urbains présentés.
2. **DOC. 1 ET 2** **Formulez une hypothèse** pour répondre à la question suivante : comment expliquer les différences observées entre ces deux paysages urbains ?

Des échanges
de marchandises, d'informations et d'argent entre les grandes métropoles

Des territoires :
Des villes plus ou moins connectées

mondialisation

Des populations
qui se concentrent en ville

Étude de cas

▸ **Socle** *Construire des repères géographiques – Réaliser une description – Extraire des informations pertinentes*

Londres, espaces et paysages d'une métropole attractive

Comment les paysages urbains de Londres sont-ils le reflet de son attractivité ?

FICHE D'IDENTITÉ DE LONDRES

État	Royaume-Uni
Superficie	1 572 km²
Population	8 400 000 hab.
Densité	5 350 hab./km²
PUB	209 milliards de dollars

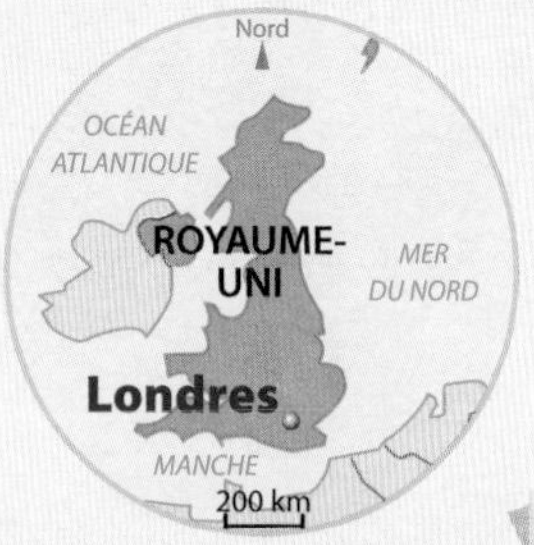
Nord
OCÉAN ATLANTIQUE
ROYAUME-UNI
MER DU NORD
Londres
MANCHE
200 km

A
B
C

1 | Londres et ses centres financiers

La **skyline** de Londres est reconnaissable grâce à certains gratte-ciel, dont le Gherkin Ⓐ dans le **CBD** de la City, le Shard Ⓑ inauguré en 2012 et les immeubles de Canary Wharf Ⓒ.

2 Londres vue par un expatrié[1] français

Un témoin raconte

Jacques est Français. Il travaille à la City dans les assurances et la finance.

Aujourd'hui je suis Londonien depuis un peu plus de cinq ans déjà. J'aime Londres et la City, en particulier. Il y a des grues, partout. Des gratte-ciel côtoient l'église du XVIIe siècle, l'immuable pub du XVIIIe siècle. Des édifices disparaissent, de nouveaux apparaissent ; des compagnies grandissent et meurent. La tradition côtoie la nouveauté, à l'image de la Lloyd's, compagnie d'assurances créée au XVIIe siècle, hébergée dans une ancienne usine transformée.

D'après « Ma vie d'expat' à Londres », *contrepoints.org*, le 15/02/2016.

1. Salarié qui exerce son métier dans un autre pays que le sien.

Vocabulaire

Aire métropolitaine : espace urbain formé d'une métropole centrale et de ses périphéries.

Attractivité : action d'attirer la population, les activités.

CBD *(Central Business District)* : quartier central des affaires qui regroupe des sièges sociaux d'entreprises et des établissements financiers.

Produit urbain brut (PUB) : richesse produite à l'intérieur d'une ville.

Skyline **(anglais)** : silhouette de la ville marquée par la présence de gratte-ciel.

Une banlieue aisée

Une banlieue populaire

3 | Quartiers résidentiels de l'**aire métropolitaine** de Londres

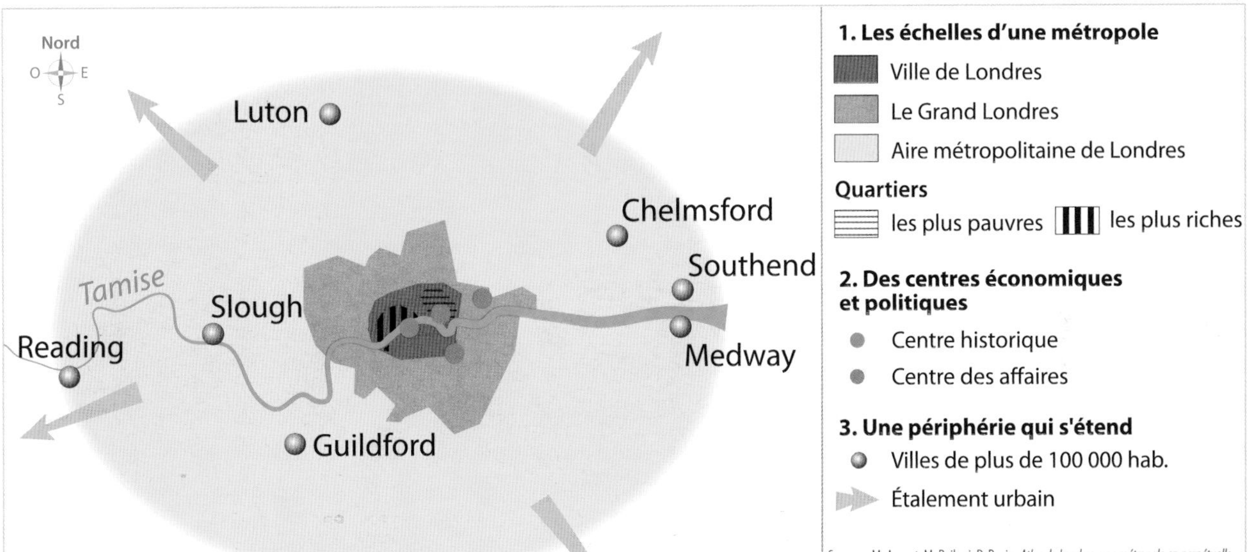
Nord
O
E
S
Luton
Chelmsford
Southend
Medway
Tamise
Slough
Reading
Guildford
0
20 km
1. Les échelles d'une métropole
Ville de Londres
Le Grand Londres
Aire métropolitaine de Londres
Quartiers
les plus pauvres
les plus riches
2. Des centres économiques et politiques
Centre historique
Centre des affaires
3. Une périphérie qui s'étend
Villes de plus de 100 000 hab.
Étalement urbain

Sources : M. Appert, M. Bailoni, D. Papin, *Atlas de Londres, une métropole en perpétuelle mutation*, Autrement, 2012. Manuel Appert, « Les mobilités quotidiennes à Londres : aspects, impacts et régulations », *geoconfluences.ens-lyon.fr*, 02/03/2009.

4 | Une métropole qui s'étend encore

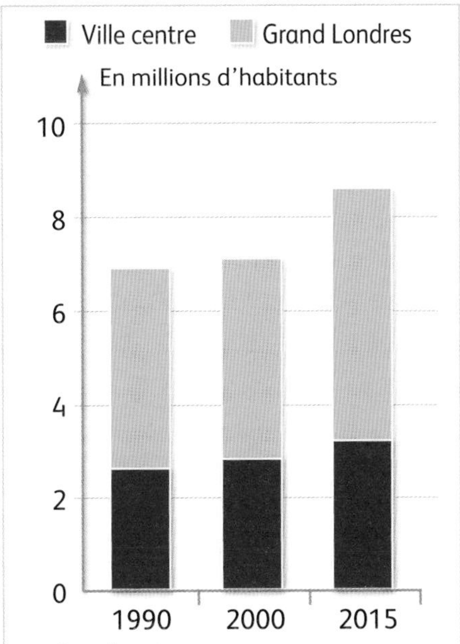
Ville centre
Grand Londres
En millions d'habitants
10
8
6
4
2
0
1990
2000
2015

Source : Eurostat
www.bbc.com/news/uk-england-london-31082941
www.ons.gov.uk/

5 | Une attractivité visible par sa croissance urbaine (en millions d'habitants)

Activités

Socle *Construire des repères géographiques*

1. **DOC. 1** Localisez et situez Londres.

Socle *Réaliser une description*

2. **DOC. 1 ET 3** Pour chacun des trois types de paysages proposés : présentez-le et précisez s'il se trouve au centre ou à la périphérie de la métropole londonienne

Aide : *Décrivez et indiquez les fonctions de l'espace montré, ce que l'on y fait et les activités que l'on y trouve.*

Socle *Extraire des informations pertinentes*

3. **DOC. 1 ET 2** Relevez les éléments qui illustrent le dynamisme urbain du quartier de la City.
4. **DOC. 5** Comment la population de la métropole londonienne évolue-t-elle ?
5. **DOC. 4** Comment l'évolution spatiale de l'aire métropolitaine traduit-elle cette évolution ?

Pour conclure Préparez une réponse courte à la question suivante pour l'exposer à l'oral :

Comment les paysages urbains de Londres sont-ils le reflet de son attractivité ?

Étude de cas

▸ **Socle** *Extraire des informations pertinentes – Construire des hypothèses*

Londres, une métropole intégrée à la mondialisation

Comment Londres est-elle connectée aux réseaux de la mondialisation ?

Étape 1 ▸ *Comprendre comment Londres est une métropole* ***connectée***

1 | Scène dans le CBD de Canary Wharf

2 Londres, la folie des hauteurs

La ville entière se dresse. Les grues multicolores font de l'ombre aux immeubles victoriens : 263 bâtiments de plus de 20 étages vont pousser à Londres, selon une étude récente de la NLA (l'association *New London Architecture*, financée par des architectes, des promoteurs et des agents immobiliers). Et 80 % d'entre eux auront des appartements, 15000 au total. Comment expliquer cette révolution ? Pourquoi Londres imite-t-elle soudain ses cousines américaines ? « Il y a deux raisons, analyse le président de la NLA. Les investisseurs[1], notamment étrangers (hongkongais, russes ou du Moyen-Orient), sont très intéressés par le marché de l'immobilier. Ensuite, le besoin de logements est de plus en plus important. »

D'après L. Bretonnier, « Royaume-Uni : Londres, la folie des hauteurs », *Leparisien.fr*, le 30/04/2015.

1. Personne ou groupe de personnes qui placent leur argent dans une entreprise pour qu'elle se développe.

Vocabulaire

Connecter : action de relier différents quartiers, différentes villes par des réseaux de transports, de communications.

Hub : plaque tournante de transport qui assure un maximum de correspondances.

Réseaux : ensemble des relations qui existent entre des lieux et qui se font au moyen d'axes de communication et de transports. Y circulent des flux de marchandises, d'informations, de capitaux et d'hommes.

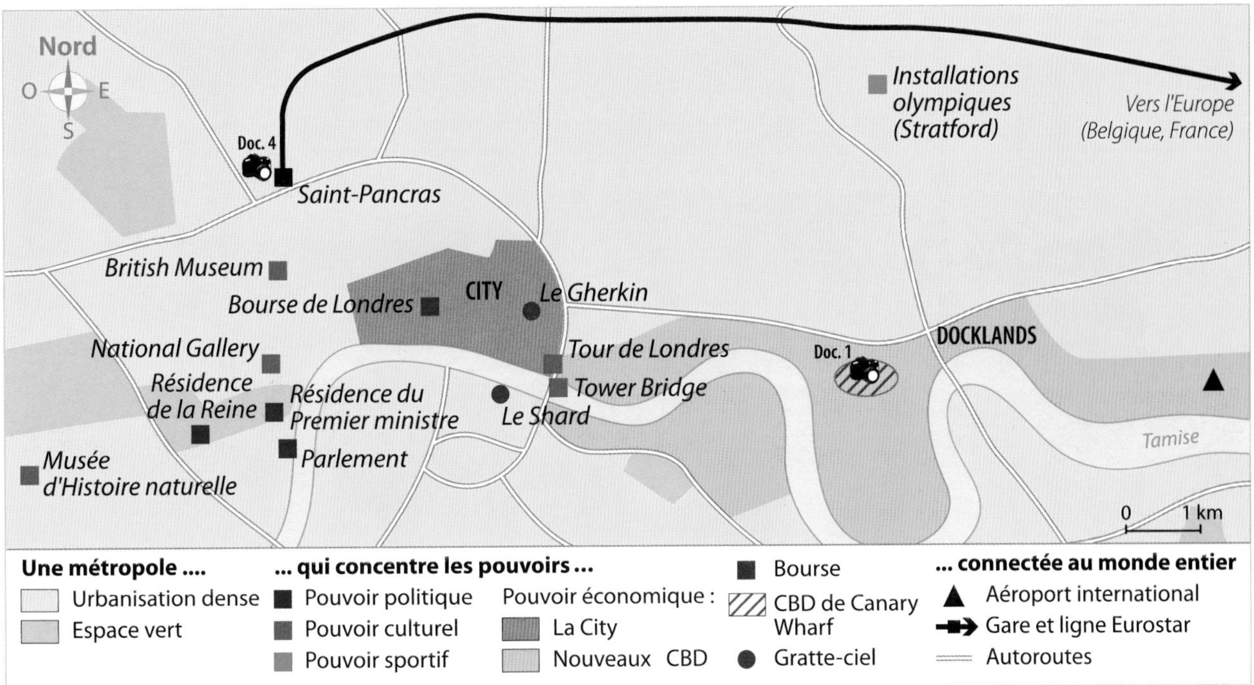
Nord
O
E
S
Doc. 4
Saint-Pancras
Installations olympiques (Stratford)
Vers l'Europe (Belgique, France)
British Museum
Bourse de Londres
CITY
Le Gherkin
National Gallery
Tour de Londres
Doc. 1
DOCKLANDS
Résidence de la Reine
Résidence du Premier ministre
Le Shard
Tower Bridge
Tamise
Musée d'Histoire naturelle
Parlement
0
1 km
Une métropole ....
Urbanisation dense
Espace vert
... qui concentre les pouvoirs ...
Pouvoir politique
Pouvoir culturel
Pouvoir sportif
Pouvoir économique :
La City
Nouveaux CBD
Bourse
CBD de Canary Wharf
Gratte-ciel
... connectée au monde entier
Aéroport international
Gare et ligne Eurostar
Autoroutes

3 | Le centre de Londres, un espace connecté

4 La gare de St Pancras avec Eurostar, une connexion à l'Europe

La gare de Londres St Pancras International est le principal **hub** ferroviaire du Royaume-Uni. De grandes lignes ferroviaires nationales y rejoignent les liaisons internationales Eurostar[1], faisant de cette gare la porte d'entrée vers la Grande-Bretagne.

D'après « La gare London St Pancras International (Londres) », *b-europe.com*, le 17/04/2016.

1. L'Eurostar relie Londres, Ebbsfleet et Ashford à Bruxelles, Paris, Lille, Disneyland-Paris et Marseille.

5 Classement des aéroports mondiaux en 2014 selon le trafic de passagers

Classement en 2014	Nom	Passagers (arrivées et départs)
1	ATLANTA (États-Unis)	96 178 899
2	PÉKIN (Chine)	86 128 270
3	**LONDRES (Royaume-Uni)**	**73 408 489**
4	TOKYO (Japon)	72 826 565
5	LOS ANGELES (États-Unis)	70 663 265

Source : ACI World, 2015

Activités

Socle *Extraire des informations pertinentes*

1. DOC. 2, 4 ET 5 Relevez les éléments qui montrent que Londres est une métropole connectée aux réseaux de la mondialisation.

2. DOC. 1 ET 2 Quels effets l'intégration de Londres à la mondialisation a-t-elle sur ses paysages ?

Socle *Construire des hypothèses*

4. En groupe, formulez des hypothèses pour répondre à la question suivante : pour quelles raisons Londres est-elle une métropole intégrée à la mondialisation ?

Aide (*Vous pouvez utilisez le* DOC. 3.

Étape 2 ▶ Comprendre le rayonnement mondial de Londres

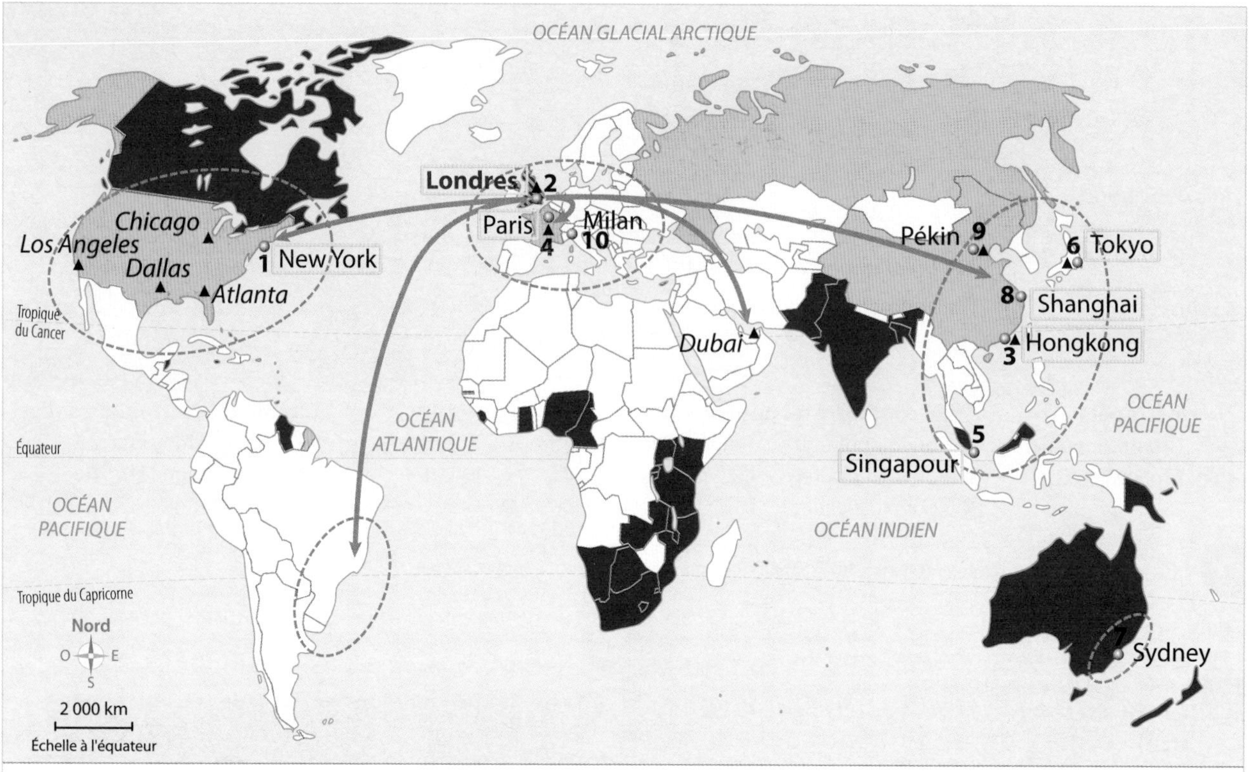
OCÉAN GLACIAL ARCTIQUE
Londres 2
Paris 4
Milan 10
Chicago
Los Angeles
Dallas
Atlanta
1 New York
Tropique du Cancer
Équateur
OCÉAN PACIFIQUE
OCÉAN ATLANTIQUE
Dubaï
Pékin 9
6 Tokyo
8 Shanghai
3 Hongkong
5 Singapour
OCÉAN PACIFIQUE
OCÉAN INDIEN
7 Sydney
Tropique du Capricorne
Nord
O E S
2 000 km
Échelle à l'équateur

1. Londres, une métropole connectée par ses aéroports
- ▲ 10 premiers aéroports mondiaux
- Espace d'intense trafic aérien
- Principales lignes aériennes au départ de Londres

2. Londres, une métropole connectée par son rôle politique
- La capitale du Commonwealth
- La capitale d'un pays membre permanent du conseil de sécurité de l'ONU

3. Londres, une métropole connectée par son rôle économique
- Principales places boursières
- 1 Rang au classement des grandes métropoles (à partir du classement « Forbes Global 2000 » de 2015)

Sources : Les Grands Dossiers des Sciences Humaines, « *Villes mondiales, les nouveaux lieux de pouvoir* », 2009.
F. Zablocki, « *Trafic passagers : le classement des 20 premiers aéroports mondiaux en 2014* », airinfo.org, 2015. Wackermann G. (Dir.), *La mondialisation*, Ellipses, 2014.

6 | Les éléments du rayonnement mondial de Londres

7 La City confirme son rang mondial

Londres abrite plus de 250 succursales et filiales d'établissements bancaires étrangers originaires de 56 pays. Toutes les grandes banques américaines et asiatiques ont établi leur siège européen dans la City. La City ne domine pas seulement l'Europe, c'est une place mondiale. 20 % des prêts internationaux passent par les banques installées sur les rives de la Tamise. Sur les marchés actions, le London Stock Exchange est la première place européenne et la cinquième du monde.

D'après V. Collen « La City de Londres, une vieille dame qui maintient son rang en innovant », *Les Échos*, le 29/06/2015.

8 Une excellence universitaire reconnue

Une étudiante témoigne

Je m'appelle Astrid, j'ai 21 ans. Je suis venue à Londres pour réaliser un stage de mars à juin 2015 à l'*Imperial College London*.
Les universités anglaises sont très reconnues et l'*Imperial College London* est classée parmi les 10 meilleures universités du monde, ce qui constitue un vrai plus sur le CV !

D'après *www.francaisuk.com*, 15/04/2015.

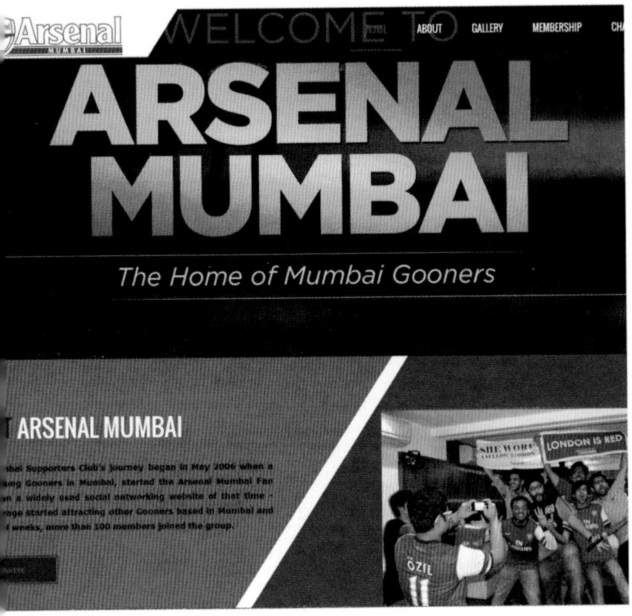
Arsenal
MUMBAI
WELCOME TO
ABOUT
GALLERY
MEMBERSHIP
ARSENAL
MUMBAI
The Home of Mumbai Gooners
ARSENAL MUMBAI
LONDON IS RED
ÖZIL
11

9 Les supporteurs indiens de Mumbai du club de football londonien d'Arsenal

Activités

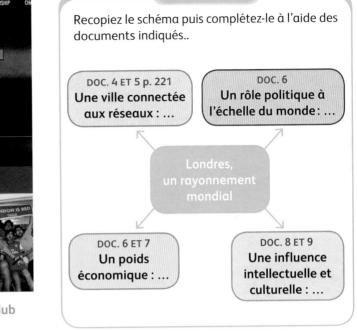

Recopiez le schéma puis complétez-le à l'aide des documents indiqués..

Londres, un rayonnement mondial

- DOC. 4 ET 5 p. 221 — **Une ville connectée aux réseaux : …**
- DOC. 6 — **Un rôle politique à l'échelle du monde : …**
- DOC. 6 ET 7 — **Un poids économique : …**
- DOC. 8 ET 9 — **Une influence intellectuelle et culturelle : …**

Étape 3 *Réaliser un croquis bilan*

SUJET : Londres, centres et périphéries d'une métropole connectée

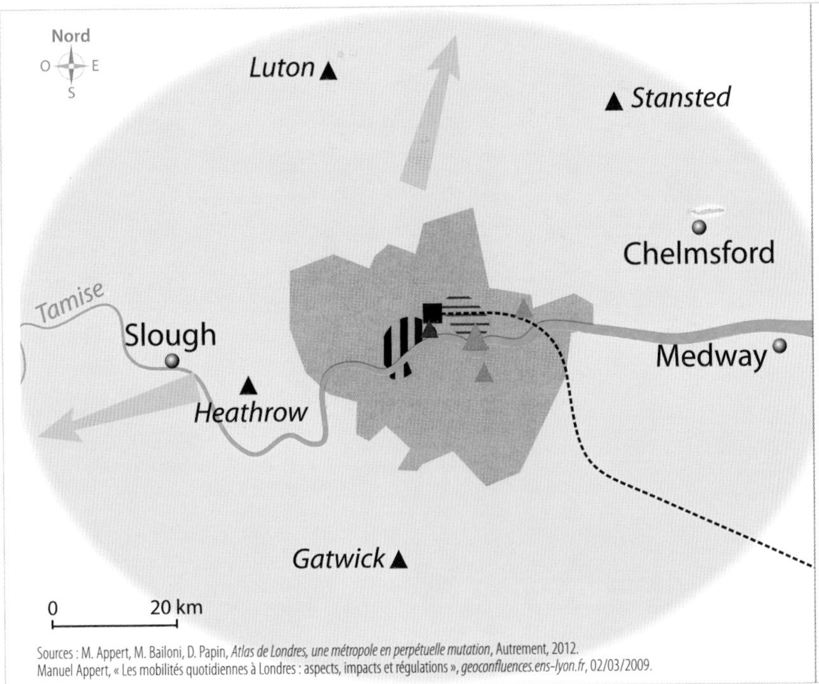
Nord
O
E
S
Luton
Stansted
Chelmsford
Tamise
Slough
Heathrow
Medway
Gatwick
0
20 km

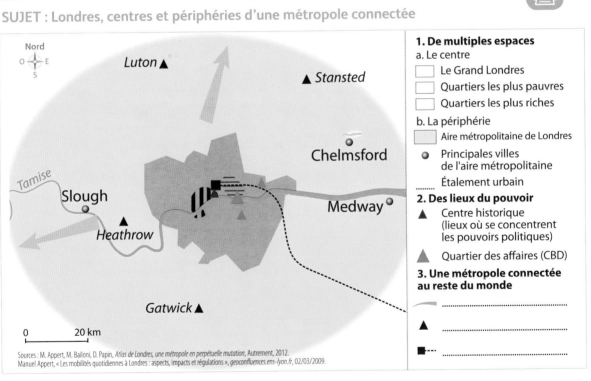

1. De multiples espaces

a. Le centre

- ☐ Le Grand Londres
- ☐ Quartiers les plus pauvres
- ☐ Quartiers les plus riches

b. La périphérie

- Aire métropolitaine de Londres
- Principales villes de l'aire métropolitaine
- Étalement urbain

2. Des lieux du pouvoir

- ▲ Centre historique (lieux où se concentrent les pouvoirs politiques)
- ▲ Quartier des affaires (CBD)

3. Une métropole connectée au reste du monde

- ……………………
- ▲ ……………………
- ■--- ……………………

Sources : M. Appert, M. Bailoni, D. Papin, *Atlas de Londres, une métropole en perpétuelle mutation*, Autrement, 2012.
Manuel Appert, « Les mobilités quotidiennes à Londres : aspects, impacts et régulations », *geoconfluences.ens-lyon.fr*, 02/03/2009.

A. Comprendre le sujet

1. Quels sont les mots-clés du sujet ? 2. Rappelez la définition de ces mots.

B. Sur le fond de croquis imprimé par votre professeur, compléter la légende

3. Complétez les figurés manquants de la première partie de la légende à l'aide de vos connaissances en observant le croquis.
4. Complétez les deuxième et troisième parties de la légende.

C. Compléter le croquis

5. Sur ce croquis, ajoutez les noms de : Canary Wharf, La City, Saint Pancras.

Géohistoire

Les docks : un quartier de Londres et ses évolutions

Comment les évolutions de l'économie modifient-elles les paysages d'une métropole ?

1 | Un quai sur la Tamise vers 1750
S. Scott, huile sur toile, 137 x 160 cm, 1757, Victoria and Albert Museum, Londres.

2 Les docks de Londres dans les années 1880

Ce n'était que quais en enfilade, cernés de murs, de cheminées d'usines et de bâtisses en brique rouge sombre. Au milieu des grincements de chaînes, du martellement des tonneliers au travail, des bruits de coques s'entrechoquant, aucun son ne s'élevait d'une armée de 100 000 dockers qui faisaient un labeur harassant. En 1888, on comptait encore 79 000 mouvements de navires.

D'après J.-P. Navailles, « Les Docks de Londres : de Victoria à Thatcher », *L'Histoire*, n°131, mars 1990.

3 | Les docks en **friche** dans les années 1980-1990
Dans les années 1980, suite au glissement du port vers l'aval et à la **désindustrialisation**, la plupart des bâtiments et des installations industrialo-portuaires sont détruits.

4 | La rénovation des docks

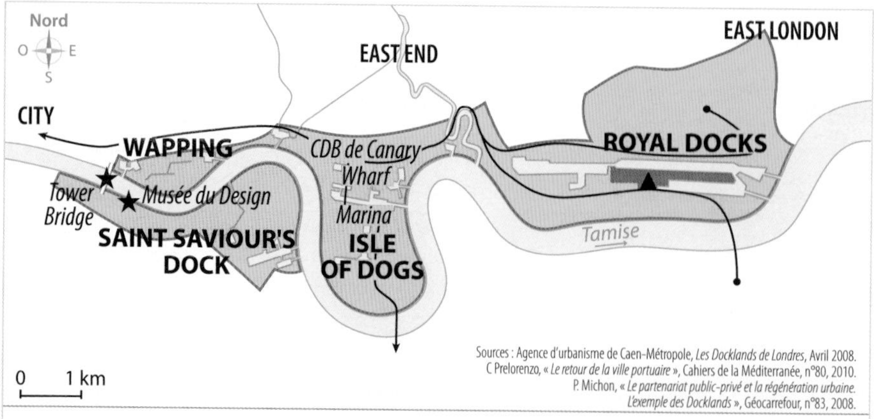

Nord
O
E
S
EAST END
EAST LONDON
CITY
WAPPING
CDB de Canary Wharf
ROYAL DOCKS
Tower Bridge
Musée du Design
Marina
SAINT SAVIOUR'S DOCK
ISLE OF DOGS
Tamise
0 1 km
Sources : Agence d'urbanisme de Caen-Métropole, Les Docklands de Londres, Avril 2008.
C Prelorenzo, « Le retour de la ville portuaire », Cahiers de la Méditerranée, n°80, 2010.
P. Michon, « Le partenariat public-privé et la régénération urbaine. L'exemple des Docklands », Géocarrefour, n°83, 2008.

Un quartier rénové...
- Périmètre de la zone rénovée

... en centre résidentiel et économique...
- Logements et activités économiques

... connecté au reste de la métropole et du monde
- Métro léger (le DLR)
- London City Airport

Vocabulaire

Désindustrialisation : disparition des activités industrielles d'un quartier, d'une ville, d'un pays.

Dock : bassin entouré de quais et d'entrepôts, pour le chargement et le déchargement des navires.

Friche : terrain abandonné par une activité (ici industrielle).

3
2
1

5 | Les docks aujourd'hui : un quartier d'affaires, Canary Wharf 1
À l'arrière-plan, on aperçoit la *Skyline* de la City 2 et le Shard 3.

6 Les docks : un nouveau centre financier

HSBC, Barclays, JP Morgan, Crédit Suisse... À regarder les logos sur les gratte-ciel de Canary Wharf, le visiteur pourrait avoir l'impression que toutes les grandes banques de Londres se sont installées ici. À l'est de la capitale britannique, le long de la Tamise, le quartier d'affaires ultra-moderne construit sur les friches des anciens docks a eu un développement très rapide. La City ne suffisait plus. Aujourd'hui, le nouveau quartier, qui appartient à une société privée, s'étend sur plus de 50 hectares, compte 37 immeubles et cinq centres commerciaux. Quelque 110 000 salariés travaillent à Canary Wharf. Aux quatre coins du nouveau quartier, des grues s'activent pour livrer de nouveaux immeubles. La Société Générale occupera les huit premiers étages d'une nouvelle tour à partir de 2019.

D'après V. Collen, « À Londres, le déménagement des banques à Canary Wharf n'a pas nui à la City », *lesechos.fr*, 20/09/15.

Étape 1 ▶ Repérer les permanences

1. **DOC. 1 ET 6** Montrez que le quartier des docks est un quartier toujours connecté aux grands réseaux de la mondialisation.

Étape 2 ▶ Souligner les évolutions

2. **DOC. 1 ET 2** Quelle était l'activité principale de ce quartier à la fin du XVIIIe et au XIXe siècle ?
3. **DOC. 3** Que s'est-il passé dans les années 1980 ?
4. **DOC. 4, 5 ET 6** Quelles sont les évolutions actuelles ? Quelles peuvent en être les raisons ?

Étape 3 ▶ Envisager le futur

5. **DOC. 6** Quelles évolutions pouvez-vous imaginer pour ce quartier ?

Étude de cas

Detroit, une métropole au cœur dévasté

FICHE D'IDENTITÉ DE DETROIT

État	États-Unis
Superficie	370 km^2
Population	680 250 hab.
Aire urbaine	4 292 060 hab.
Densité	1 838 hab./km^2

Tâche complexe

Detroit est une ville du Nord-Est des États-Unis qui s'est développée grâce à l'industrie automobile.
Cette ville connaît un déclin à partir des années 1960. Elle perd presque les deux tiers de sa population entre 1960 et aujourd'hui.

Votre mission : **Vous participez au journal du collège.**
Vous avez à expliquer pourquoi cette ville a perdu autant d'habitants et comment les paysages urbains de Detroit traduisent les difficultés de la ville.
À vous d'écrire votre article en utilisant les informations des documents proposés.

Boîte à outils

Les mots du géographe pour évoquer la ville

Aire métropolitaine : une agglomération centrale et ses périphéries qui lui sont liées.

Périphérie : zone urbaine située autour d'une ville.

Autres mots-clés à utiliser :

Banlieue – centre – CBD ou quartier des affaires.

Nord
OCÉAN PACIFIQUE
Detroit
ÉTATS-UNIS
OCÉAN ATLANTIQUE
2 000 km

1 | Detroit, une ville qui rétrécit

2 Detroit, une ville en faillite

La ville de Detroit (Michigan), berceau de l'industrie automobile américaine, est devenue la plus grande ville américaine à se déclarer en faillite.[1]

« Je prends cette décision difficile pour que Detroit reparte sur de solides bases financières qui lui permettront de croître à l'avenir », a expliqué Rick Snyder, le gouverneur de l'État du Michigan.

Étendard de l'automobile triomphante au début du XXe siècle, Detroit est devenue, au fil d'une longue agonie, une ville criblée de dettes, désertée et minée par la criminalité.

D'après *FranceTV.info.fr* avec *AFP*, « La faillite de Detroit en cinq chiffres », 11/02/2014.

1. Situation d'une entreprise, d'une ville, incapable de gérer son fonctionnement, en cessation de paiement.

3 L'opposition entre le centre et le reste de l'**aire métropolitaine** de Detroit

	Ville de Detroit (nombre d'habitants)	Aire métropolitaine de Detroit (nombre d'habitants)
1960	1 800 000	3 900 000
2000	951 000	4 400 000
2010	713 000	4 300 000
2013	691 000	4 290 000

Source : F. Paddeu, « Faire face à la crise économique à Detroit », *L'Information géographique*, 2012 ; suburbanstats.org ; drawingdetroit.wordpress.com.

Pour aller plus loin : découvrez la carte animée de la population de Detroit entre 1970 et 2010.

Dans un moteur de recherche, tapez ces mots-clés « population detroit 2014 huffingtonpost ». Vous pouvez suivre le lien : http://www.huffingtonpost.com/2014/03/07/detroit-population-gif_n_4913997.html

4 Une ville désertée par les plus riches

L'exode des Blancs a explosé dans les années 1950 et 1960, après que des tribunaux eurent refusé des mesures entraînant la ségrégation en matière de logements. Ce fut ensuite au tour des classes moyennes, aussi bien blanches que noires, de fuir la criminalité des quartiers défavorisés et fortement touchés par le chômage. La **périphérie** proche voit sa population noire augmenter, les jeunes ménages recherchant la sécurité, la stabilité et de meilleures écoles. À mesure qu'ils s'en vont, les énormes problèmes socio-économiques deviennent de plus en plus insolubles. Si la plupart des centres urbains pâtissent de quelques « mauvais » quartiers, la métropole du Michigan, elle, en compte peu de « bons », et ceux-là se détériorent rapidement avec l'exode de la classe moyenne.

D'après S. Martelle, « Il faut sauver Detroit », *Los Angeles Times*, 07/04/2011.

Nord
Birmingham
Detroit
Riv. Detroit
5 km

5 Le centre de Birmingham, banlieue riche de Detroit

Besoin d'un peu d'aide ?

Après avoir situé et localisé Detroit, vous organisez votre article autour des notions-clés de la boîte à outils.

Besoin d'un peu plus d'aide ?

Vous organisez votre page autour de plusieurs idées :
- *La situation de la ville de Detroit aujourd'hui* (DOC. 1, 2 ET 3)
- *Des paysages urbains qui traduisent les difficultés de la ville* (DOC. 2)
- *Une opposition entre la ville de Detroit et le reste de l'aire métropolitaine de Detroit* (DOC. 4 ET 5)

Étude de cas

Socle *Extraire des informations pertinentes – Construire des hypothèses*

Detroit, une ville à l'écart des grands réseaux de la mondialisation

Pourquoi Detroit est-elle en marge des réseaux de la mondialisation ?

Étape 1 Comprendre les raisons de la mise à l'écart de Detroit

1 Le quartier industriel de l'usine de moteurs Packard à Detroit

2 John, retraité de General Motors[1]

Un témoin raconte

John travaillait à l'usine, celle qui employait à l'époque 30 000 personnes et qui n'en emploie plus que 5 000 aujourd'hui, et où beaucoup de machines ont remplacé les ouvriers. « Ah, ça n'est plus comme avant, non. Les usines de production sont parties, dans le Sud, au Mexique, en Chine. Ici il ne reste plus que les fonctions de conception[2], et encore, elles sont en banlieue, pas à Detroit ».

Le monde qu'il a perdu, c'est aussi celui des quartiers résidentiels fourmillants d'ouvriers. « À l'époque, on voyait de la fumée sortir des cheminées d'usine. Et c'était bruyant ! J'entendais le fracas des machines qui battaient en cadence dans les usines d'assemblage d'à côté, en face de chez nous, ça faisait un de ces boucans ! Mais bon Dieu c'était vivant, c'était ça vivre ici. » La **désindustrialisation** a effacé ces rêves de la carte, et la maison de John ne vaut plus rien aujourd'hui, à peine quelques milliers de dollars. Elle est entourée de maisons qui pourrissent sur place.

D'après M. D. Florentin et F. Paddeu, « Le déclin au quotidien », *Urbanités*, 8/11/2013.

1. Constructeur automobile américain basé à Detroit.
2. Activités de création, d'innovation.

Vocabulaire

Désindustrialisation : disparition des activités industrielles d'un quartier, d'une ville, d'un pays.

Seuil de pauvreté : niveau de revenu sous lequel une personne ne peut plus subvenir à ses besoins. Aux États-Unis, le seuil de pauvreté est d'environ 24 000 $ par an pour un couple avec 2 enfants.

3 | La gare de Detroit abandonnée, 2015

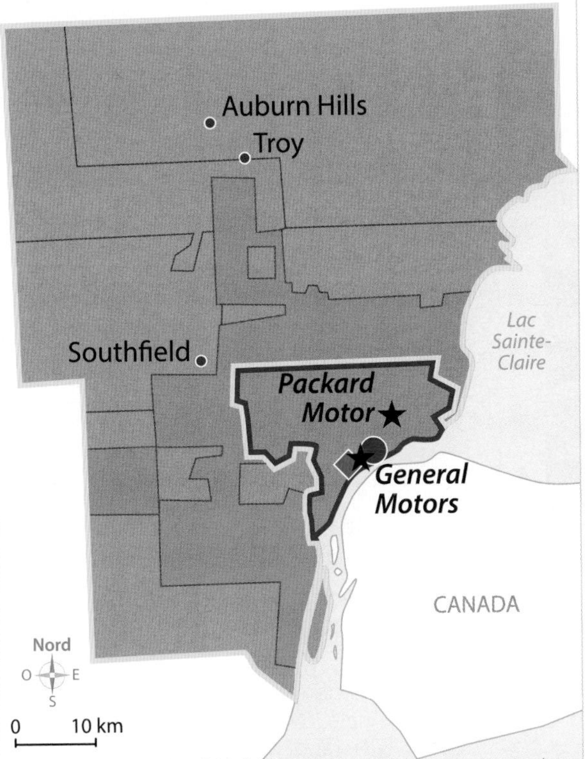

Auburn Hills
Troy
Southfield
Lac Sainte-Claire
Packard Motor
General Motors
CANADA
Nord
O
E
S
0
10 km

Sources : J.A. Staes, « Comparing Détroit To Other Cities? Look At The Map! », 2012 ; P. Rekacewicz, « Aire métropolitaine de Détroit », Monde-diplomatique.fr, 01/2010 et A. Popelard, « Détroit, catastrophe du rêve », Hérodote, 1/2009.

1. Detroit, une aire métropolitaine
- La ville
- Ses périphéries
- Autre centre

2. Une évolution différenciée de la population
- Baisse
- Augmentation

3. Une ville en faillite
- CBD isolé
- Site industriel en crise
- Gare abandonnée (Michigan Central Station)

4 | Une métropole en crise

5 | La ville de Detroit en chiffres

Part de la population vivant sous le seuil de pauvreté (%)	39,3
Nombre d'homicides en 2014	300[1]
Bâtiments abandonnés	Environ 30 000
Taux de chômage en 2014 (%)	18,6[2]

1. C'est la moitié du nombre d'homicides pour la France entière en 2012. **2.** Taux de chômage aux États-Unis : 7,3 %.

Sources : « La faillite de Detroit en cinq chiffres », *FranceTV.info.fr*, 11/02/2014 ; « Detroit en faillite », *20minutes.fr*, 20/07/2013.

Activités

Socle *Extraire des informations pertinentes*

1. DOC. 1 ET 3 Comment le déclin de Detroit se lit-il dans le paysage urbain ?
2. DOC. 4 Comment le déclin de Detroit se lit-il dans les espaces de la métropole ?
3. DOC. 2 ET 5 Expliquez les raisons du déclin de la ville de Detroit.

Socle *Construire des hypothèses*

4. En groupe, formulez des hypothèses pour répondre à la question suivante.

Pourquoi Detroit est-elle à l'écart des grands réseaux de la mondialisation ?

Aide (*Vous pouvez utiliser le* DOC. 2 *et comparer Detroit à ce que vous savez de Londres.*

▸ **Socle** *Extraire des informations pertinentes – Construire des hypothèses – S'informer dans le monde du numérique*

Étape 2 ▸ *Comprendre les formes du renouveau de Detroit*

6 | Detroit plage

7 Un centre qui renaît

Une habitante témoigne

Au volant de sa vieille Toyota familiale, Isabella Hinojosa, étudiante, longe les grandes avenues en direction d'un bar du centre. « Je suis arrivée ici en 2011. Il y a vraiment eu des améliorations, explique-t-elle. La plupart des buildings étaient abandonnés, aujourd'hui on a des magasins et des restaurants. » Alors qu'elle se gare dans une rue du centre-ville, elle rajoute : « Quand je suis arrivée, les gens n'allaient plus dans le centre, ils trouvaient que c'était dangereux. Aujourd'hui, tout le monde y retourne. C'est déjà un bon signe ».

D'après B. Bossavie, « Un an après la faillite, Detroit sort (un peu) la tête de l'eau », *Lesinrocks.com*, 17/01/2016.

8 Le « Made in Detroit » : nouveau départ

CHASE
Quicken Loans
CHASE
OPPORTUNITY
MADE IN DETROIT
Quicken Loans
Engineered to Amaze

Communiquer pour changer d'image

L'ex-capitale de l'automobile tente aujourd'hui de prouver son ingéniosité pour se réinventer. La campagne de marketing pour la transformation urbaine de Detroit lancée sous le slogan « Made in Detroit » et affichée sur les grandes façades de la ville, incite l'arrivée d'entrepreneurs qui pourraient devenir les nouveaux bâtisseurs de la ville, comme l'avaient fait les constructeurs automobiles dans le passé. Ces nouvelles possibilités permettent à la municipalité de rénover le centre-ville historique par les rachats successifs de nombreux locaux disponibles et de maisons abandonnées, dont certains sont vendus pour un dollar symbolique à des entrepreneurs opportunistes ou autres hommes d'affaires.

D'après H. Lauzy, « Detroit, du chaos au renouveau », *Lejournalinternational.fr*, 03/05/2015.

Activités

▸ **Socle** *Extraire des informations pertinentes*

1. **DOC. 6 ET 8** Décrivez les photographies. En quoi est-ce étonnant par rapport à ce que vous avez appris de Detroit ?
2. **DOC. 7 ET 8** Pourquoi peut-on dire que Detroit connaît un certain renouveau urbain ?

▸ **Socle** *Construire des hypothèses*

3. En groupe, formulez des hypothèses pour répondre à la question suivante.

➔ **Comment la ville de Detroit renaît-elle ?**

Aide *Vous pouvez utiliser le* **DOC. 8**, *expliquer quelles sont les activités et politiques mises en place qui participent au renouveau de Detroit.*

▸ **Socle** *S'informer dans le monde du numérique*

Dans un moteur de recherche, tapez ces mots-clés « Detroit crise urbaine ». Vous pouvez suivre le lien : http://www.francetvinfo.fr/monde/ameriques/video-la-ville-americaine-de-detroit-renait-apres-la-faillite_515839.html

4. Expliquez quels sont les éléments qui permettent à Detroit de renaître aujourd'hui.

Étape 3 ▶ *Réaliser un croquis bilan*

SUJET :
Detroit, centres et périphéries d'une métropole à l'écart des grands réseaux de la mondialisation

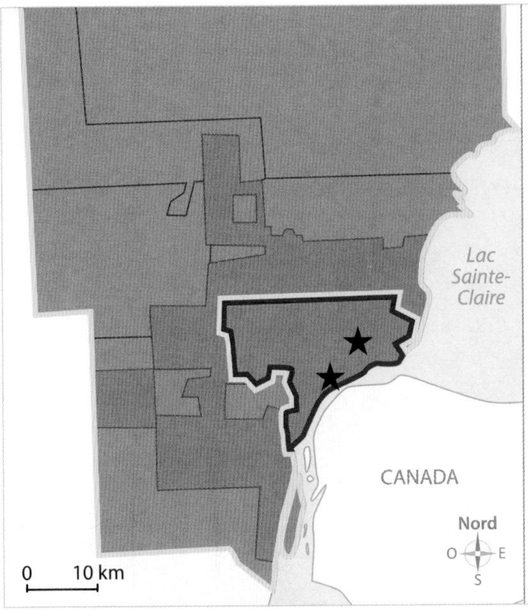

Lac Sainte-Claire
CANADA
Nord
O
E
S
0
10 km

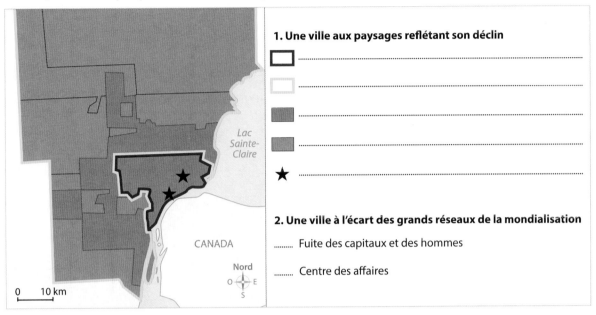

1. Une ville aux paysages reflétant son déclin

- ▭ ....
- ▭ ....
- ■ ....
- ■ ....
- ★ ....

2. Une ville à l'écart des grands réseaux de la mondialisation

.... Fuite des capitaux et des hommes

.... Centre des affaires

A. Comprendre le sujet

1. Quels sont les mots-clés du sujet ?
2. Rappelez la définition de ces mots.

B. Sur le fond de croquis imprimé par votre professeur, compléter la légende

3. Complétez la première partie de la légende.
4. Trouvez les figurés manquants.
5. Reportez les figurés de la légende, en respectant les couleurs, sur votre croquis.
6. Ajoutez les noms de : Southfield, Packard Motor, General Motors.

Point méthode

Les figurés pour un croquis de géographie

Figurés ponctuels	Figurés de surface	Figurés linéaires
Une forme géométrique : – une ville : ● – un port : ■ – un pouvoir : ▲ (exemple : pouvoir financier) – un aéroport : ▲	**des plages de couleurs :** – une zone urbanisée : ■ – des champs : ■	**un axe :** – routier ou maritime : ▬ – ferroviaire : ▬ un fleuve : ▬ **une frontière :** - - - - - une relation, un échange (flux de marchandises, déplacements de populations…) : ➞

Étape 4 ▶ *Écrire pour construire son savoir*

À l'aide du croquis bilan, rédigez un développement construit d'une quinzaine de lignes.

➘ **Comment la métropole de Detroit s'organise-t-elle ? Vous décrirez ses paysages et montrerez comment ils traduisent ses difficultés face à la mondialisation.**

Aide
1. Utilisez les mots suivants : croissance et décroissance urbaine, CBD, quartiers abandonnés, renouveau urbain, banlieue riche, gratte-ciel, désindustrialisation, crise économique, réseaux, mondialisation, métropole.
2. Regroupez vos idées en deux parties : celles qui concernent le centre et celles qui concernent la périphérie.

L'atelier du géographe

▸ **Socle** : *Réaliser une production graphique*

Shanghai, une métropole connectée

Nord
Yangzi Jiang
CHINE
Pudong
Shanghai
MER DE CHINE
20 km

1 | Une métropole qui se métamorphose

Le quartier de Pudong en 2016 : le CBD de Shanghai

2 | Le quartier de Pudong en 1987

Une zone couverte de cabanes, d'entrepôts plus ou moins insalubres et autres chantiers navals.

3 Shanghai, une ville qui se « verticalise »

La Tour de Shanghai, deuxième plus haute du monde, domine la capitale financière chinoise de ses 632 mètres de hauteur et est l'un des symboles des ambitions de la métropole chinoise.

L'ouvrage s'élève dans le district de Pudong, le cœur financier de Shanghai. Il a été créé de toutes pièces il y a 25 ans au bord de la rivière Huangpu, face au « Bund », le quartier historique de l'entre-deux-guerres. La tour de Shanghai est la troisième tour d'un projet lancé en 1993, après la tour Jinmao (1998) et le Shanghai World Financial Center (2008), surnommé le « décapsuleur ». Elle abritera 573 000 m² de bureaux ; l'espace réservé aux boutiques n'occupera que quatre étages.

D'après « Shanghaï s'apprête à inaugurer la deuxième plus haute tour du monde », *Le Figaro Immobilier*, 22/06/15.

4 | Des touristes devant le CBD de Pudong

Réaliser un croquis de paysage

Étape 1 ▶ Caractériser le territoire

1. **DOC. 1** Localisez le quartier montré (ville, pays, continent).
2. **DOC. 1 ET 2** Quelles modifications du paysage montrent l'intégration de ce quartier dans la mondialisation ?

Étape 2 ▶ Identifier les différents espaces et éléments de paysage

3. **DOC. 1** Décrivez le paysage par plans successifs et identifiez les éléments du paysage en utilisant les mots-clés suivants : *CBD – Bund, quartier historique – rivière Huangpu, voie navigable – gratte-ciel emblématiques de la ville.*
4. **DOC. 1, 3 ET 4** Que révèle la présence d'un CBD aussi important sur la place de Shanghai dans la mondialisation ?

Étape 3 ▶ Réaliser le croquis

5. **DOC. 1** Après avoir tracé un cadre pour votre croquis, délimitez les éléments du paysage. Vous pouvez utiliser un calque.
6. À l'aide du point méthode, choisissez les figurés et les couleurs adaptés pour chaque élément du paysage identifié à la question 3.
7. Reportez-les sur votre croquis.
8. Construisez votre légende.
9. N'oubliez pas de donner un titre à votre croquis.

Point méthode

Figurés et couleurs

Il existe trois grands types de figurés sur un croquis :
- **des figurés de surface** ;
- **des figurés ponctuels** ;
- **des figurés linéaires**.

En géographie, les couleurs ont un code. Par exemple, on utilise :
- le **bleu** pour les mers, les océans, les cours d'eau,
- le **vert** pour les forêts, les espaces verts, les pâturages,
- le **jaune** pour les cultures,
- le **violet** pour l'industrie,
- le **rouge et le rose** pour les habitations, les immeubles,
- le **gris** et le **noir** pour les axes de communication…

Histoire des Arts

L'architecture des gratte-ciel, vitrine des métropoles mondiales

Comment la skyline témoigne-t-elle de la puissance des grandes métropoles ?

A

1 Le One World Trade Center remplace les tours jumelles

Ⓐ Mémorial du 11-Septembre érigé à la mémoire des victimes des attentats du 11 septembre 2001.

2 À New York, un nouveau World Trade Center ouvre ses portes

Il aura fallu treize ans pour que l'Amérique ouvre le gratte-ciel qui remplace les tours jumelles, détruites lors des attentats du 11-Septembre. À la place des deux buildings, ce n'est qu'un immense gratte-ciel qui vient couper la skyline new-yorkaise. Conçu par l'architecte David Childs, le One World Trade Center est déjà devenu un repère dans la ville avec ses lignes épurées, la flèche à son sommet et ses fenêtres équipées de vitres à effet miroitant.
La tour culmine à 541,30 mètres de hauteur, devenant le plus haut bâtiment de la plus grande ville des États-Unis avec ses 104 étages. Le nouveau site du World Trade Center[1] comprend cinq tours, un mémorial, un musée, ouvert en mai, un centre de transports publics, 550 000 m^2 d'espaces commerciaux et un lieu pour des représentations artistiques.

D'après P. Hofmann, « À New York, un nouveau World Trade Center ouvre ses portes », *Europe1.fr*, 05/11/2014.

1. Centre d'affaires international.

Pour aller plus loin :
Une vidéo : « Le nouveau World Trade Center inauguré »
Dans un moteur de recherche, tapez ces mots-clés « vidéo le nouveau World Trade Center inauguré ». Vous pouvez suivre le lien : http://www.francetvinfo.fr/monde/ameriques/le-nouveau-world-trade-center-inaugure_928265.html.

Vocabulaire

Skyline (anglais) : silhouette d'une ville marquée par la présence de gratte-ciel.

3 | **Dubai ou la verticalisation du pouvoir**

La Burj Khalifa est un gratte-ciel devenu en mai 2008 la plus haute structure humaine jamais construite (828 m). Son architecte est l'Américain Adrian Smith. Elle est composée d'appartements, de bureaux et d'un hôtel.

4 Un pouvoir visible à l'échelle mondiale

La centralisation du pouvoir est très souvent marquée par l'édification d'une tour centrale, véritable tour de contrôle. Dubai a inauguré en janvier 2010 la Burj Khalifa. Cette tour symbolise à elle seule la modernité de Dubai.
Surtout, elle incarne la puissance et le pouvoir dont fait preuve aujourd'hui la ville. Elle incarne le rayonnement de la ville à la fois sur la région des EAU[1] mais aussi à l'échelle mondiale.
La Burj Khalifa dispose de la troisième plus haute plateforme d'observation extérieure du monde puisqu'elle culmine à plus de 452 mètres d'altitude.
La tour est visible à plus de 95 kilomètres à la ronde marquant ainsi la présence de Dubai entre le désert et la mer. Elle constitue une invitation à rejoindre la cité. La tour se situe presque parfaitement au milieu de Dubai, comme une cathédrale s'élevant, symbole de prière et lourde de significations pour les habitants et les visiteurs. C'est donc un édifice que tout le monde voit, soit visuellement pour les habitants de la ville soit mentalement en tant que nouveau symbole fort de la ville, et à partir duquel on peut tout voir.

D'après A. Rivierre, « Dubai et l'utopie : Dans quelle mesure l'architecture de Dubai révèle-t-elle son essence utopique ? », *academia.edu*, septembre 2014.

1. Émirats Arabes Unis.

Pour aller plus loin :
Une vidéo : « Les dessous de Dubai »
Dans un moteur de recherche, tapez ces mots-clés « France 5 Les dessous de Dubai ». Vous pouvez suivre le lien : https://www.youtube.com/watch?v=qWeuEwwoPfA.

Identifier et analyser des œuvres

Identifier et localiser

1. **DOC. 1, 2, 3 ET 4** Présentez chacun des deux gratte-ciel : date, architecte…
2. **DOC. 1 ET 3** Sur quel site ces gratte-ciel ont-ils été réalisés ?

Décrire et comprendre

3. **DOC. 1 ET 3** Décrivez chacun de ces bâtiments : forme, dimensions, matériaux…
4. **DOC. 2 ET 4** Quelle est leur utilisation ?

Exprimer sa sensibilité et conclure

5. **DOC. 1 ET 3** Quelle est l'impression qui se dégage de ces monuments ?
6. **DOC. 1, 2, 3 ET 4** Comment ces monuments symbolisent-ils la modernité et la puissance de ces grandes métropoles ? Précisez les ressemblances et les différences.

Mise en perspective

Des métropoles dans un monde de plus en plus urbanisé

Bilan des Études

A. Londres (Royaume-Uni), une métropole connectée

Caractéristiques urbaines
- Une concentration de pouvoirs
- Une croissance de la population

L'intégration à la mondialisation
- Une métropole connectée qui rayonne à travers le monde

B. Detroit (États-Unis), une métropole à l'écart de la mondialisation ?

Caractéristiques urbaines
- Désindustrialisation, perte d'emplois
- Une ville en faillite
- Départ des populations

L'intégration à la mondialisation
- Une métropole en marge qui tente de se reconnecter aux réseaux de la mondialisation

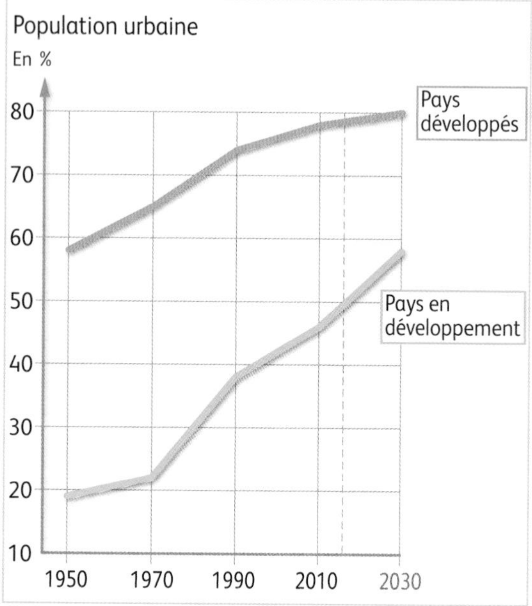

Population urbaine
En %
80
70
60
50
40
30
20
10
1950
1970
1990
2010
2030
Pays développés
Pays en développement

1 | Une urbanisation généralisée du monde
Onu, 2014.

2 | La diversité des espaces et des paysages des métropoles

Lufthansa

a. Aéroport international de Francfort (Allemagne) : un hub mondial.

b. Bidonvilles à Johannesburg (Afrique du Sud) : une périphérie symbolisant la fragmentation spatiale.

c. Le port de Yangshan au large de Shanghai (Chine) : un port connecté au reste du monde.

d. Los Angeles (États-Unis) : une banlieue qui s'étend à perte de vue.

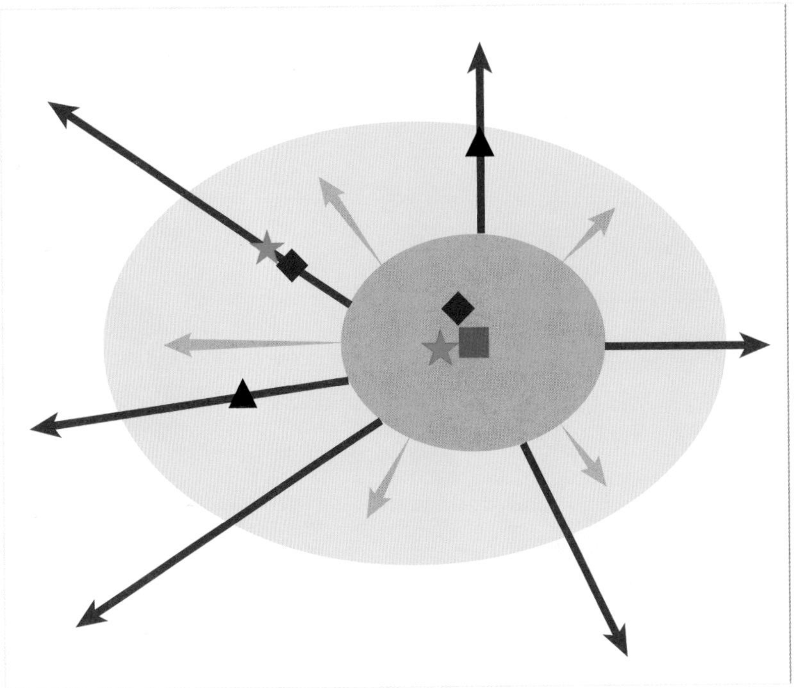
1. Un territoire organisé qui s'étend
Le centre
Les périphéries
L'étalement urbain
2. Des fonctions multiples
Politiques (institutions internationales, sièges de gouvernement, …)
Économiques et financières (sièges sociaux d'entreprises, banques, …)
Scientifiques et culturelles (universités, laboratoires de recherche, musées, …)
3. Une intégration à la mondialisation
Aéroport ou port international
Réseaux de communication et de transport (autoroutes, internet, …) ouverts sur le monde

3 | Une métropole, un territoire organisé et connecté

4 Les métropoles, des lieux privilégiés par la mondialisation

Les géographes en parlent

« Depuis une vingtaine d'années, le processus de mondialisation contribue à élire certains lieux plutôt que d'autres, à opérer une intense sélection de points où les flux se rencontrent (nœuds et pôles), à privilégier certains territoires. Les métropoles sont de plus en plus interconnectées entre elles au sein d'un réseau, qui dépasse les frontières de leur territoire, et qui s'étend à l'échelle mondiale.
Les plus grandes villes, espaces aux limites de plus en plus vastes, sont intensément parcourues par des flux et échanges à longue distance et de toute nature (aériens, Internet…) qui les relient les unes aux autres, formant des villes-régions ou régions urbaines. »
Cette mise en réseau des villes à l'échelle mondiale se caractérise par la qualité et la robustesse des relations et échanges de toute nature qu'elles entretiennent : des flux économiques et financiers, des mobilités, des transferts de connaissances.

D'après A. Bretagnolle, R. Le Goix et C. Vacchiani-Marcuzzo, « Métropoles et mondialisation », *Documentation photographique*, juillet-août 2011.

Mettre en perspective

A. Une urbanisation qui crée des espaces et paysages

1. **DOC. 1** Comment le taux d'urbanisation du monde évolue-t-il ?
2. **DOC. 1 ET 2** Comment cette évolution se traduit-elle dans les paysages de la ville ?

B. Une mondialisation qui privilégie certaines métropoles

3. **DOC. 3 ET 4** Comment les métropoles sont-elles reliées les unes aux autres ?
4. **DOC. 2 ET 3** Indiquez quels paysages reflètent cette connexion au reste du monde.

Changement d'échelle

▸ **Socle** *Se repérer dans l'espace*

L'urbanisation du monde

Recopiez les tableaux et répondez aux questions.

Des phénomènes et territoires étudiés…		
	Étude p. 220-225	Étude p. 230-233
	Londres	**Detroit**

Quels sont les paysages marquants ?		
Comment le territoire est-il connecté aux grands réseaux de la mondialisation ?		

… au planisphère (à l'échelle mondiale)	
Quelles parties du monde sont les plus connectées aux grands réseaux de la mondialisation ?	
Quelles parties du monde semblent à l'écart de la mondialisation ?	

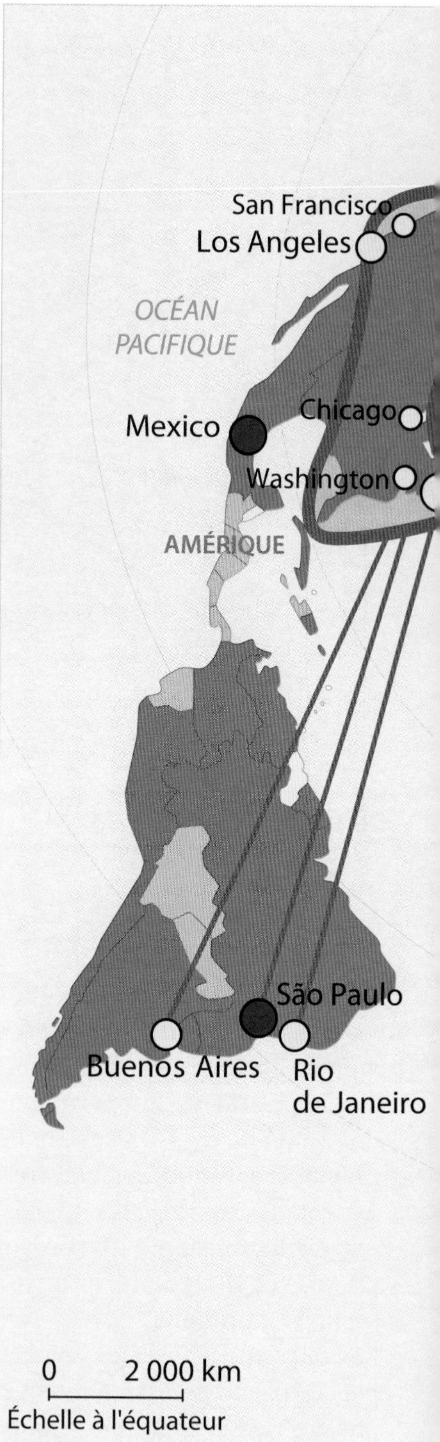
San Francisco
Los Angeles
OCÉAN PACIFIQUE
Mexico
Chicago
Washington
AMÉRIQUE
São Paulo
Buenos Aires
Rio de Janeiro
0
2 000 km
Échelle à l'équateur

1. Une urbanisation générale du monde

- Plus de 70 % de la population est urbaine
- Entre 50 et 70 % de la population est urbaine
- Moins de 50 % de la population est urbaine

Vocabulaire

Taux d'urbanisation : part des personnes habitant en ville.

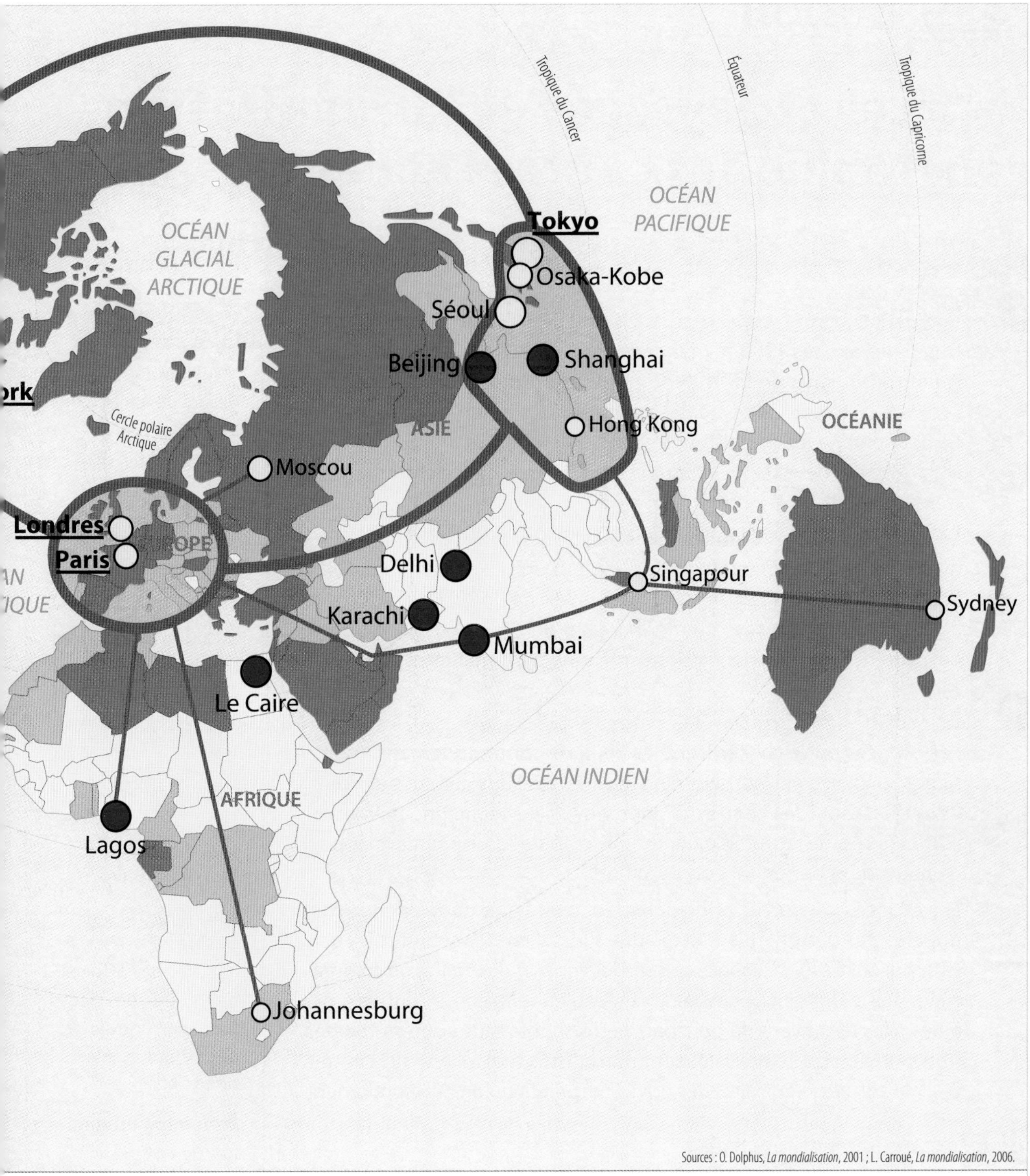
Tropique du Cancer
Equateur
Tropique du Capricorne
OCÉAN PACIFIQUE
OCÉAN GLACIAL ARCTIQUE
Tokyo
Osaka-Kobe
Séoul
Beijing
Shanghai
ork
Cercle polaire Arctique
ASIE
Hong Kong
OCÉANIE
Moscou
Londres
Paris
EUROPE
AN
IQUE
Delhi
Singapour
Sydney
Karachi
Mumbai
Le Caire
OCÉAN INDIEN
AFRIQUE
Lagos
Johannesburg

Sources : O. Dolphus, *La mondialisation*, 2001 ; L. Carroué, *La mondialisation*, 2006.

Une population concentrée dans les métropoles

- Plus de 20 millions d'habitants
- De 10 à 20 millions d'habitants
- De 5 à 10 millions d'habitants
- Forte croissance de la population
- Faible croissance de la population

3. Des métropoles connectées entre elles

- **Londres** Principales métropoles mondiales
- Les trois grands centres de la mondialisation qui concentrent les pouvoirs
- Les réseaux de la mondialisation, échanges de marchandises, d'hommes, de capitaux et d'informations

Leçon

Espaces et paysages de l'urbanisation : géographie des centres et des périphéries

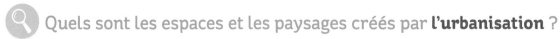

Quels sont les espaces et les paysages créés par **l'urbanisation** ?

I L'urbanisation, un phénomène mondial

- Depuis les années 1950, le monde connaît une très forte urbanisation. **Aujourd'hui, plus de 50 % de la population mondiale est urbaine.** Les villes croissent rapidement en nombre d'habitants et en superficie. Ce phénomène touche surtout les pays émergents et les pays pauvres. Dans les pays développés, le taux d'urbanisation déjà élevé augmente très lentement.
- **Le nombre des très grandes villes s'est également multiplié.** Il n'y avait que deux agglomérations de plus de 10 millions d'habitants (New York et Londres) en 1950. Aujourd'hui, il en existe une vingtaine. Ce sont d'ailleurs ces **métropoles**, comme Shanghai, São Paulo ou Johannesburg qui attirent le plus les populations : on parle alors de **métropolisation**.

II Une organisation en centres et périphéries

- **Les espaces où se concentrent les lieux de commandement** (mairie, sièges sociaux d'entreprises, ministères) et les lieux culturels (théâtres et musées) **sont les centres**. Il peut y avoir au sein d'une même ville plusieurs centres, comme à Londres. À côté de la City se développent de nouveaux centres, tel Canary Wharf.
- **Les espaces consacrés principalement aux lieux de résidence sont appelés des périphéries.** C'est là que s'installent aussi toutes les activités qui ont besoin d'espace comme les zones industrielles ou commerciales. Les périphéries peuvent être très bien reliées aux centres grâce à des axes et moyens de transport performants (autoroutes urbaines, transports en commun). Elles sont parfois très mal reliées aux centres. C'est le cas des bidonvilles des pays émergents ou en développement.

III Des paysages diversifiés

- **L'urbanisation crée de nouveaux paysages.** Aux quartiers d'affaires (ou **CBD**) qui s'étendent en hauteur (gratte-ciel) s'ajoutent les quartiers résidentiels plus ou moins riches qui s'étendent en superficie, comme les banlieues pavillonnaires de Londres, ou les bidonvilles de Mumbai. Ces espaces se juxtaposent aux quartiers industriels et commerciaux.
- **L'étalement urbain, caractéristique de la croissance urbaine, se fait**, partout dans le monde, **au détriment des espaces agricoles**. C'est le cas pour Shanghai qui connaît une croissance encore très importante, avec des constructions qui se développent à perte de vue et une extension de ses zones industrielles, commerciales et portuaires.

Vocabulaire

Métropole
ville qui exerce son influence sur un territoire à des échelles différentes (régionale, nationale, mondiale).

Périphérie
zone urbaine située autour d'un centre et plus ou moins bien reliée à celui-ci.

Urbanisation
processus de croissance de la population des villes et d'extension de l'espace urbain.

CBD (Central Business District) : quartier des affaires. Il regroupe des sièges sociaux d'entreprises et des établissements financiers.

Étalement urbain : fait qu'une agglomération s'étende sur toujours plus d'espace.

Métropolisation : concentration des hommes, des activités et des fonctions de commandement dans de grandes métropoles.

Je retiens l'essentiel

L'essentiel en schéma

L'urbanisation, un phénomène mondial…

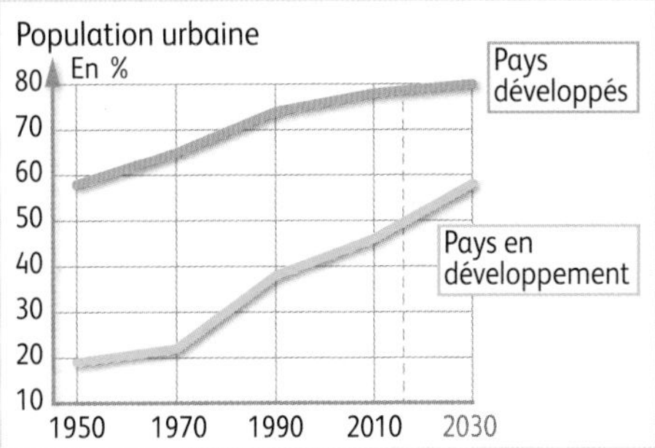

Population urbaine
En %
80
70
60
50
40
30
20
10
1950
1970
1990
2010
2030
Pays développés
Pays en développement

…qui s'organise en centres et périphéries

Un CBD

Detroit

Une banlieue résidentielle de Detroit

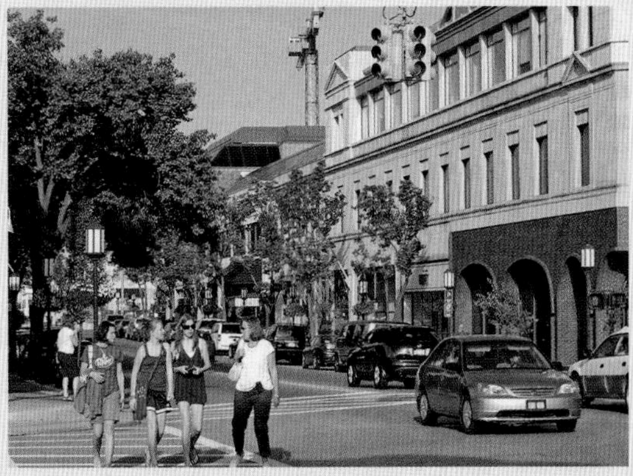

Birmingham

… et qui crée des paysages diversifiés

Des centres historiques, économiques, politiques…

Londres

Des quartiers résidentiels

Mumbai

Des zones d'activités

Port de Yangshan (Shanghai)

Quelques chiffres

- 52 % de la population mondiale vit en ville en 2016.
- 20 agglomérations dans le monde dépassent les 10 millions d'habitants
- La plus grande ville du monde est Tokyo, avec 37 millions d'habitants.

Leçon

Des villes inégalement connectées aux réseaux de la mondialisation

Comment l'inégale intégration des métropoles à la **mondialisation** se voit-elle dans les paysages ?

I Des villes **connectées** aux grands réseaux de la mondialisation

- **Les grandes métropoles sont connectées aux** réseaux **de la mondialisation, car elles sont des lieux de production de richesses et d'échanges.** Ces échanges se font grâce aux transports aériens, ferroviaires, maritimes ou routiers, mais aussi, et de plus en plus, par Internet.
- **Les flux se concentrent entre quelques grandes villes**, telles Londres, Shanghai, São Paulo, Dubai. Elles concentrent les pouvoirs économique, financier, culturel et politique. Les **FTN** y sont souvent implantées et y ont leur siège social, comme la Lloyd's à Londres.

II Des grandes métropoles qui appartiennent à un archipel

- **Les grandes métropoles comme New York, Tokyo, Londres ou Paris entretiennent des liens étroits.** Des relations économiques, politiques, culturelles, financières et humaines très importantes s'établissent entre elles. Elles ont parfois davantage de relations avec les autres grandes métropoles qu'avec les territoires qui les entourent. Ce sont des îlots formant un réseau que l'on compare parfois à un archipel.
- **Ces métropoles font également le lien entre l'échelle mondiale et l'échelle locale** : elles contribuent à diffuser et entretenir la mondialisation sur le territoire qu'elles dominent.

III Des métropoles inégalement intégrées à la mondialisation

- **Les pouvoirs des métropoles se regroupent dans les CBD**, comme à Pudong ou dans la City de Londres. Ces CBD sont des symboles des grandes villes et la hauteur de leurs tours est la marque de leur puissance et de leur rayonnement.
- **Certaines villes sont en revanche à l'écart des grands réseaux de la mondialisation.** Lorsqu'elles perdent de la population, on parle de villes en décroissance (Detroit). Ces villes sont marquées par les effets des crises économiques, et connaissent une forte désindustrialisation. Certains lieux autrefois centraux deviennent alors des périphéries économiques, des quartiers mis à l'écart de la mondialisation.
- **Ces villes se réorganisent aussi autour de nouveaux lieux qui deviennent des centres**. Elles essaient, en développant des activités nouvelles tournées vers les hautes technologies et la culture, de se reconnecter au monde.

Vocabulaire

Mondialisation
ensemble de relations (économiques, culturelles, touristiques) mettant en contact les différents lieux du monde.

Réseaux
ensemble des relations qui existent entre des lieux et qui se font au moyen d'axes de communication et de transport. Y circulent des flux de marchandises, d'informations, de capitaux et d'hommes.

Connecter : relier différents quartiers, différentes villes par des réseaux de transports, de communications.

FTN (firme transnationale) : entreprise dont les activités sont implantées dans de nombreux pays.

Je retiens l'essentiel

L'essentiel en schéma

Des villes connectées aux grands réseaux de la mondialisation

Certaines villes sont nées de la mondialisation.

Dubai

Les CBD sont les quartiers les plus connectés aux grands réseaux de la mondialisation.

Shanghai

Ces grandes métropoles appartiennent à un archipel

Les principales villes connectées sont reliées entre elles.

Lufthansa

Aéroport de Francfort

Une intégration inégale à la mondialisation

Londres

Des villes connectées comme Londres, qui rayonnent dans le monde.

Detroit

Des villes comme Detroit, en marge des réseaux.

Quelques chiffres

- Les 5 villes mondiales les plus influentes sont Londres, New York, Paris, Hong Kong et Tokyo.
- Les gratte-ciel symbolisent la puissance. Aujourd'hui la plus haute tour du Monde est Burj Khalifa à Dubai (828 mètres).

J'apprends, je m'entraîne

Socle *Méthodes et outils pour apprendre*

FICHE DE RÉVISION À TÉLÉCHARGER Fiche 9

L'urbanisation du monde

1. Construire sa fiche de révision : notez le titre de la leçon sur votre feuille

Je connais...

Objectif 1 Connaître les repères géographiques

À l'aide du planisphère, répondez aux consignes suivantes.

1. **Repérez les numéros correspondant aux métropoles suivantes :**
   - Tokyo
   - Londres
   - New York
   - Mexico
   - São Paulo
   - Paris
   - Shanghai
   - Séoul
   - Singapour
   - Mumbai
2. **Nommez les océans repérés par une lettre (de A à E).**
3. **Reproduisez et complétez la légende.**

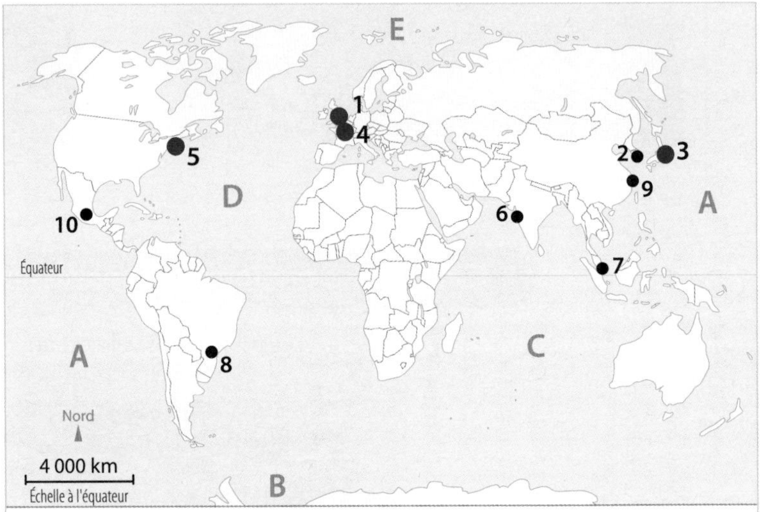

E
1
4
5
2
3
9
D
A
6
10
Équateur
7
A
8
C
Nord
4 000 km
Échelle à l'équateur
B

.... Métropoles mondiales majeures, lieux de commandement

.... Autres métropoles mondiales

Objectif 2 Connaître les mots-clés

Notez la définition des mots-clés demandés ci-dessous :
Urbanisation – Mondialisation – Métropole – Centre – Périphérie – Réseaux de la mondialisation – CBD.

Je suis capable de...

Pour chacun des objectifs suivants, répondez par une phrase courte.

Objectif 3 Décrire les paysages de l'urbanisation (ceux de Londres ou Detroit)

Aide *Commencez par décrire les paysages du centre et les activités que l'on y trouve. Faites de même pour les paysages et les activités des espaces périphériques.*

Objectif 4 Montrer comment une métropole peut être connectée aux grands réseaux de la mondialisation

Aide *Utilisez l'exemple de Londres pour présenter les activités et les espaces qui mettent une métropole en relation avec le reste du monde.*

Objectif 5 Montrer que les paysages des grandes villes reflètent l'inégale intégration à la mondialisation

Aide *En vous appuyant sur les exemples de Londres et Detroit, montrer les différences qui existent entre les villes bien intégrées à la mondialisation et les villes qui se trouvent à l'écart des réseaux de la mondialisation.*

1 Construire des repères

Des villes inégalement connectées aux réseaux de la mondialisation

1. **DOC. 1 ET 2** Situez puis présentez les deux métropoles dont il est question ci-contre. Comment chacun des paysages montre-t-il la connexion des métropoles aux réseaux de la mondialisation ?

1. La skyline de Dubai

2. Le CBD de Canary Wharf

2. **DOC. 3** D'après vos connaissances, localisez puis décrivez en une phrase le paysage montré. Expliquez à quel phénomène ce territoire est confronté.

3. Une rue de Detroit

2 Analyser et comprendre une image

Vue de Sydney, en Australie

QANTAS
A

Campagne publicitaire de la compagnie aérienne australienne Qantas.

1. Présentez le document (nature, commanditaire).
2. Localisez et situez la métropole présentée.
3. Nommez l'espace urbain désigné par la lettre Ⓐ.
   Comment nomme-t-on les bâtiments qui le composent ?
4. Comment ce document montre-t-il que Sydney est une ville connectée aux grands réseaux de la mondialisation ?

Auto-Évaluation

Je me positionne sur une marche :

1.	2.	3.	4.
• **J'observe l'image.** • **Je repère sa nature.**	• J'observe l'image. • Je repère sa nature **et son commanditaire.** • **Je localise et situe le lieu étudié.**	• J'observe l'image. • Je repère sa nature et son commanditaire. • Je localise et situe le lieu étudié. • **J'utilise un lexique précis pour nommer les lieux.**	• J'observe l'image. • Je repère sa nature et son commanditaire. • Je localise et situe le lieu étudié. • J'utilise un lexique précis pour nommer les lieux. • **J'utilise mes connaissances pour expliciter.**
Question 1	Questions 1 et 2	Questions 1, 2 et 3	Questions 1, 2, 3 et 4

Pour progresser, j'analyse mes axes de progrès. Que devrais-je améliorer ?

Vers le brevet

1 Analyser et comprendre des documents

Imaginer de nouveaux usages pour la ville

Un feu tricolore cassé, une Poste fermée, les vitres ébréchées d'un commerce vacant. Certaines villes ont connu et connaissent parfois encore une forme de déclin urbain : Detroit (États-Unis), Leipzig (Allemagne), Saint-Étienne (France), Osaka (Japon). Des villes sans croissance. Ce déclin est réel et déstabilise les élus et les populations.

Pourtant, le terme de « décroissance urbaine » est de mieux en mieux accepté. Certains élus, mais aussi certains groupes de citoyens, imaginent une nouvelle forme d'occupation de l'espace urbain. L'espace libéré par les activités en crise crée des possibilités pour rendre la ville plus « écologique » en créant des parcs ou en favorisant l'agriculture urbaine. La décroissance urbaine, malgré le traumatisme des fermetures d'usines et du chômage, peut alors apparaître comme une chance pour repenser les usages urbains et la façon de vivre ensemble dans la ville.

D'après D. Florentin et F. Paddeu, « Villes sans croissance, la seconde chance », *Liberation.fr*, 30/09/2015.

Qui sont-ils ? D. Florentin, F. Paddeu sont deux chercheurs en géographie urbaine.

Identifier le document

1. Présentez le document : ses auteurs, sa date, sa nature exacte, le phénomène évoqué.
2. Localisez et situez les lieux du phénomène.

Extraire des informations pertinentes et utiliser ses connaissances pour expliciter

3. Quel problème touche ces territoires ?
4. D'après vos connaissances et le texte, quelles en sont les causes ?
5. Quels exemples de « nouvelle forme d'occupation de l'espace urbain » le texte donne-t-il ?

Confronter le document à ce que l'on sait du sujet

6. Quel territoire marqué par ce phénomène avez-vous étudié ?
7. Quelles similitudes retrouvez-vous avec les informations données par le texte ?

2 Maîtriser différents langages pour raisonner et se repérer

1. Sous la forme d'un développement construit d'une vingtaine de lignes et en vous appuyant sur un ou des exemples de métropoles étudiés en classe, décrivez les espaces et les paysages d'une ville connectée aux grands réseaux de la mondialisation.
2. Localisez et nommez les cinq métropoles intégrées aux grands réseaux de la mondialisation indiquées sur le planisphère ci-contre :

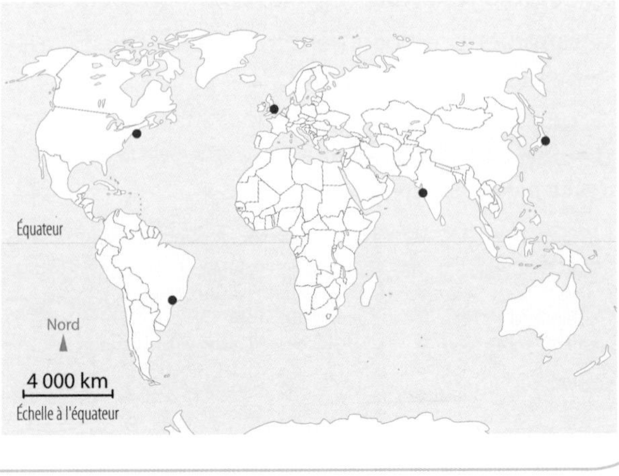
Équateur
Nord
4 000 km
Échelle à l'équateur

Enquêter
Les séries télévisées reflètent-elles la diversité urbaine des États-Unis ?

Les faits

Une diversité de décors ?

À part quelques séries prestigieuses, les séries télévisées étatsuniennes sont presque toutes tournées à Los Angeles, dans les studios hollywoodiens principalement. Les différentes versions des *Experts* sont ancrées dans un lieu, le titre même de chacune des séries porte cette identité territoriale. La ville ici participe totalement de l'intrigue : les enquêtes de chacune des versions sont ancrées dans les problèmes sociaux et urbains de Miami pour l'une, New York ou Las Vegas pour les autres. Pourtant, *Les Experts Miami* ou *Les Experts Las Vegas* sont des séries filmées à Los Angeles.

« Les séries TV, miroirs obscurs de la géographie urbaine ? », *cafe-geo.net*, novembre 2013

Indice n°1

La banlieue de Miami où vit Dexter Morgan (série Dexter*)*

Indice n°2

Baltimore vue dans la série The Wire.

Indice n°3

Los Angeles dans la série True Detective

Avez-vous pris connaissance des faits et indices ? Quelle est votre conviction ? Les séries télévisées reflètent-elles la diversité urbaine des États-Unis ?

Par équipe, complétez le carnet de l'enquêteur :

1. Les lieux de tournage des séries : …
2. Les types de paysages visibles dans les séries : …
3. Une opinion sur les séries, reflet ou non de la diversité des paysages urbains américains : …

Rédigez en quelques lignes le rapport d'enquête.

L'atelier d'écriture

Vers la tâche complexe

Décrire un paysage, Tokyo

À l'aide de vos connaissances, rédigez un texte qui décrit les paysages urbains de Tokyo.

Nord
MER DU JAPON OU DE L'EST
JAPON
Tokyo
OCÉAN PACIFIQUE
500 km
Mont Fuji, point culminant du Japon avec 3776m

Tokyo, la capitale du Japon

Point méthode

Rappel : Décrire, c'est dire ce que l'on voit.

Travail préparatoire (au brouillon)

1. Observez le paysage et notez toutes les observations que vous faites dans la carte mentale suivante.

Les paysages de l'urbanisation à Tokyo
- → Au premier plan : Quel lieu ? → Quel type de bâtiments ? → Quelles activités et fonctions ?
- → Au deuxième plan : Quel lieu ? → Quel type de bâtiments ? → Quelles activités et fonctions ?

2. Remobilisez le vocabulaire spécifique appris dans les études de Londres.

Travail de rédaction (au propre)

RAPPELS

Vos paragraphes commencent par un alinéa.

N'oubliez pas de relire et de vérifier vos accords.

À chacun de choisir son niveau de difficulté et sa ceinture !

Je rédige un texte **sans aucune aide.**

Rédigez votre texte en vérifiant que :
- Vous organisez vos idées en paragraphes.
- Vous commencez par une introduction qui présente, localise et situe Tokyo.

Je rédige un texte **avec un guidage léger.**

Rédigez votre texte à l'aide des conseils suivants :
- Commencez par une introduction qui présente, localise et situe Tokyo. Puis rédigez deux paragraphes décrivant les paysages urbains observés. Vous pouvez commencer par les amorces suivantes :
- *Au premier plan, on voit…*
- *Au deuxième plan, on reconnaît…*

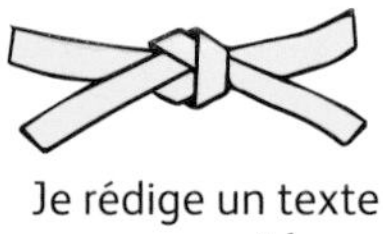

Je rédige un texte **avec un guidage plus important.**

Rédigez votre texte à l'aide des conseils suivants :
- Commencez par une introduction qui présente, localise et situe Tokyo. Vous pouvez utiliser les mots suivants : *capitale, Asie, littoral, mont Fuji.*
- Votre 1er paragraphe décrit le premier plan et reprend ce que vous avez noté dans la carte mentale. Il peut commencer par l'amorce suivante : *Au premier plan, on voit…*
- Votre 2e paragraphe décrit le paysage du 2e plan et reprend ce que vous avez noté dans la carte mentale. Il peut commencer par : *Au deuxième plan, on reconnaît…*

EMC

Objet d'enseignement *L'engagement politique, syndical, associatif, humanitaire : ses motivations, ses modalités.*

Parcours citoyen

Comment les citoyens peuvent-ils s'engager pour leur quartier ?

Unis Cité
FÊTE SES 20 ANS
9 mars 2015

1 | S'engager dans le **Service civique**

IMAGINE TON QUARTIER
PLACE DU BEFFROI

3 | Des élèves réfléchissent à la rénovation urbaine de leur quartier

Quentin, élève de sixième, explique : « On a commencé par faire un tour dans le quartier, pour voir ce qu'on aime, ce qu'on n'aime pas, et réfléchir à ce qu'on pourrait améliorer. Chacun avait un rôle, comme prendre des photos ou tracer le parcours, et on avait même une caméra embarquée ! »

Pour Antoine, également en sixième, « participer au projet, c'est l'occasion de faire plein de découvertes. On est passés à des endroits où on n'allait jamais et du coup on connaît mieux le quartier du collège. »

D'après « Les élèves de Robespierre concepteurs de leur quartier », *lenord.fr*, 16/11/2015.

2 S'engager : une étudiante témoigne

Lucie a 20 ans. « J'avais envie de m'investir sur l'année dans un projet de solidarité. Koloc' à projets solidaires[1] m'a semblé parfait car très concret. » La jeune femme aide 2 h par semaine un enfant en difficulté. « J'accompagne une petite fille de 8 ans en CE2. On se retrouve dans la maison de quartier car il y a trop de monde chez elle pour pouvoir se concentrer. »

D'après M. de Exposito, « Un Kap's dans le 13e », *Universités et territoires*, n°108, 16/01/2016.

1. Cette association permet à des étudiants d'intégrer un logement à loyer modéré et de s'engager pour les habitants.

Le droit et la règle : des principes pour vivre avec les autres

1. **DOC. 1** Qu'est-ce qu'un service civique ? Qui y participe ?
2. **DOC. 1, 2 ET 3** De quelles autres manières les jeunes citoyens peuvent-ils s'investir dans leur quartier, dans leur ville ?

L'engagement : agir individuellement et collectivement

Par groupes, faites une recherche sur une association ou une structure locale de jeunes (dans votre ville ou une ville proche) ayant pour but de s'investir dans son quartier.
Puis, écrivez un article dans le journal du collège pour présenter cette association et son projet. Vous pouvez écrire votre article dans l'ENT ou sur le journal papier du collège.

Vocabulaire

Service civique : engagement volontaire, ouvert aux jeunes de 16 à 25 ans, au service de l'État, d'une collectivité ou d'une association pour une durée de 6 à 12 mois.

10 Un monde de migrants

Qui sont les migrants ?
Quels sont les territoires concernés et comment sont-ils transformés par les migrations ?

Souvenez-vous !
Quelles sont les migrations qui ont marqué le XVIIIe siècle ?

Nord
OCÉAN PACIFIQUE
ÉTATS-UNIS
OCÉAN ATLANTIQUE
MEXIQUE
2 000 km

1 | Des **migrants** d'Amérique centrale sur le « train de la mort »
La *Bestia* est le surnom d'un train utilisé par les migrants remontant du sud du Mexique vers les États-Unis.

Vocabulaire

Migrant : personne qui s'installe dans un pays étranger.
Migration transnationale : déplacement d'une population d'un pays à un autre. Elle suppose que le migrant s'installe dans un nouveau pays tout en continuant d'entretenir des liens étroits avec celui qu'il a quitté.

▶ Socle Se repérer dans l'espace

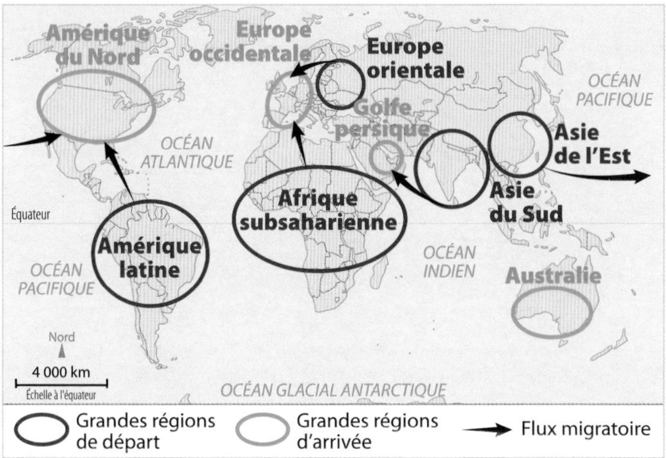
Amérique du Nord
Europe occidentale
Europe orientale
OCÉAN PACIFIQUE
Golfe persique
Asie de l'Est
OCÉAN ATLANTIQUE
Afrique subsaharienne
Asie du Sud
Équateur
Amérique latine
OCÉAN PACIFIQUE
OCÉAN INDIEN
Australie
Nord
4 000 km
Échelle à l'équateur
OCÉAN GLACIAL ANTARCTIQUE
Grandes régions de départ
Grandes régions d'arrivée
Flux migratoire

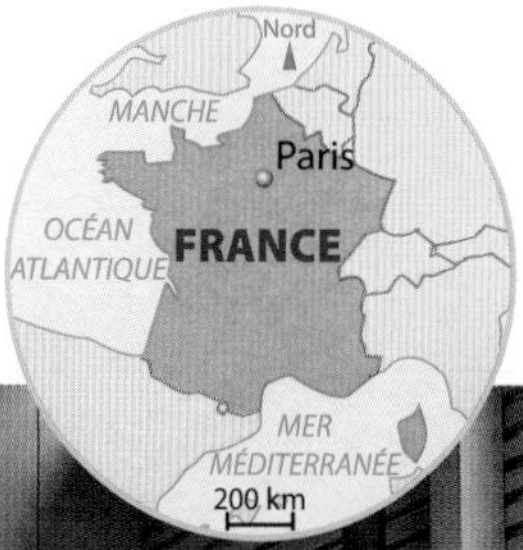
Nord
MANCHE
Paris
OCÉAN ATLANTIQUE
FRANCE
MER MÉDITERRANÉE
200 km

2 | Une **migration transnationale** volontaire : des étudiants européens dans le cadre du programme Erasmus en 2016 (France)

Le programme Erasmus est un programme d'échange d'étudiants et d'enseignants entre les universités européennes.

1. **DOC. 1 ET 2** Localisez et situez les deux photographies.
2. **DOC. 1 ET 2** D'où les migrants viennent-ils ? Où vont-ils ?
3. **DOC. 1 ET 2** Quelles différences voyez-vous entre ces deux groupes de migrants ?
4. **DOC. 1 ET 2** **Formulez une hypothèse** pour répondre à la question suivante : quelles peuvent être les motivations de ces migrants ?

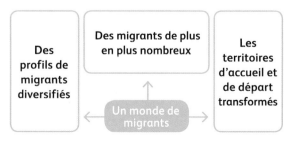

Un monde de migrants
- **Des profils de migrants diversifiés**
- **Des migrants de plus en plus nombreux**
- **Les territoires d'accueil et de départ transformés**

Étude de cas

▸ Socle *Comprendre un texte – Se repérer dans l'espace : lire et comprendre une carte – Construire des hypothèses*

Des migrations diverses autour de la Méditerranée

Rappel de 5e

Quels sont les trois principaux pôles de richesse dans le monde ?

Quelles sont les caractéristiques des migrations entre l'Europe et la rive sud de la Méditerranée ?

Étape 1 ▸ *Comprendre qui sont les migrants qui veulent venir en Europe*

1 | Un bateau de migrants en Méditerranée, 2016

3 | Un camp de **réfugiés** syriens à la frontière entre la Grèce et la Macédoine en 2016

2 Le parcours migratoire long et dangereux d'une immigrée **clandestine**

« Je me considère chanceuse parce que j'ai mis moins d'un an à arriver ici. » Fuyant la misère et la dictature en Érythrée[1], Ghenet, jeune fille de 26 ans, a traversé le Soudan, un pays en guerre civile, à l'arrière d'un pick-up. « Il fallait bien s'accrocher. Les véhicules ne se seraient pas arrêtés si l'un de nous était tombé. » Après le Soudan, des passeurs libyens ont pris le relais. Puis est venue l'attente de la traversée de la Méditerranée. Quelques jours plus tard, nous avons embarqué dans le port de Tripoli. » Ils étaient plus de 250 dans un bateau de bois. L'embarcation est tombée plusieurs fois en panne. Assoiffés, affamés, nous sommes arrivés trois jours plus tard à Lampedusa en Italie. Moi, je préfère rester en France. Je veux élever mon petit garçon ici. Qu'il ait une vie normale. »

D'après C. Gouëset, « Le cauchemar libyen de Ghenet », *L'Express*, 2015.

1. Pays d'Afrique.

Vocabulaire

Clandestin : migrant en situation illégale (aussi appelé sans-papiers).

Flux migratoire : déplacement de personnes d'une zone de départ vers une zone d'arrivée.

Immigration : installation dans un pays d'une population venue d'un autre pays.

Pays de transit : pays traversé par les migrants pour se rendre dans un autre pays.

Réfugié : personne qui quitte son pays pour des raisons de sécurité.

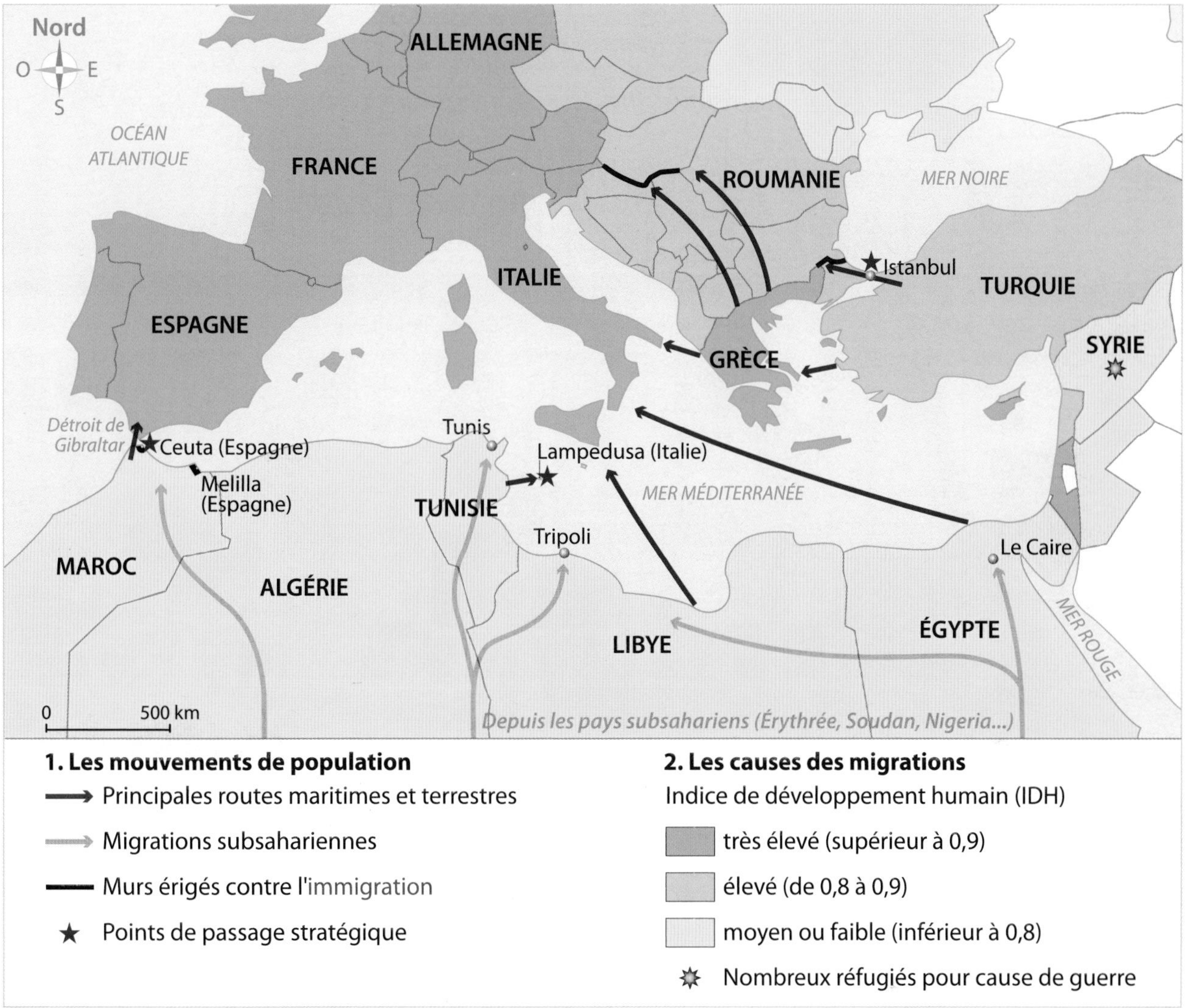
Nord
O
E
S
OCÉAN ATLANTIQUE
ALLEMAGNE
FRANCE
ROUMANIE
MER NOIRE
Istanbul
TURQUIE
ITALIE
ESPAGNE
GRÈCE
SYRIE
Détroit de Gibraltar
Ceuta (Espagne)
Tunis
Lampedusa (Italie)
Melilla (Espagne)
TUNISIE
MER MÉDITERRANÉE
Tripoli
Le Caire
MAROC
ALGÉRIE
LIBYE
ÉGYPTE
MER ROUGE
0
500 km
Depuis les pays subsahariens (Érythrée, Soudan, Nigeria...)
1. Les mouvements de population
Principales routes maritimes et terrestres
Migrations subsahariennes
Murs érigés contre l'immigration
Points de passage stratégique
2. Les causes des migrations
Indice de développement humain (IDH)
très élevé (supérieur à 0,9)
élevé (de 0,8 à 0,9)
moyen ou faible (inférieur à 0,8)
Nombreux réfugiés pour cause de guerre

4 | La Méditerranée au cœur des **flux migratoires**

Activités

Socle *Comprendre un texte*

1. **Doc. 2** Relevez dans le texte : le pays de départ, les **pays de transit** et le pays d'arrivée.
2. **Doc. 1 et 2** Quels sont les moyens de transport utilisés ?
3. **Doc. 1 et 2** Relevez deux éléments qui montrent l'aspect illégal de la migration.
4. **Doc. 1 et 2** Expliquez la phrase soulignée dans le texte.

Socle *Se repérer dans l'espace : lire et comprendre une carte*

5. **Doc. 3 et 4** D'où les migrants viennent-ils ? Quels sont les principaux points de passage pour entrer en Europe ?
6. **Doc. 3 et 4** Comment le flux migratoire vers l'Europe occidentale peut-il s'expliquer ?
7. **Doc. 3 et 4** Quelles mesures les États prennent-ils pour faire face à l'afflux de migrants ?

Socle *Construire des hypothèses*

8. En groupe, formulez des hypothèses pour répondre à la question suivante : pourquoi l'Europe attire-t-elle les migrants ?

Aide *Vous pouvez utiliser le témoignage de Ghenet, la carte et ce que vous avez appris dans les chapitres 1 et 4 en histoire.*

Étape 2 ▶ Comprendre que les migrations transforment les territoires

WESTERN UNION
MoneyGram.
Transfert d'argent international
LAMP FALL
76 860 19 08 Wakeur S
WESTERN UNION
Money Express
W@ri
PAIEMENT FACTURES
PENSIONS
Ria
Transfert d'Argent

6 | Les transferts d'argent des **émigrés**, un atout pour le développement
Une publicité pour des services de transfert de fonds (Sénégal).

7 Les emplois occupés par les migrants

Ils sont 1,3 million de travailleurs immigrés légaux à occuper des postes dont les Français ne veulent pas. Ce sont donc autant d'emplois et de professions qui dépendent d'eux. Parmi elles, quatre métiers sortent du lot : les travailleurs immigrés occupent 24 % des emplois en France dans les secteurs du textile et du bâtiment, 21 % dans la sécurité et 19 % dans la restauration. En outre, 50 % des vigiles sont d'origine étrangère et plus d'une nounou sur trois vient de l'étranger. Dit autrement, beaucoup d'entreprises appartenant à ces secteurs seraient obligées de mettre la clé sous la porte si elles n'avaient pas à leur disposition cette main-d'œuvre étrangère. Et le meilleur exemple reste le BTP : 65 % des patrons du bâtiment affirment qu'ils ne peuvent pas se passer des travailleurs immigrés.

D'après l'article « Les travailleurs immigrés légaux sont-ils vraiment un coût pour la France ? », *Lefigaro.fr*, 2015.

8 | Des travailleurs immigrés travaillant dans le bâtiment

Vocabulaire

Émigré : personne qui quitte son pays pour s'installer à l'étranger.

Activités

Socle *Extraire des informations pertinentes*

Reproduisez le schéma suivant et répondez à la question posée dans chaque case.

Des migrations transnationales qui transforment les territoires

- **DOC. 6** Comment les migrants participent-ils matériellement au développement de leur pays d'origine ?
- **DOC. 7 ET 8** Comment les migrants participent-ils au développement de leur pays d'accueil ?

Étape 3 *Réaliser un schéma bilan de l'étude de cas*

Sujet : Les migrations autour de la mer Méditerranée

A. Se repérer sur le schéma

1. Reproduisez le schéma ci-dessous.
2. Localisez les espaces suivants : *Mer Méditerranée – Europe – Afrique et Moyen-Orient*.

B. Réaliser le schéma et sa légende

3. Complétez la légende avec les propositions suivantes : *Pays de départ – pays d'arrivée – flux migratoires – transferts d'argent*.
4. Complétez le schéma à l'aide de la légende : localisez l'espace à IDH fort et celui à IDH moyen à faible (voir DOC. 4, p. 255).
5. N'oubliez pas de donner un titre à votre schéma.

RAPPELS

- Les océans et les mers s'écrivent en capitales bleues.
- Les continents et régions en capitales noires.

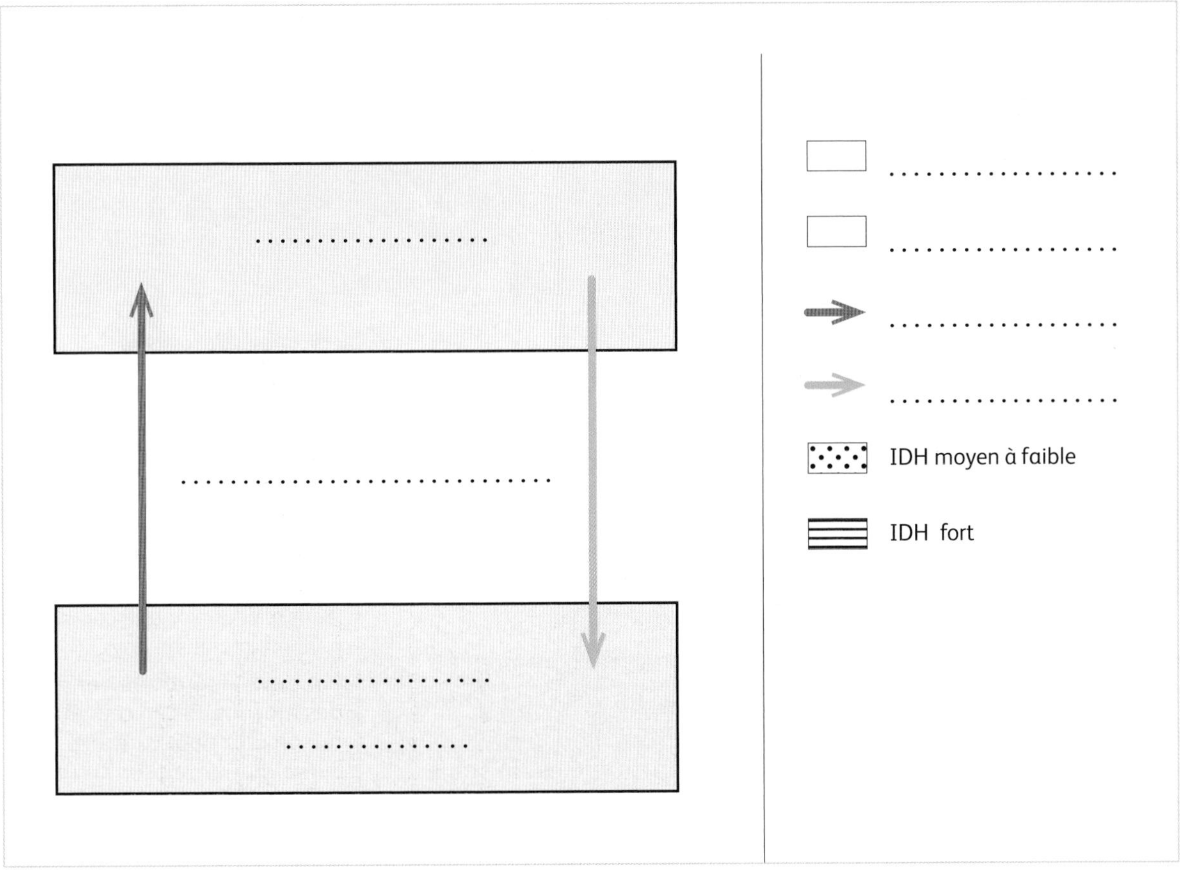

IDH moyen à faible
IDH fort

Géohistoire

Les États-Unis, une terre d'immigration

Population des États-Unis en 2016	323 millions d'hab.
Nombre d'immigrés en 2014	46 millions
Solde migratoire	1 million par an depuis 20 ans

Comment les migrants ont-ils peuplé les États-Unis depuis des siècles ?

- 1620 : Arrivée du *Mayflower* et des premiers colons anglais
- 1882 : Loi interdisant l'immigration chinoise ; Loi favorisant l'immigration européenne
- 1921 : Restriction de l'immigration avec mise en place de quotas
- 1965 : Fin des quotas : reprise forte de l'immigration

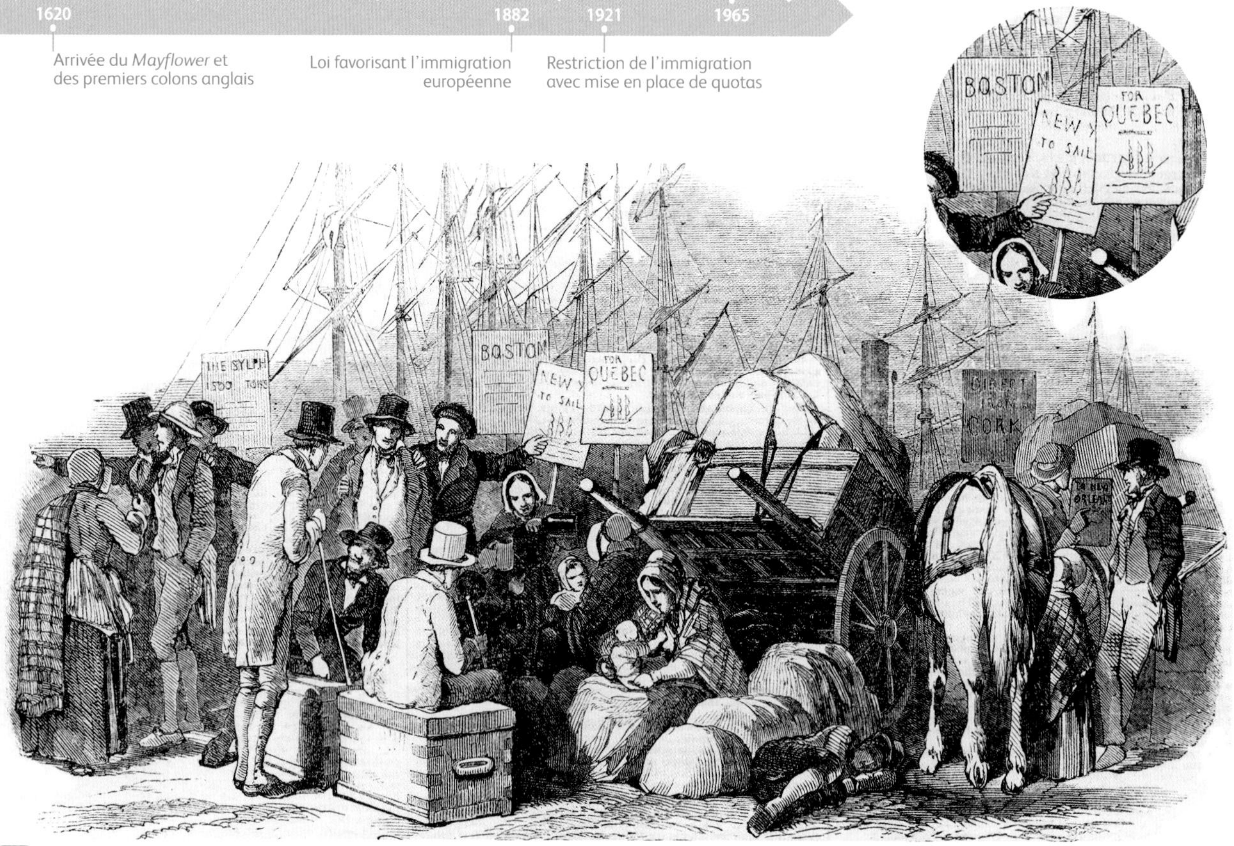
BOSTON
FOR QUEBEC

1 | Émigrants sur le quai de Cork en Irlande en 1851 après la grande famine de 1847

2 Récit d'un migrant hispanique

53 millions d'Hispaniques vivent actuellement aux États-Unis où ils représentent la première minorité ethnique du pays avec 17% de la population.

Au Mexique, je ne pouvais plus gagner assez pour ma famille. Ma femme et ma fille n'avaient rien à manger. J'étais obligé de choisir entre rester et voir ma famille souffrir ou partir pour la Californie et gagner de l'argent pour la nourrir. La décision était claire. Une fois arrivé à Lynwood en Californie, j'ai commencé à travailler. Je fais le jardinage pour un couple en échange d'une chambre dans leur garage. Voici comment je réussis à gagner de l'argent que j'envoie à ma famille. La photographie est la seule chose qui me reste de ma famille.

D'après le témoignage de José recueilli par Veronica Huerta, Université de l'État de Californie, 2016.

Vocabulaire

Expatrié : personne résidant dans un autre pays que le sien.

Hispanique : personne originaire d'Amérique latine.

Minorité ethnique : groupe de personnes partageant une identité et une culture communes, minoritaire dans le pays.

Politique migratoire : ensemble des moyens mis en œuvre par un Etat pour contrôler l'immigration sur son territoire.

Solde migratoire : différence entre le nombre d'immigrés et d'émigrés.

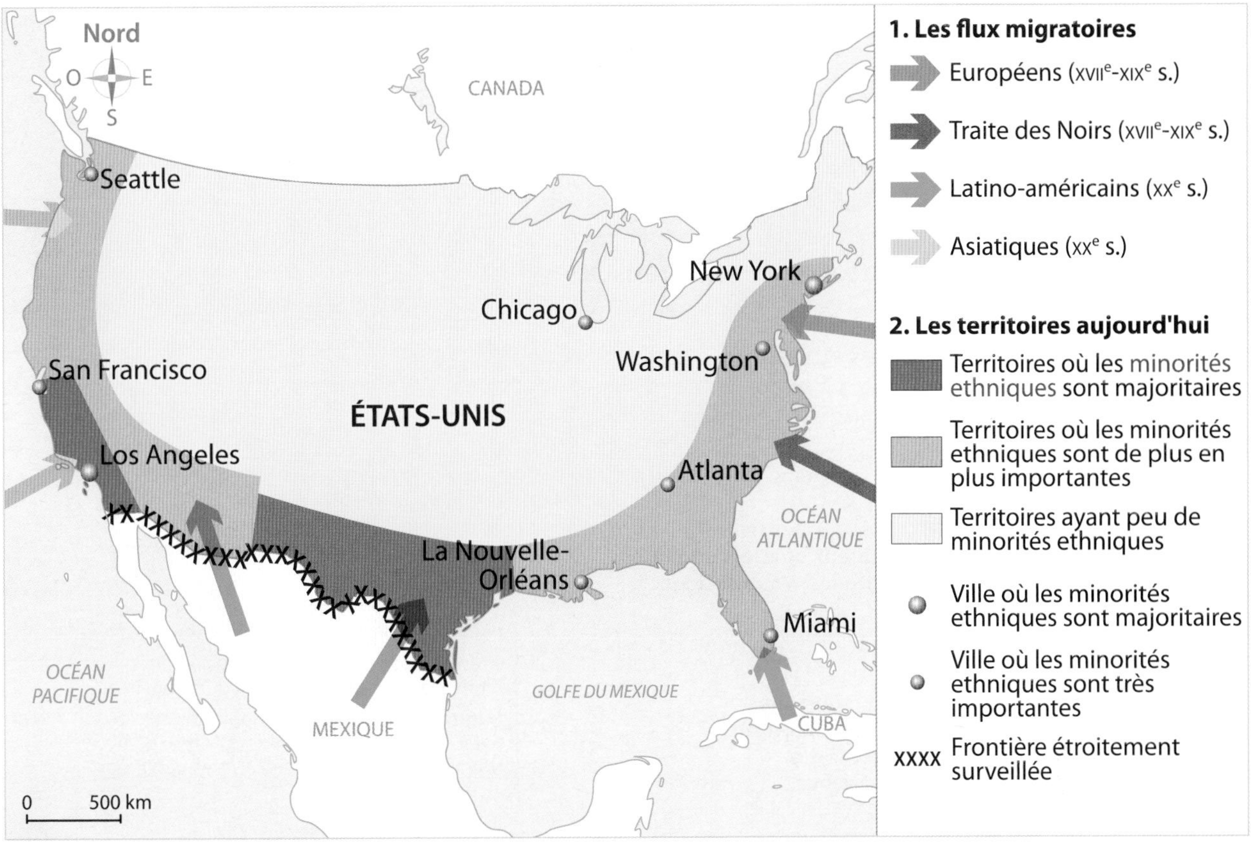
Nord
O
E
S
CANADA
Seattle
San Francisco
Los Angeles
Chicago
New York
Washington
ÉTATS-UNIS
Atlanta
La Nouvelle-Orléans
Miami
OCÉAN ATLANTIQUE
OCÉAN PACIFIQUE
GOLFE DU MEXIQUE
MEXIQUE
CUBA
0 500 km
1. Les flux migratoires
Européens (XVIIe-XIXe s.)
Traite des Noirs (XVIIe-XIXe s.)
Latino-américains (XXe s.)
Asiatiques (XXe s.)
2. Les territoires aujourd'hui
Territoires où les minorités ethniques sont majoritaires
Territoires où les minorités ethniques sont de plus en plus importantes
Territoires ayant peu de minorités ethniques
Ville où les minorités ethniques sont majoritaires
Ville où les minorités ethniques sont très importantes
XXXX Frontière étroitement surveillée

3 | Espaces et flux migratoires aux États-Unis

4 Portrait d'**expatrié** français, aux États-Unis

Un témoin raconte

Arnaud, un Français dans la Silicon Valley, pôle mondial d'industries de pointe situé au sud de San Francisco

Je suis arrivé aux États-Unis en 1999. Alors que je travaillais depuis deux ans pour Yahoo France à Paris, j'ai eu une opportunité intéressante pour travailler pour eux en Californie dans la Silicon Valley. La société m'a sponsorisé pour un visa H1B[1]. Je suis resté jusqu'en 2001, puis j'ai fait partie d'une vague de licenciement. Sans emploi, je me suis inscrit à l'Université de Californie où j'ai pu obtenir un visa d'étudiant F1 et étudier la gestion de projet. Après un an, j'ai obtenu un certificat pour la fin de mes études qui me permettait d'avoir un permis de travail. J'étais sur le point de partir ailleurs : Canada, Philippines et j'ai enfin réussi à trouver un job dans une petite société de traduction à San Francisco. Huit mois plus tard, j'obtenais un poste d'informaticien chez Apple où je suis toujours depuis juillet 2004.

D'après le site *europusa.com*, consulté en 2016.

1. Permis de travail délivré à des personnes titulaires d'un diplôme universitaire.

Étape 1 ▶ Repérer les permanences

1. **DOC. 1 ET 3** Quels migrants ont peuplé les États-Unis au XIXe siècle ?
2. **DOC. 1 ET 3** Pour quelles raisons migre-t-on au XIXe siècle ?
3. **DOC. 3 ET 4** Les États-Unis sont-ils toujours un pays d'immigration ? Pour quelles raisons ?

Étape 2 ▶ Souligner des mutations

4. **DOC. 2 ET 3** D'où vient la majorité des migrants aux États-Unis aujourd'hui ?
5. **DOC. 4** Quel nouveau type de migrants économiques les États-Unis attirent-ils aujourd'hui ?
6. **DOC. 3 ET 4** Montrez que les États-Unis ont une **politique migratoire** différente selon le type de migrant.

Étude de cas

Les travailleurs migrants au Moyen-Orient

Que révèlent les flux migratoires au Moyen-Orient ?

Rappel de 5e

Où la majorité des pauvres vit-elle dans le monde ?

Étape 1 ▶ *Comprendre les origines des flux migratoires*

Tâche complexe

La coupe du monde 2022 a lieu au Qatar. Vous avez appris que de nombreux ouvriers immigrés travaillaient à construire les stades. Vous décidez de comprendre pourquoi.

Votre mission : **Réalisez un reportage afin d'expliquer d'où viennent les migrants qui travaillent dans les pays du Golfe et pour quelles raisons ils sont venus.**

Boîte à outils

Les mots clés

Flux migratoire : déplacement de personnes d'une zone de départ vers une zone d'arrivée.

Immigration : installation dans un pays d'une population venue d'un autre pays.

Migration économique : déplacement de personnes motivées par la recherche d'un travail, qu'elles soient peu ou très qualifiées.

1 | Des d'ouvriers immigrés du bâtiment (Dubaï)

2 | Les différences de richesse et de développement

	Qatar	Pakistan
PIB par habitant en $	140 000	4 842
IDH	0,85	0,54
Part de la population n'ayant pas accès à de l'eau traité en %	0	8,6

Source : La Banque mondiale, Perspective monde, 2015.

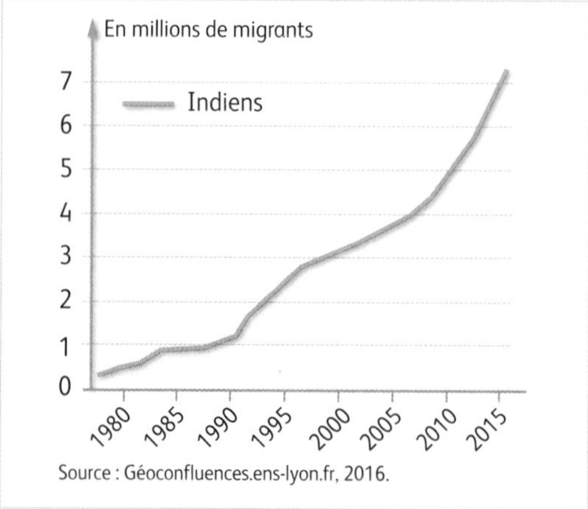
En millions de migrants
7
6
5
4
3
2
1
0
Indiens
1980
1985
1990
1995
2000
2005
2010
2015
Source : Géoconfluences.ens-lyon.fr, 2016.

3 | L'évolution de l'immigration indienne dans le golfe Persique

Source : Géoconfluences.ens-lyon.fr.

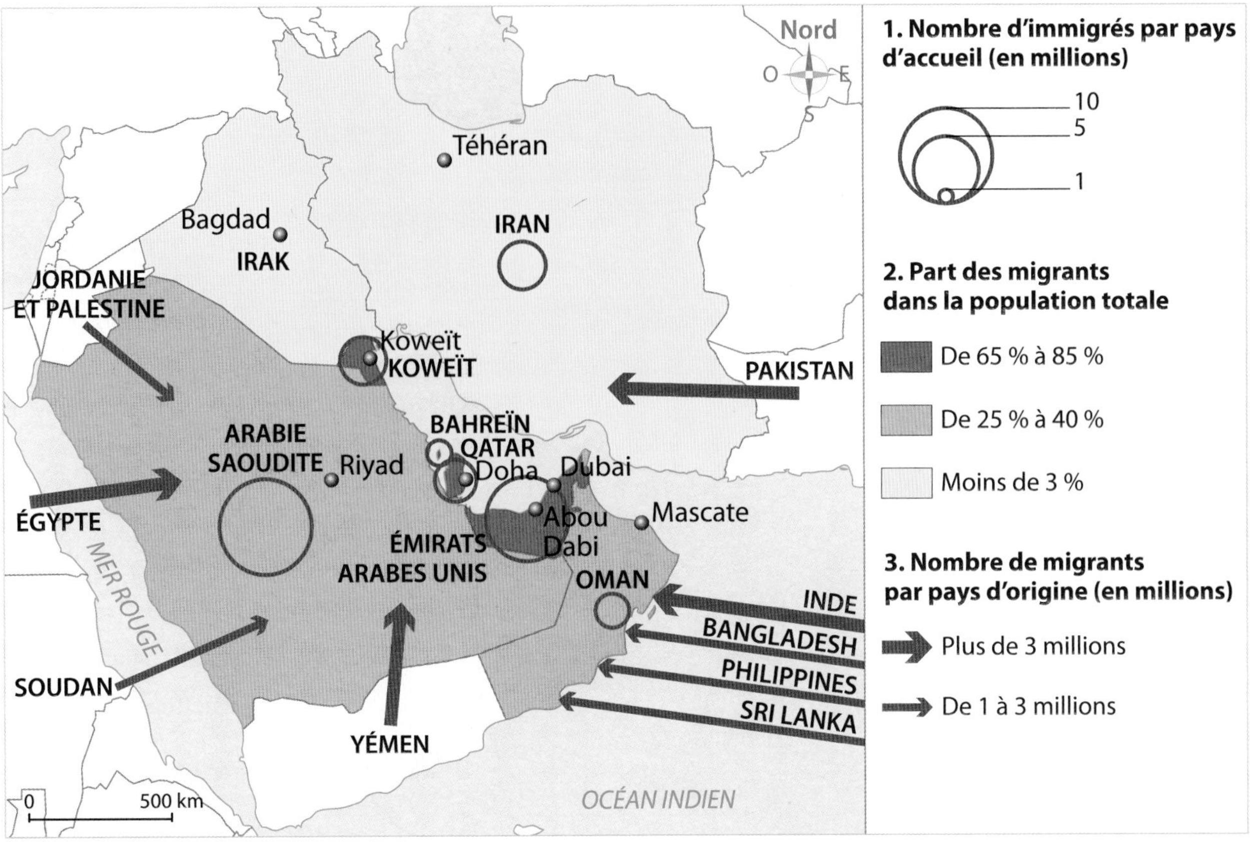
Nord
O
E
S
1. Nombre d'immigrés par pays d'accueil (en millions)
10
5
1
2. Part des migrants dans la population totale
De 65 % à 85 %
De 25 % à 40 %
Moins de 3 %
3. Nombre de migrants par pays d'origine (en millions)
Plus de 3 millions
De 1 à 3 millions
Téhéran
Bagdad
IRAK
IRAN
JORDANIE ET PALESTINE
Koweït
KOWEÏT
PAKISTAN
BAHREÏN
QATAR
ARABIE SAOUDITE
Riyad
Doha
Dubai
ÉGYPTE
Abou Dabi
Mascate
ÉMIRATS ARABES UNIS
OMAN
MER ROUGE
INDE
BANGLADESH
PHILIPPINES
SRI LANKA
SOUDAN
YÉMEN
0
500 km
OCÉAN INDIEN

4 | L'immigration de main-d'œuvre dans les États du golfe Persique

Source : *Atlas des minorités, Le Monde/La Vie*, 2011 et *Questions internationales* n° 46, nov-déc 2010.

5 Être ouvrier immigré au Qatar

Papu Sahani, un Indien de 31 ans, embauché sur le chantier du stade d'Al-Wakrah, l'une des futures arènes du Mondial, se prépare à appeler sa famille sur Skype. Il partage une chambre d'une vingtaine de mètres carrés, avec deux collègues. Un luxe au Qatar, où beaucoup d'ouvriers s'entassent à huit ou dix dans des pièces insalubres et doivent remettre leur passeport à leur employeur, qui s'assure ainsi de leur docilité. Tout a été conçu pour que ces ouvriers du désert vivent isolés, loin du centre de Doha la capitale. «La vie est simple, on dort, on bosse, on dort, on bosse », explique Souvik, un Indien de Calcutta, attablé dans le réfectoire.

D'après Benjamin Barthe, « Dans les camps du Mondial 2022 », *Le Monde*, 2015.

6 La diversité des migrations économiques

Les États du Golfe pratiquent une immigration très sélective en fonction de l'origine et des diplômes. Pour les métiers manuels, les employeurs préfèrent les Indiens, les Pakistanais ou les Népalais aux Arabes, jugés plus dociles et moins exigeants en termes de salaires. Les cadres moyens (professeurs, médecins) proviennent des pays arabes pour leurs compétences linguistiques. Les cadres supérieurs sont davantage recrutés dans les pays occidentaux, au Japon et en Corée du Sud. Les discriminations sont fortes : pour un poste équivalent, un Européen est mieux payé qu'un Arabe et davantage encore qu'un Indien.

D'après Fabrice Balanche, « Géopolitique du Moyen-Orient », *La Documentation photographique* n° 8102, 2014.

Besoin d'un peu d'aide ?

Utilisez les mots de la boîte à outils.

Besoin d'un peu plus d'aide ?

Montrez la diversité des migrants (**DOC. 1, 3 ET 6**) *ainsi que leurs conditions de vie et de travail* (**DOC. 1 ET 5**). *Montrez les motivations des migrants et évoquez le niveau de développement des pays du Golfe persique* (**DOC. 2 ET 6**).

Étape 2 Comprendre que les migrants favorisent le développement des pays d'accueil et de départ

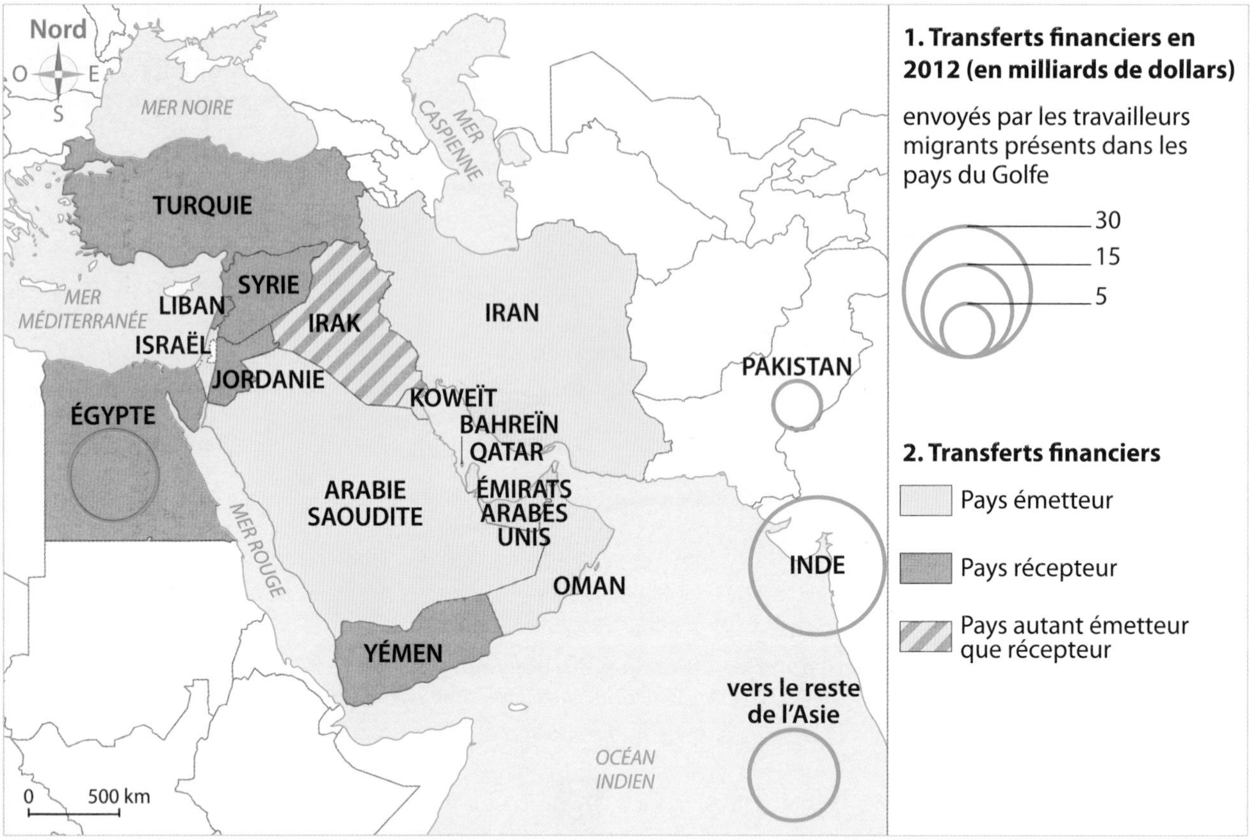
Nord
O
E
S
MER NOIRE
MER CASPIENNE
TURQUIE
SYRIE
MER MÉDITERRANÉE
LIBAN
ISRAËL
IRAK
IRAN
JORDANIE
KOWEÏT
BAHREÏN
QATAR
ÉGYPTE
ARABIE SAOUDITE
ÉMIRATS ARABES UNIS
PAKISTAN
INDE
OMAN
MER ROUGE
YÉMEN
vers le reste de l'Asie
OCÉAN INDIEN
0 500 km
1. Transferts financiers en 2012 (en milliards de dollars)
envoyés par les travailleurs migrants présents dans les pays du Golfe
30
15
5
2. Transferts financiers
Pays émetteur
Pays récepteur
Pays autant émetteur que récepteur

6 | Les transferts financiers des migrants
Source : *La Documentation photographique* n° 8102, 2014.

7 | La métamorphose de Doha entre 1996 et 2014 (Qatar)

Vocabulaire

Diaspora : communauté nationale ou religieuse dispersée à travers le monde dont les membres entretiennent des liens entre eux et avec leur pays d'origine.

8 La migration, une opportunité d'amélioration du cadre de vie

Depuis le milieu des années 1990, plusieurs études approfondies ont été menées au Kérala[1] pour mesurer l'impact de la migration internationale à l'échelle des foyers. Toutes révèlent des différences notoires de niveau de vie entre ceux qui ont un ou plusieurs membres de leur famille expatriés et ceux qui n'en ont pas. Le premier contraste entre les populations disposant des transferts du Golfe et celles qui n'en ont pas concerne la qualité de l'habitat et les commodités telles que l'électrification, l'eau courante (pompes à eau, citerne ou connexion au service d'eau) ou la présence de toilettes à l'intérieur de la maison. Les différences dans la possession d'autres biens d'équipement, tels que les appareils électriques et électroniques ou les moyens de déplacement motorisés, sont tout aussi parlantes.

D'après Philippe Venier, *L'Émigration indienne vers le golfe Persique*, site Géoconfluences, 2015.

1. Région du sud-ouest de l'Inde où un quart des foyers est concerné par l'émigration d'un des membres de la famille.

9 La **diaspora** indienne : le quartier d'Al Karama, le « Little Kerala » de Dubai (Émirats arabes unis)

Activités

Socle *Raisonner*

1. **DOC. 7** Quel est l'impact des migrants sur le territoire de la ville de Doha ?
2. **DOC. 6 ET 8** Comment les migrants participent-ils au développement de leur pays d'origine ?
3. **DOC. 9** Quelle est la conséquence spatiale des migrations indiennes dans les villes du golfe Persique ?

Étape 3 *Conclure en écrivant un texte ou en réalisant une carte mentale*

Parcours 1

Reproduisez la carte mentale et complétez-la à partir des réponses aux questions de l'étude.

CAUSES DES MIGRATIONS

CONSÉQUENCES DES MIGRATIONS

Les migrations résultent des inégalités de développement : …

→ Le flux des migrants : Principaux pays de départ : … Pays d'accueil : …

→ Les migrations favorisent le développement des pays de départ : …

→ Les migrations favorisent le développement des pays d'accueil : …

→ Mais des conditions de vie et de travail très difficiles pour certains migrants : …

Parcours 2

À partir de vos réponses aux questions de l'étude, rédigez un texte pour répondre à la question : comment les migrations participent-elles au développement et à la transformation des territoires ?

Aide *Dans un premier paragraphe, vous montrerez qui sont les migrants et quelles sont les causes de leur départ. Dans un second paragraphe, vous montrerez l'impact que les migrants ont sur le pays d'accueil et sur le pays de départ.*

Le parcours d'une famille de 23 réfugiés syriens

1 Le récit de la migration de la famille Ammane

Après plus de quatorze mois, 23 membres d'une famille syrienne ont réussi à fuir Alep en Syrie pour trouver refuge en Suisse et en Suède. La plupart sont diplômés : ingénieur, avocat, directeur d'école. « Ils n'ont plus rien, mais ils ont le sourire », glisse Shady Ammane, leur parent établi à Genève.

Alep, une ville sous les bombes, 2015.

Traverser la Méditerranée sur des canots.

En 2014, vivre à Alep devient intenable. « Ils étaient bombardés au quotidien. Ils ne pouvaient plus rester. J'ai entamé des démarches pour qu'ils me rejoignent en Suisse ». Une partie de la famille quitte la Syrie pour la Turquie et décide de prendre la mer pour rejoindre l'Europe. « On a payé une place pour un bateau pneumatique de quarante places pour aller en Grèce ». De là, ils rejoignent Stockholm en Suède après plusieurs semaines de démarche.

L'espoir renaît pour les suivants qui organisent leur fuite. « Ils ont gagné le Liban, puis la Turquie », raconte Shady, avant de pouvoir enfin venir me rejoindre avec le statut de demandeur d'asile. L'avion pose les derniers membres de la famille à Genève, le 10 décembre.

Les retrouvailles de Shady Ammane avec sa famille à l'aéroport de Genève le 10 décembre 2015.

D'après l'article « Le périple d'une famille, de l'enfer d'Alep à Genève », *La Tribune de Genève*, 10/12/2015.

Réaliser un croquis de géographie

Étape 1 ▶ Sélectionner des informations

1. Recopiez le relevé d'informations suivant et complétez-le.
   - Ville et pays de départ : …
     Mode(s) de transport utilisé(s) : …
   - Villes et pays de transit : …
     Mode(s) de transport utilisé(s) : …
   - Ville et pays d'accueil : …
2. Pour quelle(s) raison(s) la famille quitte-t-elle son pays d'origine ?

Étape 2 ▶ Réaliser son croquis

Sur le fond de carte fourni par votre professeur :

3. Notez le nom des mers, des océans et des continents.
4. Indiquez le nom des pays repérés dans la question 1.
5. Nommez les villes de départ et d'arrivée.
6. Complétez votre croquis à l'aide des informations de la légende.

RAPPELS

Le code d'écriture du croquis
- les pays en petites capitales noires ;
- les villes en lettres minuscules noires.

Titre : ……………………

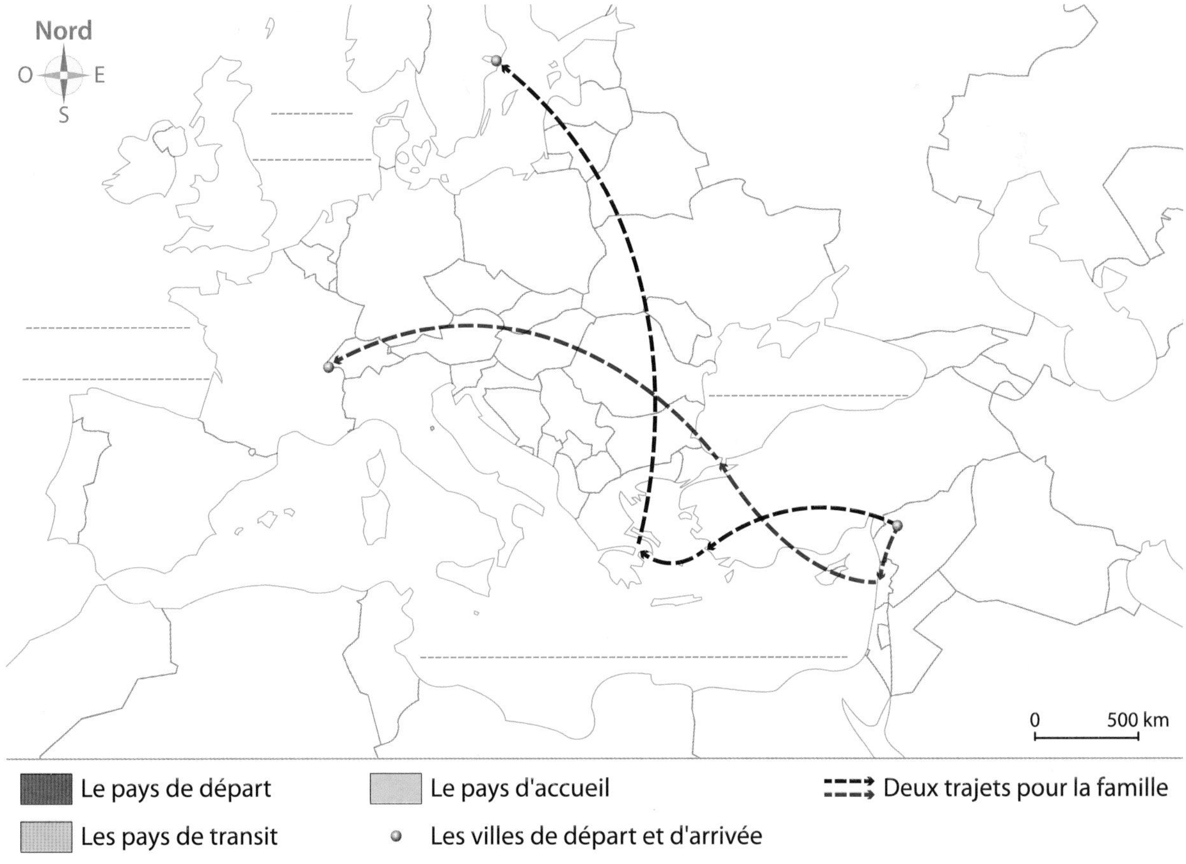

Nord
O
E
S
0
500 km
Le pays de départ
Le pays d'accueil
Deux trajets pour la famille
Les pays de transit
Les villes de départ et d'arrivée

Histoire des Arts

Parcours artistique et culturel

Le migrant dans l'art contemporain

Quel regard le street art permet-il de porter sur les migrants ?

1 | *Œuvre sans titre*, Banksy, Calais, 2015

Les œuvres de Banksy sont généralement réalisées sur des murs avec des pochoirs qui permettent de reproduire plusieurs fois des motifs. L'artiste peut ainsi travailler plus rapidement sur les lieux afin d'éviter de se faire prendre en flagrant délit.

Biographie

Qui est Banksy ?

Banksy est le pseudonyme d'une des personnalités majeures du street art international. Selon toute vraisemblance, il serait né à Bristol au Royaume-Uni en 1974. Son identité demeure incertaine car il souhaite conserver l'anonymat.

Pour aller plus loin

Découvrez les œuvres et les méthodes de travail de Banksy, un des street artistes les plus connus. http://www.banksy-art.com

2 | *Le Radeau de la Méduse*, Théodore Géricault

huile sur bois, 491x716cm, 1818-1819, Musée du Louvre, Paris.

Point art

Le **street art** « art de rue » est un mouvement artistique contemporain qui apparaît dans les années 1960. L'expression désigne l'art urbain sous toutes ses formes (peintures, graffitis, projections lumineuses…), réalisées en pleine rue ou dans des endroits publics. Des grottes préhistoriques jusqu'au street art d'aujourd'hui, en passant par l'Antiquité et le Moyen Âge, les murs forment un endroit propice à l'expression d'une parole d'hommage ou de dénonciation. Cependant, les street artistes travaillent souvent de façon clandestine. En effet, les graffitis réalisés sur des supports non autorisés sont illégaux et leurs auteurs peuvent être poursuivis en justice.

“ MARE NOSTRUM ”
MORTUUM

3 | *Œuvre sans titre*, Combo

Acrylique et collage, 2015. Élément d'une fresque de 37 m réalisée pour une exposition au Musée national de l'histoire de l'immigration à Paris en 2015. *Mare nostrum* est une expression latine signifiant « notre mer ». Elle était utilisée par les Romains pour désigner la mer Méditerranée.

Biographie

Qui est Combo ?

Combo pour « combinaison ». Il s'agit du pseudonyme d'un artiste de 28 ans né à Amiens en 1987, dans le nord de la France, d'un père libanais et d'une mère marocaine. Il se met au street art dès l'âge de 16 ans.

4 L'art au service de la cause des migrants

Dernière intervention en date de Banksy : le 23 janvier 2016 est apparue devant l'ambassade de France à Londres un nouveau pochoir, détournant l'affiche du spectacle musical *Les Misérables*, avec Cosette en pleurs face à une bombe lacrymogène sur fond de drapeau français élimé. Apposé sur le même mur, un QR code permettait d'accéder sur smartphone à une vidéo montrant des interventions policières survenues dans la jungle de Calais plus tôt dans le mois. Ces gestes de solidarité, politiques autant qu'artistiques, en prise directe avec le réel et servant de caisse de résonance, ont le mérite de parer à l'indifférence. Tant que les solutions politiques ne seront pas trouvées, les interventions de l'artiste devraient se poursuivre pour continuer à capter l'attention internationale.

D'après « De Lesbos à Calais, Ai Weiwei et Banksy œuvrent pour les migrants », *Le Monde*, 03/02/2016.

Identifier et analyser des œuvres d'art

Identifier et localiser

1. DOC. 1 ET 3 Présenter chacune des deux œuvres : nature, auteur, date.
2. Dans quels lieux ces œuvres ont-elles été réalisées ?

Décrire et comprendre

3. DOC. 1 ET 3 Décrivez chacune des œuvres : personnages, lieu, objets.
4. DOC. 1 ET 2 De quelle œuvre l'auteur s'inspire-t-il ? Comment la transforme t-il ?
5. DOC. 3 Quelle inscription figure sur l'œuvre ? Pourquoi est-elle écrite en rouge ?
6. DOC. 1, 3 ET 4 Quelles sont les intentions des artistes ?

Exprimer sa sensibilité et conclure

7. DOC. 1 ET 3 Que pensez-vous de ces œuvres ? Et du street art en général ?
8. Pourquoi le combat de ces artistes est-il important ?

Mise en perspective

La diversité des migrations dans le monde

Bilan des Études

A. Des migrations diverses autour de la Méditerranée

- Des migrants légaux et illégaux.
- Des raisons diverses : recherche d'une vie meilleure, fuite de la misère et de la guerre.

B. Les flux migratoires au Moyen-Orient

- Des origines diverses : sous-continent indien, autres pays arabes, pays développés.
- Des migrations économiques de travailleurs manuels et de travailleurs très qualifiés.

Les géographes en parlent

1 Des migrations mondialisées

La question des migrations est l'un des grands enjeux du XXIe siècle ; tout en ne concernant que 3 % de la population mondiale, le phénomène s'est mondialisé. Depuis ces 20 dernières années, nous sommes entrés dans une nouvelle ère de migration de masse. Les mouvements migratoires se caractérisent par de nouvelles configurations, **Sud**-Sud, **Nord**-Nord, Nord-Sud, et plus seulement Sud-Nord.

Autre constat : on assiste à une répartition des flux de plus en plus régionalisée. Ainsi, par exemple, la plupart des migrants du continent américain viennent de ce même continent, ce qui n'était pas le cas dans le passé où la migration européenne constituait la plus grande part de l'apport. Il en est de même en Asie du Sud-Est ainsi qu'en Afrique, continent qui connaît de plus en plus de mobilité.

D'après *Catherine Withold* de Wenden, *Atlas des migrations*, Autrement, 2014.

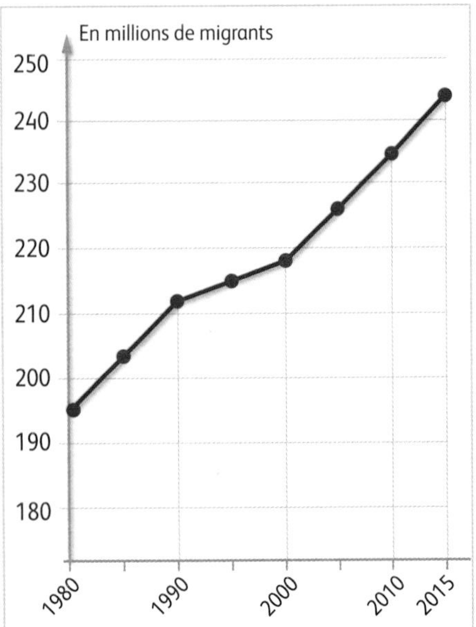
En millions de migrants
250
240
230
220
210
200
190
180
1980
1990
2000
2010
2015

Source : ONU, 2016.

2 Évolution du nombre de migrants internationaux

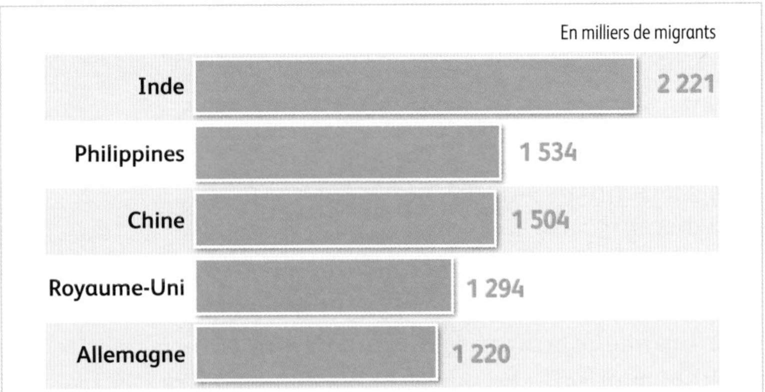
En milliers de migrants
Inde
2 221
Philippines
1 534
Chine
1 504
Royaume-Uni
1 294
Allemagne
1 220

Source : Recueil de statistiques sur les migrants et les envois de fonds, Banque mondiale, 2016.

3 La fuite des cerveaux

Les principaux pays d'émigration de migrants qualifiés.

Pour aller plus loin
Découvrez des cartes sur les migrants en consultant l'article « Le nombre de migrants et de réfugiés a explosé au XXIème siècle » sur lemonde.fr.

Vocabulaire

Nords (ou Pays du Nord) : expression qui désigne les pays les plus riches et développés, situés en majorité dans l'hémisphère nord.

Suds (ou Pays du Sud) : expression qui désigne les pays pauvres qui connaissent un retard de développement par rapport aux « Nords ». Ces pays sont aussi appelés pays en développement.

Fuite des cerveaux : expression qui désigne l'émigration des travailleurs qualifiés.

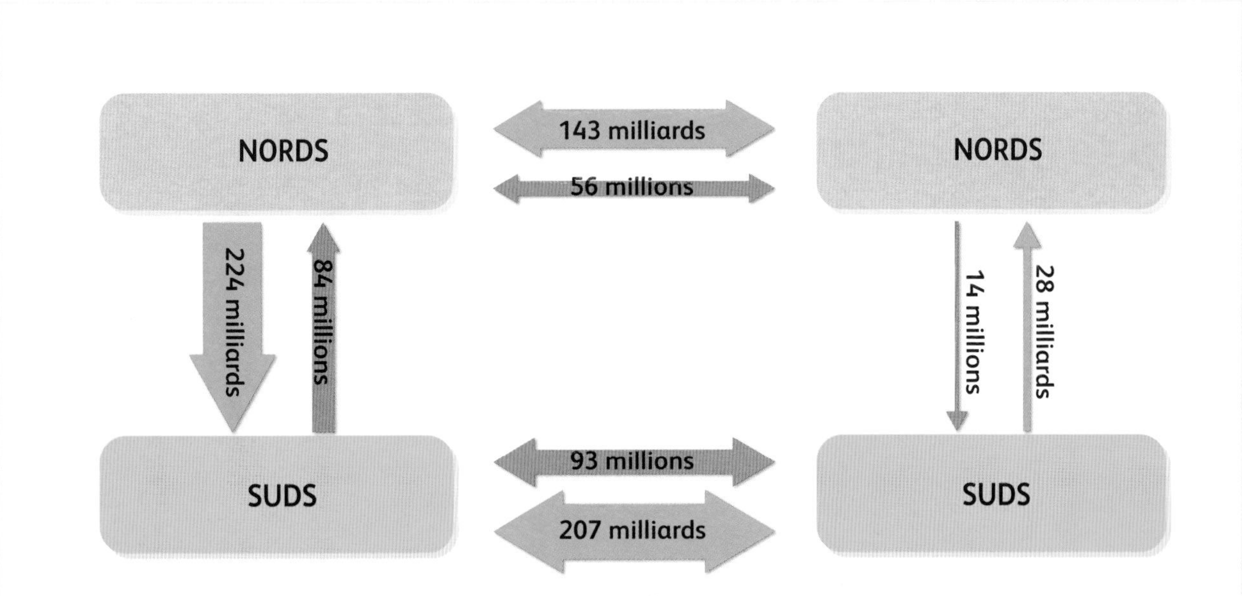
NORDS
143 milliards
56 millions
NORDS
224 milliards
84 millions
14 millions
28 milliards
SUDS
93 millions
207 milliards
SUDS

Source : Banque mondiale, *Recueil de statistiques 2016 sur les migrations et les envois de fonds.*

4 | Schéma des migrations transnationales en 2015

5 | La diversité des migrants

a. Des réfugiés Rohingyas sur un bateau à la dérive (mer d'Andaman).
Les Rohingyas une minorité de religion musulmane qui subit de graves violations des droits de l'homme en Birmanie (destruction de village, esclavage, viols, torture…).

b. Les migrations environnementales forcées, une conséquence du changement climatique.

c. Récolte de fraises en Californie. Les immigrés hispaniques sont une main-d'oeuvre indispensable pour l'agriculture aux États-Unis.

Mettre en perspective

A. Des flux de plus en plus complexes

1. **DOC. 1 ET 2** Combien y a-t-il de migrants en 2015 ? Quelle est la part des migrants dans la population mondiale ?
2. **DOC. 1** Quels changements majeurs sont apparus concernant les destinations ?

B. Des mobilités de plus en plus variées

3. **DOC. 3, 4 ET 5** Qui sont les migrants aujourd'hui ? Pourquoi migrent-ils ?
4. **DOC. 3, 4 ET 5** Comment les migrants participent-ils au développement de leurs pays d'accueil ?
5. **DOC. 3 ET 4** Relevez une conséquence positive et une conséquence négative des migrations pour les pays d'origine.

Changement d'échelle

Espaces et flux migratoires dans le monde

Recopiez les tableaux et répondez aux questions.

Des cas étudiés (à l'échelle locale)…		
	Les migrations transnationales dans l'espace méditerranéen p. 254-257 	Les migrations transnationales dans le golfe Persique p. 260-263 
Quels sont les espaces de départ ?		
Quels sont les espaces de transit et d'arrivée ?		
Quelles sont les motivations des migrants ?		
Comment les territoires sont-ils transformés par les migrations ?		

… au planisphère (à l'échelle mondiale)	
Quelles sont les grandes régions de départ ?	
Quelles sont les grandes régions d'arrivée des migrants ?	
Comment les migrations internationales s'expliquent-elles ?	

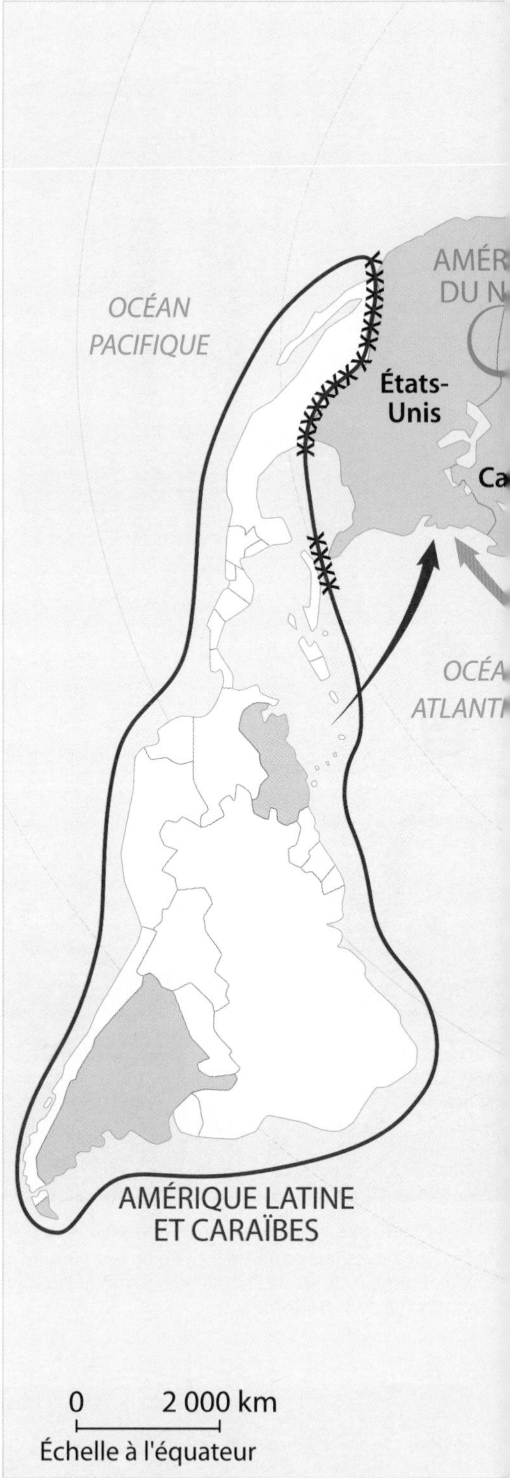
OCÉAN PACIFIQUE
États-Unis
OCÉA ATLANT
AMÉRIQUE LATINE ET CARAÏBES
0 2 000 km
Échelle à l'équateur

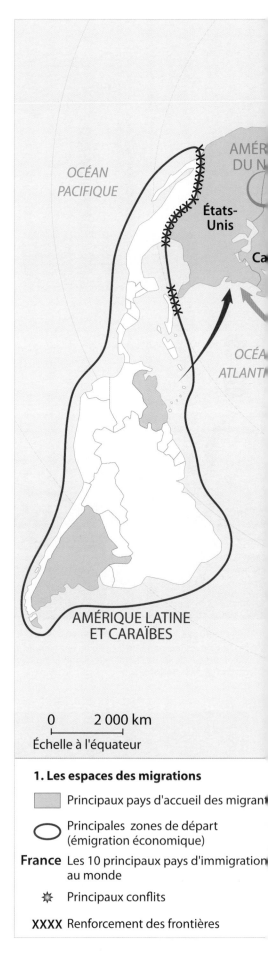

1. Les espaces des migrations

- Principaux pays d'accueil des migrant
- Principales zones de départ (émigration économique)
- **France** Les 10 principaux pays d'immigration au monde
- Principaux conflits
- **XXXX** Renforcement des frontières

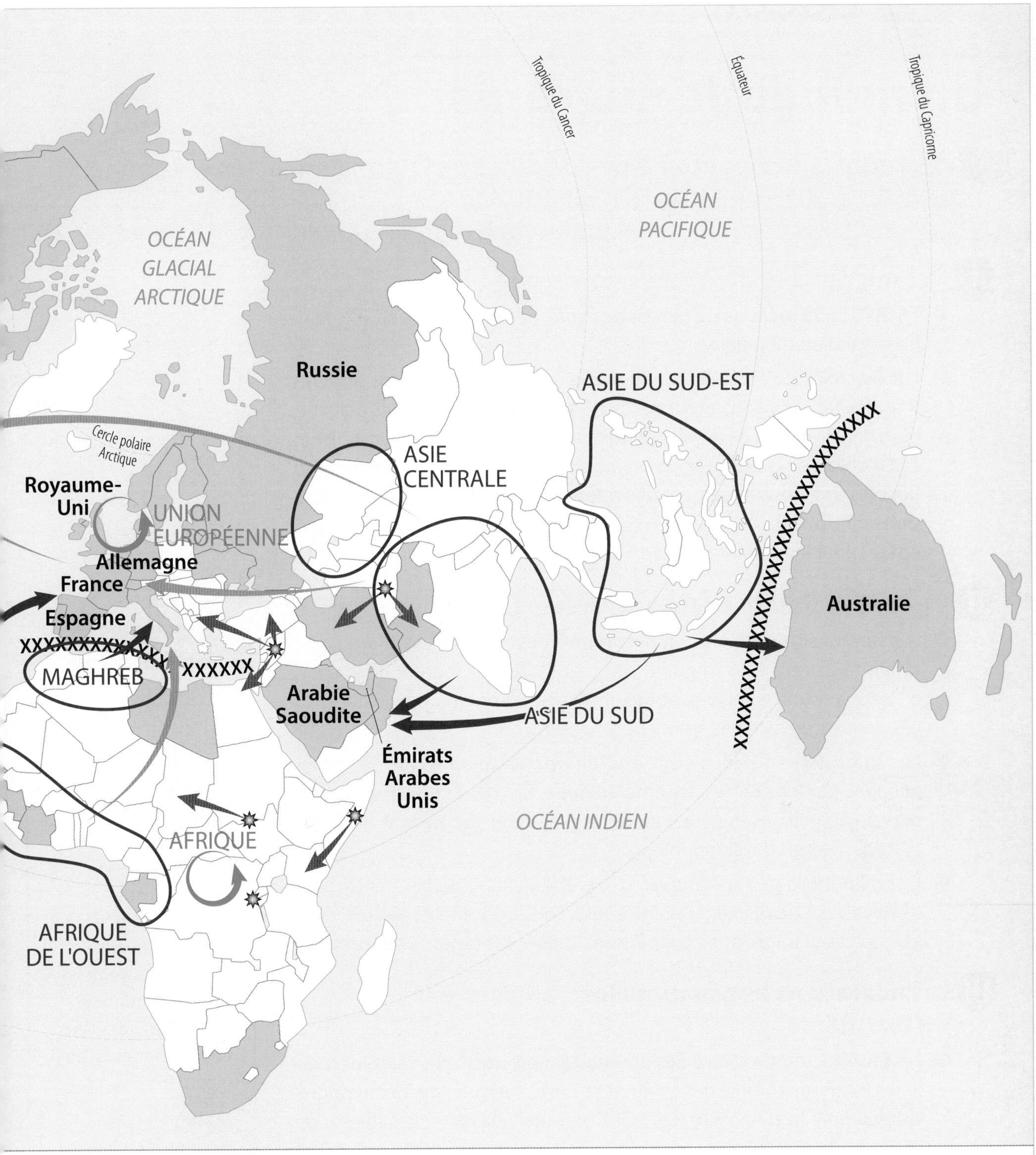

Tropique du Cancer
Équateur
Tropique du Capricorne
OCÉAN PACIFIQUE
OCÉAN GLACIAL ARCTIQUE
Russie
ASIE DU SUD-EST
Cercle polaire Arctique
ASIE CENTRALE
Royaume-Uni
UNION EUROPÉENNE
Allemagne
France
Espagne
Australie
MAGHREB
Arabie Saoudite
ASIE DU SUD
Émirats Arabes Unis
OCÉAN INDIEN
AFRIQUE
AFRIQUE DE L'OUEST

2. Des migrations diverses

- Principaux flux de migration économique
- Migrants qualifiés
- Principaux flux de réfugiés
- Migrations économiques internes (75 % des migrants dans le monde)

Source : d'après l'Atlas des migrations, Catherine Withol de Wenden, Ed. Autrement, 2014.

Leçon

Un monde de migrants

Qui sont les migrants ? Quels sont les territoires impactés et comment sont-ils transformés par les migrations ?

I Des **migrants** toujours plus nombreux

- En 2015, **250 millions de personnes sont des migrants**, soit 3,4 % de la population mondiale.
- **Les flux migratoires concernent en majorité des populations pauvres.** Près des trois quarts partent des pays pauvres. Ils se rendent dans des pays dont le niveau de développement est plus élevé, soit des pays riches, soit d'autres pays en développement plus riches. Les migrations internationales sont donc largement **des migrations économiques (ou migrations du travail).** Les migrants recherchent alors une vie meilleure, pour eux ou pour leurs enfants.

II Des profils de plus en plus diversifiés

- **Les femmes sont de plus en plus nombreuses** parmi les migrants. La majorité d'entre elles migrent pour rejoindre leur mari dans le cadre d'une migration familiale, par exemple en Europe ou aux États-Unis. Les départs de femmes seules augmentent.
- **Les migrations forcées sont également en plein essor.** Elles s'expliquent par les guerres, comme en Syrie. En 2014, les **réfugiés** sont plus de 14 millions dans le monde et près de 9 sur 10 sont hébergés par des pays en développement.
- Des migrations plus spécifiques se développent également entre pays développés : travailleurs qualifiés, étudiants, ou encore retraités par exemple. **Les migrations concernent toutes les régions du monde.**

III Les **migrations transnationales** transforment les territoires

- Les États mettent en place **des aménagements destinés soit à accueillir les migrants** comme des camps de transit, **soit à empêcher la migration** comme la fermeture des frontières par des murs. Les itinéraires suivis par les migrants deviennent alors plus longs et périlleux.
- **Les migrants continuent souvent d'entretenir des liens étroits avec leur pays d'origine.** Les moyens de transport facilitent les **mobilités** et donc les circulations temporaires (par exemple pour les vacances) ou permanentes (flux de retour) vers le pays d'origine. **Les migrants participent au développement local** notamment grâce aux envois d'argent vers leurs familles.
- Enfin, **les migrants participent aussi au développement du pays d'accueil.** Ils fournissent une main-d'œuvre souvent indispensable pour des travaux manuels comme dans la construction et l'agriculture. Les pays cherchent aussi à attirer des migrants qualifiés (ingénieurs, médecins).

Vocabulaire

Migrants : personne qui s'installe dans un pays étranger.

Migration transnationale : déplacement d'une population d'un pays à un autre qui suppose que le migrant s'installe dans un nouveau pays tout en continuant d'entretenir des liens étroits avec celui qu'il a quitté.

Réfugié : personne qui quitte son pays pour des raisons de sécurité.

Mobilités : ensemble des déplacements humains qu'ils soient quotidiens ou exceptionnels, pour des raisons politiques, économiques ou de loisirs.

Je retiens l'essentiel

L'essentiel en schéma

Des espaces de départ

les pays pauvres principalement

PMEX 5142

Des espaces d'arrivée

les pays plus riches que les pays de départ

Un monde de migrants : une géographie des migrations de plus en plus complexe

La majorité des migrants sont des migrants économiques

Des mobilités de plus en plus variées : femmes, mineurs, étudiants…

Des migrants acteurs du développement

pour le pays d'accueil

pour le pays d'origine

MoneyGram

Chiffres clés

- En 2015, 250 millions de personnes ne vivent pas dans leur pays de naissance, soit 3,4 % de la population mondiale. Les migrants transnationaux étaient 175 millions en 2000.
- 177 millions de migrants sont originaires des Suds, soit près des 3/4 des migrants dans le monde.
- En 2014, les réfugiés sont plus de 14 millions dans le monde et près de 9 sur 10 sont hébergés par des pays en développement.
- En 2015, les transferts d'argent dans le monde sont estimés à plus de 600 milliards de dollars dont 440 milliards reçus par les pays en développement.

J'apprends, je m'entraîne

▸ **Socle** *Méthodes et outils pour apprendre*

FICHE DE RÉVISION À TÉLÉCHARGER
Fiche 10

Un monde de migrants

1. Construire sa fiche de révision : notez le titre de la leçon sur votre feuille

Je connais...

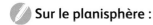

Connaître les repères géographiques

Sur le planisphère :

1. **Localisez et nommez les grandes régions d'émigration numérotées de 1 à 5 ;**
2. **Localisez et nommez les pôles majeurs d'immigration identifiés par les lettres A à C ;**
3. **Recopiez et complétez la légende.**

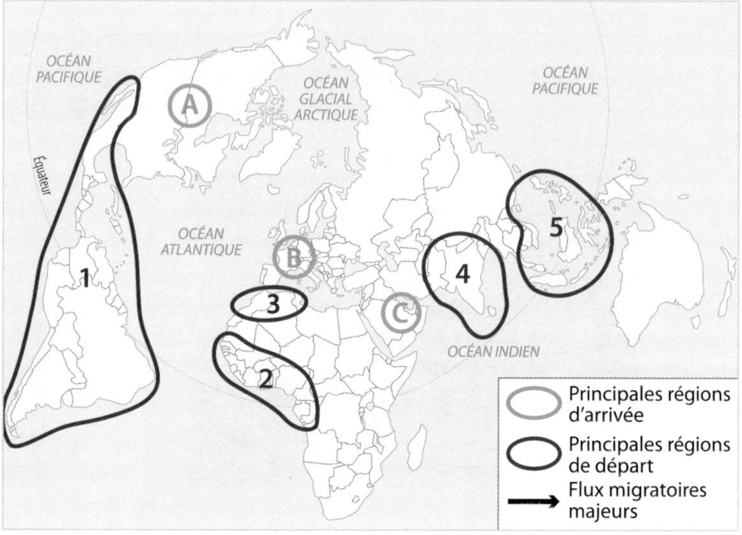

OCÉAN PACIFIQUE
OCÉAN GLACIAL ARCTIQUE
OCÉAN PACIFIQUE
Équateur
OCÉAN ATLANTIQUE
OCÉAN INDIEN
A
B
C
1
2
3
4
5
Principales régions d'arrivée
Principales régions de départ
Flux migratoires majeurs

Objectif 2 ▸ Connaître les mots-clés

Notez la définition des mots-clés demandés ci-dessous :
Migration transnationale – Immigration – Clandestin – Réfugié – Migrant – Nords – Suds

Je suis capable de...

Pour chacun des trois objectifs suivants, construisez une réponse à la consigne.

Objectif 3 ▸ Décrire un parcours migratoire en s'appuyant sur l'exemple de l'itinéraire d'un migrant abordé en classe.

Aide *Construisez deux paragraphes qui commencent par un alinéa :*
– dans le premier, identifiez l'espace de départ et les motivations du migrant ;
– dans le second, identifiez les espaces de transit et d'arrivée, les moyens de transport utilisés et les difficultés rencontrées.

Objectif 4 ▸ Décrivez la diversité des flux migratoires

Aide *Utilisez les mots et expressions : Nords – Suds – migrants économiques – réfugiés – clandestins*

Objectif 5 ▸ Décrivez comment les migrants transforment les territoires

Aide *Montrez comment les migrants participent au développement des pays d'accueil et montrez comment ils participent au développement de leur pays d'origine.*

1 Construire des repères géographiques

1. Localisez et situez chacune de ces photographies.
2. Expliquez les raisons qui ont poussé ces migrants à quitter leur pays.

1. Des migrants syriens débarquent à Athènes (Grèce)

2. Des migrants d'Amérique centrale empruntent un train de marchandises

3. Migrant français travaillant dans la Silicon Valley

2 S'informer dans le monde numérique

1. Dans un moteur de recherche, tapez « la périlleuse traversée de Koudous Seihon ». Cliquez sur le site Géopolis.
2. Lisez le récit de sa migration et cliquez sur les liens audio et vidéo.
3. Avec un logiciel de traitement de texte, réalisez le tableau ci-dessous et complétez-le à l'aide du récit.

Pays de départ :	Nom :
	Difficulté rencontrée :
Étapes et modes de déplacement	Pays traversés :
	Modes de déplacement :
	Difficultés rencontrées :
Pays d'arrivée	Nom :
	Difficultés rencontrées :

4. Montrez que le récit de la migration de Koudous Seihon ressemble à beaucoup d'autres.

francetvinfo
GÉOPOLIS
LE MONDE AUTREMENT
ACCUEIL AFRIQUE AMÉRIQUE ASIE-PACIFIQUE EUROPE MOYEN-ORIENT
RETOUR SUR... | ITALIE, EUROPE, NIGER, MALI, LIBYE, BURKINA FASO, ANGOLA, AFRIQUE
La périlleuse traversée de Koudous Seihon, un immigré clandestin devenu acteur
Par Falila Gbadamassi | Publié le 25/06/2015 à 15H57, mis à jour le 25/06/2015 à 16H18
A+ A-
19
J'aime
Tweet
0
G+1
tumblr

Auto-Évaluation

Je me positionne sur une marche :

1.
- **Je vais sur la page demandée.**
- **Je m'y déplace.**

Questions 1 et 2

2.
- Je vais sur la page demandée.
- Je m'y déplace.
- **Je trouve des informations.**

Questions 1, 2 et 3

3.
- Je vais sur la page demandée.
- Je m'y déplace.
- Je trouve des informations.
- **Je les sélectionne pour répondre à la consigne.**

Questions 1, 2 et 3

4.
- Je vais sur la page demandée.
- Je m'y déplace.
- Je trouve des informations.
- Je les sélectionne pour répondre à la consigne.
- **J'utilise mes connaissances pour faire preuve d'esprit critique.**

Questions 1, 2, 3 et 4

Pour progresser, j'analyse mes axes de progrès. Que devrais-je améliorer ?

Vers le brevet

1 Analyser et comprendre une image

A DAY WITHOUT (ILLEGAL) IMMIGRANTS
© MATSON
ST LOUIS POST-DISPATCH
caglecartoons.com

Une journée sans immigrés (illégaux)

R. J. Matson, « A day without immigrants », de 2006.

Identifier le document

1. Présentez le document : titre, auteur et date.
2. Quelle est la nature du document ?

Extraire et classer des informations pertinentes et utiliser ses connaissances pour expliciter

3. Quel est le personnage principal ? De quel pays le personnage principal est-il le symbole ?
4. Quel type de travaux réalise-t-il ? Comment la journée se termine-t-elle ?
5. D'où viennent une grande partie des migrants de ce pays ? Dans quelle situation sont-ils nombreux à se trouver d'après le document ?
6. Quel message l'auteur a-t-il voulu transmettre ?

2 Maîtriser différents langages pour raisonner et se repérer

1. Sous la forme d'un développement construit d'une vingtaine de lignes et en vous appuyant sur un exemple étudié en classe, décrivez et expliquez un flux migratoire transnational.
2. Localisez et nommez sur le planisphère :
   – les trois zones d'émigration économiques ;
   – les quatre grandes régions d'arrivée.

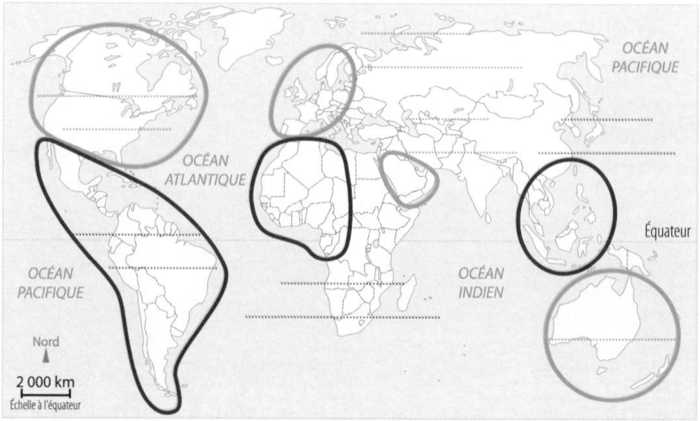
OCÉAN PACIFIQUE
OCÉAN ATLANTIQUE
Équateur
OCÉAN PACIFIQUE
OCÉAN INDIEN
Nord
2 000 km
Échelle à l'équateur

Enquêter

Pourquoi les migrations féminines sont-elles en pleine expansion ?

Les faits

Les femmes constituent 49 % des migrants internationaux. Ce chiffre cache néanmoins des différences considérables entre régions. La proportion de femmes migrantes est de 52 % dans le Nord et de 43 % dans le Sud. Elle est la plus élevée en Europe, suivie de l'Amérique latine et de l'Amérique du Nord.

D'après *Revue Infos migrations*, 2014.

Indice n°1

Le regroupement familial

La migration pour raisons familiales demeure la principale voie d'entrée des migrants, représentant près de 50 % des flux migratoires internationaux dans les pays développés. Elle continue d'être la première source d'entrées légales des femmes dans la majorité des pays européens et aux États-Unis.

D'après un rapport de l'Organisation mondiale pour les migrations, 2014.

Indice n°2

Réfugiée syrienne et son enfant (île de Lesbos, Grèce)

Indice n°3

Familles de réfugiés syriens arrivant au port du Pirée en 2015 (Athènes, Grèce)

Indice n°4

Des femmes plus autonomes

La migration féminine change de visage : on observe le départ croissant de femmes seules, célibataires, divorcées et surtout de femmes mariées sans leur conjoint, ce qui traduit l'importance de l'évolution des mentalités dans nombre de pays d'origine, principalement au Sud.

D'après G. Simon, « Migrants et migrations dans le monde », *La Documentation photographique*, 2008.

Erasmus[1]

L'étudiant Erasmus type est une étudiante, puisque 60,5 % des bénéficiaires du programme sur la période sont des jeunes femmes. Son âge moyen est de 23,5 ans et elle est au début de ses études supérieures.

D'après le site touteleurope.eu, 2016.

1. Le programme Erasmus est un programme d'échange d'étudiants et d'enseignants entre les universités européennes.

Avez-vous pris connaissance des faits et des indices ?
Quelle est votre conviction : pourquoi les migrations féminines sont-elles en pleine expansion ?

En groupes, complétez le carnet de l'enquêteur.

1. L'ampleur des migrations féminines : …
2. Les raisons traditionnelles des migrations féminines : …
3. Les nouveautés : …

L'atelier d'écriture

Vers la tâche complexe

Les migrations économiques dans le monde

À l'aide de vos connaissances, rédigez un texte qui décrit les migrations économiques dans le monde et leurs conséquences.

Travail préparatoire (au brouillon)

1. Comprenez bien le sujet : Les migrations économiques dans le monde et leurs conséquences.
2. Répondez aux questions autour du « pense pas bête ».

Pense pas bête

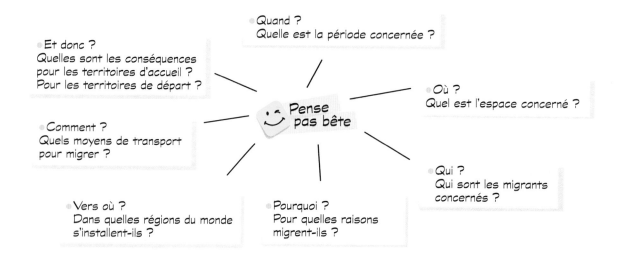

- Quand ? Quelle est la période concernée ?
- Où ? Quel est l'espace concerné ?
- Qui ? Qui sont les migrants concernés ?
- Pourquoi ? Pour quelles raisons migrent-ils ?
- Vers où ? Dans quelles régions du monde s'installent-ils ?
- Comment ? Quels moyens de transport pour migrer ?
- Et donc ? Quelles sont les conséquences pour les territoires d'accueil ? Pour les territoires de départ ?

Travail de rédaction (au propre)

RAPPELS

Vos paragraphes commencent par un alinéa.

N'oubliez pas de relire et de vérifier vos accords.

À chacun de choisir son niveau de difficulté et sa ceinture !

Je rédige un texte **sans aucune aide.**

Rédigez votre texte en vérifiant que :

- vous organisez vos idées en paragraphes
- vous commencez par une introduction qui définit les mots clés du sujet et précise l'espace concerné.

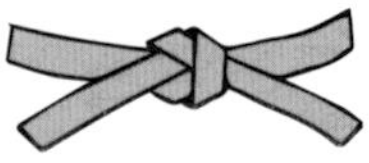

Je rédige un texte **avec un guidage léger.**

Rédigez votre texte à l'aide des conseils suivants :

- Commencez par une introduction qui définit les mots clés du sujet et précise l'espace concerné. Puis rédigez deux paragraphes :
- Le 1er paragraphe reprend les éléments qui ?, d'où ?, pourquoi ?, Vers où ?
- Le 2ème paragraphe reprend les éléments du comment ?, et donc ?

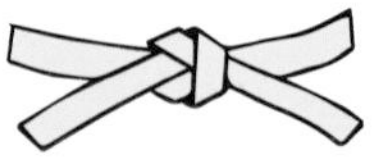

Je rédige un texte **avec un guidage plus important.**

Rédigez votre texte à l'aide des conseils suivants :

- Commencez par une introduction qui définit les mots clés du sujet et précise l'espace concerné. Puis rédigez deux paragraphes :
- Le 1er paragraphe précise les deux types de migrations du travail, les principales zones d'émigration économique et les pays d'accueil.
- Le 2ème paragraphe décrit les conditions des migrations très différentes en fonction du type de travailleur puis explique comment les migrants participent au développement du pays d'accueil et du pays de départ.

Quelle attitude l'Europe adopte-t-elle face aux migrants ?

1 | Un camp de **réfugiés** syriens en Grèce, 2016

2 L'Union européenne divisée

Beaucoup de Syriens essayent de fuir la guerre qui fait rage dans leur pays et demandent l'aide de l'Union européenne.

En Grèce, la crise humanitaire menace, avec des dizaines de milliers de migrants coincés à la frontière macédonienne. [...] Les gouvernements semblent désormais entrés en « panique ». Ils sont tétanisés par les arrivées depuis janvier en Grèce (102 000 migrants), et par la perspective de flux encore plus importants avec le retour du printemps. Ils ferment leurs frontières, contreviennent au droit européen et aux conventions de Genève, pour répondre à une opinion publique qui est contre l'accueil des migrants. L'Autriche a ainsi instauré un quota journalier de 3 200 migrants. La Slovénie lui a emboîté le pas, fixant « un plafond d'environ 580 migrants par jour » et demandant à son voisin croate de respecter cette limite. La chancelière allemande Angela Merkel est désormais seule en Europe — avec la Commission européenne — à défendre l'accueil de réfugiés.

D'après C. Ducourtieux, « L'Europe cède à la panique dans le dossier des migrants », *lemonde.fr*, 25/02/2016.

Vocabulaire

Réfugié : personne qui doit fuir son pays parce qu'elle est en danger à cause de persécutions ou d'une violence générale.

3 La convention de Genève (1945)

[La convention de Genève] définit les droits des réfugiés, dont font partie la liberté de religion, la liberté de circulation, tout comme le droit de travailler, le droit à une formation et le droit d'obtenir des documents de voyage. Elle souligne également les obligations des réfugiés envers le pays d'accueil. Elle interdit de renvoyer un réfugié dans un pays dans lequel il craint d'être persécuté.

Le droit et la règle : des principes pour vivre avec les autres

1. **DOC. 1** Décrivez la vie dans les camps de réfugiés.
2. **DOC. 2** Pour quelle raison des dizaines de milliers de migrants sont-ils retenus à la frontière du côté grec ?
3. **DOC. 1 ET 3** **Émettez une hypothèse** pour expliquer que l'Allemagne ait accepté d'accueillir de nombreux réfugiés syriens en Allemagne, en février 2016.

Le jugement : penser par soi-même et avec les autres

4. Vous êtes des membres du Haut-Commissariat aux Nations unies pour les réfugiés. Ensemble, écrivez un discours pour essayer de convaincre d'autres pays de l'Union européenne d'accueillir des réfugiés syriens. Désignez ensuite un représentant pour faire le discours face à la classe.

11 Le tourisme et ses espaces

Comment le tourisme international transforme-t-il les territoires et les sociétés ?

Souvenez-vous !

Quels types de mobilités internationales avez-vous étudiées dans le chapitre précédent intitulé « Un monde de migrants » ?

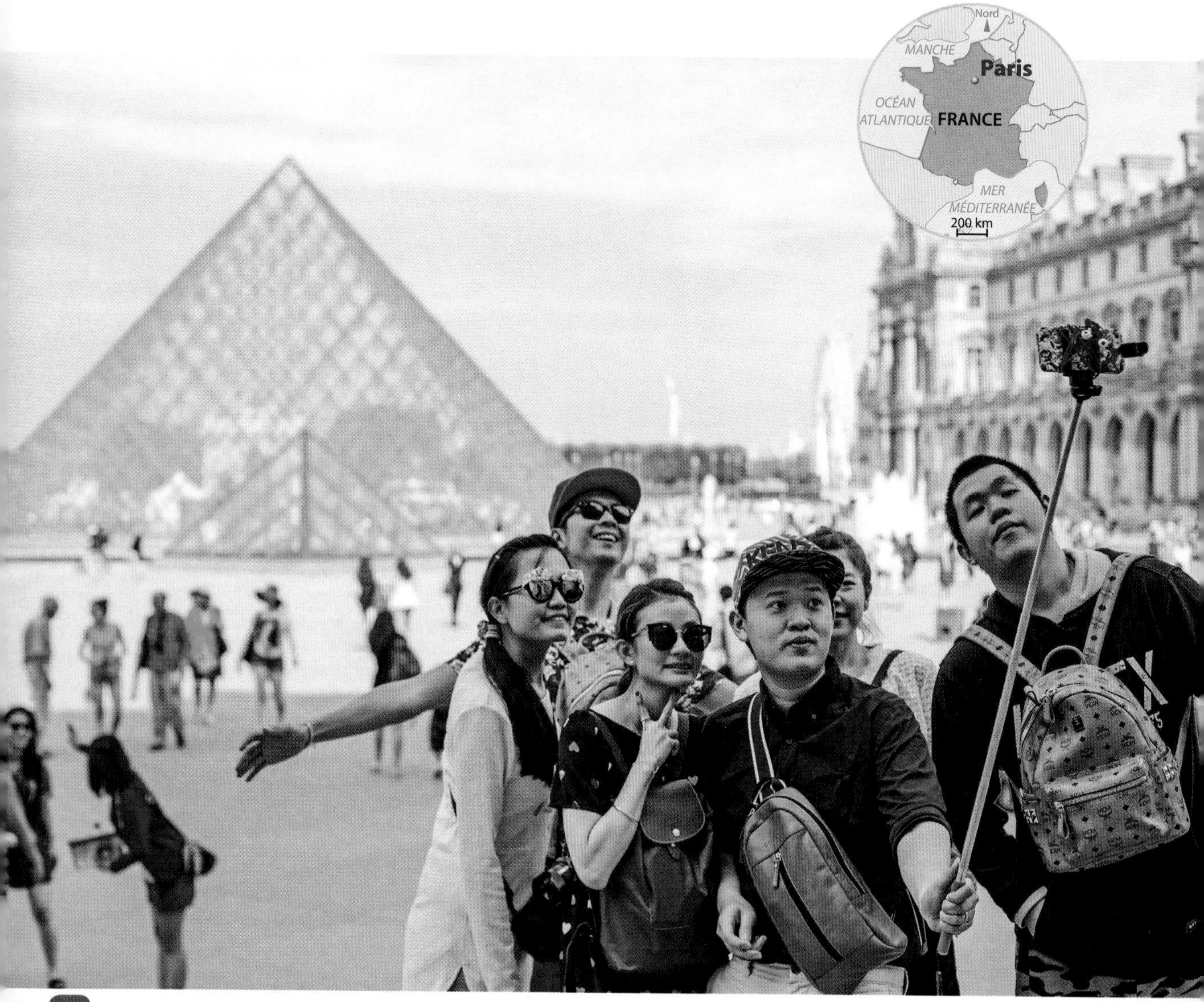
Nord
MANCHE
Paris
OCÉAN ATLANTIQUE
FRANCE
MER MÉDITERRANÉE
200 km

1 | Le **tourisme** culturel à Paris, 3e ville la plus visitée au monde en 2015.

Vocabulaire

Tourisme : mobilité volontaire et temporaire d'au moins 24h en dehors du domicile à des fins personnelles ou professionnelles.

Socle *Se repérer dans l'espace*

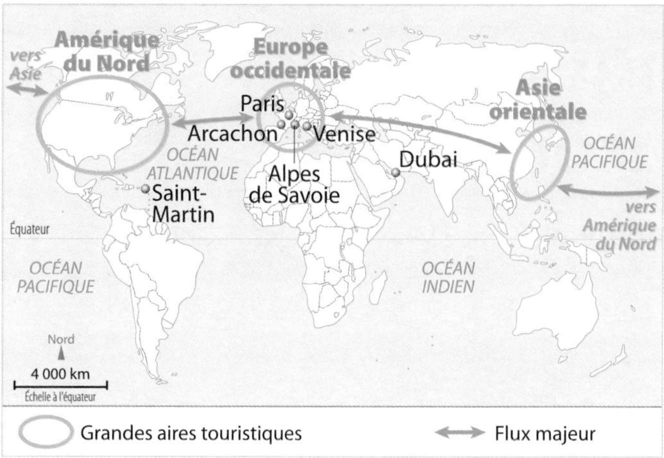

Amérique du Nord
vers Asie
Europe occidentale
Asie orientale
Paris
Arcachon
Venise
Alpes de Savoie
Dubai
Saint-Martin
OCÉAN ATLANTIQUE
OCÉAN PACIFIQUE
OCÉAN PACIFIQUE
OCÉAN INDIEN
vers Amérique du Nord
Équateur
Nord
4 000 km
Échelle à l'équateur
Grandes aires touristiques
Flux majeur

Nord
OCÉAN ATLANTIQUE
Saint-Martin
Grandes Antilles
Petites Antilles
MER DES CARAÏBES
500 km
AIR FRANCE

2 Le **tourisme** balnéaire sur l'île de Saint-Martin (Caraïbes)

Un avion atterrit à l'aéroport international Princess Juliana qui se trouve juste à droite de la route.

1. **DOC. 1, 2 ET CARTE** Localisez et situez les paysages.
2. **DOC. 1 ET 2** Quelles formes de tourisme chaque photographie illustre-t-elle ?
3. **DOC. 1 ET 2 Formulez une hypothèse** pour répondre à la question suivante : comment le développement du tourisme international s'explique-t-il dans ces territoires ?

Le tourisme et ses espaces

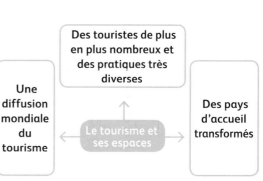

- **Une diffusion mondiale du tourisme**
- **Des touristes de plus en plus nombreux et des pratiques très diverses**
- **Des pays d'accueil transformés**

Étude de cas

▸ Socle *Pratiquer différents langages – Construire des hypothèses*

Un espace touristique au Maghreb : le Maroc

Comment les pratiques touristiques transforment-elles l'espace et la société au Maroc ?

FICHE D'IDENTITÉ DU MAROC EN 2015

Nombre d'habitants	34 millions
Nombre de touristes internationaux	10,3 millions

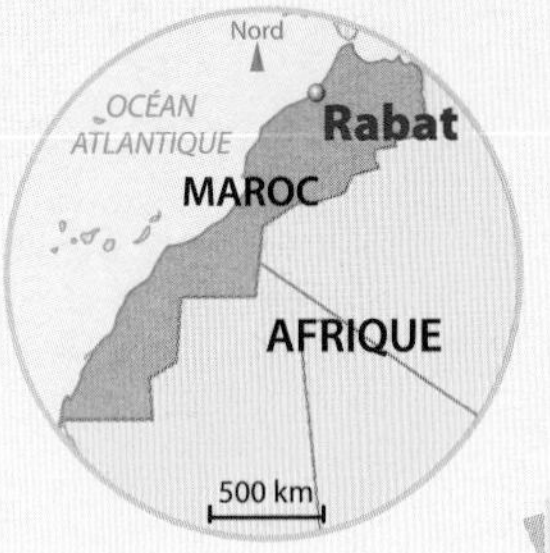

Nord
OCÉAN ATLANTIQUE
Rabat
MAROC
AFRIQUE
500 km

Étape 1 ▸ *Connaître les principales caractéristiques du tourisme au Maroc*

1 | Agadir, une station de **tourisme balnéaire** au Maroc

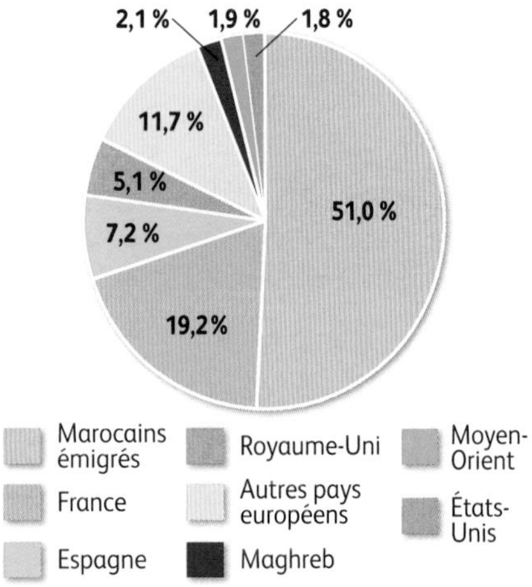

2,1 %
1,9 %
1,8 %
11,7 %
5,1 %
7,2 %
51,0 %
19,2 %
Marocains émigrés
Royaume-Uni
Moyen-Orient
France
Autres pays européens
États-Unis
Espagne
Maghreb

Source : ministère du tourisme du Royaume du Maroc, 2016.

a. L'origine des 10,3 millions de touristes en 2014.

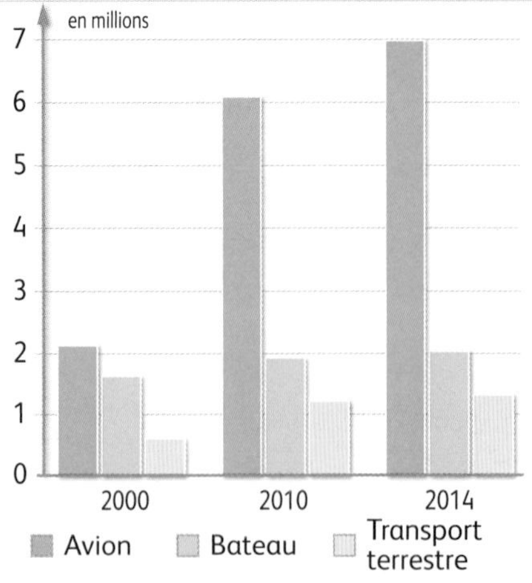

en millions
7
6
5
4
3
2
1
0
2000
2010
2014
Avion
Bateau
Transport terrestre

Source : ministère du tourisme du Royaume du Maroc, 2016.

b. Les moyens de transport utilisés.
D'après le ministère du Tourisme du Royaume du Maroc.

2 | Le tourisme international au Maroc

Vocabulaire

Tourisme balnéaire : tourisme qui se développe sur le littoral afin de profiter de la plage et de la mer.

Tourisme culturel : tourisme qui a pour but la découverte du patrimoine culturel d'un espace.

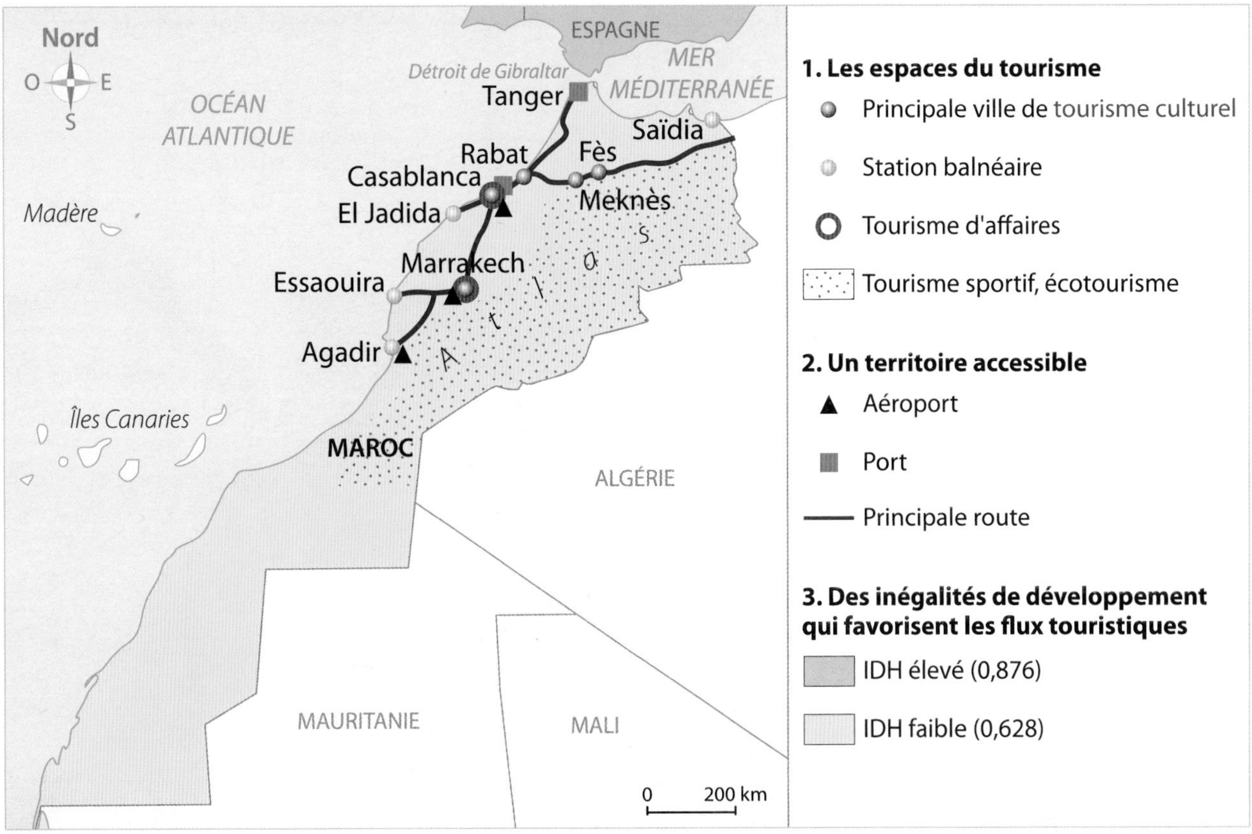
Nord
O
E
S
ESPAGNE
MER MÉDITERRANÉE
Détroit de Gibraltar
OCÉAN ATLANTIQUE
Tanger
Saïdia
Rabat
Fès
Casablanca
Meknès
El Jadida
Madère
Marrakech
Essaouira
Agadir
Atlas
Îles Canaries
MAROC
ALGÉRIE
MAURITANIE
MALI
0 200 km
1. Les espaces du tourisme
Principale ville de tourisme culturel
Station balnéaire
Tourisme d'affaires
Tourisme sportif, écotourisme
2. Un territoire accessible
Aéroport
Port
Principale route
3. Des inégalités de développement qui favorisent les flux touristiques
IDH élevé (0,876)
IDH faible (0,628)

3 | Une offre touristique variée

4 Une activité économique majeure

La stratégie de développement touristique du Maroc Vision 2020 a fait du développement durable un de ses piliers fondateurs. L'offre touristique marocaine dans son ensemble se veut respectueuse et valorisante pour ses ressources naturelles et son patrimoine culturel et surtout génératrice de bien-être et de richesses pour les populations locales. Véritable moteur de croissance, le tourisme représente près de 8 % du PIB du Maroc. Le tourisme exerce une forte influence sur les autres secteurs de l'économie nationale. Il pourvoit directement plus de 500 000 emplois, contribuant largement à la création de richesses et à la diminution du chômage et de la pauvreté dans le pays.

D'après L. Hadad, ministre du Tourisme marocain, 2016.

Activités

Socle *Pratiquer différents langages*

À partir des documents, complétez la carte mentale.

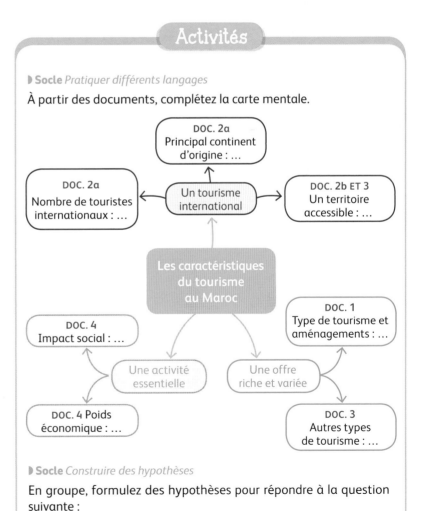

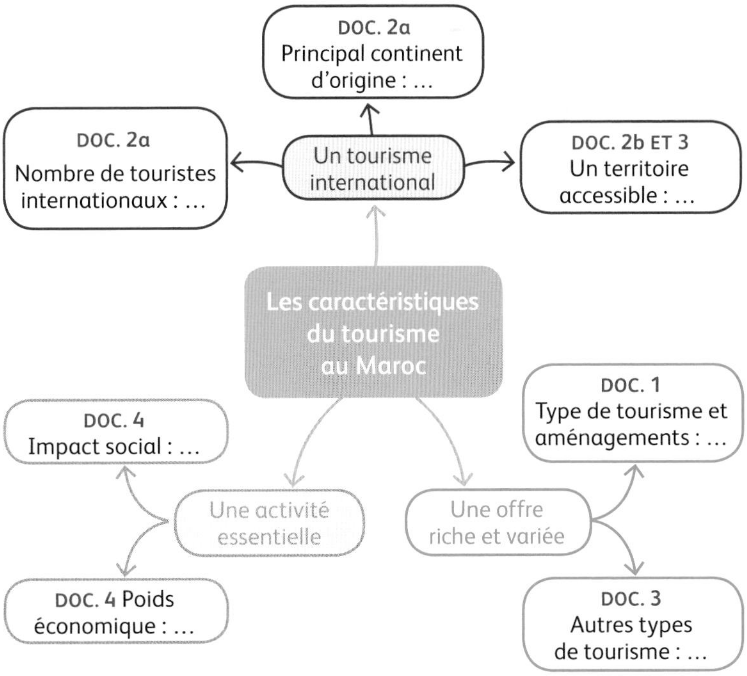
DOC. 2a
Principal continent d'origine : …
DOC. 2a
Nombre de touristes internationaux : …
Un tourisme international
DOC. 2b ET 3
Un territoire accessible : …
Les caractéristiques du tourisme au Maroc
DOC. 4
Impact social : …
DOC. 1
Type de tourisme et aménagements : …
Une activité essentielle
Une offre riche et variée
DOC. 4 Poids économique : …
DOC. 3
Autres types de tourisme : …

Socle *Construire des hypothèses*

En groupe, formulez des hypothèses pour répondre à la question suivante :

Comment le développement touristique du Maroc s'explique-t-il ?

Étape 2 ▶ Comprendre les conséquences spatiales, sociales et économiques du développement touristique

Nord
OCÉAN
ATLANTIQUE
El Jadida
MAROC
AFRIQUE
500 km

6 Un complexe touristique récent sur le **littoral** atlantique : le Mazagan Beach and Golf Resort à El Jadida

Ouvert en 2009, l'hôtel comprend des commerces, un centre de congrès et deux golfs.

7 Les conséquences socio-économiques

En 2004, le Maroc avait lancé un programme d'investissements colossal pour la création de six stations balnéaires : le plan Azur. Dix ans plus tard, deux sont opérationnels dont Mazagan. « Notre principal marché est le Maroc (42,4 % des clients), plus principalement les familles pour les vacances scolaires et les week-ends. À l'international, notre clientèle provient principalement de France (20 %), suivie du Royaume-Uni et de l'Allemagne. Pour la région, qui vit essentiellement de la pêche et de l'agriculture, cet hôtel est une chance : 1 400 emplois créés dans le resort et 2 000 dans la région », confirme Stephan Killinger, président du Mazagan.

D'après l'article « Tourisme : comment Mazagan a redressé la barre », www.jeuafrique.com, 2014.

8 La citadelle d'El Jadida, fortifiée par les Portugais au XVIe siècle

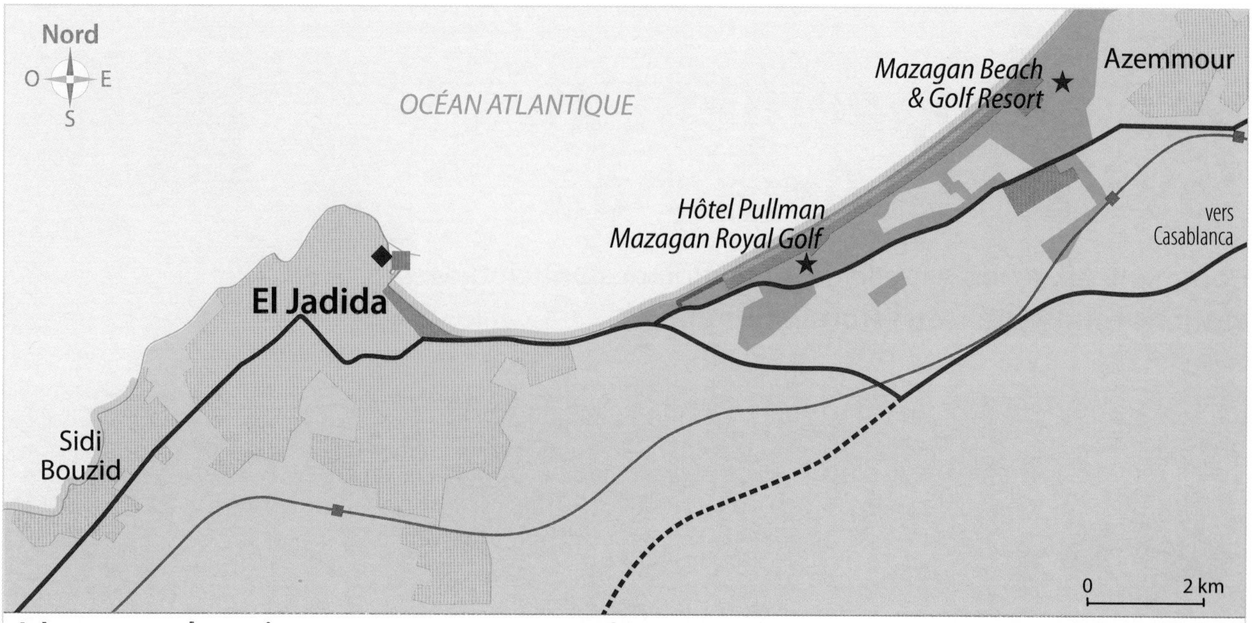
Nord
O
E
S
OCÉAN ATLANTIQUE
Mazagan Beach & Golf Resort
Azemmour
Hôtel Pullman Mazagan Royal Golf
vers Casablanca
El Jadida
Sidi Bouzid
0
2 km

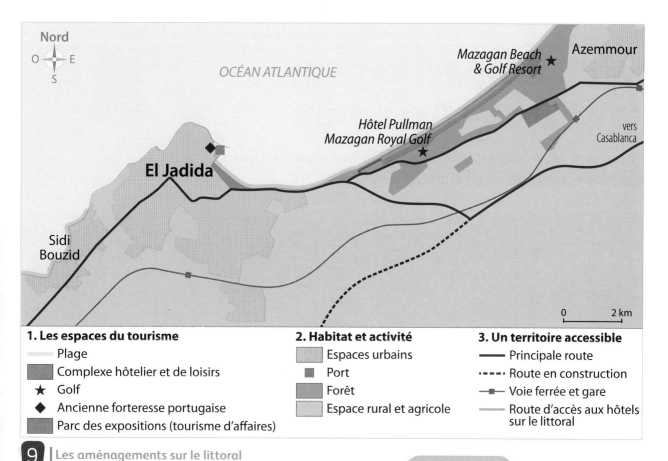

1. Les espaces du tourisme
- Plage
- Complexe hôtelier et de loisirs
- ★ Golf
- ◆ Ancienne forteresse portugaise
- Parc des expositions (tourisme d'affaires)

2. Habitat et activité
- Espaces urbains
- Port
- Forêt
- Espace rural et agricole

3. Un territoire accessible
- Principale route
- Route en construction
- Voie ferrée et gare
- Route d'accès aux hôtels sur le littoral

9 | Les aménagements sur le littoral

10 L'eau au golf de Mazagan

Le gazon du golf au Mazagan est une herbe adaptée aux sols pauvres et qui permet de faire face aux restrictions d'eau. C'est une herbe qui a la capacité de retenir l'eau et qu'on peut arroser directement avec l'eau de mer ou une eau de mauvaise qualité, tout en conservant des conditions de sport exceptionnelles. 80 % de l'eau que nous utilisons provient d'une station de recyclage de l'hôtel. Durant les grandes chaleurs de l'été, nous avons deux puits, mais nous essayons de ne pas utiliser cette eau, car nous sommes dans une région agricole et les habitants dépendent beaucoup de cette eau. Avec cette herbe, nous avons réduit notre consommation d'eau de moitié par rapport aux autres golfs.

D'après Terrance Mohamed, directeur du golf de Mazagan, www.neoplanete.fr, 2013.

Activités

Socle *Extraire des informations pertinentes et les classer*

Recopiez et complétez le tableau sur les conséquences du tourisme.

Conséquences spatiales et environnementales	Conséquences économiques et sociales
DOC. 6, 9 ET 10 : …	DOC. 7 ET 10 : …

Étape 3 ▶ *Réaliser un croquis de paysage en bilan*

Sujet : Mazagan, un espace devenu touristique au Maroc

A. Préparer le croquis.

1. Tracez un cadre aux dimensions de la photographie (DOC. 6) et délimitez les différents espaces : la plage – l'hôtel – les espaces verts aménagés – les parkings – la forêt – les routes.

B. Organiser les informations

2. Classez ces espaces en 2 thèmes pour constituer la légende :

Aménagements humains	Éléments naturels
…	…

3. Sélectionnez des couleurs pour représenter chaque espace. Voir **Point Méthode**, page 233.

C. Réaliser le croquis

4. À l'aide des informations classées dans le tableau et des figurés choisis, complétez votre croquis et construisez sa légende.

Le développement du tourisme à Arcachon

Nord
MANCHE
OCÉAN ATLANTIQUE
FRANCE
Arcachon
MER MÉDITERRANÉE
200 km

Comment Arcachon est-elle devenue une des principales stations touristiques du littoral atlantique ?

1 | La station balnéaire d'Arcachon aujourd'hui
1 Ville d'été ; 2 Ville d'hiver

2 La dune du Pilat, un atout pour l'attractivité touristique de la région

Près de 2 millions de visiteurs foulent chaque année le sable de la dune pour profiter du panorama qu'elle offre sur le Bassin d'Arcachon. Environ un quart de ces personnes est accueilli durant le seul mois d'août (525 000 visiteurs). Quelque 30% des visiteurs sont Aquitains, et on dénombre 11% d'étrangers. Sur l'aspect économique, le Grand site de la dune du Pilat génère entre 11 et 13 millions d'euros de retombées directes, correspondant à 132 emplois. Quatre millions de nuitées touristiques sont générées par la visite de la dune. Forme de relief unique en Europe, la dune du Pilat est souvent citée pour ses mensurations hors normes : 108 mètres de haut, 2,7 km de long, 500 mètres de large, 60 millions de m^3 de sable.

D'après un article du journal en ligne *20minutes.fr*, 2015.

3 | La dune du Pilat

Vocabulaire

Station touristique : lieu caractérisé par la prédominance de l'activité touristique.

Tourisme thermal : tourisme spécialisé dans les soins médicaux à partir des eaux minérales.

Tourisme durable : tourisme qui préserve les ressources de l'environnement et respecte le mode de vie des populations locales.

4 L'apparition du tourisme de masse dans les années 1960-1970 (plage Thiers en 1970)

5 Le rôle du chemin de fer dans la mise en tourisme d'Arcachon

Dès la première moitié du XIXe siècle, le site était déjà apprécié par la bourgeoisie bordelaise pour la qualité de son climat et ses bains de mer. Mais le destin de la ville fut surtout marqué par les frères Péreire, richissimes banquiers et propriétaires du chemin de fer entre Bordeaux et La Teste qu'ils décidèrent de prolonger jusqu'à Arcachon[1], ce qui permit le développement du **tourisme thermal** et estival. Cette double vocation est à l'origine de la division d'Arcachon en deux villes : la ville d'été longeant la baie et la ville d'hiver juchée sur la dune surplombant Arcachon, avec ses belles villas et son kiosque à musique.

D'après l'article « Arcachon, un peu d'histoire », consulté sur le site Arcachon.alienor.fr en 2016.

1. Avant l'ouverture de la ligne en 1845, Arcachon était un hameau de cabanes comptant moins de 400 habitants, essentiellement des pêcheurs. Quinze ans plus tard, la ville nouvelle en comptait plus de 8000.

ARCACHON
VILLE D'ÉTÉ
CASINOS
Plage et Forêt
Chasses. Pêches. Régates
COURSES. TIR AUX PIGEONS
GOLF
SYNDICAT D'INITIATIVE

6 Des pratiques touristiques anciennes (Affiche de 1900)

Étape 1 ▶ Repérer les permanences

1. **DOC. 5 ET 6** Quand le tourisme a-t-il débuté à Arcachon ? Quel rôle le chemin de fer joue-t-il dans le développement touristique ?
2. **DOC. 1 ET 2** Quels sont les atouts naturels du site ?

Étape 2 ▶ Souligner les mutations

3. **DOC. 1, 5 ET 6** Quelles sont les pratiques touristiques mises en avant au début du XXe siècle ? Qu'en est-il aujourd'hui ?
4. **DOC. 4** Pourquoi peut-on parler d'un tourisme de masse depuis les années 1960-1970 ?
5. **DOC. 2 ET 3** Quel est l'impact du tourisme sur le territoire ? L'économie ? La société ?

Étape 3 ▶ Envisager des solutions futures

6. Comment favoriser le développement d'un **tourisme durable** à Arcachon ?

Étude de cas

Dubai, un développement touristique récent

Dubai est-elle un modèle de développement touristique ?

FICHE D'IDENTITÉ	
Pays	Émirats arabes unis
Population	2,5 millions d'hab.
Superficie	3 885 km^2

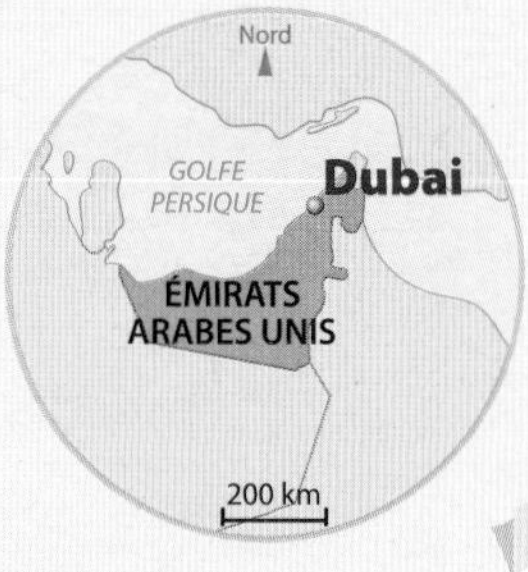
Nord
GOLFE PERSIQUE
Dubai
ÉMIRATS ARABES UNIS
200 km

Étape 1 Comprendre l'essor du tourisme à Dubai

Tâche complexe

Vous organisez vos prochaines vacances dans un des nouveaux lieux touristiques, apparu dans le désert d'Arabie, sur les bords du Golfe Persique, il y a seulement une dizaine d'années : Dubai.

Vous mission :

Vous expliquez à vos amis ce qui rend possible ce voyage et ce que vous allez y faire. Préparez vos arguments !

Boîte à outils

Les mots du géographe :
aménagements, complexe hôtelier, activités

1
2
3
4

1 Des investissements colossaux pour faire de Dubai un pôle commercial, financier et touristique
1. Burj Khalifa, plus haut building au monde
2. Dubai Mall, plus grand centre commercial au monde
3. Autoroute Sheikh Zayed road à 14 voies
4. Métro inauguré en 2009, plus long métro automatique du monde

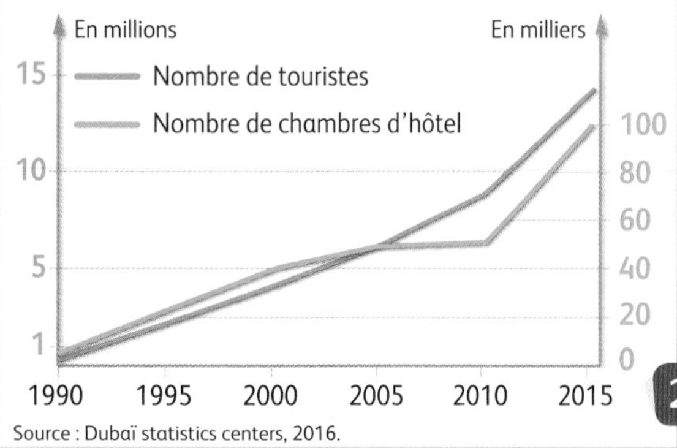
En millions
En milliers
Nombre de touristes
Nombre de chambres d'hôtel
15
10
5
1
100
80
60
40
20
0
1990
1995
2000
2005
2010
2015
Source : Dubaï statistics centers, 2016.

2 Évolution du nombre de touristes et de chambres d'hôtels à Dubai

1

3 L'hôtel Atlantis, incroyable hôtel de loisirs de 1500 chambres avec ses aquariums, son parc d'attractions aquatique et ses piscines où il est possible de nager avec les dauphins

(1) Hôtel Atlantis

4 La croissance du tourisme à Dubai

Avec plus de 95 centres commerciaux, plus de 750 hôtels dont près de la moitié sont classés en cinq étoiles, Dubai a accueilli 11,6 millions de visiteurs étrangers en 2014, avec en tête les Saoudiens (1,3 million) devant les Indiens (1 million) et les Britanniques (850 000). Décidé à promouvoir ce tourisme, Dubai compte atteindre le cap de 20 millions de visiteurs en 2020 à l'occasion de l'Exposition universelle[1]. Pour atteindre de telles performances, l'émirat de Dubai mise sur son aéroport gigantesque et sur la croissance de sa compagnie aérienne Emirates. En janvier, l'aéroport de Dubai a détrôné Londres en décrochant la première place mondiale en nombre de passagers internationaux. Il en a accueilli 70 millions en 2014.

D'après *lefigaro.fr*, 2015.

1 Grandes expositions internationales tenues régulièrement depuis le milieu du XIXe siècle.

5 Des centres commerciaux conçus comme des parcs d'attractions

En plus de ses 1200 boutiques, le Dubai Mall propose des centaines de restaurants, une patinoire, un aquarium, des cinémas, une cascade, un parc à thèmes Sega, etc.

Besoin d'un peu d'aide ?

Après avoir localisé et situé Dubai, vous organisez votre argumentation autour des mots-clés de la boîte à outils.

Besoin d'un peu plus d'aide ?

Après avoir localisé et situé Dubai, vous présentez :

- Les offres touristiques proposées par Dubai (pratiques, aménagements) (DOC. 1, 2, 3 ET 5)
- Les éléments qui montrent le succès du développement touristique (DOC. 2 ET 4)
- Le développement des transports et la connexion de Dubai avec le reste du monde (DOC. 1 ET 4)

Étude de cas

Étape 2 *Confronter le développement du tourisme à Dubai avec les enjeux du développement durable*

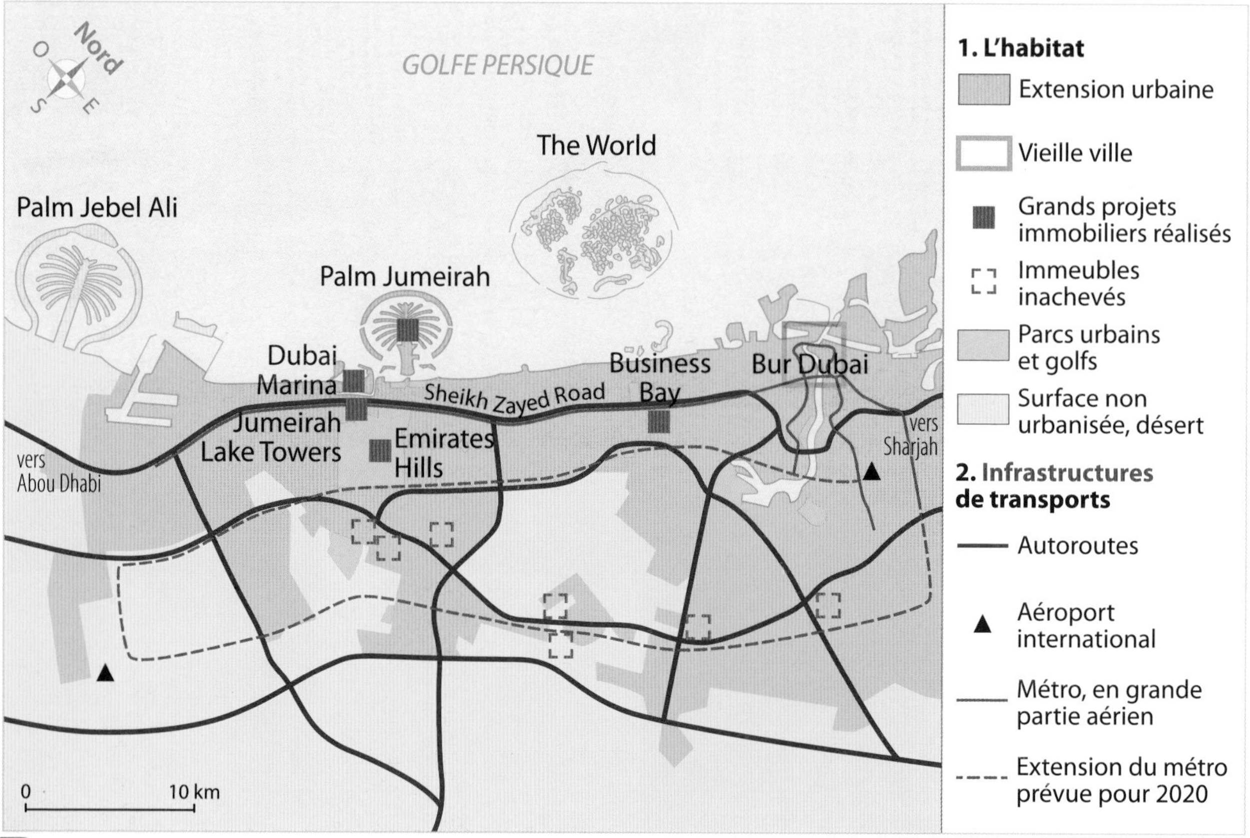

Nord
O
S
E
GOLFE PERSIQUE
The World
Palm Jebel Ali
Palm Jumeirah
Dubai Marina
Business Bay
Bur Dubai
Sheikh Zayed Road
Jumeirah Lake Towers
Emirates Hills
vers Abou Dhabi
vers Sharjah
0
10 km
1. L'habitat
Extension urbaine
Vieille ville
Grands projets immobiliers réalisés
Immeubles inachevés
Parcs urbains et golfs
Surface non urbanisée, désert
2. Infrastructures de transports
Autoroutes
Aéroport international
Métro, en grande partie aérien
Extension du métro prévue pour 2020

6 | Une ville en perpétuel aménagement

7 | Un développement touristique rendu possible grâce à la main-d'œuvre immigrée (Marina de Dubai)

Vocabulaire

Infrastructures : aménagements nécessaires pour habiter un territoire (déplacement, hébergement, loisirs…).

8 Le tourisme, un moteur de la croissance économique

Dubai poursuit la ligne établie par le Cheikh Rashid dans les années 1960. Il avait coutume de dire : « Construisez des infrastructures, des ports, des aéroports, des autoroutes dans le désert, et les gens viendront ». Cette stratégie s'explique par la modestie d'une ressource, le pétrole, qu'on pourrait penser à tort abondante mais qui est presque épuisée. Abou Dhabi concentre plus de 90 % des réserves de la fédération et Dubai a compris qu'il devait très vite diversifier son économie. L'émirat a donc voulu devenir une plate-forme mondiale de la finance, du commerce et des services, forte de sa position géographique entre Europe, Afrique et Asie ; et une destination touristique majeure. La croissance a atteint 4 % en 2014. Si le pétrole représentait 80 % du PIB dans les années 1960, il en constitue moins de 4 % désormais, alors que le tourisme est monté à 25 %.

D'après l'article « Dubai, un carrefour dans le désert », *La Croix*, 2015.

9 Skier en plein désert : une station de ski indoor dans un centre commercial (Mall of the Emirates)

Activités

Socle *Raisonner*

1. **DOC. 7 ET 9** Quels sont les avantages et les inconvénients du développement touristique à Dubai pour ceux qui y vivent et y travaillent ?
2. **DOC. 8** Comment les recettes touristiques évoluent-elles ?
3. **DOC. 6 ET 9** Le développement touristique de Dubai est-il respectueux de l'environnement ?

Étape 3 *Réaliser un bilan sous la forme d'une carte mentale*

Parcours 1

Recopiez et complétez le schéma suivant :

La mise en tourisme d'un territoire : Dubai

des pratiques touristiques	des aménagements	un tourisme durable ?
…	…	…
…	…	…
…	…	…

Parcours 2

À partir de vos réponses aux questions de l'étude, rédigez un texte pour répondre à la question :

Comment le tourisme transforme-t-il le territoire et la société à Dubai ?

Aide : *Dans un premier paragraphe, vous montrerez quels sont les pratiques et les aménagements touristiques réalisés à Dubai. Dans un second paragraphe, vous montrerez les limites de ce développement touristique qui n'apparaît pas durable.*

Étude de cas

▸ **Socle** *Extraire des informations pertinentes*

Les Alpes : un espace métamorphosé par le tourisme

Comment le tourisme a-t-il transformé l'espace alpin ?

FICHE D'IDENTITÉ DES ALPES

Nombre de stations	141
Capacité d'accueil	1,3 million de lits
Nombre de touristes en 2015	10 millions

Nord
MANCHE
OCÉAN ATLANTIQUE
FRANCE
Alpes
Courchevel
MER MÉDITERRANÉE
200 km

1 | Le site de Courchevel en 1959

2 | Courchevel aujourd'hui : une **station intégrée** de montagne

Pour aller plus loin
Découvrez comment les Alpes du Nord ont été mises en tourisme depuis le début du XXe siècle en regardant une vidéo https://vimeo.com/54512045
Regardez une vidéo qui explique comment les stations produisent de la neige et les impacts de cette pratique sur l'environnement https://www.youtube.com/watch?v=ple1CHl87E4

Vocabulaire

Station intégrée : lieu touristique créé dans des espaces vierges, sur des sites propices.

3 L'évolution du regard sur la montagne

La longue durée est une donnée nécessaire pour mesurer les effets du tourisme sur les territoires alpins. Ceux-ci sont en effet passés au cours des trois derniers siècles du stade de territoires ignorés et redoutés à ceux de territoires recherchés, aménagés par d'autres et pour d'autres que les habitants traditionnels. Durant cette même période, on assiste à une alternance voire un renversement des saisons majeures : d'abord uniquement estivale, la montagne touristique devient à partir des années 1950 essentiellement hivernale avant de redonner une large place à l'été à côté de la saison d'hiver[1].

D'après Anne-Marie Grasset-Abisset, *Histoire du tourisme en montagne*, site *fresques.ina.fr*, 2016.

1 En 2014, l'espace Savoie Mont Blanc a accueilli plus de 65 millions de nuitées, dont 62% en hiver et 33% en été.

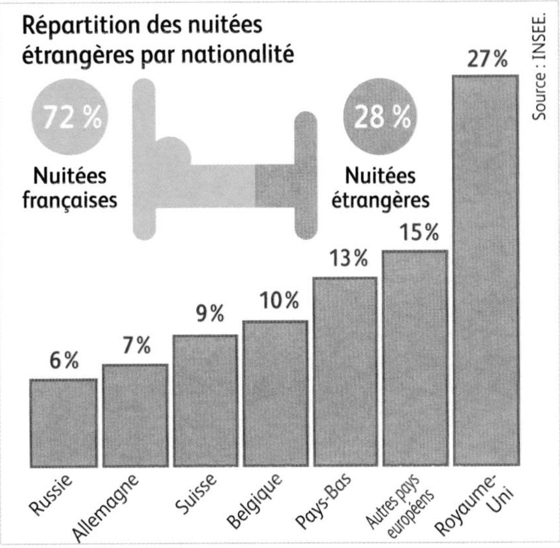
Répartition des nuitées étrangères par nationalité
72 %
Nuitées françaises
28 %
Nuitées étrangères
6 %
7 %
9 %
10 %
13 %
15 %
27 %
Russie
Allemagne
Suisse
Belgique
Pays-Bas
Autres pays européens
Royaume-Uni
Source : INSEE.

4 Le poids des clientèles françaises et étrangères en Savoie Mont Blanc (Savoie et Haute-Savoie)

L'espace du massif des Alpes

Atouts	Faiblesses	Menaces
• Le plus grand domaine skiable équipé du monde • Des marques internationalement connues (Mont Blanc) • Le développement des équipements hors ski (spa, piste de VTT, piscines…) • La pratique transfrontalière (facilité d'accès depuis les autres pays européens)	• Moindre fréquentation l'été • Trop grande sélectivité de la clientèle en raison du coût élevé des séjours en hiver • Insuffisance des activités proposées hors ski • Insuffisance des transports collectifs	• Aléas climatiques, risques autour de l'enneigement • Incapacité à réhabiliter l'hébergement et à l'adapter aux nouvelles demandes des touristes • Fragilité d'un milieu naturel surfréquenté

Source : d'après *Étude et économie du tourisme en Rhône-Alpes*, 2016.

5 L'espace touristique de montagne

Activités

Socle *Extraire des informations pertinentes*

1. **DOC. 1, 2 ET 3** Décrivez et expliquez la transformation du paysage entre le début du XXe siècle et aujourd'hui à Courchevel.
2. **DOC. 2, 3 ET 5** Comment les Alpes sont-elles devenues un espace du tourisme de masse ?
3. **DOC. 3 ET 4** D'où les touristes sont-ils principalement originaires ? À votre avis, quels aménagements sont indispensables pour rendre cet espace accessible aux touristes ?
4. **DOC. 5** Relevez deux difficultés auxquelles les espaces du tourisme alpins sont confrontés et qui vous semblent importantes. Justifiez votre choix.

Pour conclure Préparez une réponse à la question suivante pour l'exposer à l'oral :

Comment le tourisme a-t-il transformé les Alpes ?

L'atelier du géographe

Socle Réaliser une production cartographique

Val Thorens, une station touristique intégrée

Nord
MANCHE
OCÉAN ATLANTIQUE
FRANCE
Alpes
Val Thorens
MER MÉDITERRANÉE
200 km

1 | Val Thorens, la **station intégrée** la plus haute d'Europe (Massif des Alpes, Savoie, France)

2 Le succès de Val Thorens

Nichée à 2300 m, Val Thorens est la station de ski la plus haute d'Europe, avec un domaine skiable qui débute à 1800 m d'altitude pour s'étirer jusqu'à 3230 m. Sa présence au cœur des trois vallées[1] garantit 600 km de pistes. La station à elle seule compte d'ailleurs 150 km de pistes de tous niveaux, tantôt techniques, tantôt faciles. Station semi-piétonnière, Val Thorens propose des hébergements au pied des pistes et beaucoup d'activités ski et après ski comme un circuit automobile sur glace, la plus longue piste de luge de France (6 kilomètres et 700 mètres de dénivelé), un snowpark géant, bowling, salle de jeux, spas ou encore restaurants, bars et discothèques. Val Thorens est, en fréquentation, l'une des principales stations de ski au monde, et son succès est plus que justifié.

D'après le site www.skiset.com, 2016.

1 Un des plus grands domaines skiables au monde formé par les connexions des domaines de 8 grandes stations comme Courchevel, Val Thorens et les Ménuires.

Vocabulaire

Station intégrée de montagne : lieu touristique créé dans des espaces vierges, sur des sites propices au ski (enneigement, pente, orientation), à des altitudes élevées.

Construire un croquis de paysage et un schéma

Étape 1 ▶ Localiser et situer

1. Localisez et situez le paysage.
2. Quel est l'avantage de créer une **station intégrée** ?

Étape 2 ▶ Identifier différents espaces et en tirer des conclusions

3. Décrivez le paysage en distinguant trois grands espaces.
4. Comment le succès de Val Thorens s'explique-t-il ?

Étape 3 ▶ Réaliser le croquis

5. Tracez un cadre aux dimensions de la photographie. Délimitez les trois espaces que vous avez décrits puis coloriez-les avec des couleurs adaptées.

N'oubliez pas de donner un titre et de faire une légende à votre croquis.

Point méthode

Choisir des couleurs appropriées

- **Couleurs chaudes** (rouge, orange, jaune) : pour indiquer la richesse, la densité, l'unité paysagère principale
- **Couleurs froides** (bleu, violet) : pour indiquer les espaces moins dynamiques
- **Codes couleurs** : utilisation de certaines couleurs par convention comme le vert pour l'agriculture, le jaune pour une plage, le bleu pour un littoral

Rappel : le ciel n'est pas une unité paysagère et ne se colorie donc pas !

Étape 4 ▶ Aboutir à un schéma d'une station intégrée de montagne

6. À partir de l'exemple de Val Thorens, complétez la légende du schéma sur l'organisation des stations de sports d'hiver à l'aide de la liste suivante : domaine skiable – remontée mécanique – sommet à plus de 3000 m – station d'altitude avec immeubles en front de neige – terrasses – village ancien – route d'accès – équipement de loisirs (patinoire, cinéma...)

Titre : modèle de l'organisation d'une station intégrée de montagne

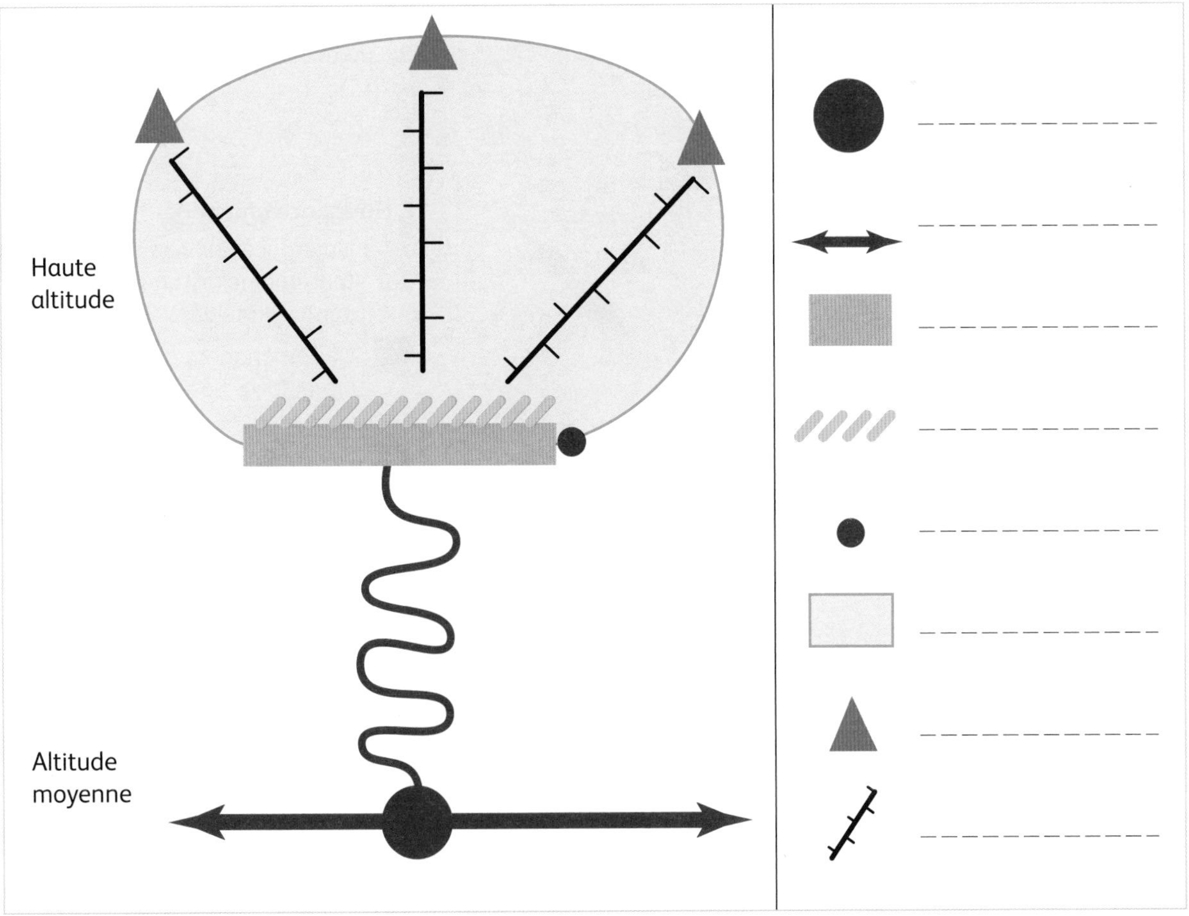
Haute altitude
Altitude moyenne

Le tourisme, une activité en forte croissance

Bilan des Études

A. Le Maroc
- Un flux important provenant surtout d'Europe et une offre touristique variée (tourisme balnéaire, culturel, d'affaires, écotourisme)
- Un impact spatial, environnemental, social et économique important

B. Dubai
- Un tourisme de masse récent depuis le Moyen-Orient, les pays émergents et l'Europe
- Une offre qui se diversifie rapidement
- Des interrogations en termes de développement durable

C. Les Alpes
- Un flux ancien hiver comme été
- Des aménagements importants qui transforment profondément l'espace

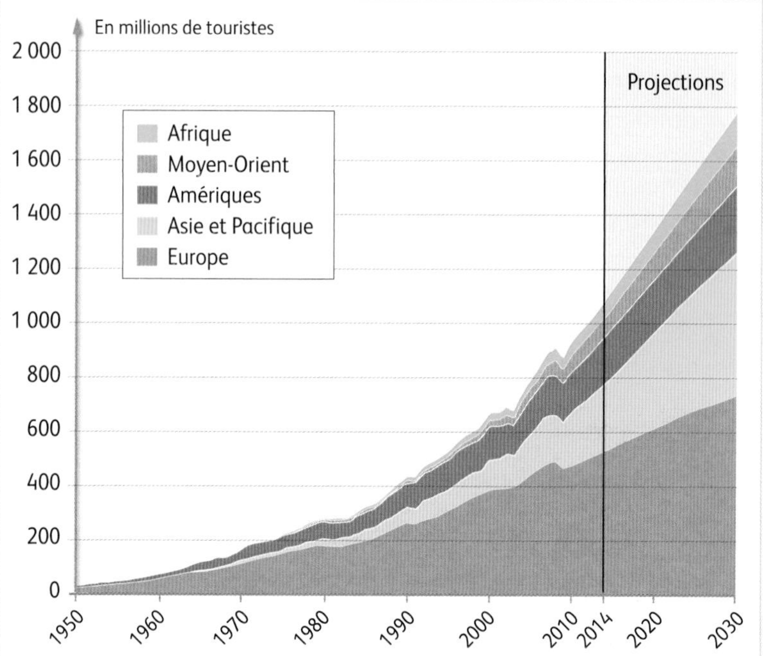
En millions de touristes
2 000
1 800
1 600
1 400
1 200
1 000
800
600
400
200
0
Projections
Afrique
Moyen-Orient
Amériques
Asie et Pacifique
Europe
1950
1960
1970
1980
1990
2000
2010
2014
2020
2030

Source : Rapport de l'OMT (organisation mondiale du tourisme), 2015.

1 | Le tourisme international : un mouvement massif de population

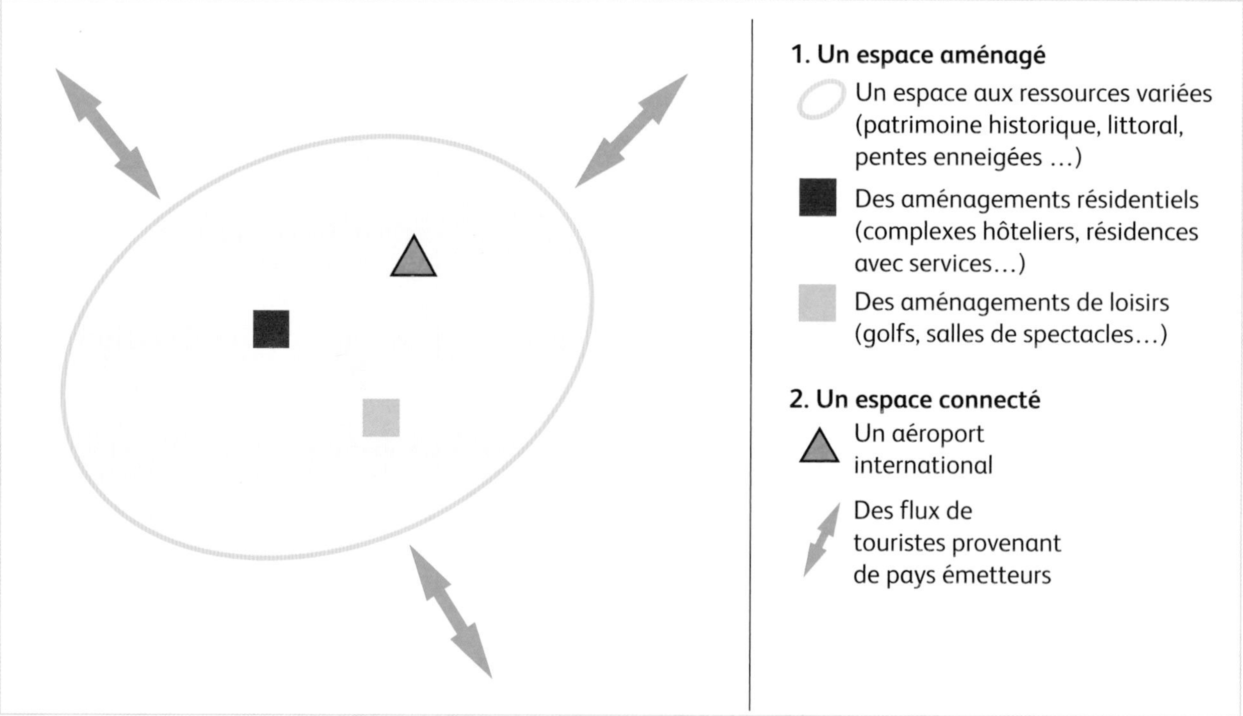
1. Un espace aménagé
Un espace aux ressources variées (patrimoine historique, littoral, pentes enneigées ...)
Des aménagements résidentiels (complexes hôteliers, résidences avec services...)
Des aménagements de loisirs (golfs, salles de spectacles...)
2. Un espace connecté
Un aéroport international
Des flux de touristes provenant de pays émetteurs

2 | Un espace touristique international

3 | Des pratiques touristiques anciennes : l'exemple du tourisme religieux (La Mecque, Arabie saoudite)

Près de 6 millions de pèlerins se sont rendus à la Mecque en 2015. Des travaux sont en cours à la Grande mosquée pour augmenter la capacité de l'édifice. Ces chantiers s'accompagnent de la construction de projets hôteliers et d'équipements urbains.

4 | Écotourisme au Groenland

Des activités touristiques qui limitent leur impact sur l'environnement se développent.

5 Le tourisme, une source de richesses et de développement

Les géographes en parlent

Jusqu'au milieu des années 1970, 90% des touristes internationaux provenaient des pays développés européens et d'Amérique du Nord. Progressivement, le bloc asiatique s'est imposé. Il est clair que la mondialisation de la pratique touristique est en marche et devient progressivement une réalité planétaire à l'exception notable de l'Afrique, où seuls le Nord et le Sud sont en lien fort avec cette activité. Selon l'OMT[1], le tourisme serait aujourd'hui la première activité économique au monde. L'organisation annonce une contribution directe du tourisme au PIB mondial à hauteur de 1500 milliards d'euros. Par ailleurs, il serait à l'origine de 100 millions d'emplois directs. La progression de l'économie touristique se fait principalement du côté de l'Asie.

D'après Philippe Duhamel, *Le tourisme, lectures géographiques*, Documentation photographique n°8094, 2013.

1 Organisation mondiale du tourisme, organisme qui dépend des Nations Unies.

Mettre en perspective

A. La croissance des flux touristiques

1. **DOC. 1** Décrivez l'évolution du nombre de touristes internationaux depuis 1950.
2. **DOC. 1 ET 5** D'où sont originaires la plupart des touristes internationaux ? À votre avis, pourquoi ?
3. **DOC. 1 ET 5** Quel continent reste en grande partie à l'écart du développement touristique ? À votre avis, pourquoi ?

B. Des espaces touristiques de plus en plus nombreux

4. **DOC. 2** Comment le tourisme transforme-t-il les espaces ?
5. **DOC. 4** Comment de nouvelles destinations touristiques se développent-elles ? Pourquoi ?

Changement d'échelle

Le tourisme et ses espaces

Recopiez les tableaux et répondez aux questions.

Des cas étudiés (à l'échelle locale)…			
	Maroc p. 282-285 	Dubai p. 288-291 	Les Alpes p. 292-293 
Quelles sont les origines des touristes ?			
Quelles sont les pratiques touristiques ?			
Quels sont les aménagements réalisés pour accueillir les touristes ?			

… au planisphère (à l'échelle mondiale)	
Quelles sont les grandes aires touristiques ?	
Quelles sont les principales pratiques touristiques ?	
Quel continent reste le plus à l'écart des grands flux touristiques ?	

Vocabulaire

Aire touristique : grande région du monde à la fois émettrice et réceptrice de touristes internationaux.

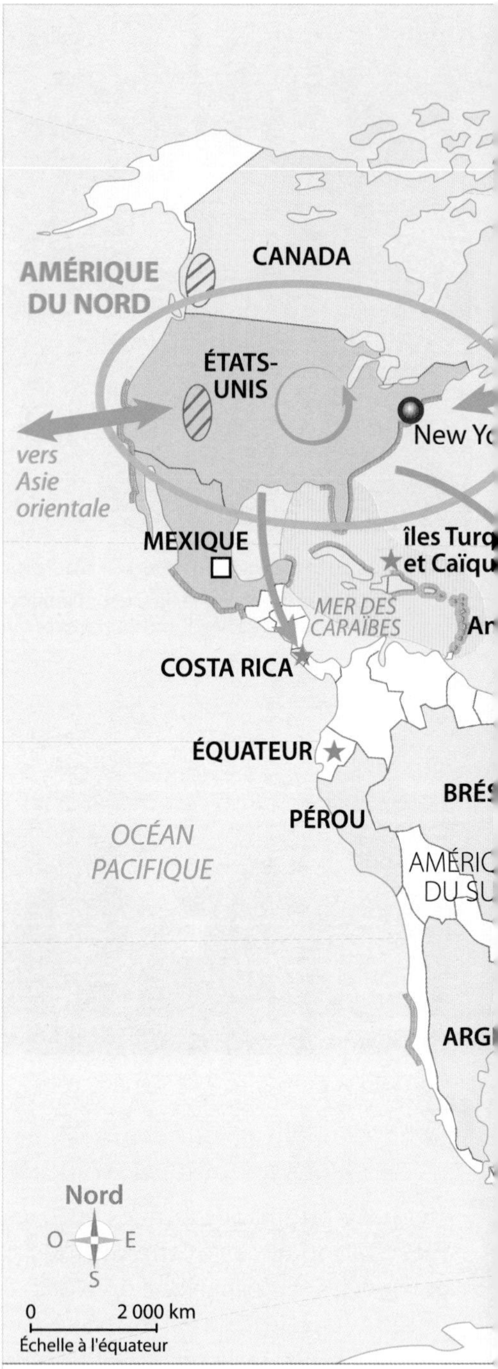
AMÉRIQUE
DU NORD
CANADA
ÉTATS-
UNIS
New Yo
vers
Asie
orientale
MEXIQUE
îles Turq
et Caïqu
MER DES
CARAÏBES
COSTA RICA
ÉQUATEUR
PÉROU
BRÉS
OCÉAN
PACIFIQUE
AMÉRIC
DU SU
ARG
Nord
O
E
S
0
2 000 km
Échelle à l'équateur

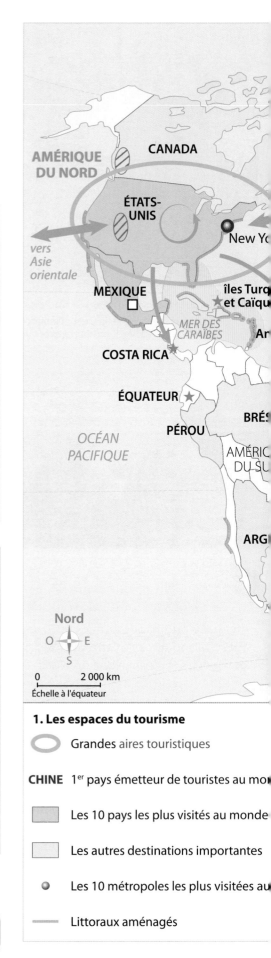

1. Les espaces du tourisme

Grandes aires touristiques

CHINE 1er pays émetteur de touristes au mo

Les 10 pays les plus visités au monde

Les autres destinations importantes

Les 10 métropoles les plus visitées au

Littoraux aménagés

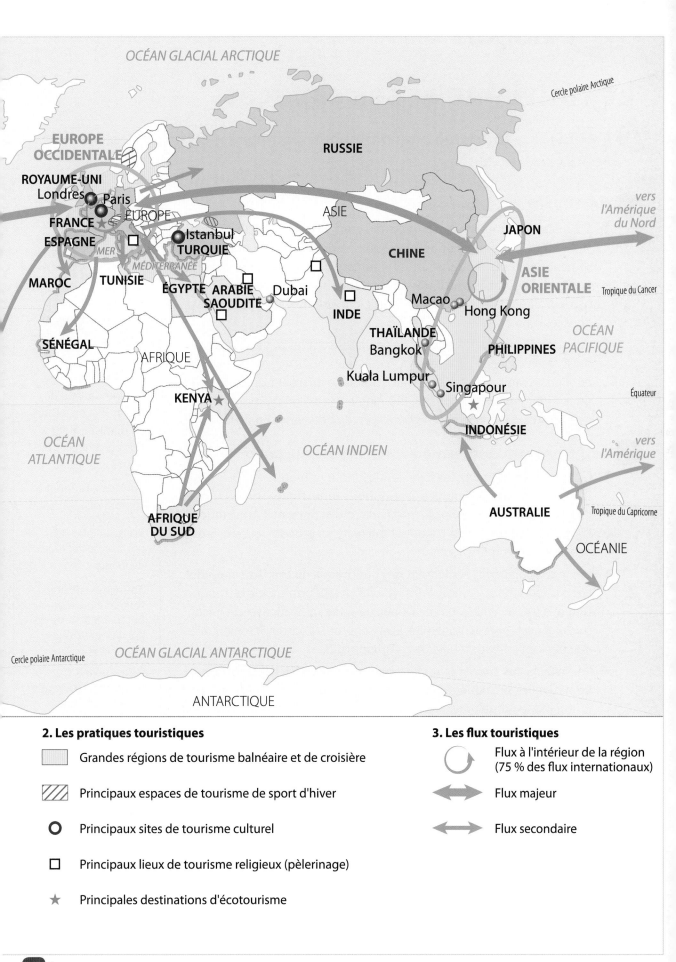

OCÉAN GLACIAL ARCTIQUE
Cercle polaire Arctique
EUROPE OCCIDENTALE
RUSSIE
ROYAUME-UNI
Londres
Paris
FRANCE
EUROPE
ESPAGNE
MER MÉDITERRANÉE
Istanbul
TURQUIE
ASIE
CHINE
JAPON
vers l'Amérique du Nord
ASIE ORIENTALE
Tropique du Cancer
MAROC
TUNISIE
ÉGYPTE
ARABIE SAOUDITE
Dubai
INDE
Macao
Hong Kong
THAÏLANDE
Bangkok
PHILIPPINES
OCÉAN PACIFIQUE
SÉNÉGAL
AFRIQUE
Kuala Lumpur
Singapour
KENYA
Équateur
INDONÉSIE
OCÉAN ATLANTIQUE
OCÉAN INDIEN
vers l'Amérique
AUSTRALIE
Tropique du Capricorne
AFRIQUE DU SUD
OCÉANIE
Cercle polaire Antarctique
OCÉAN GLACIAL ANTARCTIQUE
ANTARCTIQUE

2. Les pratiques touristiques

- Grandes régions de tourisme balnéaire et de croisière
- Principaux espaces de tourisme de sport d'hiver
- Principaux sites de tourisme culturel
- Principaux lieux de tourisme religieux (pèlerinage)
- Principales destinations d'écotourisme

3. Les flux touristiques

- Flux à l'intérieur de la région (75 % des flux internationaux)
- Flux majeur
- Flux secondaire

Leçon

Le tourisme et ses espaces

Comment le **tourisme** international transforme-t-il les territoires et les sociétés ?

I Des touristes toujours plus nombreux

- **1,2 milliard de touristes internationaux ont voyagé en 2015**. Ce mouvement inédit de population s'explique en grande partie par l'abaissement des coûts du transport et la hausse du niveau de vie dans de nombreux pays. **Les pratiques touristiques sont très diverses** : **tourisme balnéaire et culturel** au Maroc par exemple, de sport d'hiver dans les Alpes, etc.
- **Les principaux pays émetteurs de touristes sont les pays développés.** Ainsi, les Européens représentent à eux seuls 50% des touristes internationaux. **Mais les mobilités touristiques se diffusent aussi dans les pays émergents.** Par exemple, la Chine est le premier pays émetteur de touristes au monde avec 100 millions de personnes en 2015.

II La diffusion du tourisme à l'ensemble de la planète

- La répartition des touristes selon les destinations montre de forts déséquilibres. **Les trois principales destinations touristiques sont l'Europe, l'Asie orientale qui connaît une forte croissance et l'Amérique.** À l'opposé, l'Afrique est un continent qui reste en grande partie à l'écart des grands flux touristiques.
- **Les métropoles sont également des hauts lieux du tourisme mondial.** Les plus anciennes, comme Paris, valorisent leur patrimoine historique. D'autres plus récentes, comme Dubai, deviennent attractives en misant sur l'architecture et la modernité. Elles sont toutes particulièrement bien équipées en infrastructures de communication.
- Par ailleurs, **les touristes recherchent de nouvelles destinations et de nouvelles pratiques**, comme au Maroc, où l'**écotourisme** valorise un tourisme durable respectueux de la nature, des territoires et des sociétés visités.

III Un impact fort sur les territoires et les sociétés

- **Le tourisme est essentiel pour l'économie** de nombreux territoires, dans lesquels il est le premier secteur d'emplois comme au Maroc. **Cette activité transforme également l'espace** avec les aménagements destinés aux touristes comme les **stations intégrées** des Alpes.
- Même si le tourisme produit d'importantes recettes, **il est également source de nombreux problèmes en termes de développement durable.** Les conditions de travail sont souvent mauvaises et de nombreux aménagements ne sont pas respectueux de l'environnement et très consommateurs d'énergie, comme à Dubai.

Vocabulaire

Tourisme : mobilité volontaire et temporaire d'au moins 24h en dehors du domicile à des fins personnelles ou professionnelles.

Tourisme balnéaire : tourisme qui se développe sur le littoral afin de profiter de la plage et de la mer.

Tourisme culturel : tourisme qui a pour but la découverte du patrimoine culturel d'un espace.

Écotourisme : activités touristiques pratiquées dans un cadre naturel, prenant soin de l'environnement et participant à l'économie locale.

Station intégrée de montagne : lieu touristique créé dans des espaces vierges, sur des sites propices au ski (enneigement, pente, orientation) à des altitudes élevées.

Je retiens l'essentiel

L'essentiel en schéma

Des touristes toujours plus nombreux

La diffusion à l'ensemble de la planète

Les métropoles, les hauts lieux du tourisme mondial

Des flux touristiques en augmentation

Grâce au développement des transports et la hausse du niveau de vie

Le tourisme international :

un mouvement massif de population lié à la mondialisation qui transforme les territoires

Des touristes qui proviennent des pays développés et émergents

Nouvelles destinations, nouvelles pratiques : de plus en plus de pays touristiques

Un impact fort sur les territoires et les sociétés

Des espaces aménagés

Un enjeu de développement durable

Chiffres clés

- Le tourisme représente presque 10 % du PIB et des emplois dans le monde.
- L'Europe est la première destination touristique mondiale en 2015 avec 609 millions de touristes.
- D'après les prévisions, les touristes internationaux devraient être 1,8 milliard en 2030.

J'apprends, je m'entraîne

▸ **Socle** *Méthodes et outils pour apprendre*

PDF FICHE DE RÉVISION À TÉLÉCHARGER Fiche 11

Le tourisme et ses espaces

1. Construire sa fiche de révision : notez le titre de la leçon sur votre feuille

Je connais...

Objectif 1 ▸ Connaître les repères géographiques

Sur le planisphère :

1. Localisez et nommez les trois grandes aires touristiques du monde identifiées par les lettres A, B et C.
2. Localisez et nommez les métropoles touristiques identifiées par un chiffre de 1 à 5.
3. À quoi correspondent les zones coloriées en jaune ?
4. Visualisez trois grands flux touristiques.

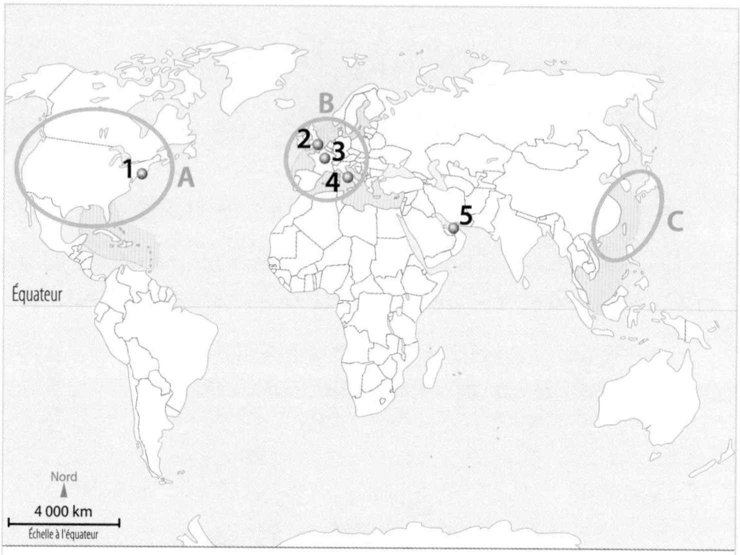

A
B
C
1
2
3
4
5
Équateur
Nord
4 000 km
Échelle à l'équateur

⟷ Flux touristiques majeurs

Objectif 2 ▸ Connaître les mots-clés

Notez la définition des mots-clés demandés ci-dessous :

Tourisme – Station intégrée de montagne – Tourisme balnéaire – Tourisme culturel – Écotourisme

Je suis capable de...

Pour chacun des deux objectifs suivants, construisez une réponse à la consigne.

Objectif 3 ▸ Décrire et expliquer la forte croissance du tourisme dans le monde

Aide
En introduction, donnez une donnée chiffrée indiquant la croissance du tourisme dans le monde
Dans un 1er paragraphe, évoquez les grandes aires touristiques du monde et la situation particulière de l'Afrique
Dans un 2nd paragraphe, montrez quelles sont les causes de cette croissance.

Objectif 4 ▸ À partir d'un exemple étudié en classe, décrivez les conséquences économiques, sociales et spatiales du développement touristique en lien avec le développement durable.

Aide
Dans un 1er paragraphe, rappelez le poids du tourisme en termes de PIB et d'emplois à différentes échelles (monde, région, métropole).
Dans un 2e paragraphe, évoquez la grande diversité des pratiques touristiques dans le monde et les multiples aménagements réalisés pour accueillir les touristes.
Dans un 3e paragraphe, montrez que certains aménagements ne respectent pas toujours l'environnement et ne sont pas forcément profitables aux habitants.

1 Construire des repères géographiques

Les grandes aires touristiques dans le monde

1. Présentez le document en précisant la source qui a publié ces chiffres. D'après vous, ceux-ci sont-ils fiables ?
2. Décrivez l'évolution du nombre de touristes à Dubai depuis 1990. À votre avis, comment cela s'explique-t-il ?
3. Quel lien pouvez-vous faire entre l'évolution du nombre de touristes et celle du nombre de chambres d'hôtel ?
4. À votre avis, de quelles autres manières le tourisme transforme-t-il le territoire et la société ?

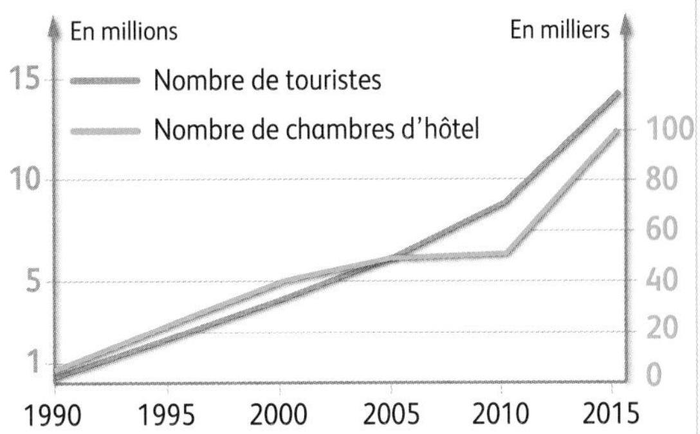
En millions
En milliers
Nombre de touristes
Nombre de chambres d'hôtel
15
10
5
1
100
80
60
40
20
0
1990
1995
2000
2005
2010
2015

Source : Dubaï statistics centers, 2016.

2 S'informer dans le monde numérique

Découvrir les pratiques touristiques dans une région

Votre mission : faire une présentation orale à la classe d'une destination touristique pour donner à vos camarades l'envie de la découvrir.

1. Dans un moteur de recherche, tapez « Rhône-Alpes tourisme » et sélectionnez le site indiqué.
2. Sur la page d'accueil, cliquez sur découvrir. Choisissez une destination.
3. Lisez le texte, observez les photographies et visionnez les vidéos. Vous pouvez aussi cliquer sur « site web » pour trouver davantage d'informations.
4. Rédigez un texte pour présenter la destination touristique choisie.

AUVERGNE RHÔNE-ALPES
La collection de destinations
Découvrir
Où voulez-vous aller ?
Que recherchez-vous ?
Rechercher

Aide *Localisez et situez la destination grâce à la carte (zoomer et dézoomer pour changer d'échelle)*
Présentez les pratiques touristiques dans votre destination, les aménagements réalisés pour accueillir les touristes et les moyens de communication qui rendent le site touristique accessible.

Auto-Évaluation

Je me positionne sur une marche :

1.	2.	3.	4.
• **Je vais sur la page demandée** • **Je m'y déplace**	• Je vais sur la page demandée • Je m'y déplace. • **Je trouve des informations.**	• Je vais sur la page demandée. • Je m'y déplace. • Je trouve des informations. • **Je les sélectionne pour répondre aux consignes.**	• Je vais sur la page demandée. • Je m'y déplace. • Je trouve des informations. • Je les sélectionne pour répondre aux consignes. • **J'utilise mes connaissances pour faire preuve d'esprit critique.**
Questions 1 et 2	Questions 1, 2 et 3	Questions 1, 2 et 3	Questions 1 à 4

Pour progresser, j'analyse mes axes de progrès. Que devrais-je améliorer ?

Vers le brevet

1 Décrire et analyser un paysage

Nord
MEXIQUE
GOLFE DU MEXIQUE
OCÉAN PACIFIQUE
Cancun
1 000 km

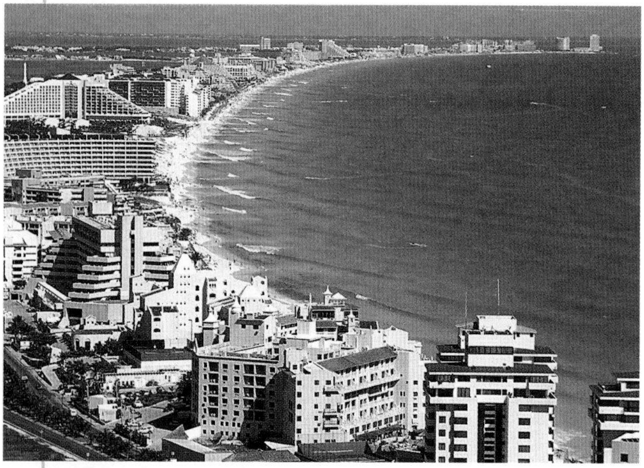

1 La station balnéaire de Cancún, entre lagune[1] et mer des Caraïbes (presqu'île du Yucatán, Mexique)

1. Lagune : vaste étendue d'eau isolée de la mer par un cordon littoral de terre ou de sable.

1. Présentez la photographie en localisant et en situant le paysage.
2. Décrivez le paysage en distinguant les trois grandes unités paysagères.
3. Quels sont les atouts du site et de la situation de Cancún pour en faire un espace touristique ?
4. D'après vos connaissances, d'où la majorité des touristes sont-ils originaires ?
5. **DOC. 1 ET 2** Quelles sont les limites de ce développement touristique en termes de développement durable ?

2 Tourisme et développement durable

En 40 ans, Cancún, un ancien village de pêcheurs, est devenu le temple du tourisme de masse, mais derrière cet extraordinaire développement économique se cache une réalité moins reluisante. Côté pile, Cancún, ville balnéaire de la côte caribéenne, ses complexes hôteliers géants, ses milliards de dollars générés chaque année par le tourisme de masse. Côté face, une nature ravagée, la disparition des mangroves[1] qui protégeaient des ouragans, la pollution avec 750 tonnes de déchets par jour et des travailleurs exploités. Raquel, 27 ans, vivote de son emploi de femme de chambre dans un grand hôtel. Elle vit dans un quartier populaire à une heure de route de Cancún[2] et gagne 100 euros par mois en travaillant six jours sur sept, enchaînant les contrats temporaires.

D'après le synopsis du reportage *Cancún, l'autre visage*, série Les dessous de la mondialisation, 2016.

1 Forêt d'arbres poussant dans ou au bord de l'eau, caractéristique des paysages de la zone tropicale.
2 Une ville de 700 000 habitants s'est développée à proximité de la zone hôtelière, où logent les milliers de Mexicains qui ont migré ici pour espérer trouver du travail.

2 Maîtriser différents langages pour raisonner et se repérer

1. Sous la forme d'un développement construit d'une vingtaine de lignes et en vous appuyant sur un exemple étudié en classe, décrivez et expliquez le développement touristique d'une métropole mondiale.
2. Localisez et nommez sur le planisphère :
   – Les trois grandes aires touristiques mondiales
   – Le premier pays émetteur de touristes dans le monde

Équateur
Nord
4 000 km
Échelle à l'équateur

Enquêter

Venise, sauvée ou abîmée par le tourisme ?

Nord
Venise
MER ADRIATIQUE
ITALIE
MER TYRRHÉNIENNE
200 km

Les faits

Avec seulement 50 000 habitants dans le centre historique, la « Sérénissime », principale ville touristique en Méditerranée, se détériore petit à petit.

Indice n°1

Un flux touristique important

Venise est en danger : En 2015, la cité des Doges a attiré 28 millions de personnes. Arrivés le matin, repartis le soir, ces visiteurs envahissent les ruelles au pas de charge et dégradent l'architecture millénaire.

D'après Linda Bendali, « Venise, récit d'un naufrage annoncé », documentaire, 2016.

Indice n°2

Une escale majeure des croisières en Méditerranée

Provoquant un déplacement d'eau, le passage incessant des paquebots de croisière ronge les fondations de la cité, la ville étant construite sur pilotis.

Indice n°3

La vie des habitants

Cette déferlante fait aussi souffrir les habitants : rues bondées, nuisances sonores, hausse des prix de l'immobilier. Peu à peu, les services publics et les commerces de proximité ferment pour laisser la place à des échoppes pour touristes. À cause de leurs conditions de vie qui se détériorent, des centaines de résidents désertent chaque année la ville. Aujourd'hui, un logement sur quatre n'est loué qu'à des touristes.

D'après Linda Bendali, « Venise, récit d'un naufrage annoncé », documentaire, 2016.

Indice n°4

Les retombées économiques

Avec 4 000 emplois et 400 millions d'euros de retombées économiques, Venise a absolument besoin du secteur des croisières. Il représente un flux touristique très important qui nourrit l'économie de la ville, des personnes qui dépensent de l'argent en ville et Venise ne peut pas renoncer à cela.

D'après Filippo Olivetti, représentant de la Confédération industrielle de Venise, 2015.

Pour aller plus loin

Visionnez le documentaire « Venise, récit d'un naufrage annoncé » réalisé en 2016 sur les problèmes liés au tourisme de masse à Venise.
https://www.youtube.com/watch?v=7feq-_pS8cY

Avez-vous pris connaissance des faits et des indices ? Quelle est votre conviction : Venise est-elle sauvée ou abîmée par le tourisme ?

En groupes, complétez le carnet de l'enquêteur :

1. L'ampleur du tourisme : ...
2. Les avantages du tourisme de masse : ...
3. Les inconvénients du tourisme de masse : ...

La croissance touristique dans le monde et ses effets

À l'aide de vos connaissances, rédigez un texte sur les effets de la croissance du tourisme dans le monde.

Travail préparatoire (au brouillon)

1. Comprenez bien le sujet : La croissance touristique dans le monde et ses effets
   - croissance touristique → Que désigne cette expression ?
   - le monde → Où ?
   - ses effets → Que signifie le mot « effets » ?

2. Notez toutes les informations qui vous viennent à l'esprit et qui évoquent la croissance touristique et ses effets, autour du « Pense pas bête ».

3. Vérifiez avec votre cahier et votre manuel que vous n'avez pas oublié d'informations essentielles.

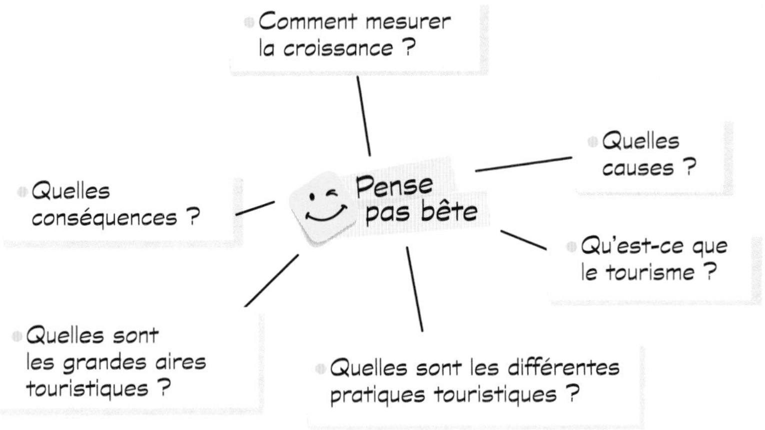
Pense pas bête
Comment mesurer la croissance ?
Quelles causes ?
Qu'est-ce que le tourisme ?
Quelles sont les différentes pratiques touristiques ?
Quelles sont les grandes aires touristiques ?
Quelles conséquences ?

Travail de rédaction (au propre)

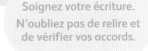

RAPPELS
Soignez votre écriture.
N'oubliez pas de relire et de vérifier vos accords.

À chacun de choisir son niveau de difficulté et sa ceinture !

Je rédige un texte **sans aucune aide.**

Rédigez votre texte en vérifiant que :
- Vous commencez votre texte par un alinéa
- Vous organisez vos idées en paragraphes

Je rédige un texte **avec un guidage léger.**

Rédigez votre texte en construisant deux paragraphes qui commencent par un alinéa :
- Le tourisme est une activité en forte croissance puisque… Les causes de cette augmentation sont… Les principales zones de départ et de destination sont…
- Il existe une grande diversité des pratiques touristiques comme… C'est pourquoi le tourisme transforme en profondeur les territoires et les sociétés puisque…

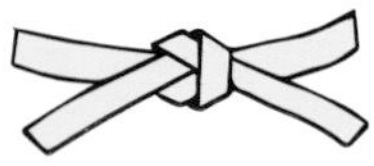

Je rédige un texte **avec un guidage plus important.**

Commencez par une introduction qui définit les mots clés du sujet et précise l'espace concerné. Puis rédigez deux paragraphes :
- le 1er paragraphe décrit l'évolution du nombre de touristes internationaux, les causes de cette évolution et les principales zones de de départ et de destination ;
- le 2e paragraphe explique comment le tourisme transforme profondément les territoires et les sociétés, en évoquant les pratiques et les aménagements touristiques ainsi que leurs conséquences économiques et sociales.

Comment être un touriste responsable ?

Surfrider Foundation EUROPE
MALHEUREUSEMENT LES DÉCHETS NE SE RAMASSENT PAS TOUT SEULS
DESGRACIADAMENTE LOS RESIDUOS NO SE RECOGEN SOLOS
UNFORTUNATELY WASTE DOES NOT TIDY ITSELF
ZORITXARREZ ONDARKINAK EZ DIRA BAKARRIK BILTZEN
AIDEZ-NOUS À GARDER LA MER PROPRE
WWW.SURFRIDER64.COM

1 | Une affiche à destination des touristes

2 Un écolodge en Bretagne

Voici l'un des meilleurs élèves de l'écotourisme. À trois heures de Paris, entre Laval et Fougères, La Belle verte croule sous les certifications. Pas étonnant : en bois et terre cuite, les deux cabanes, une sous les pommiers et l'autre dans la prairie, sont autosuffisantes en énergie. Les panneaux solaires fournissent l'eau chaude et l'électricité. Le gîte, lui (jusqu'à 8 personnes), est fait uniquement de matériaux sains et nobles, et décoré dans un esprit « récup'». Clin d'œil responsable : si vous venez en train plutôt qu'en voiture, non seulement on vient vous chercher à la gare, mais vous aurez droit à une réduction de 5 % !

D'après F. Bostnavaron, « Cinq écolodges, pour un week-end de tourisme "durable" », Le Monde.fr, 29.11.2015

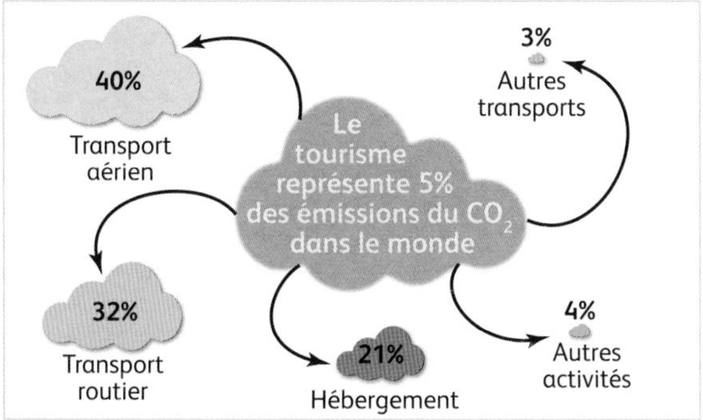
Le tourisme représente 5% des émissions du CO_2 dans le monde
40% Transport aérien
3% Autres transports
32% Transport routier
21% Hébergement
4% Autres activités

3 | Une activité polluante

Vocabulaire

Écotourisme : activités touristiques pratiquées dans un cadre naturel, prenant soin de l'environnement et participant à l'économie locale.

Écolodge : gîte rural qui répond à des critères écologiques.

La sensibilité : soi et les autres

1. **DOC. 1** Que ressentez-vous en regardant cette affiche ? Pourquoi le concepteur de l'affiche a-t-il voulu développer ce sentiment chez la personne qui regarde l'affiche?
2. **DOC. 3** Quel moyen de transport est le moins polluant pour rejoindre son lieu de vacances ?
3. **DOC. 2** Aimeriez-vous aller en vacances dans un tel endroit ? Expliquez votre réponse.
4. **DOC. 2** En quoi « La Belle verte » est-elle un exemple d'écotourisme ?

L'engagement : agir individuellement et collectivement

5. Seul ou par petits groupes, choisissez un des lieux étudiés dans votre manuel, ou un lieu que vous connaissez et rédigez une charte du touriste responsable. Vos phrases doivent être simples et compréhensibles. Vous pouvez illustrer vos propos avec des dessins ou des images

12 Mers et océans : un monde maritimisé

Comment la mondialisation transforme-t-elle les espaces maritimes du globe ?

Souvenez-vous !

Quelles sont les différentes activités qu'on trouve sur le littoral ?

Nord
MER DE CHINE
Détroit de Malacca
MALAISIE
SINGAPOUR
OCÉAN INDIEN
INDONÉSIE
1 000 km

1 La zone industrialo-portuaire (ZIP) de Singapour

Vocabulaire

Canal : bras de mer étroit ou voie d'eau artificielle, donc construit par l'homme.

Zone industrialo-portuaire (ZIP) : espace littoral qui associe des fonctions industrielles et portuaires.

OCÉAN PACIFIQUE
Détroit de Béring
OCÉAN ARCTIQUE
OCÉAN PACIFIQUE
Canal de Panama
Pas de Calais
Détroit de Gibraltar
Détroit du Bosphore
Détroit de la Sonde
Détroit de Malacca
Canal de Suez
Détroit d'Ormuz
Détroit de Bab-el-Mandeb
OCÉAN ATLANTIQUE
OCÉAN INDIEN

Socle *Se repérer dans l'espace*

Détroits et canaux maritimes internationaux

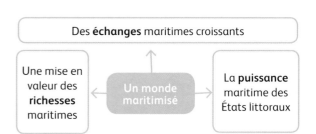

MER DES CARAÏBES
Canal de Panama
COSTA RICA
PANAMA
COLOMBIE
1 000 km

2 | Le **canal** de Panama

1. **DOC. 1 ET 2** En vous aidant des définitions de ZIP et de canal, décrivez les deux photographies.
2. **DOC. 1 ET 2** **Formulez une hypothèse** pour répondre à la question suivante : Pourquoi ces deux espaces maritimes sont-ils importants dans le commerce maritime mondial ?

Des **échanges** maritimes croissants

Une mise en valeur des **richesses** maritimes

Un monde maritimisé

La **puissance** maritime des États littoraux

Étude de cas ▸ **Socle** *Raisonner – Construire des hypothèses*

Manche et mer du Nord, un espace maritime convoité et risqué

À quels défis le couloir maritime mondial Manche/mer du Nord doit-il faire face ?

Étape 1 ▸ *Comprendre que cet espace maritime est convoité*

1
2
3
4

1 | **La ZIP de Rotterdam, plus grand port européen**
① Autoroutes et voies ferrées ② Stockage du pétrole ③ Bassin de déchargement ④ Port de conteneurs

2 Un point de passage stratégique à l'échelle mondiale

La Manche est une zone d'activités maritimes considérée comme « le plus puissant carrefour maritime du monde ». Elle représente un lieu de transit pour les navires circulant entre l'océan Atlantique et la **Northern Range**, l'une des principales **façades maritimes** du monde qui dessert toute l'Europe du Nord-Ouest. La densité du trafic maritime y est sans équivalent au monde (près de 20 % du trafic mondial). À une circulation de marchandises longitudinale très dense s'ajoutent de nombreux mouvements transversaux entre les côtes anglaises et françaises, notamment le transport de 70 000 passagers par jour. Ainsi, 700 à 800 bateaux (hors pêche et plaisance) passent par jour dans le détroit du Pas-de-Calais.

D'après S. Bahé, *Espace Manche-Atlas Transmanche*, Université de Caen, 2015.

Vocabulaire

Conteneur : caisson métallique standardisé (38 m^3), prévu pour le transport de marchandises.

Façade maritime : espace littoral d'échanges et de production, qui joue le rôle d'interface entre un arrière-pays continental et un avant-pays maritime.

Interface : ligne de contact entre deux espaces distincts. L'interface entre la terre et la mer est le littoral.

Northern Range : façade maritime et portuaire, située sur la mer du Nord et la Manche.

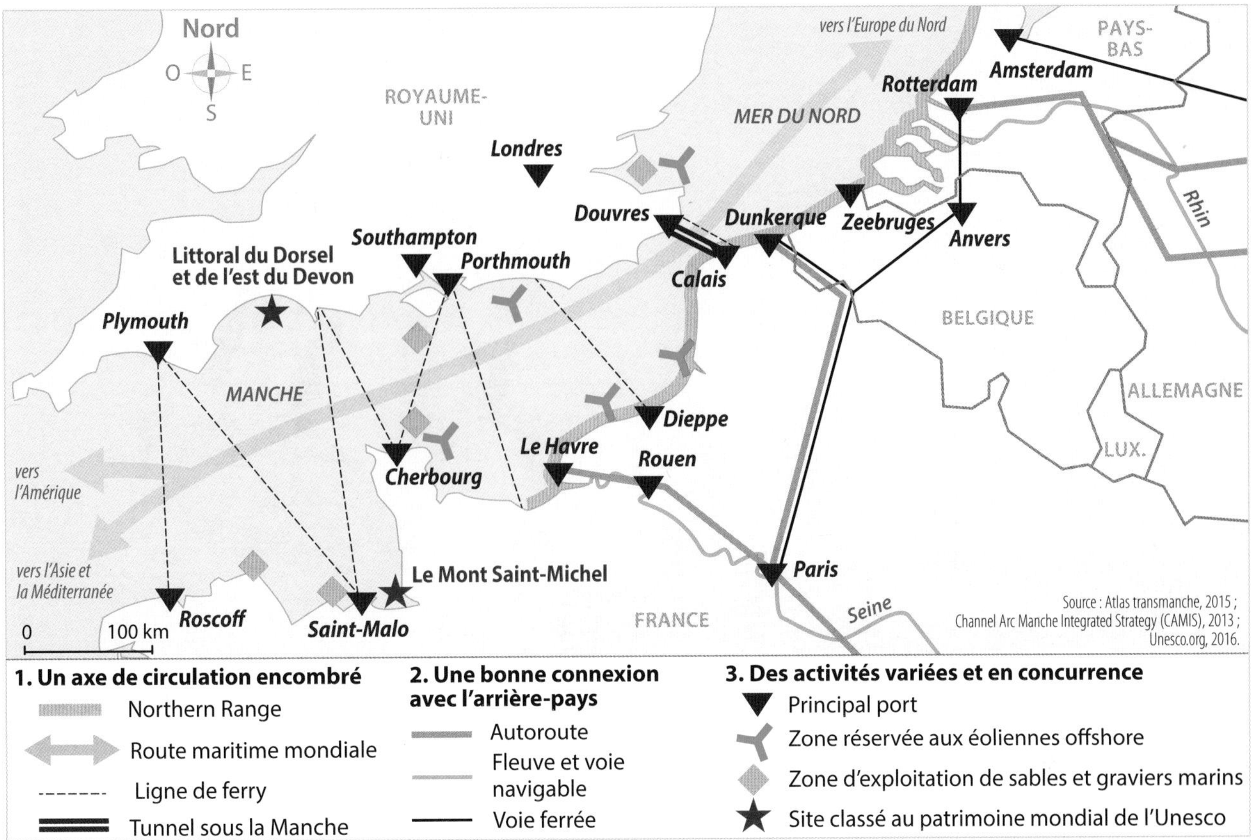
Nord
O E S
ROYAUME-UNI
MER DU NORD
PAYS-BAS
vers l'Europe du Nord
Amsterdam
Rotterdam
Londres
Douvres
Dunkerque
Zeebruges
Anvers
Rhin
Calais
Southampton
Porthmouth
Littoral du Dorsel et de l'est du Devon
Plymouth
MANCHE
BELGIQUE
ALLEMAGNE
LUX.
Dieppe
Le Havre
Rouen
Cherbourg
vers l'Amérique
vers l'Asie et la Méditerranée
Le Mont Saint-Michel
Paris
Roscoff
Saint-Malo
FRANCE
Seine
0 100 km
Source : Atlas transmanche, 2015 ; Channel Arc Manche Integrated Strategy (CAMIS), 2013 ; Unesco.org, 2016.
1. Un axe de circulation encombré
Northern Range
Route maritime mondiale
Ligne de ferry
Tunnel sous la Manche
2. Une bonne connexion avec l'arrière-pays
Autoroute
Fleuve et voie navigable
Voie ferrée
3. Des activités variées et en concurrence
Principal port
Zone réservée aux éoliennes offshore
Zone d'exploitation de sables et graviers marins
Site classé au patrimoine mondial de l'Unesco

3 | Une interface maritime très active

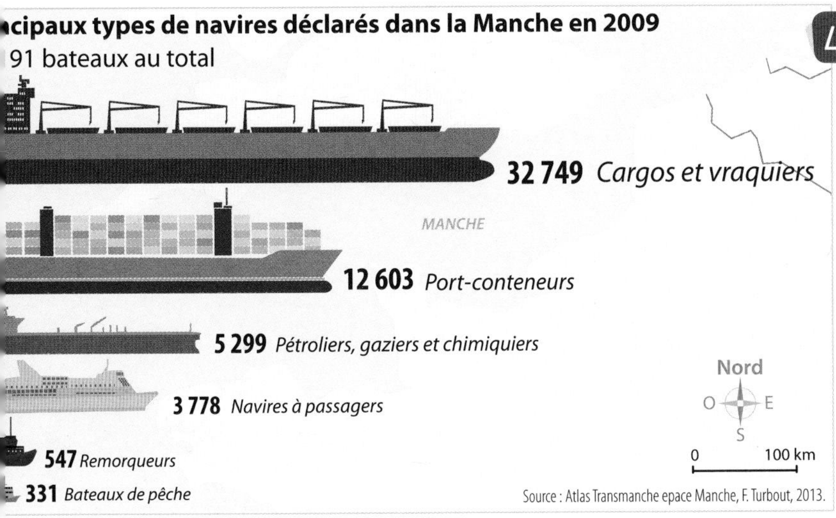
cipaux types de navires déclarés dans la Manche en 2009
91 bateaux au total
32 749 Cargos et vraquiers
MANCHE
12 603 Port-conteneurs
5 299 Pétroliers, gaziers et chimiquiers
3 778 Navires à passagers
547 Remorqueurs
331 Bateaux de pêche
Nord
O E S
0 100 km
Source : Atlas Transmanche epace Manche, F. Turbout, 2013.

4 | Un espace maritime encombré

▸ **Socle** : *S'informer dans le monde du numérique*

Pour aller plus loin, vous pouvez suivre l'évolution du trafic maritime en direct. Pour cela, rendez-vous sur Marinetraffic.com et tapez le mot-clé « Manche » dans le moteur de recherche.

Activités

▸ **Socle** *raisonner*

1. **DOC. 1 ET 2** Pourquoi le couloir Manche/mer du Nord est-il un point de passage stratégique dans le monde ?
2. **DOC. 1 ET 4** Quelles activités maritimes dominent en Manche ?
3. **DOC. 3** Quelles autres activités y trouve-t-on ?

▸ **Socle** *Construire des hypothèses*

En groupe formulez des hypothèses pour répondre aux questions suivantes : Pour quelles raisons la Manche et la mer du Nord sont-elles des espaces convoités ? Quels sont les risques ?

Étude de cas

Étape 2 ▶ Comprendre que cet espace maritime de la Manche est risqué

6 | **Des conditions de navigation difficiles**

Les côtes belges et françaises, dont une réserve naturelle, sont menacées par les **hydrocarbures** d'un cargo entré en collision avec un méthanier en mer du Nord fin 2015.

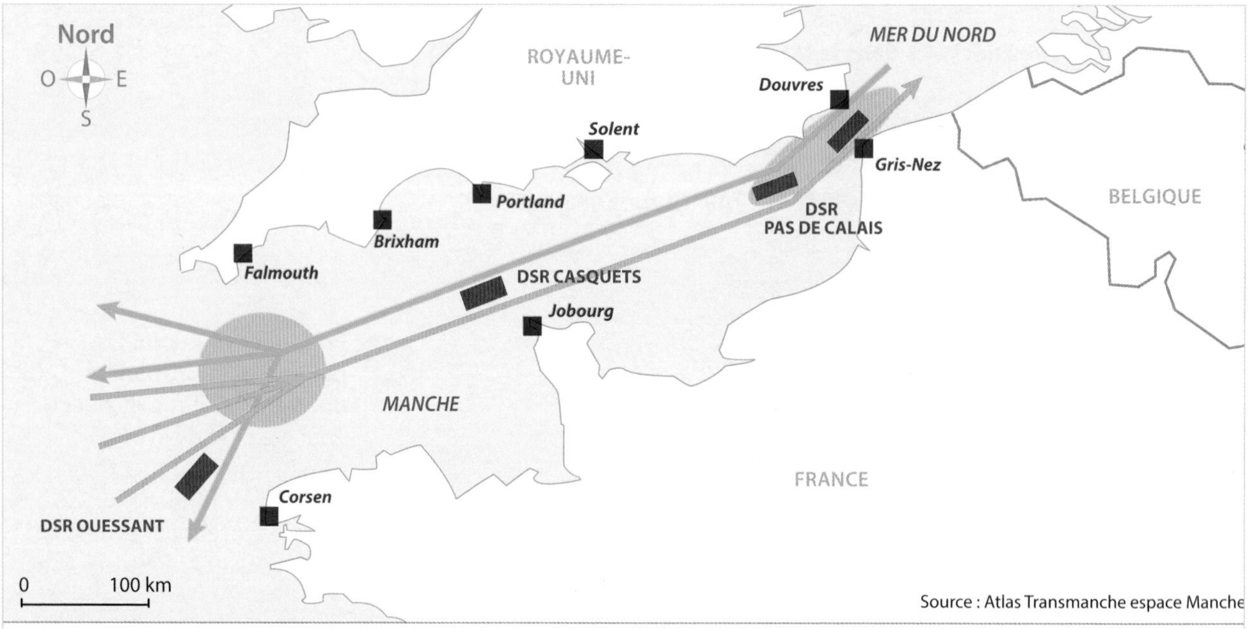

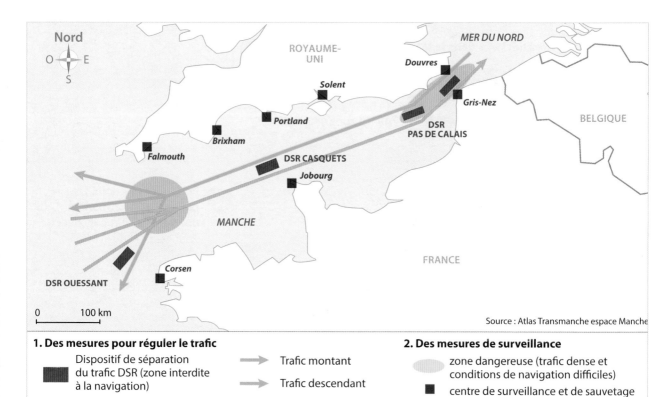

Nord
O
E
S
ROYAUME-UNI
MER DU NORD
Douvres
Solent
Gris-Nez
Portland
Brixham
Falmouth
DSR PAS DE CALAIS
BELGIQUE
DSR CASQUETS
Jobourg
MANCHE
FRANCE
Corsen
DSR OUESSANT
0
100 km
Source : Atlas Transmanche espace Manche

1. Des mesures pour réguler le trafic

- Dispositif de séparation du trafic DSR (zone interdite à la navigation)
- Trafic montant
- Trafic descendant

2. Des mesures de surveillance

- zone dangereuse (trafic dense et conditions de navigation difficiles)
- centre de surveillance et de sauvetage

7 | **Un espace maritime surveillé**

Vocabulaire

Hydrocarbures : pétrole, gaz.

Offshore : activité se déroulant en mer, en dehors de la pêche et du transport maritime (plateforme pétrolière, parc éolien…).

8 Assef Husseinkhail, migrant afghan de 33 ans

Un témoin raconte

« Si on m'avait laissé faire, je serais arrivé en Angleterre, je naviguais vers mon espoir », assure A. Husseinkhail qui a tenté la traversée de la Manche sur un radeau de fortune. Il est désormais de retour à Calais, une ville qui accueille de nombreux migrants en partance pour la Grande-Bretagne. Les passagers d'un navire ont alerté le Centre de surveillance et de sauvetage, un canot et un hélicoptère de la marine nationale se sont alors portés à son secours. Selon Bernard Baron, le président de la Société nationale de sauvetage en mer, il n'avait aucune chance de réussir son entreprise, rendue encore plus périlleuse par les risques de collision dans ce chenal, une « autoroute à ferries » entre Calais et Douvres. « En raison des courants violents et des vents, il est impossible de traverser la Manche en radeau », a-t-il ajouté.

D'après M.-L. Combes, « Un migrant afghan tentait de traverser la Manche sur un radeau », *Europe 1*, 9 mai 2014.

L'ÉNERGIE ÉOLIENNE
QUAND ON JETTE LES FILETS... ON NE LES JETTE PAS DANS L'HÉLICE !

9 L'opposition des pêcheurs au projet de parc d'éoliennes ***offshore***
Source : R. Tasteti, 2010.

Activités

Socle *Extraire des informations pertinentes*

1. **DOC. 6** Quelles sont les conséquences des nombreuses pollutions ?
2. **DOC. 7 ET 8** Quels sont les dispositifs mis en place pour surveiller la circulation dans la Manche ?
3. **DOC. 7 ET 8** Pourquoi la Manche est-elle concernée par les migrations clandestines ?
4. **DOC. 9** Quel est le conflit d'usage illustré par ce document ?

Étape 3 *Complétez un tableau bilan*

Sujet : La Manche, un espace maritime convoité et fragile

Reproduisez et complétez le tableau ci-dessous à l'aide des documents :

Un espace maritime convoité	Un espace maritime risqué	Un espace maritime protégé et surveillé
DOC. 1 À 4 p. 310 : Quelles sont les différentes activités présentes dans cet espace ?	**DOC. 6 À 9** : Quels sont les dangers de cet espace ?	**DOC. 6 À 8** : Quels sont les moyens mis en place pour surveiller et protéger cet espace ?

Étude de cas

▸ **Socle** *Lire un graphique – Confronter les documents – Écrire pour argumenter*

Le détroit de Malacca, un point de passage stratégique

Pourquoi le détroit de Malacca constitue-t-il un enjeu stratégique pour le commerce et la sécurité dans le monde ?

1 | Un espace maritime saturé

Avec plus de 300 navires par jour sur une largeur de 50 à 320 km, le détroit de Malacca est saturé.

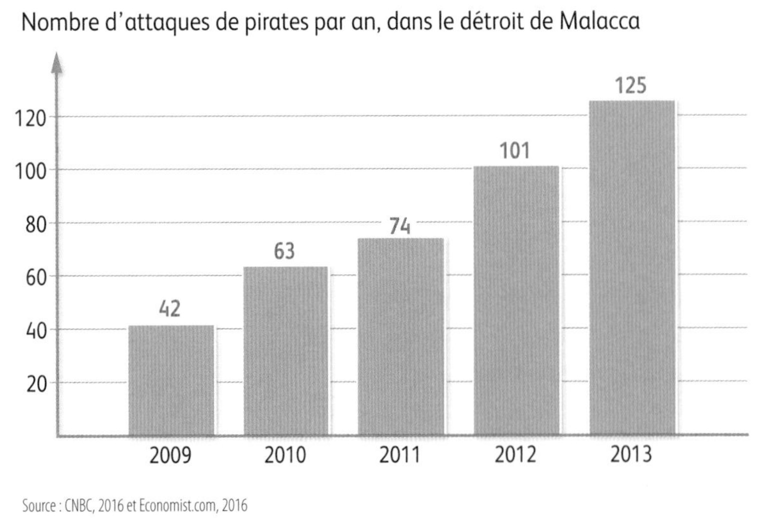

Nombre d'attaques de pirates par an, dans le détroit de Malacca
120
100
80
60
40
20
42
63
74
101
125
2009
2010
2011
2012
2013
Source : CNBC, 2016 et Economist.com, 2016

2 | Attaques de **piraterie** en 2015

Vocabulaire

Détroit : passage maritime naturel et étroit entre deux terres .

Piraterie : acte de violence commis par l'équipage d'un navire contre un autre navire.

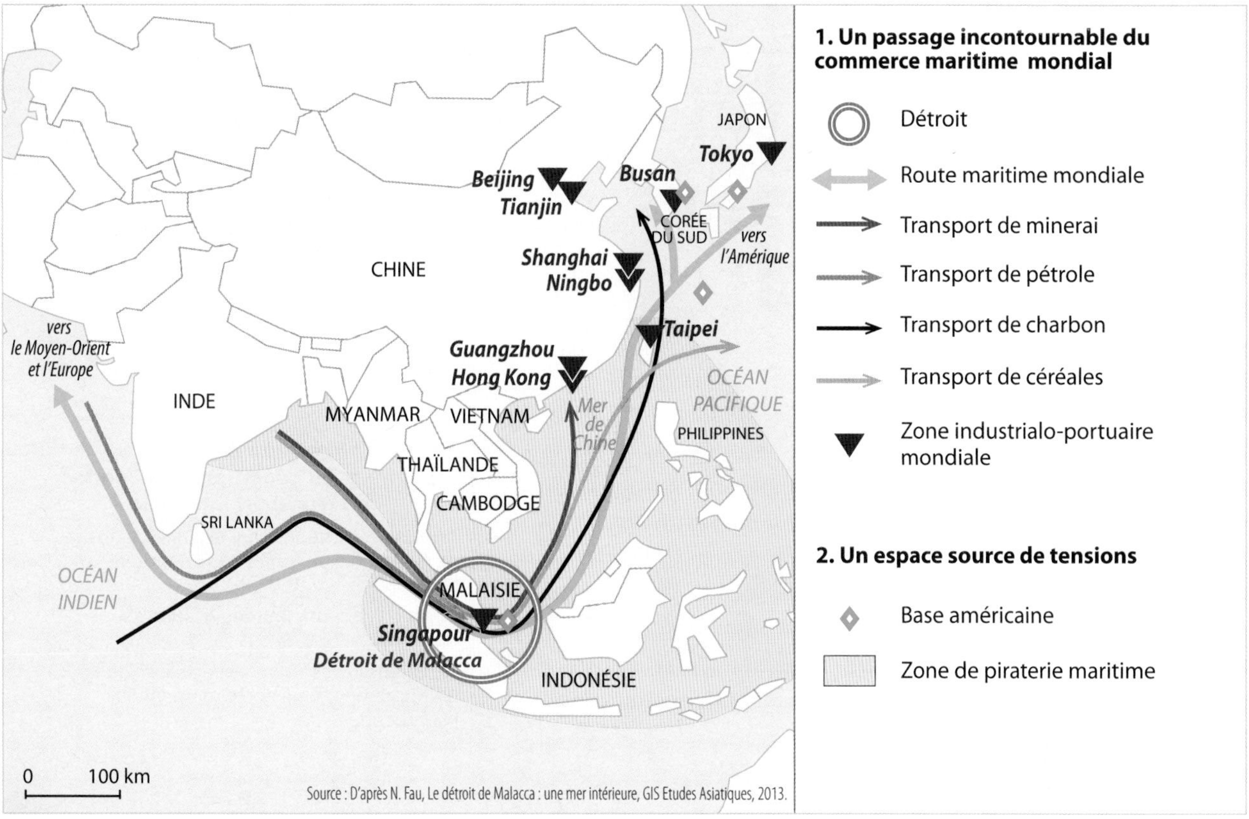
JAPON
Tokyo
Beijing
Tianjin
Busan
CORÉE DU SUD
vers l'Amérique
CHINE
Shanghai
Ningbo
Taipei
vers le Moyen-Orient et l'Europe
Guangzhou
Hong Kong
OCÉAN PACIFIQUE
INDE
MYANMAR
VIETNAM
Mer de Chine
PHILIPPINES
THAÏLANDE
CAMBODGE
SRI LANKA
OCÉAN INDIEN
MALAISIE
Singapour
Détroit de Malacca
INDONÉSIE
0 100 km
Source : D'après N. Fau, Le détroit de Malacca : une mer intérieure, GIS Etudes Asiatiques, 2013.
1. Un passage incontournable du commerce maritime mondial
Détroit
Route maritime mondiale
Transport de minerai
Transport de pétrole
Transport de charbon
Transport de céréales
Zone industrialo-portuaire mondiale
2. Un espace source de tensions
Base américaine
Zone de piraterie maritime

3 | Un espace maritime convoité

4 Un détroit stratégique à l'échelle mondiale

Pour les États-Unis, les enjeux du détroit de Malacca ont toujours été essentiellement militaires et se sont renforcés après les attentats du 11 septembre 2001. La menace terroriste a provoqué un réengagement des États-Unis en Asie du Sud-est, qualifiée de « second front » dans une guerre contre le terrorisme. Dans ce contexte, le détroit est devenu une zone de risque majeur. Ainsi, les États riverains renforcent depuis une dizaine d'années leur coopération militaire avec les États-Unis. Singapour a agrandi la base navale de Changi afin de faciliter les escales des navires américains. L'Indonésie a accepté l'aide des États-Unis pour sécuriser le détroit et la Chine pour sécuriser son approvisionnement énergétique et son commerce extérieur.

D'après N. Fau, « Les enjeux économiques et géostratégiques du détroit de Malacca », *Géoéconomie*, 2014.

Activités

Socle *Lire un graphique*

1. **DOC. 2** Comment le nombre d'attaques de pirates a-t-il évolué entre 2009 et 2013 ?

Socle *Confronter les documents*

2. **DOC. 1 ET 3** Pourquoi le détroit de Malacca est-il un espace maritime incontournable à l'échelle mondiale ?
3. **DOC. 3 ET 4** Quelles tensions existent dans le détroit de Malacca ?
4. **DOC. 3 ET 4** Pourquoi et comment les pays renforcent-ils la surveillance du détroit ?

Pour conclure Rédigez une réponse à la question suivante :

Pourquoi le détroit de Malacca constitue-t-il un enjeu stratégique pour le commerce et la sécurité dans le monde ?

Étude de cas

Sur les traces du porte-conteneurs le *Bougainville*

FICHE D'IDENTITÉ LE BOUGAINVILLE	
nationalité	française
longueur	398 mètres
largeur	54 mètres
capacité	18 000 conteneurs (l'équivalent de 4 terrains de football mis bout à bout)

À flot depuis août 2015

Tâche complexe

Apparus dans les années 1970, les porte-conteneurs sont devenus les principaux modes de transport maritimes de marchandises dans les ports de commerce. En 2015, ils participent à 16 % des flux mondiaux avec environ 10 milliards de tonnes de marchandises transportées.

Votre mission : **Vous devez écrire un article de journal pour expliquer que le porte-conteneurs *Bougainville* reflète le transport maritime mondial et ses évolutions. À vous d'écrire votre article en utilisant les informations des documents proposés.**

Boîte à outils

Les mots du géographe pour parler du transport maritime

Armateur : entreprise qui exploite un navire de commerce en fournissant le matériel et l'équipage.

Porte-conteneurs : bateau destiné au transport de conteneurs.

Terminal : infrastructure spécialisée dans le chargement et le déchargement de conteneurs.

CMA CGM BOUGAINVILLE
CMA CGM

1 | Un géant des mers de l'**armateur** CMA CGM

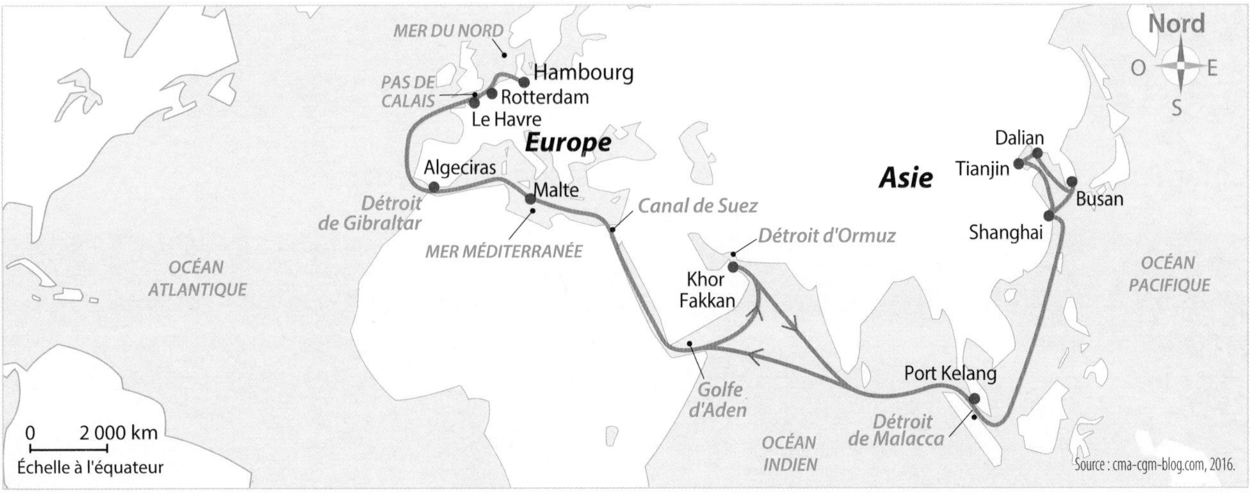
Nord
O
E
S
MER DU NORD
PAS DE CALAIS
Hambourg
Rotterdam
Le Havre
Europe
Algeciras
Malte
Détroit de Gibraltar
MER MÉDITERRANÉE
Canal de Suez
Détroit d'Ormuz
Khor Fakkan
Asie
Dalian
Tianjin
Busan
Shanghai
OCÉAN ATLANTIQUE
OCÉAN PACIFIQUE
Golfe d'Aden
Port Kelang
Détroit de Malacca
OCÉAN INDIEN
0 2 000 km
Échelle à l'équateur
Source : cma-cgm-blog.com, 2016.

2 | L'itinéraire du Bougainville

Le transport de marchandises variées

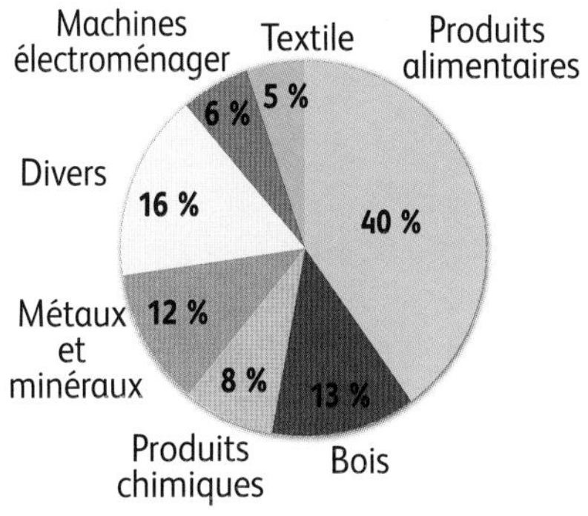
Machines électroménager
6 %
Textile
5 %
Produits alimentaires
40 %
Divers
16 %
Métaux et minéraux
12 %
Produits chimiques
8 %
Bois
13 %

Source : cma-cgm-blog.com, 2016.

3 | Des marchandises variées à bord du *Bougainville*.

4 Un journaliste à bord du *Bougainville*

Le « Bougainville » compte 27 membres d´équipage en majorité philippins. Le bosco, chef des marins sur le pont, coordonne l'installation des conteneurs, empilés sur 22 étages au fur et à mesure des arrêts le long de la « French-Asia Line ». À chaque escale, l'enjeu consiste à débarquer puis à charger le fret en un minimum de temps, tout en prenant en compte la nature des produits transportés : « On a un logiciel très poussé qui calcule où mettre chaque conteneur », explique le bosco. Mode de transport le moins coûteux, mais aussi le plus écologique en termes de bilan carbone, les porte-conteneurs géants sont les navires gagnants de la mondialisation. La croissance démesurée des navires depuis dix ans impressionne le commandant de bord. « Les Chinois avaient prévu le gigantisme, ils ont construit des quais qui peuvent gérer nos porte-conteneurs. Mais beaucoup de ports d'Europe sont désormais trop petits pour nous.»

D'après A. de Montesquiou, « Le *Bougainville*, le nouveau mastodonte de la mer », *Paris Match*, 5 octobre 2015.

5 | Le port de Yangshan, au large de Shanghai, nouveau terminal à conteneurs

Besoin d'un peu d'aide ?

Rédigez votre article autour de trois idées :
1. *L'avantage du conteneur*
2. *Le trajet du navire.*
3. *Les ports qui entrent en concurrence.*

Besoin d'un peu plus d'aide ?

- *Montrez que le conteneur facilite le transport des marchandises* (**DOC. 1, 3 ET 5**)
- *Décrivez la route du navire et ses points de passage stratégiques* (**DOC.2, 4 ET 5**)
- *Montrez que le commerce maritime met les ports en concurrence* (**DOC. 5**)

Étude de cas

▶ **Socle** *Confronter deux documents – Mettre en relation des documents – S'exprimer à l'oral*

Le thon rouge, une espèce protégée

Comment et pourquoi le thon rouge est-il une espèce protégée ?

a
b
b
GREENPEACE

1 **Conflits d'usage** autour de la pêche au thon rouge en Méditerranée

a un thonier, bateau de pêche. b les bateaux de Greenpeace, ONG de protection de l'environnement.

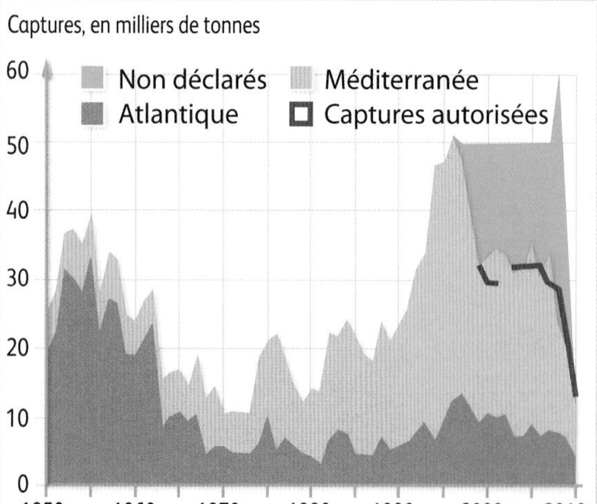

Captures, en milliers de tonnes
60
50
40
30
20
10
0
Non déclarés
Méditerranée
Atlantique
Captures autorisées
1950
1960
1970
1980
1990
2000
2010

Sources : scienceetvie.com, 2014.

2 L'évolution des captures du thon rouge depuis 1950

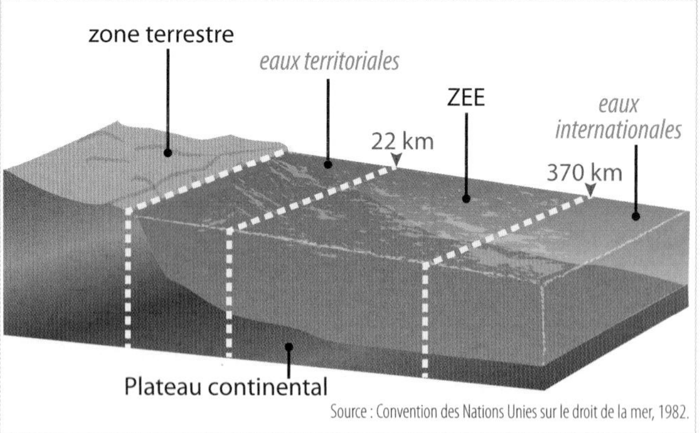

zone terrestre
eaux territoriales
ZEE
eaux internationales
22 km
370 km
Plateau continental

Source : Convention des Nations Unies sur le droit de la mer, 1982.

3 Les ZEE pour délimiter les zones de pêche

Les zones économiques exclusives sont les espaces maritimes sur lesquels les États côtiers exercent leur droit d'utiliser les ressources dont la pêche.

Vocabulaire

Conflit d'usage : conflit entre plusieurs utilisateurs d'un même espace, qui peuvent y avoir des intérêts contraires.

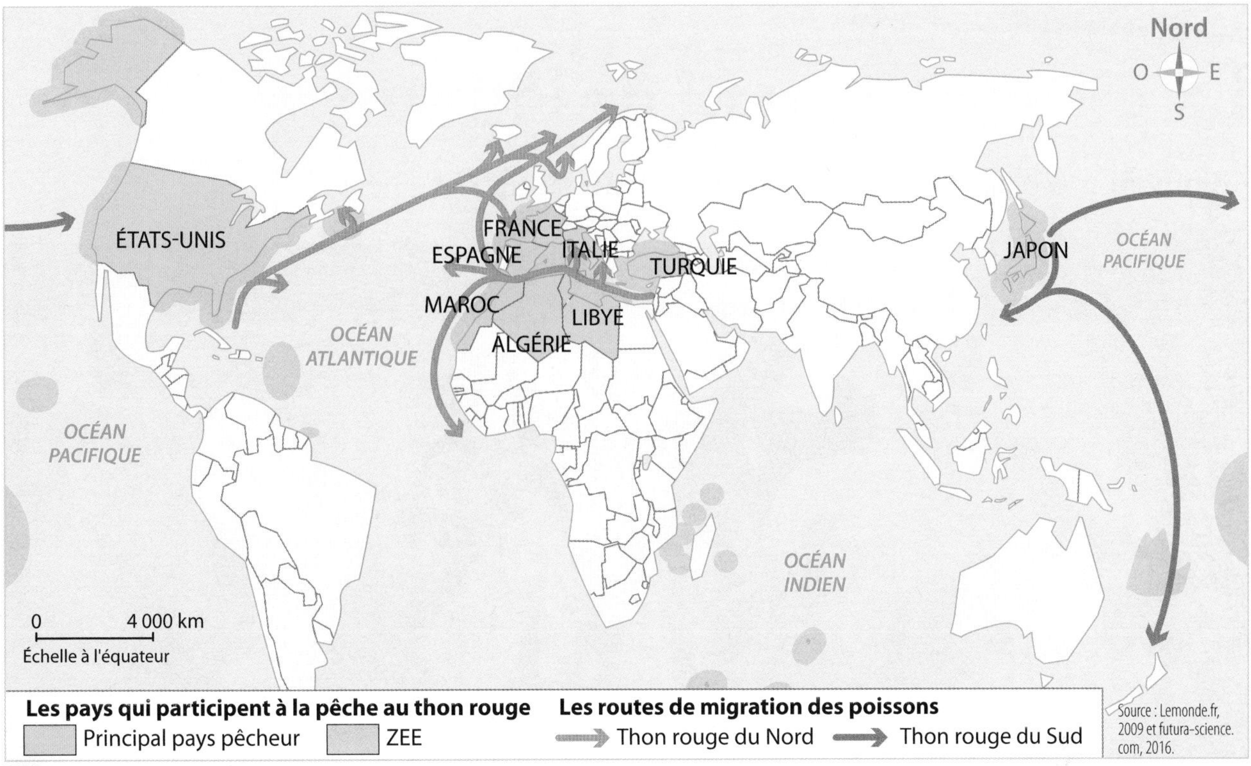
Nord
O
E
S
ÉTATS-UNIS
FRANCE
ESPAGNE
ITALIE
TURQUIE
MAROC
LIBYE
ALGÉRIE
JAPON
OCÉAN PACIFIQUE
OCÉAN ATLANTIQUE
OCÉAN PACIFIQUE
OCÉAN INDIEN
0 4 000 km
Échelle à l'équateur
Les pays qui participent à la pêche au thon rouge
Principal pays pêcheur
ZEE
Les routes de migration des poissons
Thon rouge du Nord
Thon rouge du Sud
Source : Lemonde.fr, 2009 et futura-science.com, 2016.

4 | Une pêche mondialisée

5 Protéger le thon rouge

Victime d'une pêche excessive durant 15 ans, la population de thon rouge de l'Atlantique a bien failli y passer. Trois raisons ont mené à la surexploitation. D'abord, la forte valeur marchande du thon rouge. Depuis 1980, l'émergence du marché japonais du sushi-sashimi a conduit à une forte demande et à sa prise de valeur (entre 7 000 et 20 000 euros pièce). Ensuite, le nombre de bateaux comme leur efficacité se sont vite accrus. Enfin, cette ressource est partagée par une quarantaine de pays. La surexploitation soupçonnée a été diagnostiquée en 1996, ce qui n'a pas empêché des quotas trop élevés et non respectés avec des records historiques de capture. En 2006, les scientifiques avaient averti du risque d'extinction de l'espèce. Ces alertes ont déclenché la mobilisation d'ONG, et la pression médiatique a poussé à prendre des décisions drastiques. Fin 2009, l'Iccat (la Commission internationale pour la conservation des thonidés de l'Atlantique) a décidé de réduire de 40 % le quota, passant de 22 000 à 13 500 tonnes. Les pêcheurs avaient alors crié à la fin de leur métier. L'Iccat s'est aussi réunie avec les quatre autres gendarmes mondiaux de la pêche au thon pour reconnaître « la nécessité de stopper le déclin des stocks » et prévoir un plan de coordination en matière de contrôle du commerce mondial du thon (étiquetage, partage d'information).

D'après S. Le Roux, « Thon rouge, le spectaculaire redressement des stocks », *Lemarin.fr*, 1er juin 2015.

Activités

Socle *Confronter deux documents*

1. **DOC. 2 ET 5** Décrivez et expliquez l'évolution des captures sur le graphique en vous appuyant sur le texte.
2. **DOC. 1 ET 5** Qu'est-ce qui pousse l'ONG Greenpeace à se mobiliser contre la pêche au thon rouge ?
3. **DOC. 4 ET 5** Pourquoi la gestion de la pêche du thon rouge est-elle internationale ?
4. **DOC. 5** Qui propose les mesures de protection du thon rouge ? Sont-elles suffisantes et durables ?

Pour conclure

Socle : *S'exprimer à l'oral*

Par groupe, construisez une scénette qui montre un pêcheur industriel de thon rouge et un militant associatif de Greenpeace. Ils discutent au sujet des quotas de pêche. Présentez leurs arguments.

Géohistoire

La piraterie au fil de l'histoire

Comment a évolué la piraterie depuis le XVIIIe siècle ?

1 | Barbe-Noire, un pirate légendaire
La Capture du pirate Barbe-Noire, 1718, Jean-Léon-Gerôme Ferris

2 Qui est Barbe-Noire ?

Edward Teach est né en 1680 à Bristol en Angleterre. Il a d'abord combattu au service de l'Angleterre comme marin, puis corsaire. En 1713, il perd son travail et décide de se mettre à son compte en tant que pirate. Il terrorise les côtes américaines pendant plusieurs années à bord d'une frégate de 40 canons enlevée aux Français. Il est capturé et tué en 1718. Comme son pseudonyme l'indique, il porte la barbe longue et, pour, effrayer ses adversaires, il allume des mèches de chanvre dans ses cheveux. Effet garanti !

Source : *herodote.net*, 2016.

3 Des stratégies stables dans le temps

Une des conditions de l'essor de la piraterie est d'opérer à partir de bases d'opérations sûres. Celles-ci doivent occuper une position stratégique le long des routes commerciales les plus fréquentées par les trafics de valeur et à proximité des passages obligés comme les détroits. Les pirates doivent ensuite pouvoir s'y replier rapidement. L'efficacité des pirates repose sur une organisation structurée. Leur tactique est d'une grande stabilité dans le temps : ils opèrent avec de petits bateaux légers et rapides, très manœuvrables, montés par des hommes, surarmés. Ils s'adaptent à la modernisation de la navigation en utilisant le GPS ou les téléphones portables. Les pirates se construisent aussi une réputation de cruauté et de violence pour dissuader leurs proies de résister.

D'après M. Battesti, *La Piraterie au fil de l'histoire, un défi pour l'État*, PUPS, 2014.

Étymologie

Pirate vient du grec « peira » qui signifie « tenter l'aventure ».

Pour aller plus loin

Tapez dans un moteur de recherche les mots-clés pirate et corsaire. Quelle est la différence entre un pirate et un corsaire ?

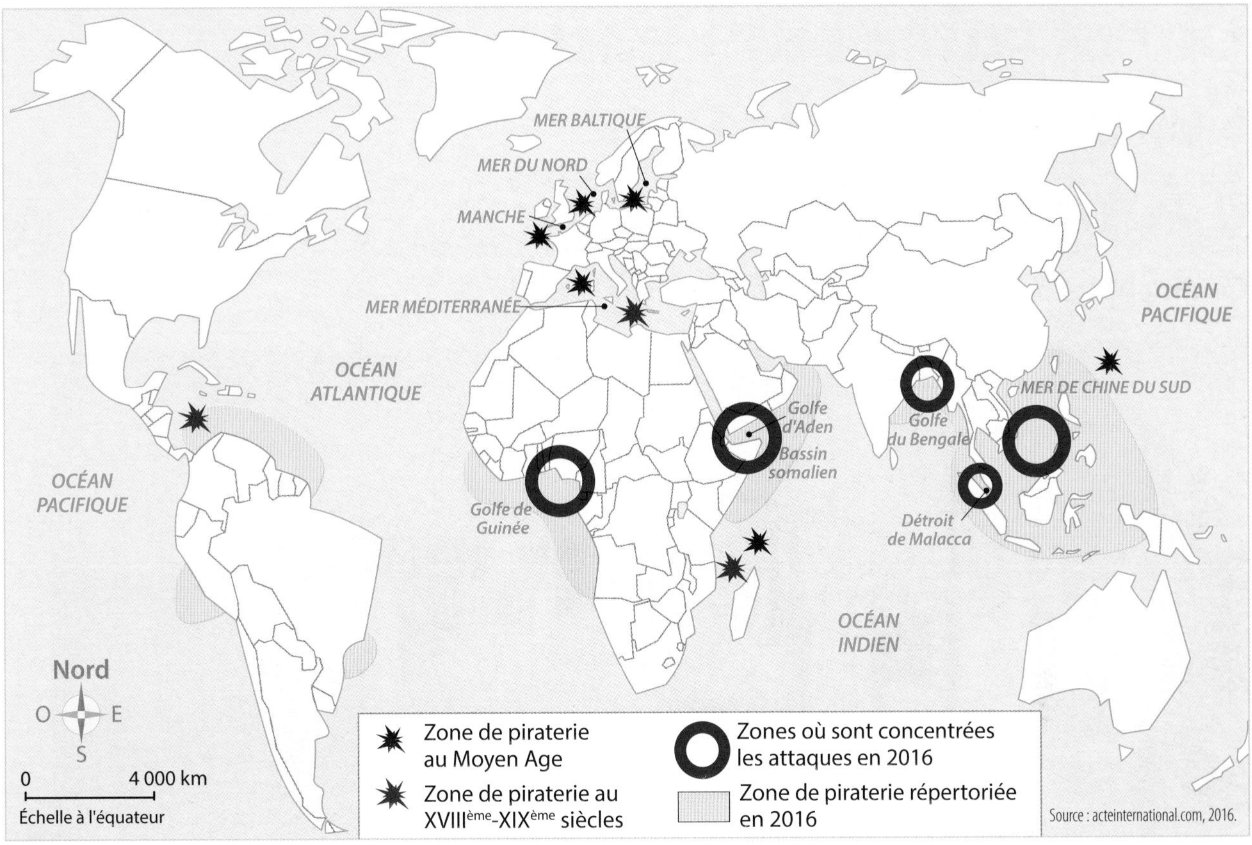
MER BALTIQUE
MER DU NORD
MANCHE
MER MÉDITERRANÉE
OCÉAN ATLANTIQUE
OCÉAN PACIFIQUE
OCÉAN PACIFIQUE
MER DE CHINE DU SUD
Golfe d'Aden
Bassin somalien
Golfe du Bengale
Détroit de Malacca
Golfe de Guinée
OCÉAN INDIEN
Nord
O E S
0 4 000 km
Échelle à l'équateur
Zone de piraterie au Moyen Age
Zone de piraterie au XVIIIème-XIXème siècles
Zones où sont concentrées les attaques en 2016
Zone de piraterie répertoriée en 2016
Source : acteinternational.com, 2016.

4 | Les attaques de pirates dans le monde du Moyen Âge à nos jours

5 | Interception d'un navire de pirates dans le bassin somalien, 2014

Des plongeurs militaires des forces spéciales, entraînés pour des missions de plongée sous-marine et offensives, interceptent un bateau suspect.

Étape 1 ▶ **Repérer les permanences**

1. **DOC. 1, 3 ET 4** Quels sont les espaces maritimes mondiaux qui ont toujours connu des actes de piraterie ? Pourquoi ?
2. **DOC. 1 ET 3** Montrez que l'organisation et les tactiques des pirates ont peu évolué dans le temps.

Étape 2 ▶ **Identifier les évolutions**

3. **DOC. 4 ET 5** Quels sont les nouveaux moyens dont disposent les pirates du XXIe siècle ?
4. **DOC. 5** Quels sont les nouveaux moyens de lutte contre la piraterie ?

Histoire des Arts

Construire sur l'eau : l'exemple d'Ijburg, à Amsterdam

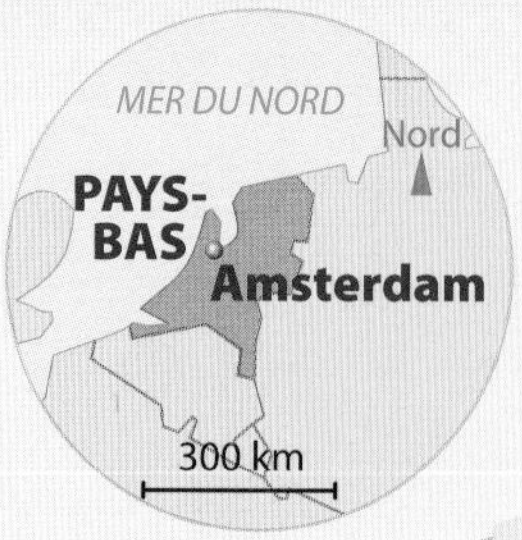
MER DU NORD
Nord
PAYS-BAS
Amsterdam
300 km

Rappel de 5e

Le développement durable repose sur trois piliers : environnemental, économique et social.

Comment les architectes construisent-ils sur l'eau ?

1 | Des maisons sur pilotis à Ljburg

2 Un nouveau mouvement architectural

Un vieux rêve de l'humanité est de se réfugier sur une île pour y refaire sa vie ou inventer une société meilleure. C'est sur une île que Thomas More situait *Utopia* (1516), sa société idéale. Aujourd'hui, ces **utopies** insulaires sont rattrapées par la réalité terrestre : construire des cités écologiques sur des îles nouvelles est devenu un mouvement architectural. Né dans l'urgence de la menace environnementale, ce courant urbanistique trouve son origine aux Pays-Bas. Avec le quart de son territoire en dessous du niveau de la mer, le pays a notamment conçu des maisons flottantes à Ijburg, un quartier expérimental au sud-est d'Amsterdam.

D'après F. Joignot, « Vingt mille lieux sur les mers : comment les architectes voient la vie sur l'eau », *Le Monde Culture & Idées*, 10 mai 2015.

Vocabulaire

Utopie : construction imaginaire d'une société idéale.

3 | La ville *Utopia* construite sur une île et volontairement isolée du continent, imaginée par Thomas More

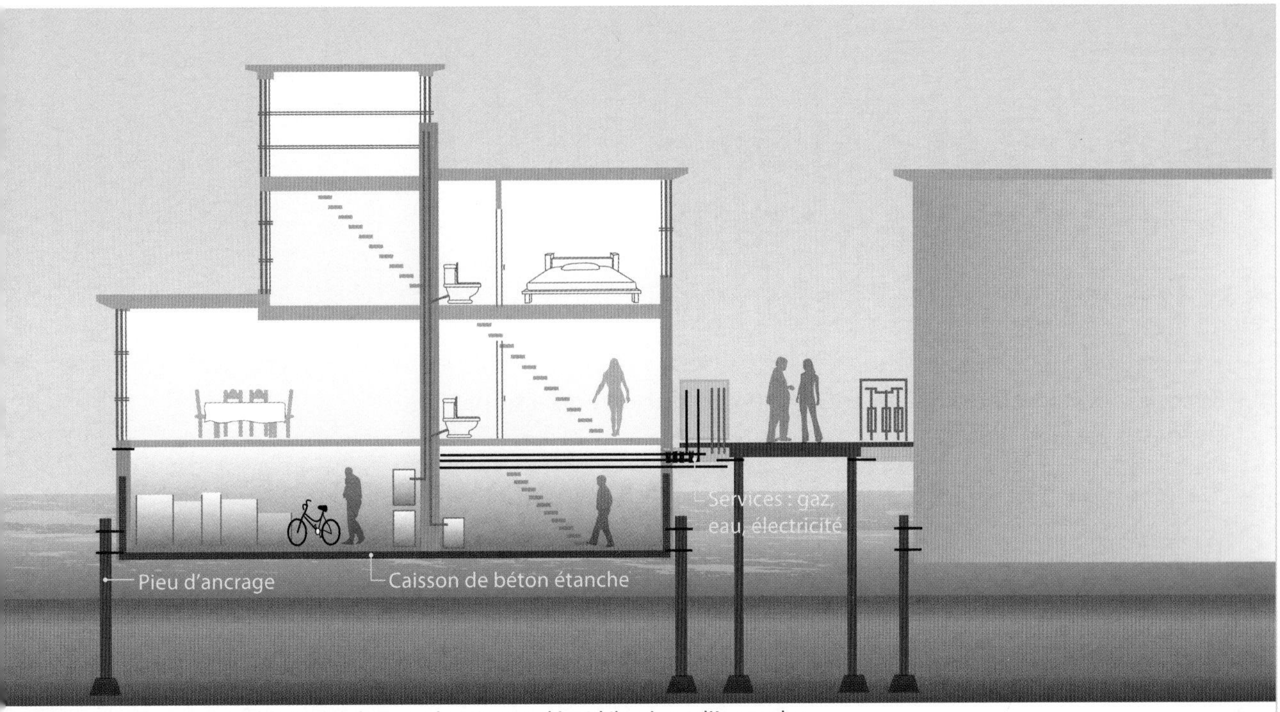
Pieu d'ancrage
Caisson de béton étanche
Services : gaz, eau, électricité

naisons très légères sont préfabriquées dans un chantier naval à 70 kilomètres d'Amsterdam
portées par voie maritime. Les maisons sont faites de matériaux résistants à l'humidité.

Source : Yves Perrier, 30 septembre 2015.

4 | Des techniques architecturales innovantes
D'après Y. Perrier, Guideperrier.ca, 30 septembre 2015.

5 Vivre à Ijburg

Un témoin raconte

« Amsterdam cherche à exploiter cette eau qui est partout, l'objectif est de s'adapter à la montée du niveau des mers, due au réchauffement climatique » explique K. Olthuis, architecte. La famille Ramaekers s'est installée à ljburg, dans ce nouveau quartier, construit sur 6 îles artificielles reliées entre elles. « On a emménagé ici à la naissance d'Arte, pour avoir plus de place et la faire profiter de la nature », raconte Maartje pendant que la petite joue sur la terrasse au ras de l'eau. La jeune mère reconnaît que « Vivre dans une maison flottante, c'est l'aventure ! Il a fallu s'habituer à dormir à 1,5 mètre sous le niveau de la mer (dans la "coque" de la maison-bateau) et au roulis en cas de grand vent. On voit régulièrement les luminaires tanguer. Nous avons aussi dû équilibrer le poids de nos meubles avec ceux de nos voisins ! Nous sommes environ 20 000 à habiter sur l'eau ».

D'après A. Garric, « Pays-Bas : vivre dans une maison flottante, c'est l'aventure ! », *Le Monde*, 14 juillet 2013.

Identifier et analyser des œuvres

Décrire et comprendre

1. **DOC. 2** Pourquoi les Pays-Bas sont-ils précurseurs dans les constructions sur l'eau ?
2. **DOC. 1, 4 ET 5** Présentez le quartier expérimental d'Ijburg.
3. **DOC. 4 ET 5** Décrivez les maisons du quartier : forme, techniques de construction, matériaux utilisés.

Exprimer sa sensibilité et conclure

5. **DOC. 2 ET 3** Pourquoi les îles ont-elles souvent été l'objet d'utopies ?
6. **DOC. 5** Pensez-vous, comme Maartje, que « Vivre sur l'eau, c'est l'aventure ! » ?
7. **DOC. 1, 2, 4 ET 5** Construire des quartiers flottants vous semble-t-il être une réponse adaptée et durable à la crise du logement ?

Pour aller plus loin
Dans un moteur de recherche, tapez : Vingt-mille lieux sur les mers :
1. Comment les architectes voient la vie sur l'eau ?
2. Lisez le portfolio proposé par *Le Monde*.

Changement d'échelle

▸ **Socle** *Se repérer dans l'espace*

Les mers et océans, des espaces au cœur de la mondialisation

Recopiez et complétez le tableau en répondant aux questions posées à chaque ligne.

Des cas étudiés (à l'échelle locale)…				
	Manche et mer du Nord p. 310-313	Le détroit de Malacca p. 314-315	Le *Bougainville* p. 316-317	Le thon rouge p. 318-319
Pour quelles raisons la Manche/mer du Nord est-elle un espace convoité ?				
Pourquoi le détroit de Malacca est-il un passage incontournable du commerce maritime mondial ?				
Comment le *Bougainville* met-il en relation des espaces d'échange ?				
Pourquoi le thon rouge est-il une espèce menacée ?				

… au planisphère (à l'échelle mondiale)	
Où se situent les littoraux les plus actifs ?	
Quels sont les espaces maritimes les plus vulnérables ?	

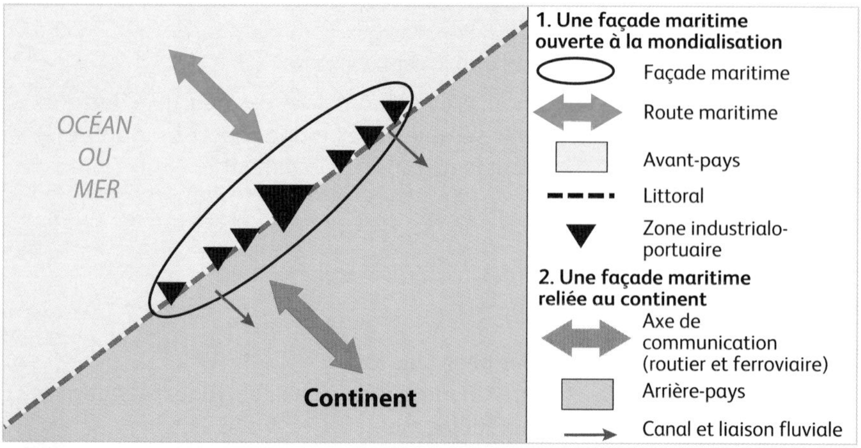

OCÉAN OU MER
Continent
1. Une façade maritime ouverte à la mondialisation
Façade maritime
Route maritime
Avant-pays
Littoral
Zone industrialo-portuaire
2. Une façade maritime reliée au continent
Axe de communication (routier et ferroviaire)
Arrière-pays
Canal et liaison fluviale

1 | Les façades maritimes au cœur de la mondialisation

OCÉAN PACIFIQUE
Panama
1. Des espaces de comme
Grand port mondia
Principale façade m
Principale route ma
Point de passage st
(détroit, canal)

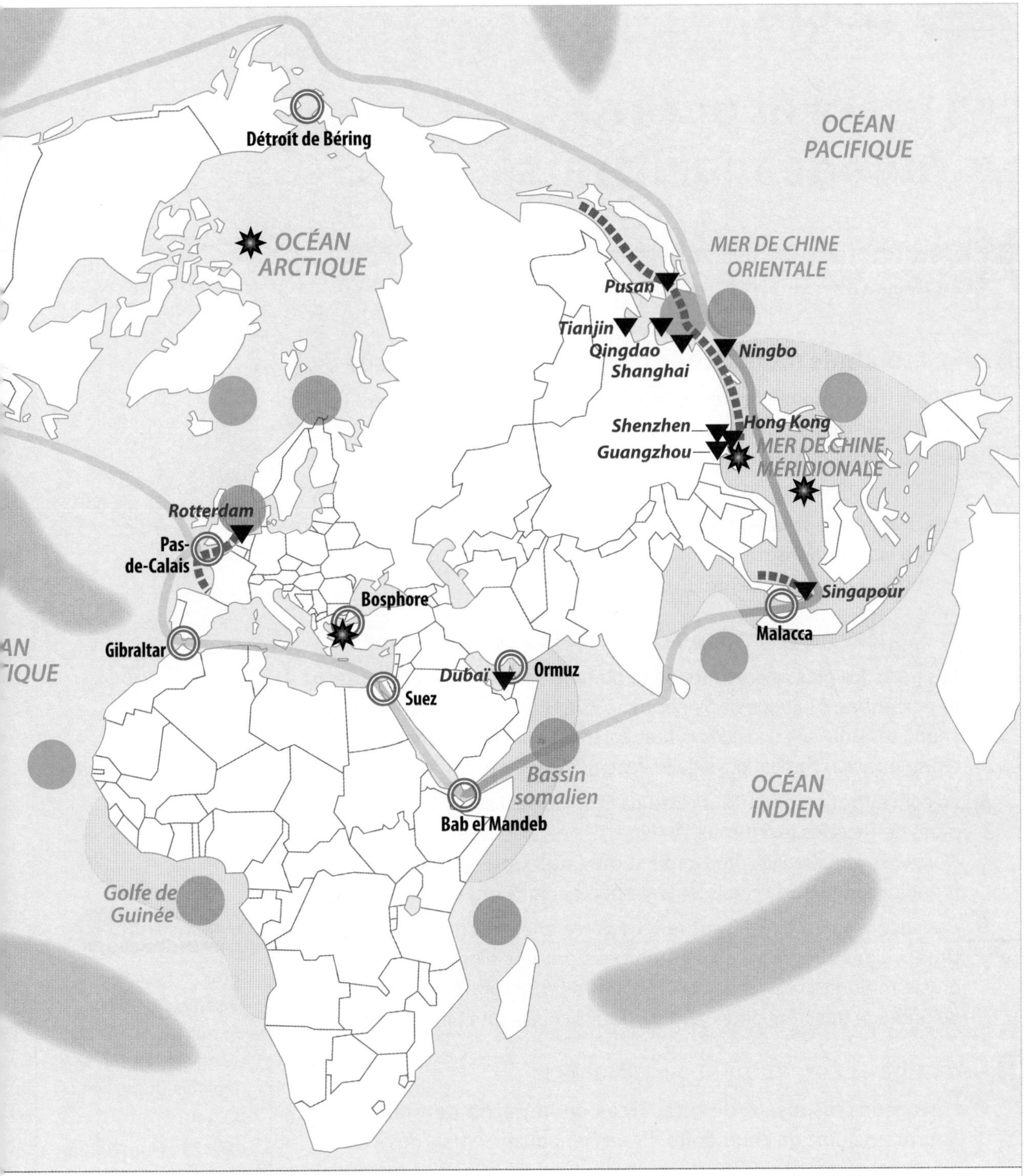
Détroit de Béring
OCÉAN PACIFIQUE
OCÉAN ARCTIQUE
MER DE CHINE ORIENTALE
Pusan
Tianjin
Qingdao
Shanghai
Ningbo
Shenzhen
Guangzhou
Hong Kong
MER DE CHINE MÉRIDIONALE
Rotterdam
Pas-de-Calais
Bosphore
Singapour
Malacca
AN
TIQUE
Gibraltar
Dubaï
Ormuz
Suez
Bassin somalien
OCÉAN INDIEN
Bab el Mandeb
Golfe de Guinée

2. Des espaces riches en ressources

Zone de pêche

Gisement d'hydrocarbures

3. Des espaces vulnérables

Zone de piraterie

Conflit lié aux ZEE

« Septième continent »
Zones d'accumulation
des déchets plastiques flottants

Source : Questions internationales : *Les grands ports mondiaux* (n°70 novembre-décembre 2014)

Leçon

Les mers et océans, un monde maritimisé

Comment la mondialisation transforme-t-elle les espaces maritimes du globe ?

I Une économie mondiale de plus en plus maritimisée

- **À l'échelle mondiale, le transport maritime assure actuellement 80 % des flux de marchandises.** Son volume global a doublé ces 20 dernières années grâce à la spécialisation (cargo, thonier, porte-conteneurs), au gigantisme des navires et à la conteneurisation.
- **Les principales routes maritimes relient les espaces les mieux intégrés à la mondialisation,** principalement les pôles de puissance : Asie orientale, Europe occidentale, Amérique du Nord.

II Des espaces maritimes de plus en plus stratégiques

- **Les ports les plus importants de la planète sont des zones industrialo-portuaires,** à l'image de Singapour ou du Havre. Ils reçoivent des marchandises, souvent dans des conteneurs. Ils sont ensuite chargés de les redistribuer vers l'arrière-pays, de les stocker ou de les transformer sur place.
- **La concentration de ZIP sur certains littoraux est si dense qu'on parle alors de façades maritimes.** Au Nord, les plus actives sont celles de la *Northern Range* ou la côte Nord-Est des États-Unis. Mais le commerce mondial connaît un accroissement spectaculaire en Asie.
- **Ces façades maritimes sont reliées entre elles par des routes maritimes :** lignes imaginaires, déterminées par des plans de navigation précis, mais aussi des canaux et des détroits. Le contrôle de ces points de passage très fréquentés, comme Malacca, est un enjeu stratégique.

III Des milieux convoités et vulnérables

- **Les océans disposent de ressources de la pêche permettant de nourrir un quart de l'humanité.** Ils recèlent aussi un tiers des réserves d'hydrocarbures et 85 % des minerais. L'exploitation des ressources maritimes fait donc l'objet de tensions entre les États.
- **Le risque majeur est la pollution et la surexploitation des ressources.** Certaines espèces sont en voie de disparition. Des réglementations, à différentes échelles, tentent de maîtriser ces menaces environnementales et de réguler les conflits d'usage.
- **En 2015, la COP 21 reconnaît le rôle déterminant des océans pour le climat mondial :** ils stockent et redistribuent d'énormes quantités de chaleur par l'intermédiaire des courants marins. Ce rôle de régulateur climatique est mis à mal par le réchauffement planétaire.

Vocabulaire

Flux : ensemble de biens, de marchandises ou de personnes qui se déplacent d'un lieu à un autre.

COP 21 : Nom donné à la 21e conférence sur les changements climatiques, sous l'égide des Nations Unies. Elle s'est tenue à Paris fin 2015.

Gigantisme : augmentation considérable des dimensions des bateaux.

Je retiens l'essentiel

L'essentiel en schéma

Une économie mondiale de plus en plus maritimisée

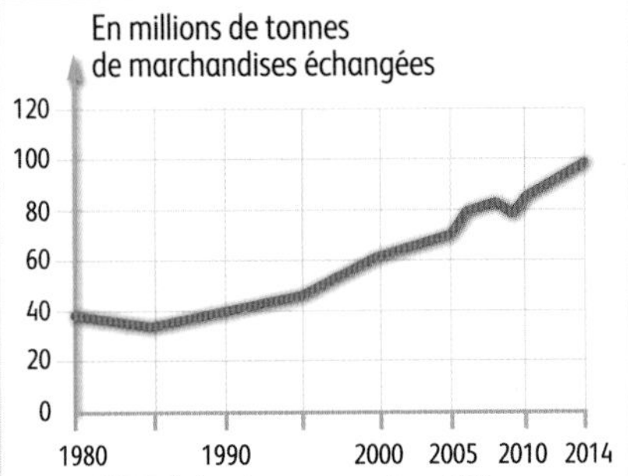

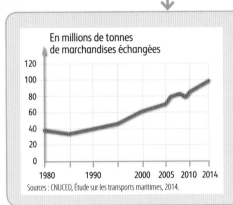

En millions de tonnes de marchandises échangées
120
100
80
60
40
20
0
1980
1990
2000
2005
2010
2014

Sources : CNUCED, Étude sur les transports maritimes, 2014.

La croissance du transport maritime dans le monde

Des espaces maritimes incontournables et dynamiques ...

Des routes maritimes très empruntées

Le trafic dans le détroit de Malacca

Des ZIP qui se modernisent

Les travaux dans le port d'Abidjan

Des détroits sous surveillance accrue

La piraterie dans le bassin somalien

... à l'origine de milieux convoités et vulnérables

La pression sur les ressources

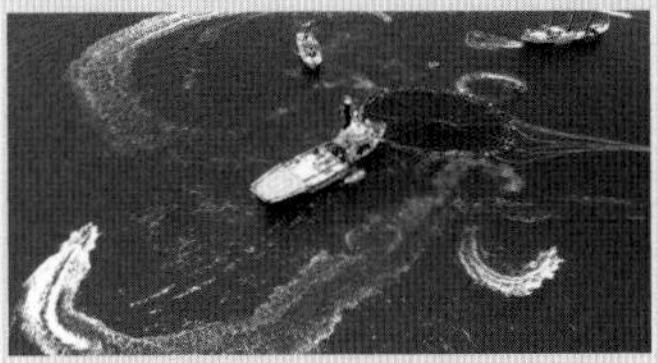

La surpêche du thon rouge en Méditerranée

Des pollutions

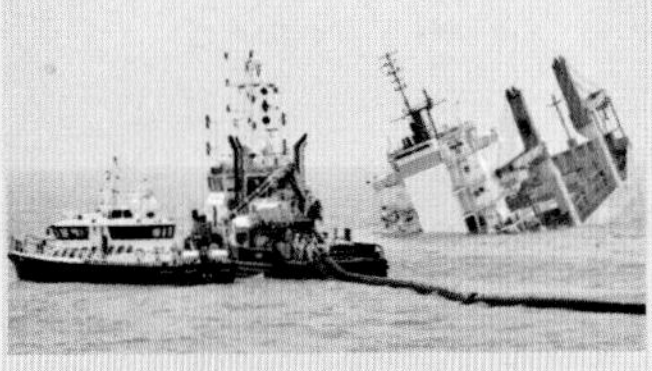

Une collision de navires en mer du Nord

Des conflits d'usage

QUAND ON JETTE LES FILETS... ON NE LES JETTE PAS DANS L'HÉLICE !

L'opposition des pêcheurs aux éoliennes dans la Manche

Chiffres clés

- Les mers et océans couvrent 71 % de la surface de la planète.
- 80 % des échanges de marchandises se font par mer contre 3 % par voie aérienne.
- Les 3 plus grandes ZIP du monde sont Shanghai (Chine), Ningbo-Zhoushan (Chine) et Singapour (Singapour).

J'apprends, je m'entraîne

▸ **Socle** *Méthodes et outils pour apprendre*

PDF FICHE DE RÉVISION À TÉLÉCHARGER Fiche 12

Des espaces maritimes au cœur de la mondialisation

1. Construire sa fiche de révision : notez le titre de la leçon sur votre feuille

Je connais...

Objectif 1 ▸ Connaître les repères géographiques

À l'aide du planisphère, répondez aux consignes suivantes.

1. **À quel numéro correspond chacun de ces ports :** Singapour, Shanghai, Rotterdam
2. **Nommez les océans repérés par une lettre (de A à E)**
3. **Nommez les détroits et canaux indiqués sur la carte.**

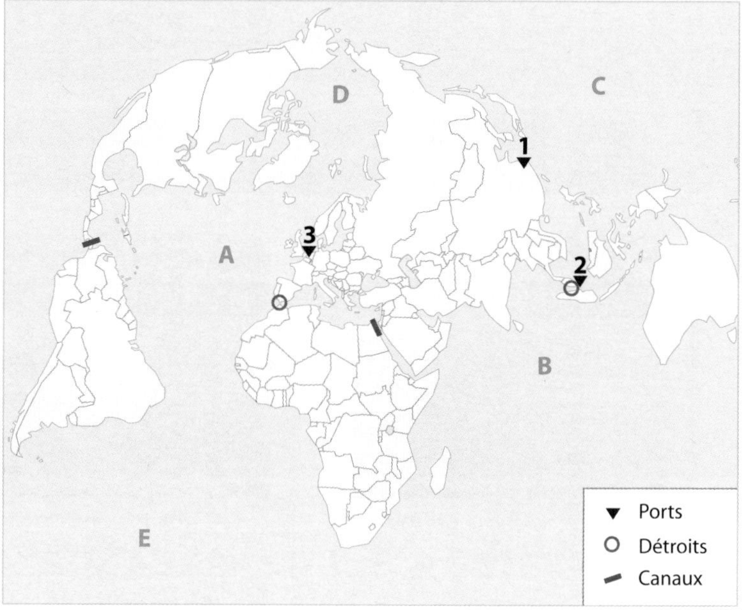

A
B
C
D
E
1
2
3
Ports
Détroits
Canaux

Objectif 2 ▸ Connaître les mots-clés

Notez la définition des mots-clés demandés ci-dessous :
ZIP – conflit d'usage – détroit – canal – conteneur

Je suis capable de...

Pour les objectifs suivants, construisez une réponse répondant à la consigne.

Objectif 3 ▸ Montrer que les espaces maritimes sont des espaces stratégiques et disputés

Aide *Utilisez les exemples de la Manche et du détroit de Malacca pour justifier leur position stratégique dans le commerce mondial et les tensions qui en découlent.*
Commencez vos paragraphes par des connecteurs logiques : d'abord, ensuite, enfin.

Objectif 4 ▸ Expliquer en quoi les porte-conteneurs sont révélateurs de la maritimisation

Aide *Servez-vous de l'exemple du* Bougainville *et de son trajet.*

Objectif 5 ▸ Décrire et expliquer un conflit d'usage autour d'une ressource maritime, et la nécessité d'y remédier.

Aide *Utilisez le présent, du vocabulaire précis et géographique, ne faites pas des leçons de morale, mais réfléchissez aux aspects spatiaux.*

2. S'entraîner

1 Construire des repères Le schéma d'une façade maritime

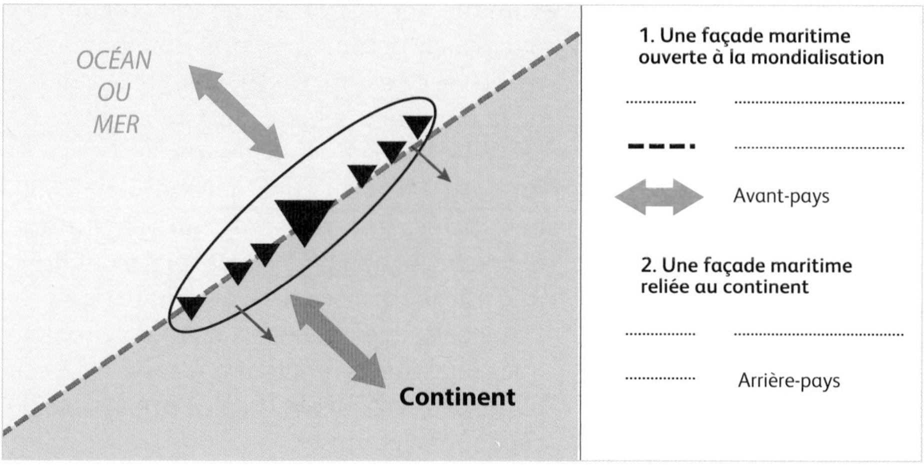
OCÉAN
OU
MER
Continent
1. Une façade maritime ouverte à la mondialisation
Avant-pays
2. Une façade maritime reliée au continent
Arrière-pays

1. Complétez la légende du schéma.
2. Citez une des principales façades maritimes du monde.

2 Décrire un aménagement portuaire

La ZIP de Houston (Texas, États-Unis)

1. Distinguez les différents plans de la photographie.
2. Identifiez et décrivez les grands ensembles dégagés.
3. Réalisez un croquis et sa légende au brouillon.

Auto-Évaluation

Je me positionne sur une marche :

1.	2.	3.	4.
• **J'observe l'image.** • **Je relève sa nature.**	• J'observe l'image. • Je relève sa nature. • **Je la décris.**	• J'observe l'image. • Je relève sa nature. • Je la décris. • **J'utilise mes connaissances pour expliquer.**	• J'observe l'image. • Je relève sa nature. • Je la décris. • J'utilise mes connaissances pour expliquer. • **J'interprète (je donne du sens) en réalisant un croquis et sa légende.**
Question 1	Questions 1 et 2	Questions 1 et 2	Questions 1, 2 et 3

Pour progresser, j'analyse mes axes de progrès. Que devrais-je améliorer ?

Vers le brevet

Canal
de Suez
ÉGYPTE
500 km

1 Analyser et comprendre un document

L'élargissement du canal de Suez

En annonçant en août 2014 l'élargissement du canal de Suez, l'Égypte cherche à s'adapter à l'augmentation du trafic maritime dans cette zone. Elle renforce ainsi son avantage stratégique dans une période où les investissements étrangers et le tourisme pâtissent de l'instabilité politique du pays[1]. Car si le canal reste la clé de voûte du commerce maritime entre l'Europe de l'Ouest et l'Asie, différents paramètres pourraient, à l'avenir, mettre à mal son importance. D'abord, le basculement de l'activité économique mondiale vers l'Asie, qui favorise le développement des échanges entre l'Asie et le reste du monde. Ensuite, malgré une diminution des incidents, les répercussions financières des actes de pirateries au large de la Somalie dépasseraient les 100 000 dollars par trajet, détournant ainsi une partie du trafic vers Le Cap. Enfin, la fonte accélérée de la banquise en période estivale offre de nouvelles perspectives tels que les Passages du nord-est et du nord-ouest. D'ici à 2050, ces itinéraires présenteront l'avantage d'être beaucoup plus courts et seront donc une alternative crédible à la route de Suez. Dans ce cadre, l'élargissement du canal de Suez constitue avant tout une mise à niveau d'une des ressources les plus précieuses de l'économie égyptienne.

D'après A. Rivière, « La concurrence future du nouveau canal de Suez », *societestrategie.fr*, 23 octobre 2014.

1. L'Égypte doit faire face à la montée de l'islamisme et du terrorisme.

Qui est-il ? A. Rivière est un spécialiste des passages interocéaniques.

Identifier le document

1. Présentez le document.

Extraire des informations pertinentes et utiliser ses connaissances pour expliciter

2. Que décide l'Égypte en août 2014 et pourquoi ?
3. D'après l'auteur, quelles sont les trois raisons qui expliquent la baisse d'influence du canal de Suez ?

Confronter le document à ce que l'on sait du sujet

4. Quand l'élargissement du canal de Suez a-t-il été décidé ?
5. Où se situe le canal de Suez par rapport aux zones où le risque d'actes de piraterie est élevé ?

2 Maîtriser différents langages pour raisonner et se repérer

1. Sous la forme d'un développement construit d'une vingtaine de lignes et en vous appuyant sur des exemples étudiés, montrez que les mers et océans sont des espaces d'échanges transformés par la mondialisation.
2. Localisez et nommez les deux principales façades maritimes et la route maritime la plus fréquentée du monde.

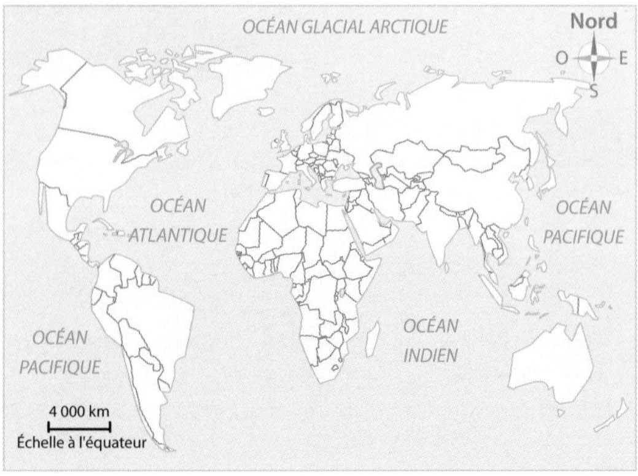
OCÉAN GLACIAL ARCTIQUE
Nord
O
E
S
OCÉAN ATLANTIQUE
OCÉAN PACIFIQUE
OCÉAN PACIFIQUE
OCÉAN INDIEN
4 000 km
Échelle à l'équateur

Enquêter

Qui a intérêt à ouvrir les routes maritimes du Nord ?

Les faits

Le record de fonte estivale de la banquise arctique a dopé le trafic maritime dans la région. Selon l'Institut arctique d'études sur la sécurité circumpolaire[1], pas moins de 1,5 million de tonnes de marchandises auront emprunté cette année la « route du Nord », qui relie l'Europe à l'Asie via le détroit de Béring, soit 75 % de plus que l'an dernier.

L'Express, 26 octobre 2013.

1. autour du pôle Nord

Indice n°1

L'ouverture de voies maritimes en Arctique

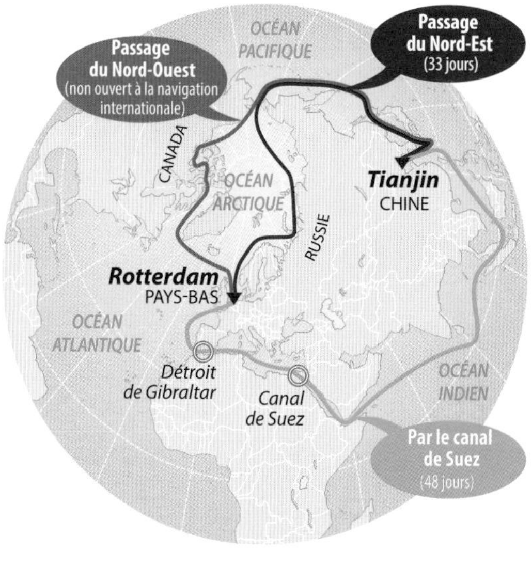

Passage du Nord-Ouest
(non ouvert à la navigation internationale)
OCÉAN PACIFIQUE
Passage du Nord-Est
(33 jours)
CANADA
OCÉAN ARCTIQUE
Tianjin
CHINE
RUSSIE
Rotterdam
PAYS-BAS
OCÉAN ATLANTIQUE
Détroit de Gibraltar
Canal de Suez
OCÉAN INDIEN
Par le canal de Suez
(48 jours)

Source : D'après J. Garnier, «Le fantasme de la route maritime du Nord», *Le Monde*, 30 novembre 2015.

Indice n°2

Septembre 2008 est à marquer d'une pierre blanche. Pour la première fois les passages canadien (Nord-Ouest) et russe (Nord-Est) reliant les océans Atlantique et Pacifique sont restés simultanément libres de glaces quelques jours. Annoncé depuis longtemps par les scientifiques, cet événement relance les spéculations sur les routes commerciales de l'Arctique. Le réchauffement climatique aidant – 2012 a battu un record avec une banquise réduite de moitié par rapport à 2000 – les traversées se multiplient. Ces nouveaux passages réduisent de plusieurs milliers de kilomètres les circuits maritimes habituels. Cependant, leur potentiel fait débat et entraîne des tensions entre les États riverains sur les conditions de circulation et la délimitation des ZEE (l'Arctique est riche en hydrocarbure et minerais).

D'après S. Lupieri, « La route de l'Arctique, objet de toutes les convoitises », *Enjeux-Les Échos*, 28 mai 2015.

Indice n°3

L'ARCTIQUE CONVOITÉ...
MAMAN, QUAND JE SERAI GRAND, JE SERAI CANADIEN, RUSSE, AMÉRICAIN, DANOIS OU NORVÉGIEN ?

Source : A.P. Côté, *Courrier international*, 6 août 2015.

Avez-vous pris connaissance des faits et des indices ? Quelle est votre conviction ? Qui a intérêt à ouvrir la route maritime du Nord ?

Par équipe, complétez le carnet de l'enquêteur.

1. Les avantages de ces nouvelles routes maritimes
2. Les tensions entre les pays frontaliers
3. Les craintes des associations environnementales

Rédigez en quelques lignes le rapport d'enquête.

L'atelier d'écriture

Vers la tâche complexe

Mers et océans, des espaces convoités et fragilisés

À l'aide de vos connaissances, rédigez un texte d'une vingtaine de lignes expliquant pourquoi les mers et les océans sont des espaces convoités et fragilisés.

Travail préparatoire (au brouillon)

1. Comprenez bien le sujet : à quoi ces deux adjectifs renvoient-ils ?
Mers et océans, des espaces convoités et fragilisés

2. Classez les idées suivantes dans le tableau ci-dessous
ZIP – ressources de la pêche – conflits d'usage – façades maritimes – hydrocarbures – pollution – routes maritimes – ZEE

1er paragraphe Des espaces stratégiques	**2e paragraphe** Des espaces riches en ressources	**3e paragraphe** Des espaces vulnérables
…	…	…

3. Associez à chaque idée un exemple extrait du chapitre.
Ex : La ZIP de Rotterdam

4. Vérifiez avec votre cahier ou votre manuel que vous n'avez pas oublié d'informations essentielles.

Travail de rédaction (au propre)

RAPPELS

Soignez la présentation de votre texte et votre écriture. N'oubliez pas de relire et de vérifier vos accords.

À vous de choisir votre niveau de difficulté !

Je rédige un texte **sans aucune aide.**

Rédigez votre texte en vérifiant que :
- Vous commencez votre texte par une introduction qui présente le sujet.
- Vous organisez vos idées en paragraphes.
- Vous pensez à illustrer vos idées avec des exemples localisés (ex : Malacca, la Northern Range) et variés.

Je rédige un texte **avec un guidage léger.**

Rédigez votre texte à l'aide des conseils suivants :
- Commencez par une introduction qui présente le sujet. Puis rédigez trois paragraphes en vous appuyant sur le tableau ci-dessus. Vous pouvez commencer par les amorces suivantes :
D'abord, les espaces maritimes, au cœur de la mondialisation, sont stratégiques…
Ensuite, ce sont des espaces riches en ressources variées…
Les espaces maritimes sont donc vulnérables.
- Vous pensez à illustrer vos idées des exemples localisés (le détroit de Malacca, la Northern Range…) et variés.

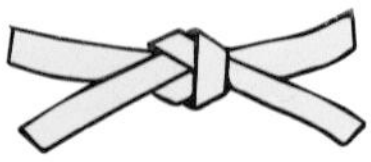

Je rédige un texte **avec un guidage plus important.**

Rédigez votre texte à l'aide des conseils suivants :
- Commencez par une introduction qui présente le sujet et localise les espaces maritimes. Vous pouvez utiliser le chiffre suivant : 71 % de la surface de la planète et définir la notion de maritimisation.
- Votre 1er paragraphe commence par *D'abord, les espaces maritimes deviennent de plus en plus stratégiques avec la maritimisation de l'économie…*
- Votre 2e paragraphe commence par *Ensuite, les espaces maritimes disposent de ressources riches et variées comme les ressources de la pêche ou les hydrocarbures…*
- Votre 3e paragraphe commence par *Les espaces maritimes sont donc vulnérables, ils subissent donc des risques de pollution et de surexploitation des ressources…*

EMC

▶ **Objet d'enseignement** *L'engagement citoyen, la démocratie participative*

Parcours citoyen

La loi littoral, une loi pour protéger mers et océans ?

1 La mise en application de la loi littoral à Quiberon (Bretagne)

Très fréquentée, la côte sauvage de Quiberon a subi au XXe siècle un piétinement intensif et de nombreux littoraux ont été abîmés. Acquise en 1991 par le Conservatoire du littoral, elle bénéficie depuis 1997 d'une protection environnementale renforcée à travers la loi littoral. Un important programme de restauration est mené : un itinéraire cyclo-pédestre, des parkings éloignés des côtes, des campings déplacés dans des zones moins fragiles, des campagnes d'information sur les oiseaux, des clôtures de protection des dunes... Toutes ces interventions, aussi efficaces soient-elles, nécessitent le concours actif de chacun.

Source : Conservatoire du littoral, 2016.

Liberté • Égalité • Fraternité
RÉPUBLIQUE FRANÇAISE
Ministère de l'Environnement, de l'Énergie et de la Mer
IMAGINEZ
le littoral
DE DEMAIN
APPEL À IDÉES
1ÈRE ÉDITION
8 avril - 30 juin 2016
Parrainé par
Isabelle Autissier
Citoyens de tous bords (de mer ou de terre), à vos crayons, à vos planches, à vos toiles, feuilles, ardoises, tablettes, ordis ... !
Le ministère de l'environnement, de l'énergie et de la mer fait appel à vos idées. Devenez les architectes d'un littoral vivant, sauvage, dynamique et ambitieux !
Rendez-vous sur :
www.littoral2070.fr

2 | Des projets pour préserver les littoraux

3 Un étudiant en biologie sensibilise le public à la protection du littoral

Un témoin raconte

Sensibiliser le public, c'est la mission de Yann Planque, étudiant en biologie à Calais : « Notre mission aujourd'hui, c'est de ramasser uniquement les macro-déchets. On ne touche pas aux algues, bois flottés… Ils sont importants pour l'écologie. Je suis toujours surpris de trouver sur les plages des mégots de cigarettes, des cotons-tiges… des déchets qu'on trouve plutôt en ville. On se rend compte qu'il y a encore du travail pour faire comprendre aux gens que tous les déchets partent à la mer. 80 % des déchets aquatiques sont d'origine continentale et le plastique est responsable chaque année de la mort d'un milliard d'oiseaux marins et de 200 000 tortues marines ».

Source : *lavoixdunord.fr*, 22 mars 2014.

Le droit et la règle : des principes pour vivre avec les autres

1. **DOC. 1** Comment est appliquée la loi littoral à Quiberon ? Par quels acteurs est-elle mise en place ?
2. **DOC. 1 ET 3** Pourquoi est-il important de préserver les littoraux ?

L'engagement : agir individuellement et collectivement

3. **DOC. 2** Qui est à l'origine de ce document et à qui s'adresse-t-il ?
4. Par groupe, réalisez une affiche attractive pour répondre à l'appel à idées lancé par le ministère.

13 L'adaptation des États-Unis à la mondialisation

Comment la mondialisation transforme-t-elle le **territoire** américain ?

Souvenez-vous !
Quels sont les trois espaces produisant le plus de richesses dans le monde ?

Nord
OCÉAN PACIFIQUE
Chicago
ÉTATS-UNIS
OCÉAN ATLANTIQUE
2 000 km

1 | Le **CBD** de Chicago (Illinois)

Vocabulaire

Territoire : espace géographique transformé par les habitants.

CBD : *Central Business District*, quartier central des affaires reconnaissable à ses gratte-ciel.

Socle. *Se repérer dans l'espace*

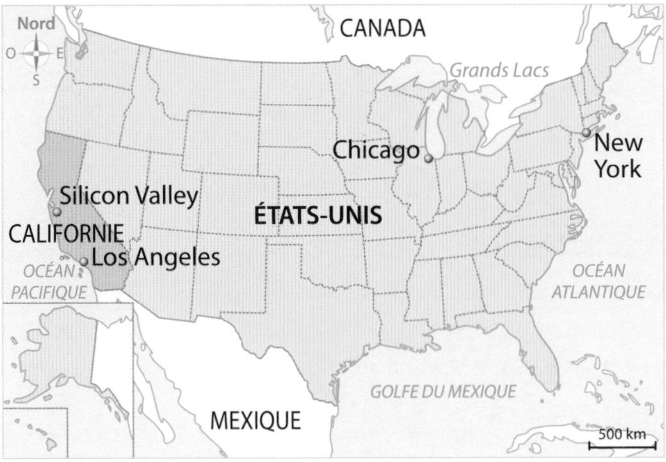

Nord
O
E
S
CANADA
Grands Lacs
Chicago
New York
Silicon Valley
ÉTATS-UNIS
CALIFORNIE
Los Angeles
OCÉAN PACIFIQUE
OCÉAN ATLANTIQUE
GOLFE DU MEXIQUE
MEXIQUE
500 km

1

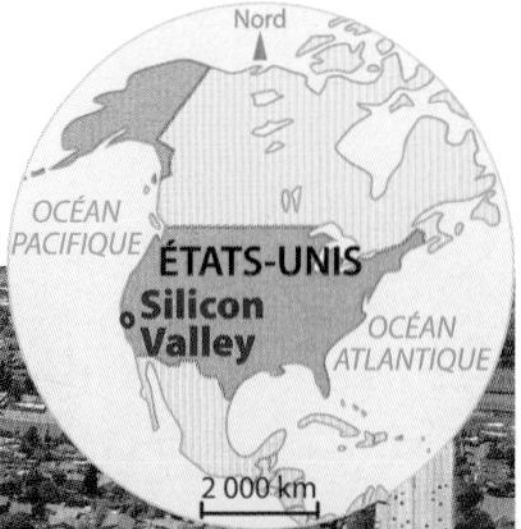

Nord
OCÉAN PACIFIQUE
ÉTATS-UNIS
Silicon Valley
OCÉAN ATLANTIQUE
2 000 km

2 | **Siège d'Apple à Cupertino, Silicon Valley (Californie)**

1 Siège social d'Apple

1. **DOC. 1 ET 2** Localisez et décrivez les deux paysages.
2. **DOC. 1 ET 2** Quelles sont les particularités communes aux deux paysages ?
3. **DOC. 1 ET 2** **Formulez une hypothèse** pour répondre à la question suivante : quels sont les éléments du paysage qui permettent d'affirmer que le territoire des États-Unis est intégré à la mondialisation ?

Des échanges de marchandises, d'informations et de de capitaux avec le monde entier

↑

Les États-Unis dans la mondialisation → Des populations mobiles

↓

Des territoires plus ou moins intégrés (centres et périphéries)

Étude de cas

▸ **Socle** *Réaliser une description – Extraire des informations pertinentes pour réaliser un schéma*

Les États-Unis, le pays de la ville

Comment et pourquoi la mondialisation transforme-t-elle les grandes métropoles américaines ?

FICHE D'IDENTITÉ DE NEW YORK CITY

New York City	8,5 millions d'habitants
Superficie	1 215 km²
Densité	7 000 hab./km²
Agglomération	22 millions d'hab.

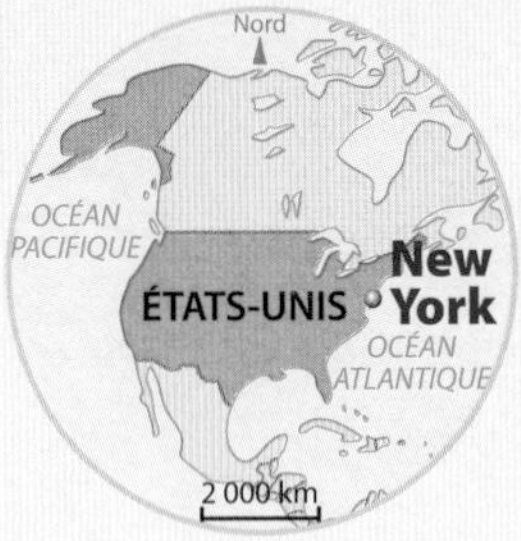
Nord
OCÉAN PACIFIQUE
ÉTATS-UNIS
New York
OCÉAN ATLANTIQUE
2 000 km

Étape 1 ▸ *Comprendre comment la mondialisation transforme la métropole de New York City*

1
2

1 | Les **CBD** de New York sur l'île de Manhattan
① Downtown, 1er CBD de New York City
② Midtown, 2e CBD

2 Rafael, danseur et migrant français habitant de New York City

Un témoin raconte

Devenir un véritable New-Yorkais, c'est comme rentrer dans un tourbillon fou et n'en ressortir que lorsque l'on quitte la ville. Tout va extrêmement vite. Le rythme ne ralentit jamais. Ni le dimanche. Ni pendant les vacances. Les métros fonctionnent en permanence. Votre emploi du temps compte potentiellement 24 heures par jour et 7 jours dans la semaine. C'est ici qu'il y a les plus grandes scènes pour la danse et les meilleurs danseurs.

D'après *seuleanewyork.com*, 2014.

Vocabulaire

CBD : *Central Business District*, quartier central des affaires qui regroupe des sièges sociaux d'entreprises et des établissements financiers.

mégalopolis : couloir urbain du Nord-Est des États-Unis. Il s'étend de Boston à Washington sur 700 km et regroupe plus de 50 millions d'habitants.

Ville monde ou ville mondiale : métropole qui exerce des fonctions de domination économique, financière, culturelle, politique à l'échelle mondiale.

3 Gentrification et rénovation urbaine à New York City

Avant
80

a Un quartier de Brooklyn avant rénovation.

Après

b Brooklyn, un nouveau quartier qui attire des populations aisées

CANADA
St Laurent
Nord
O E
S
Lac Ontario
Canal Welland
Lac Érié
Rochester
Buffalo
Hudson
Harvard et MIT
Boston
ÉTATS-UNIS
Yale
ONU
Columbia
Pittsburgh
Princeton
New York
Europe Afrique Asie
Pennsylvanie
Philadelphie
Baltimore
FMI
Washington
OCÉAN ATLANTIQUE
Europe Afrique Asie
0 100 km

1. La mégalopolis, cœur de la puissance américaine

- Principales agglomérations
- Zones urbaines densément peuplées
- Washington, siège du pouvoir politique
- ONU Institutions internationales
- Lieux de pouvoir économique et financier
- Grandes universités

2. Un territoire et une façade maritime ouverts sur le monde

- Principaux aéroports internationaux
- Principaux ports industriels (ZIP)
- Voies navigables
- Échanges commerciaux

4 New York City au cœur de la mégalopolis du Nord-Est ouverte sur le monde

5 New York : la ville monde par excellence

La moitié des New-Yorkais parlent une autre langue que l'anglais à la maison. [...] New York City est aussi une « **ville monde** » grâce à sa position de leader sur le plan économique. Son *Financial District* (bourse de Wall Street depuis 1792) peut être considéré comme le centre financier du monde.

D'après H. Linden, *L'atlas des villes*, hors-série *Le Monde-La Vie*, 2013.

Activités

Socle : *Réaliser une description*

1. **DOC. 1 ET 4** Quels sont les éléments qui montrent la modernité de New York et sa connexion avec le reste de la planète ?

Socle *Extraire des informations pertinentes pour réaliser un schéma*

2. Recopiez et complétez le schéma montrant que New York est un territoire puissant transformé par la mondialisation.

- **New York, ville mondiale**
  - Une métropole qui attire (**DOC. 2, 4 ET 5**). …
  - Un territoire urbain qui se transforme (**DOC. 1, 3 ET 4**) …
  - Un territoire qui concentre de nombreux pouvoirs (**DOC. 4 ET 5**) …
  - Un territoire connecté avec le reste du monde (**DOC. 4 ET 5**). …

Étude de cas

▶ **Socle** *Construire des repères géographiques – Extraire des informations pertinentes*

Étape 2 ▶ *Comprendre que la mondialisation dynamise les métropoles américaines.*

Rappel de 6e

Les métropoles regroupent des fonctions politiques, économiques et culturelles.

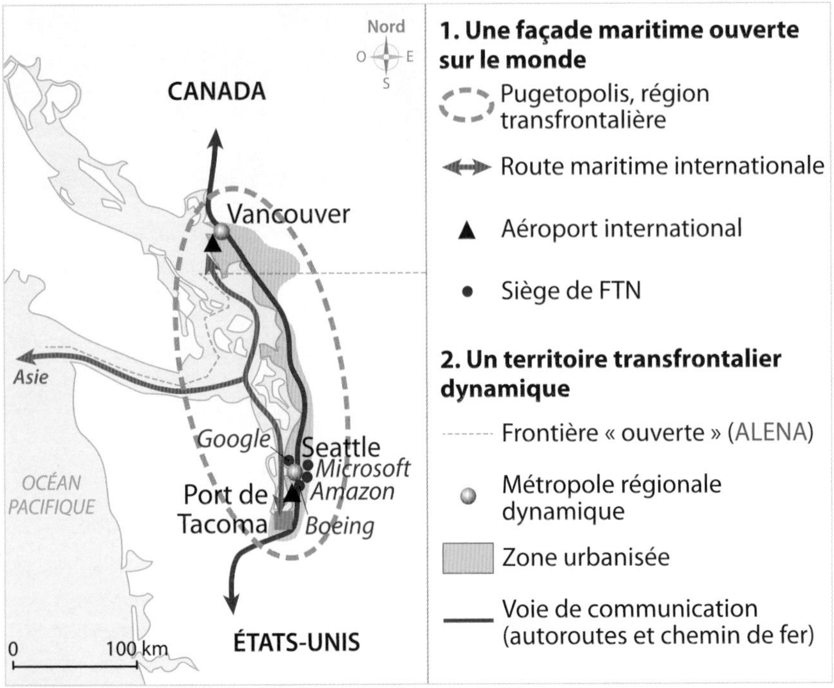

Nord
O
E
S
CANADA
Vancouver
Asie
OCÉAN PACIFIQUE
Google
Seattle
Microsoft
Amazon
Port de Tacoma
Boeing
ÉTATS-UNIS
0
100 km
1. Une façade maritime ouverte sur le monde
Pugetopolis, région transfrontalière
Route maritime internationale
Aéroport international
Siège de FTN
2. Un territoire transfrontalier dynamique
Frontière « ouverte » (ALENA)
Métropole régionale dynamique
Zone urbanisée
Voie de communication (autoroutes et chemin de fer)

6 | **Seattle, une métropole frontalière dynamique au cœur de la Pugetopolis.**

Nord
ÉTATS-UNIS
Las Vegas
2 000 km

8 | **Las Vegas, capitale mondiale du divertissement.**

Métropole de 2 millions d'habitants, Las Vegas, au cœur du désert de Mojave, est une destination touristique majeure, mondialement connue pour ses casinos, ses salles de spectacle et ses congrès depuis les années 1970.

7 La métropolisation aux États-Unis modifie les territoires

Une métropole est une ville très peuplée, qui exerce un rôle de commandement économique, en réseau avec d'autres métropoles, nationales ou internationales. Aux États-Unis, les principales métropoles contrôlent une grande part de l'économie du pays et sont au cœur de la mondialisation. La métropolisation, déjà présente en 1950, a présidé à des réorganisations spatiales à toutes les échelles, entre et à l'intérieur des villes toujours marquées par la ségrégation entre quartiers aisés et en difficulté (**ghettos**) mais aussi par la **gentrification** dans certains quartiers rénovés.

D'après Christian Montès et Pascale Nédélec, *Atlas des États-Unis*, Autrement, 2016.

Vocabulaire

ALENA : Accord de libre-échange américain entre les États-Unis, le Canada et le Mexique.

Gentrification : phénomène urbain marqué par l'arrivée de populations aisées dans des quartiers rénovés.

Ghetto : quartier pauvre majoritairement peuplé d'Afro-Américains.

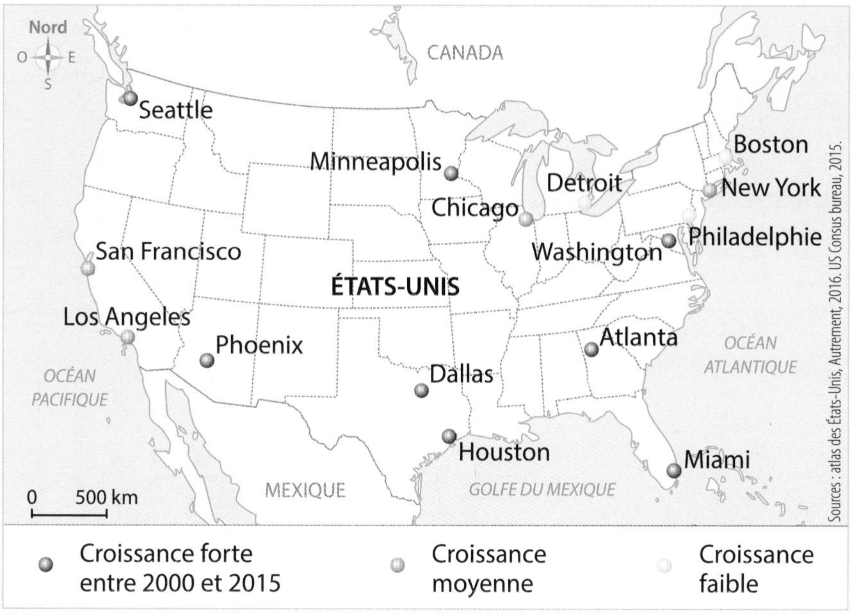
Nord
O
E
S
CANADA
Seattle
Minneapolis
Chicago
Detroit
Boston
New York
Philadelphie
Washington
San Francisco
ÉTATS-UNIS
Los Angeles
Phoenix
Atlanta
Dallas
Houston
Miami
OCÉAN PACIFIQUE
OCÉAN ATLANTIQUE
MEXIQUE
GOLFE DU MEXIQUE
0 500 km
Sources : atlas des États-Unis, Autrement, 2016. US Consus bureau, 2015.
Croissance forte entre 2000 et 2015
Croissance moyenne
Croissance faible

9 | Les aires métropolitaines des États-Unis

Activités

▶ **Socle** *Construire des repères géographiques*

1. **DOC. 6 ET 8** Où se situent les métropoles de Seattle et de Las Vegas?

▶ **Socle** *Extraire des informations pertinentes*

2. **DOC. 6** Pourquoi la métropole de Seattle est-elle aussi dynamique ?
3. **DOC. 7** Pourquoi affirme-t-on que les États-Unis sont le pays de la ville ?
4. **DOC. 8** Quels secteurs d'activité ont permis le développement de Las Vegas ?
5. **DOC. 7 ET 9** Comment évolue la population des métropoles américaines ?

Étape 3 ▶ *Réaliser un croquis schématique bilan*

SUJET : Les États-Unis, le pays de la ville

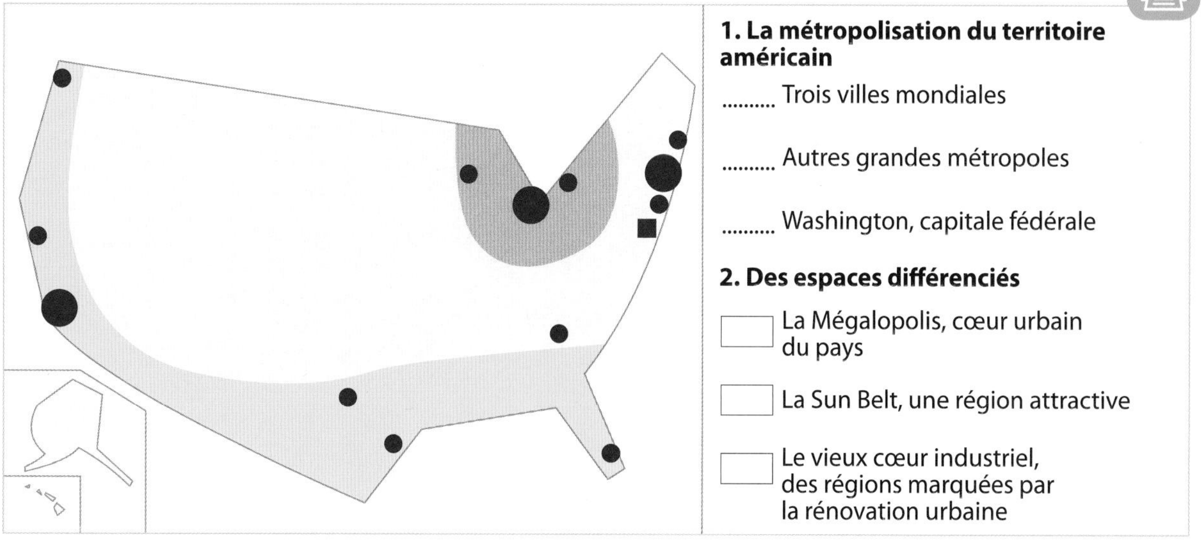
1. La métropolisation du territoire américain
.... Trois villes mondiales
.... Autres grandes métropoles
.... Washington, capitale fédérale
2. Des espaces différenciés
La Mégalopolis, cœur urbain du pays
La Sun Belt, une région attractive
Le vieux cœur industriel, des régions marquées par la rénovation urbaine

A. Se repérer sur le croquis schématique

Sur le fond de carte fourni par votre professeur :

1. Localisez les deux pays limitrophes (voisins) des États-Unis.
2. Localisez les trois domaines maritimes (mers et océans).

B. Complétez le croquis schématique

3. Complétez la légende en repérant les figurés utilisés sur le croquis.
4. Choisissez un figuré et représentez la mégalopolis.

Étudier un territoire

La Californie, un territoire mondialisé

Quel est l'impact de la mondialisation sur le territoire californien ?

FICHE D'IDENTITÉ DE LA CALIFORNIE

Population	39 millions d'habitants
Superficie	424 000 km²
Capitale d'État	Sacramento
PIB	1 960 milliards de dollars

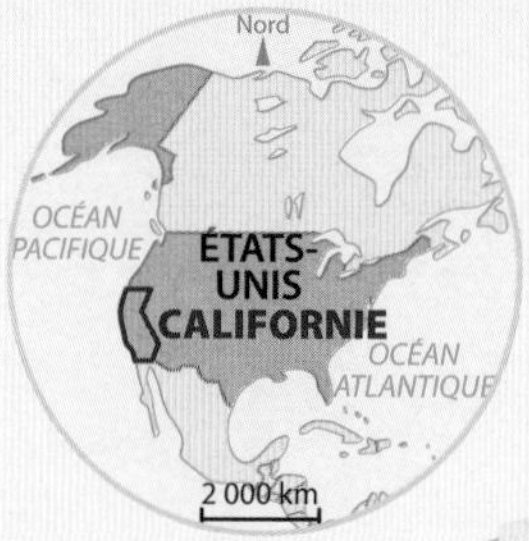
Nord
OCÉAN PACIFIQUE
ÉTATS-UNIS
CALIFORNIE
OCÉAN ATLANTIQUE
2 000 km

Étape 1 *Comprendre que la Californie est un territoire dynamique et ouvert sur le monde*

Tâche complexe

Vous imaginez réaliser un rêve : aller en Californie. Vous préparez votre voyage en cherchant à connaître cet État parmi les plus riches et dynamiques des États-Unis.

Votre mission :

En groupe, préparez une présentation de la Californie qui montre que c'est un territoire marqué par des activités de pointe, et ouvert sur le monde. Pour votre présentation choisissez le support de votre choix (diaporama, vidéo, article…).

Boîte à outils

Les mots-clés à utiliser

Littoralisation : concentration des hommes et des activités sur le littoral.

FTN : firme transnationale.

Nouvelles technologies : activités liées à l'internet, à l'informatique et à la communication.

1 Les facteurs de la puissance californienne

La Californie est l'État le plus peuplé des États-Unis.

Les ports de conteneurs de Los Angeles et de Long Beach sont parmi les 20 plus importants de la planète. La Californie est un **État leader dans de nombreux secteurs**, comme l'agriculture, les industries de haute technologie et les industries culturelles. **La Californie est un centre mondial majeur en matière d'innovation**. Dans **la région urbaine de San Francisco**, l'industrie motrice est l'industrie électronique et informatique ancrée dans la *Silicon Valley*, tandis que d'autres secteurs prospèrent, comme l'industrie des biotechnologies. À **Los Angeles**, l'industrie motrice est le secteur du cinéma. Extraction et raffinage du pétrole, aéronautique, défense, industrie textile sont les autres piliers de l'économie de Los Angeles. En outre, ces deux métropoles sont des lieux attirant un volume croissant de touristes.

D'après F. Leriche, « Les paradoxes de la puissance californienne », *geoconfluences.ens-lyon.fr*, 2015.

NYK LINE

2 | Le port de conteneurs de Los Angeles

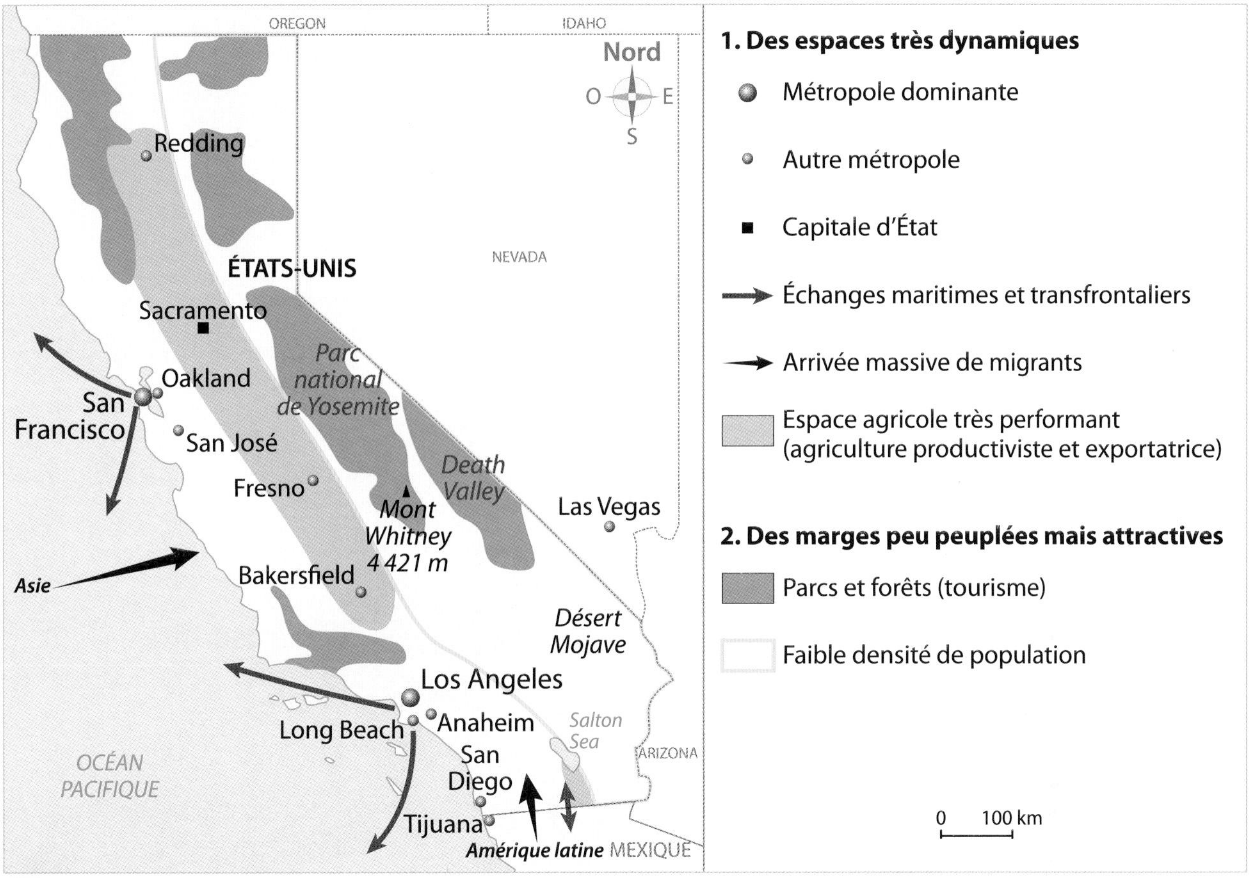
OREGON
IDAHO
Nord
O
E
S
Redding
NEVADA
ÉTATS-UNIS
Sacramento
Oakland
San Francisco
Parc national de Yosemite
San José
Death Valley
Fresno
Mont Whitney 4 421 m
Las Vegas
Asie
Bakersfield
Désert Mojave
Los Angeles
Long Beach
Anaheim
Salton Sea
ARIZONA
San Diego
OCÉAN PACIFIQUE
Tijuana
Amérique latine
MEXIQUE
1. Des espaces très dynamiques
Métropole dominante
Autre métropole
Capitale d'État
Échanges maritimes et transfrontaliers
Arrivée massive de migrants
Espace agricole très performant (agriculture productiviste et exportatrice)
2. Des marges peu peuplées mais attractives
Parcs et forêts (tourisme)
Faible densité de population
0 100 km

3 | La Californie, un territoire ouvert sur le monde

BERKELEY
EMERYVILLE
OAKLAND
CONCORD
WALNUT CREEK
SAN RAMON
PLEASANTON
SAN LEANDRO
HAYWARD
SAN MATEO
REDWOOD CITY
PALO ALTO
FREMONT
MILPITAS
MOUNTAIN VIEW
SUNNYVALE
SANTA CLARA
LOS ALTOS
CUPERTINO
FOOTHILL COLLEGE
twitter
SEMICON
HITACHI
ORACLE
hp
YAHOO!
Google
facebook
SONY
LinkedIn
CISCO
Microsoft
intel
TOYOTA
Canon
HUAWEI
Adobe
ebay inc
IBM
DEVICES
molex
sgi
ERICSSON
AVNET
Fuji Electric
OPLINK
DELPHI
GUZIK
CEVA
TEXAS INSTRUMENTS
AMD
azbil
HALO
CAVIUM
KANEMATSU USA
SUMITOMO ELECTRIC
CALYPTO
TOMEN ELECTRONICS
SPANSION
classic
Amphenol
streakwave
VRSHAY
CHNGE
Vobile
ANALOG DEVICES
HNL
ALTIERRE
CalliduSCloud
opensys
AIR LIQUIDE
NJR CORPORATION
YAMAHA
M2Mi
rocketfuel
QUALYS
OGIS
NIKKO SYSTEMS SOLUTIONS, LTD
NETVIBES
DETECON
WIDEORBIT
PubMatic
Aviat
DeAnza College
DeviceNet
PRNewswire
Good
CoAdna
CTC
Amkor
BIO Explore VIRTUAL TOUR
TECH Explore VIRTUAL TOUR

4 | La Silicon Valley, territoire de l'innovation

Besoin d'un peu d'aide ?

Après avoir localisé et situé la Californie, vous organisez votre argumentation autour des mots-clés de la boîte à outils.

Besoin d'un peu d'aide ?

Après avoir localisé et situé la Californie, vous montrerez l'importance des métropoles littorales dans le dynamisme de la Californie (DOC. 2 ET 3). Vous pouvez montrer l'importance des grandes FTN californiennes dans les nouvelles technologies. Vous devez citer des exemples (DOC. 4).

▶ Socle *Construire des repères géographiques – Extraire des informations pertinentes*

Étape 2 ▶ *Comprendre que la mondialisation renforce les inégalités entre les territoires et entre les hommes en Californie*

5 | Un territoire inégalement développé et attractif

Source : F. Leriche, « Les paradoxes de la puissance californienne », *geoconfluences.ens-lyon.fr*, 2015.

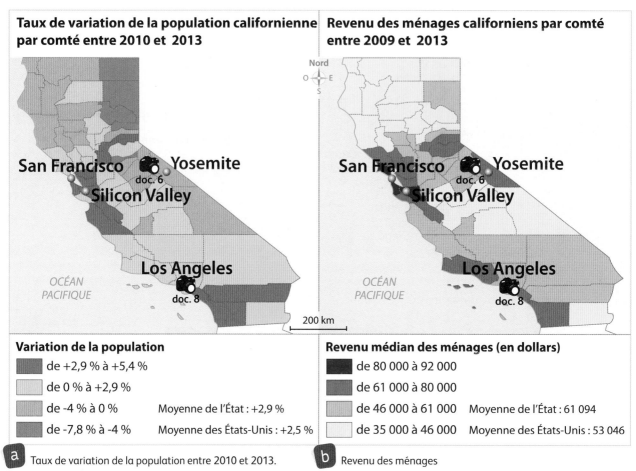

Taux de variation de la population californienne par comté entre 2010 et 2013

San Francisco
doc. 6
Yosemite
Silicon Valley
Los Angeles
OCÉAN
PACIFIQUE
doc. 8
200 km

Variation de la population

- de +2,9 % à +5,4 %
- de 0 % à +2,9 %
- de -4 % à 0 %
- de -7,8 % à -4 %

Moyenne de l'État : +2,9 %
Moyenne des États-Unis : +2,5 %

a Taux de variation de la population entre 2010 et 2013.

Revenu des ménages californiens par comté entre 2009 et 2013

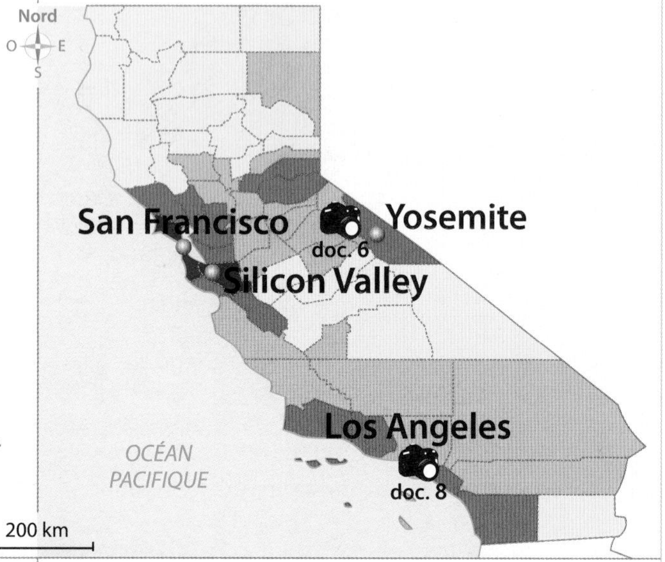
Nord
O
E
S
San Francisco
doc. 6
Yosemite
Silicon Valley
Los Angeles
OCÉAN
PACIFIQUE
doc. 8

Revenu médian des ménages (en dollars)

- de 80 000 à 92 000
- de 61 000 à 80 000
- de 46 000 à 61 000
- de 35 000 à 46 000

Moyenne de l'État : 61 094
Moyenne des États-Unis : 53 046

b Revenu des ménages

6 Le **parc national** du Yosemite en Californie, un territoire isolé qui se développe

Le Yosemite, classé parc national en 1890, se situe dans les montagnes de la Sierra Nevada, dans l'est de la Californie et il est l'un des sites naturels les plus visités du pays (plus de 3,5 millions de touristes venant du monde entier chaque année). Le Yosemite est un parc de haute montagne isolé dont la diversité naturelle et paysagère a été reconnue patrimoine de l'humanité par l'UNESCO en 1984. Mais l'intense fréquentation touristique, au printemps et en été, pose des problèmes environnementaux.

L'entrée est payante (30 dollars par véhicule pour sept jours). Le parc offre une grande variété d'activités de plein air.

D'après National Park Service, https://www.nps.gov/yose, 2016.

7 | Le vin californien, un produit mondialisé

Vignoble californien	4e producteur mondial en 2015
Surface en 1982	93 000 hectares
Surface en 2015	194 000 hectares
Exportations	30 % vers l'Europe, Japon, Chine…

Source : D'après R. Schirmer, « Le vignoble californien, un vignoble mondialisé », *geoconfluences.ens-lyon.fr*, 2015.

Vocabulaire

Parc national : territoire protégé constitué de milieux naturels très variés.

8 | Des territoires ségrégués à Los Angeles

a Hollywood, un quartier résidentiel chic

b Décharge dans la rue à Watts, un ghetto pauvre de la ville

Activités

Socle *Construire des repères géographiques*

1. **DOC. 5** Localisez et situez la Californie.

Socle *Extraire des informations pertinentes*

2. **DOC. 5 ET 8** La mondialisation profite-t-elle à tout le monde en Californie ?
3. **DOC. 7** Montrez que la viticulture californienne est dynamique et mondialisée.
4. **DOC. 6** Pour quelles raisons le parc du Yosemite attire-t-il autant de touristes du monde entier ? Quels effets la fréquentation touristique a-t-elle sur le Parc ?

Pour aller plus loin
Partez à la découverte des parcs nationaux de l'Ouest américain : http://www.parcs.net
Par groupe, choisissez un parc national américain et présentez à vos camarades ses principaux atouts touristiques.

Étape 3 ▶ *Réaliser un bilan sous forme de carte mentale*

Reproduisez la carte mentale dans votre cahier qui montrera les adaptations des territoires californiens à la mondialisation. Vous citerez des exemples localisés et vus dans l'étude pour illustrer chaque étiquette.

La Californie, un État américain au cœur de la mondialisation

- Un littoral californien moteur et dynamique adapté à la mondialisation
  - Métropoles et littoraux mondialisés …
  - Des activités mondialisées …
- Des territoires californiens plus ou moins intégrés qui s'adaptent à la mondialisation
  - Des effets positifs de la mondialisation sur le territoire et les hommes …
  - Des effets négatifs de la mondialisation sur le territoire et les hommes …

Les territoires de l'automobile aux États-Unis et au Mexique

> Comment l'activité automobile a-t-elle modifié le territoire des États-Unis ?

1 | **Production en série de la Ford T à l'usine d'Highland Park à Detroit en 1913**
La Ford T a été vendue à plus de 16 millions d'exemplaires entre 1908 et 1927.

2 Les Grands Lacs, berceau de l'automobile américaine

La région des Grands Lacs accueille les sièges sociaux des trois grands constructeurs automobiles américains, surnommés le « Big Three ».
1. L'entreprise Ford, créée en 1903, est le 4e constructeur mondial et emploie 350 000 salariés dans soixante-dix-neuf usines dans le monde entier.
2. General Motors, créé en 1908, est le 2e constructeur mondial avec 215 000 travailleurs en 2016 sur tous les continents.
3. Chrysler, fondé en 1925 à Detroit, a été racheté par l'entreprise italienne Fiat en 2009. 52 000 personnes travaillent dans des usines Chrysler.
Jusque dans les années 1970, ces trois entreprises représentaient 85 % des ventes de véhicules aux États-Unis. Aujourd'hui, les Américains restent attachés à ces voitures qui représentent encore plus de la moitié du marché (53 %) alors que la concurrence internationale est exacerbée.

D'après les sites des constructeurs automobiles Ford, GM et Chrysler-Fiat, 2016.

Vocabulaire

Maquiladoras : usines de montage au Mexique qui assemblent en exemption de droits de douane des biens importés destinés à être réexportés vers les États-Unis.

Nord
O
E
S
CANADA
Ontario
Michigan
ÉTATS-UNIS
Indiana
Illinois
Ohio
Missouri
Kansas
Kentucky
Californie
Tennessee
Caroline du Nord
Caroline du Sud
Mississippi
Géorgie
Texas
Alabama
Basse-Californie
Sonora
Louisiane
OCÉAN ATLANTIQUE
Coahulla
OCÉAN PACIFIQUE
MEXIQUE
GOLFE DU MEXIQUE
CUBA
Aguascalientes
San Luis Potosi
Jallisco
Guanajuato
Mexico
Morelos
Puebla
0 500 km

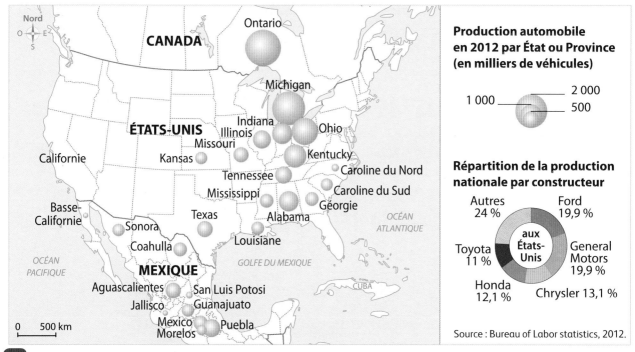

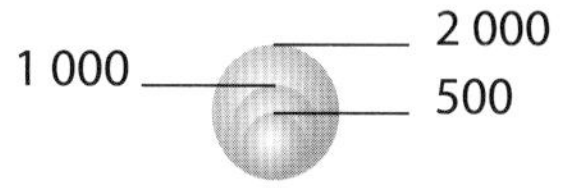
Production automobile en 2012 par État ou Province (en milliers de véhicules)
1 000
2 000
500

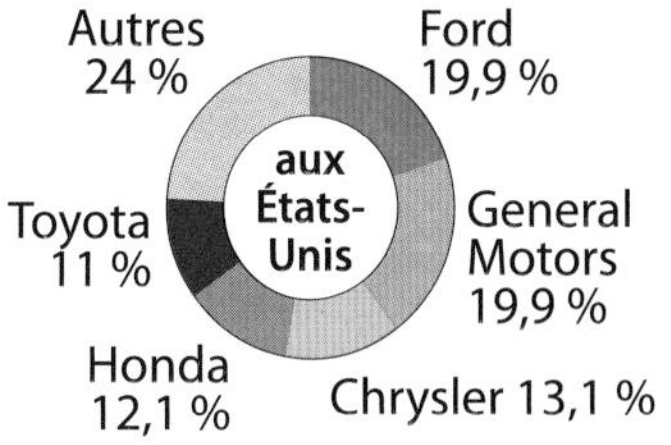
Répartition de la production nationale par constructeur
Autres 24 %
Ford 19,9 %
aux États-Unis
Toyota 11 %
General Motors 19,9 %
Honda 12,1 %
Chrysler 13,1 %

Source : Bureau of Labor statistics, 2012.

3 | De nouveaux territoires de l'automobile vers le Sud

MOTOR CITY IN PARK

4 | Une activité industrielle qui quitte les métropoles du Nord-Est

Usine automobile ayant fermé à Detroit (Michigan).

5 Les délocalisations vers les *maquiladoras*

Les constructeurs automobiles américains devraient délocaliser la production des véhicules compacts et moyens vers le Mexique. D'ici 2020, le gouvernement mexicain espère atteindre une production automobile de cinq millions d'unités en vue de se placer parmi les cinq principaux producteurs du monde. En dehors de sa proximité géographique avec le marché des États-Unis, le Mexique attire les investisseurs en raison de ses salaires bas et de l'expérience des 700 000 employés du secteur.

D'après *Automotive News*, Reuters, 2015.

Étape 1 ▶ **Repérer les permanences**

1. **DOC. 1 ET 2** Quand et où la production automobile a-t-elle débuté aux États-Unis ?
2. **DOC. 2** Pourquoi ces trois entreprises américaines demeurent-elles dominantes aujourd'hui ?

Étape 2 ▶ **Souligner les évolutions**

3. **DOC. 3** Les entreprises américaines sont-elles les seules présentes aux États-Unis ? Citez des exemples.
4. **DOC. 4 ET 5** Pourquoi la production automobile se déplace-t-elle vers le Mexique ?

Étape 3 ▶ **Envisager le futur**

5. À votre avis, comment pourrait-on envisager de stopper la délocalisation industrielle aux États-Unis ?
6. Les villes américaines sont organisées autour de la voiture. Quelles alternatives pourrait-on imaginer pour limiter l'utilisation de l'automobile ?

▶ **Socle** : *Réaliser une production graphique*

Les dynamiques de population aux États-Unis

OBJECTIF : Réaliser un croquis schématique pour rendre compte des dynamiques de population

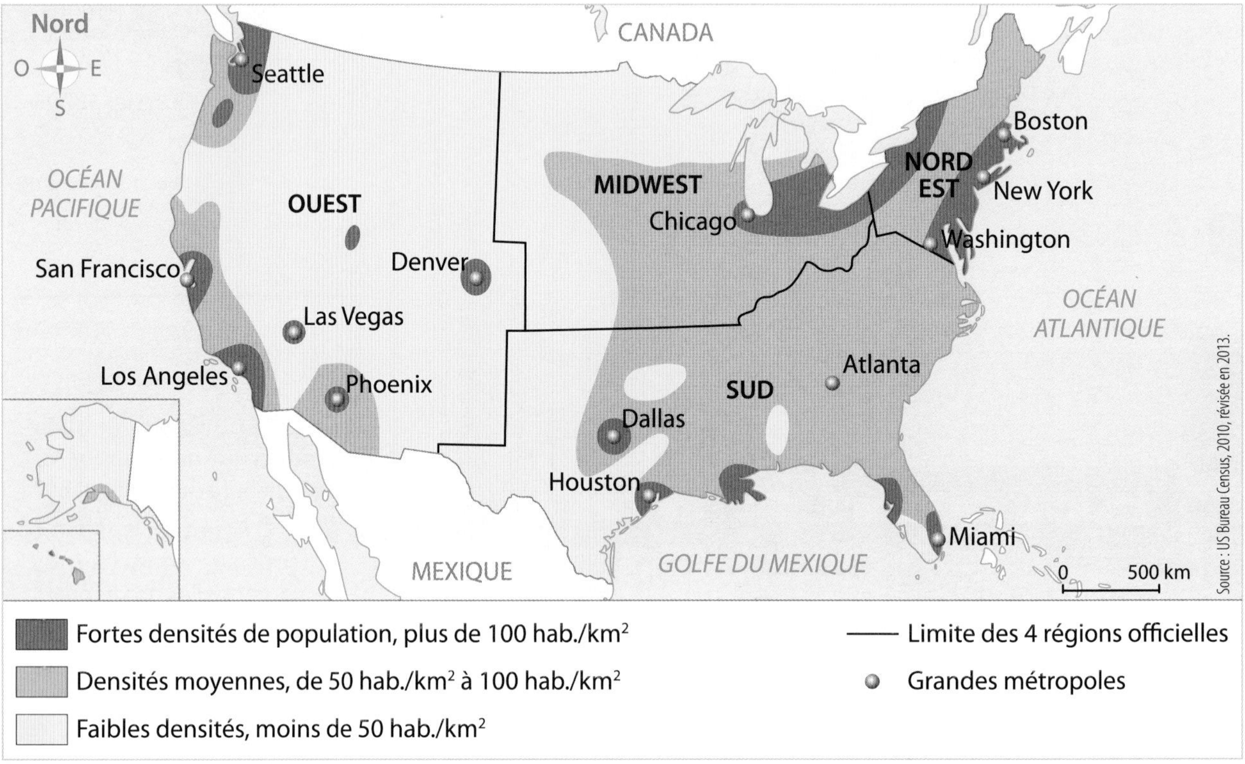
Nord
O
E
S
CANADA
Seattle
OCÉAN PACIFIQUE
OUEST
MIDWEST
NORD EST
Boston
New York
Chicago
Washington
San Francisco
Denver
Las Vegas
OCÉAN ATLANTIQUE
Atlanta
Los Angeles
Phoenix
SUD
Dallas
Houston
Miami
MEXIQUE
GOLFE DU MEXIQUE
0
500 km
Source : US Bureau Census, 2010, révisée en 2013.
Fortes densités de population, plus de 100 hab./km²
Densités moyennes, de 50 hab./km² à 100 hab./km²
Faibles densités, moins de 50 hab./km²
Limite des 4 régions officielles
Grandes métropoles

1 | **Une population inégalement répartie.**
Source : US Bureau Census, 2010, révisée en 2013

2 | **Une population mobile**

a Les États-Unis regroupent 320 millions d'habitants en 2016 dont 45,8 millions d'immigrés, soit 14,3 % de la population du pays. La population américaine est très mobile.

Régions officielles américaines	Solde migratoire (1) interne	Arrivées de migrants étrangers
NORD EST	-101 000	314 000
MIDWEST	-112 000	357 000
SUD	+271 000	589 000
OUEST	-57 000	413 000

(1) Solde migratoire : Différence entre les entrées et les sorties de personnes sur un territoire.

Source : US Census Bureau, Current population survey, 2015

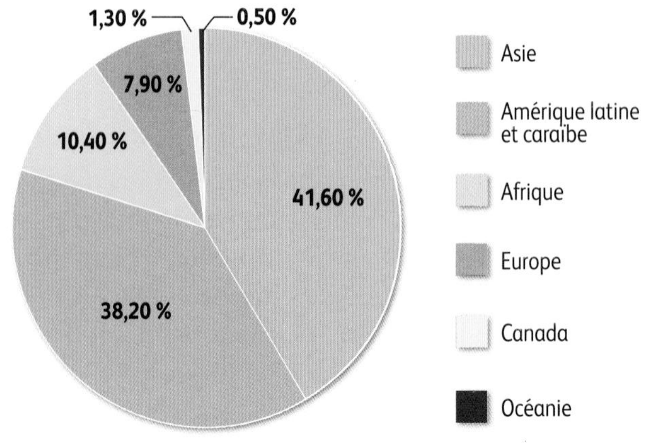
1,30 %
0,50 %
7,90 %
10,40 %
41,60 %
38,20 %
Asie
Amérique latine et caraïbe
Afrique
Europe
Canada
Océanie

Source : Département de la sécurité intérieure, 2013.

b Origine des immigrants aux États-Unis

Réaliser un croquis schématique

Étape 1 ▶ Comprendre les documents et relever des informations pertinentes

1. **DOC. 1** Où les espaces les plus peuplés des États-Unis sont-ils situés ? Et les moins peuplés ?
2. **DOC. 1** Quelles sont les principales métropoles des États-Unis ?
3. **DOC. 2a** Quelle région attire le plus les migrations internes aux États-Unis ?
4. **DOC. 2b** Quels sont les principaux espaces de départ des migrants vers les États-Unis ?

Étape 2 ▶ Réaliser le croquis schématique

Sur le fond de croquis fourni par votre professeur :

5. Nommez et localisez les grandes régions des États-Unis.
6. Identifier les espaces les plus peuplés et les moins peuplés (voir question 1).
7. Placez et nommez les principales métropoles (voir question 2).
8. Représentez les migrations internes (voir question 3) puis les migrations internationales (voir question 4).

Étape 3 ▶ Complétez la légende

Aide (*N'oubliez pas de donner un titre au croquis.*

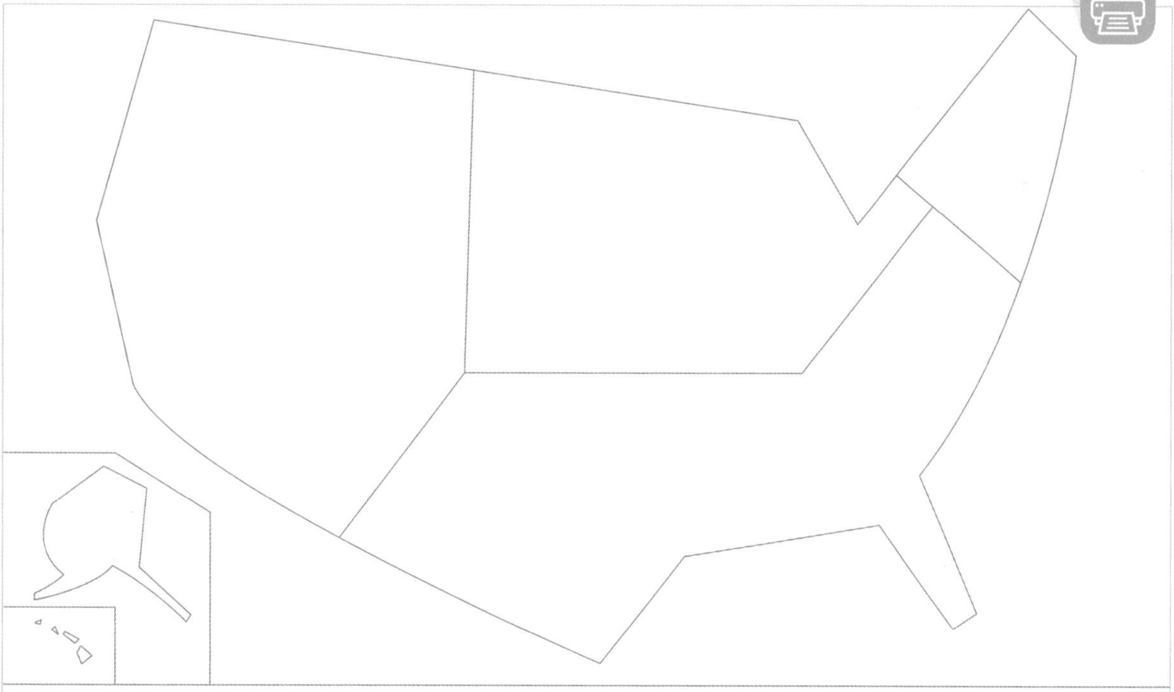

1. Une population inégalement répartie

.... Territoire densément peuplé

.... Territoire peu peuplé

2. Des dynamiques de population importantes

.... Principales métropoles

.... Migrations internes

.... Migrations internationales

Mise en perspective

L'organisation du territoire américain mondialisé

Bilan des Études

A. Les États-Unis, le pays de la ville
- New York, une ville globale motrice de la mondialisation
- Des métropoles américaines qui s'adaptent à la mondialisation

B. La Californie, un territoire mondialisé
- La littoralisation organise le territoire californien
- Le territoire californien s'adapte à la mondialisation

1 | Les différents usages des territoires américains

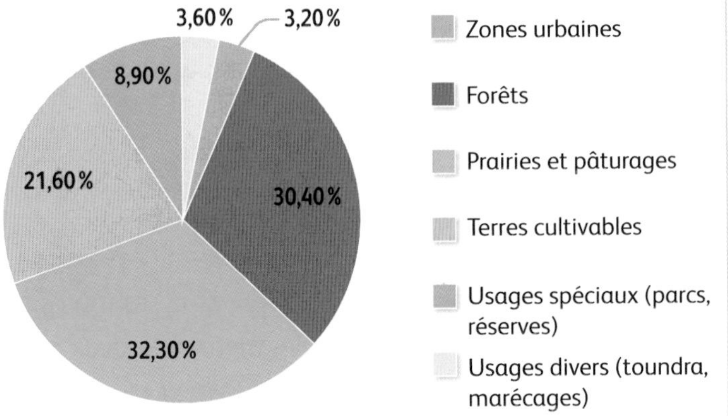
3,60 %
3,20 %
8,90 %
21,60 %
30,40 %
32,30 %
Zones urbaines
Forêts
Prairies et pâturages
Terres cultivables
Usages spéciaux (parcs, réserves)
Usages divers (toundra, marécages)
Source : US Census Bureau, 2015 (hors Alaska et Hawai)

2 | La diversité des paysages américains

a. Washington, capitale des États-Unis située dans la mégalopolis

b. Un territoire marginalisé dans les montagnes Rocheuses au Wyoming

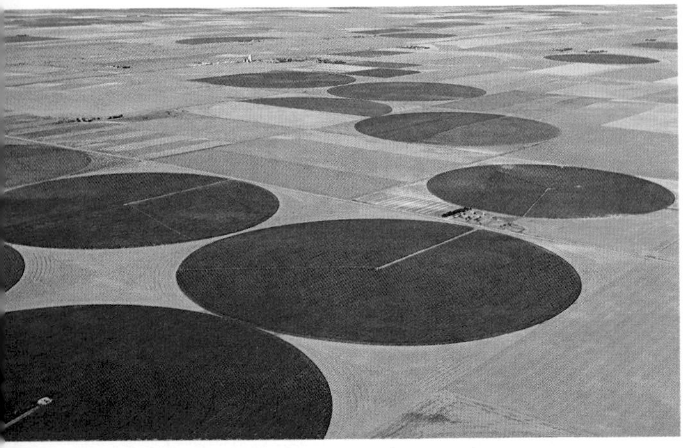
c. Les Grandes plaines entre le Colorado et le Kansas, grenier agricole des États-Unis.

d. Waikiki beach à Hawaï, espace touristique dynamique

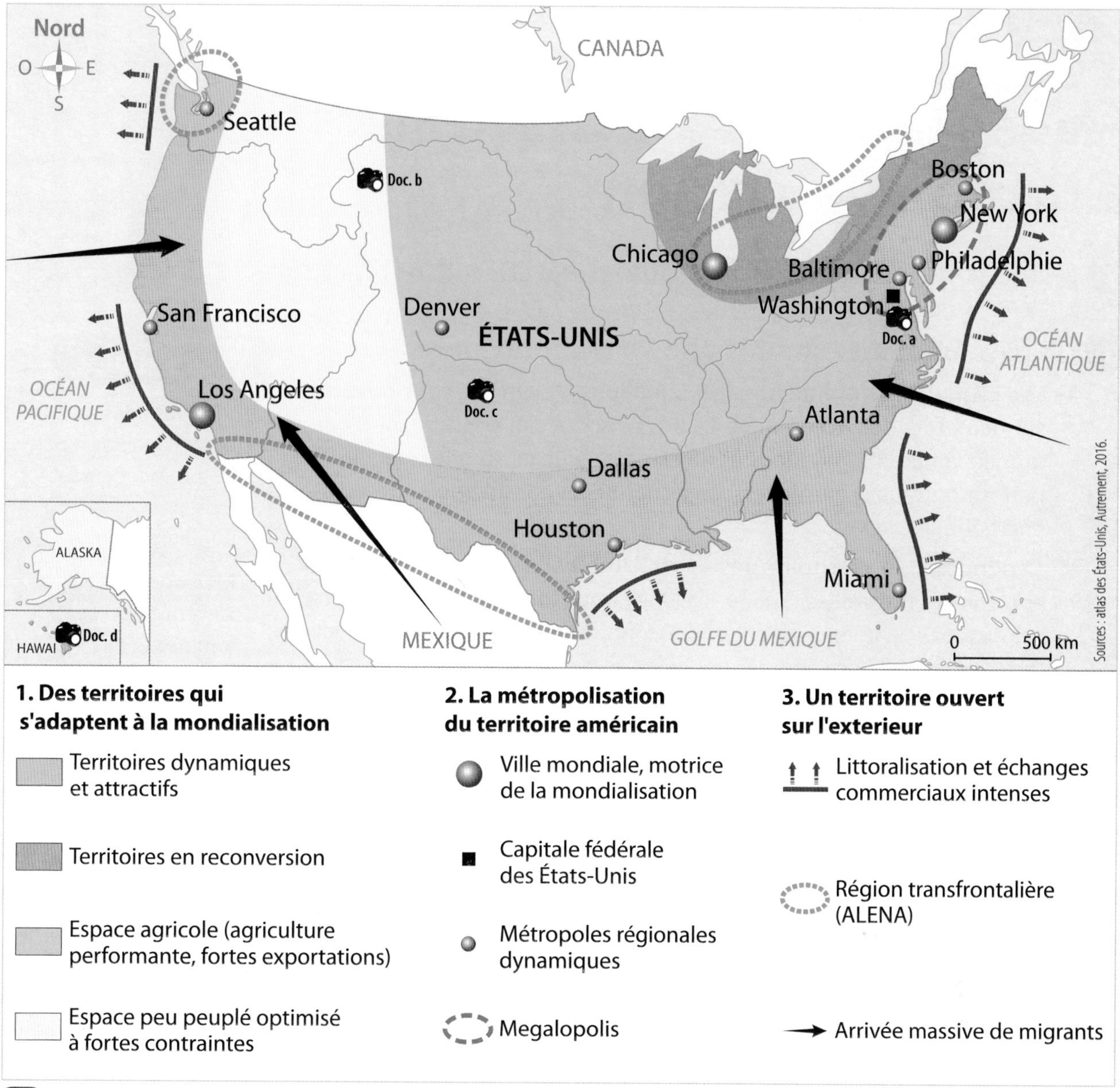
Nord
O
E
S
CANADA
Seattle
Doc. b
Boston
New York
Chicago
Baltimore
Philadelphie
Washington
Doc. a
San Francisco
Denver
ÉTATS-UNIS
OCÉAN ATLANTIQUE
OCÉAN PACIFIQUE
Los Angeles
Doc. c
Atlanta
Dallas
Houston
ALASKA
Miami
HAWAI
Doc. d
MEXIQUE
GOLFE DU MEXIQUE
0
500 km
Sources : atlas des États-Unis, Autrement, 2016.
1. Des territoires qui s'adaptent à la mondialisation
Territoires dynamiques et attractifs
Territoires en reconversion
Espace agricole (agriculture performante, fortes exportations)
Espace peu peuplé optimisé à fortes contraintes
2. La métropolisation du territoire américain
Ville mondiale, motrice de la mondialisation
Capitale fédérale des États-Unis
Métropoles régionales dynamiques
Megalopolis
3. Un territoire ouvert sur l'exterieur
Littoralisation et échanges commerciaux intenses
Région transfrontalière (ALENA)
Arrivée massive de migrants

3 | L'adaptation du territoire américain à la mondialisation

4 Le territoire américain est pluriel

Les géographes en parlent

Le quart Nord-Est comprend deux régions qui concentrent encore une grosse part de la population, de la richesse et des centres de décision du pays. Si la crise industrielle a eu des effets négatifs sur les territoires des Grands Lacs, la mégalopolis autour de New York demeure l'espace dominant du pays.

La *Sun Belt* est très dynamique : de Seattle à la Floride en passant par la Californie et le Texas, elle concentre des activités complètement insérées dans la mondialisation et attire de nombreuses populations.

Le cœur du pays regroupe de vastes territoires agricoles performants et l'Ouest d'immenses territoires naturels.

D'après C. Montès et P. Nédélec, *Atlas des États-Unis, un colosse aux pieds d'argile*, Autrement, 2016.

Mettre en perspective

A. Un territoire pluriel

DOC. 4 Quelles sont les quatre grandes régions aux États-Unis ?

DOC. 1 Quels sont les usages des terres les plus importants ?

B. Un territoire qui s'adapte à la mondialisation

DOC. 2, 3 ET 4 Quels sont les territoires les plus dynamiques des États-Unis ?

DOC. 2, 3 ET 4 Comment les Américains se sont-ils adaptés à leur immense territoire ?

Leçon

L'adaptation des États-Unis à la mondialisation

Quels sont les effets de la mondialisation sur le territoire américain ?

I Un pays immense soumis à de fortes contraintes

- **Les États-Unis s'étendent sur 9,6 millions de km² et sont ouverts sur deux façades océaniques.** Le pays dispose par conséquent d'une grande variété de paysages et de climats, propices à une agriculture performante, ainsi que de ressources naturelles considérables (réserves énergétiques, minerais…).
- **Cependant, le territoire des États-Unis est soumis à de fortes contraintes naturelles** (aridité, cyclones tropicaux, séismes…). Malgré ces risques, les Américains ont depuis longtemps aménagé leur espace (réseau de transport, énergie, agriculture).

II Un territoire ouvert sur le monde et adapté à la mondialisation

- **L'organisation du territoire américain se caractérise par sa métropolisation** : la majorité des 320 millions d'Américains vit dans des métropoles, villes en relation étroite avec le reste du monde. La puissance américaine se concentre dans quelques régions, comme la **mégalopolis** au Nord-Est, la région des Grands Lacs ou encore la Californie. Ces régions s'organisent autour de **villes-monde** : New York City, Chicago et Los Angeles.
- **Les littoraux américains concentrent de nombreuses activités**, des métropoles et des ports dynamiques. Ils jouent le rôle d'**interface** entre les États-Unis et le reste de la planète. La **littoralisation** du territoire est particulièrement importante dans des espaces qui connaissent une forte activité économique, comme la mégalopolis (industries et hautes technologies), la région de Seattle (aéronautique), la Californie (agrobusiness, industries de pointe, hautes technologies), le Texas (hydrocarbures) et la Floride (tourisme).

III La mondialisation modifie les territoires américains

- **Le déplacement des activités économiques dû à la mondialisation force certains territoires à se reconvertir**, par exemple la région des Grands Lacs, délaissée par l'industrie automobile au profit du Mexique.
- **Néanmoins, la mondialisation permet aussi la création de nouveaux lieux**, aussi bien dans les métropoles (rénovation urbaine) que dans les espaces ruraux (parcs naturels). Elle renforce également l'**artificialisation** de certains territoires (Las Vegas). Enfin, l'**ALENA** dynamise les espaces frontaliers en relations avec le Canada (Main Street America, Pugetopolis) et avec le Mexique (Mexamerica).

Vocabulaire

Ville-monde (ou ville globale) : pôle de commandement dans la mondialisation.

Métropolisation : concentration des hommes et des activités dans les grandes métropoles.

Littoralisation : concentration des hommes et des activités sur les littoraux.

Mégalopolis : conurbation de 800 km de long sur la façade atlantique des États-Unis de Boston à Washington (BoWash).

Interface : zone de contact entre deux espaces.

Artificialisation : transformation du milieu par les hommes.

ALENA : Association de libre-échange nord-américain entre les États-Unis, le Canada et le Mexique.

Je retiens l'essentiel

L'essentiel en schéma

Les États-Unis, un pays immense et contraignant

De nombreuses ressources naturelles et énergétiques

De nombreuses contraintes

Un territoire ouvert sur le monde et adapté à la mondialisation

Une forte métropolisation du territoire

- Trois villes-monde motrices de la mondialisation :
  – New York
  – Los Angeles
  – Chicago
- Des métropoles dynamiques et mondialisées sur tout le territoire

New York

Des interfaces littorales très dynamiques

- La mégalopolis du Nord- Est, cœur de la mondialisation
- La Sun Belt : espace attractif et dynamique

Port de Los Angeles

La mondialisation modifie les territoires américains

De nouveaux territoires créés par la mondialisation

Nouveaux quartiers urbains, parcs touristiques, espaces transfrontaliers artificialisation...

Quelques chiffres

- 326 millions d'Américains en 2016 (3e population mondiale)
- 9,6 millions de km² (19 fois plus grand que la France)
- 83,7 % des Américains vivent en ville.
- 3 villes mondiales : New York City (22 millions), Los Angeles (18 millions) et Chicago (9 millions)
- 60 agglomérations regroupent plus d'un million d'habitants.
- 32 des plus grandes FTN du monde sont américaines

Source : US Census, 2016.

J'apprends, je m'entraîne

▶ **Socle** *Méthodes et outils pour apprendre*

FICHE DE RÉVISION À TÉLÉCHARGER Fiche 13

L'adaptation du territoire des États-Unis à la mondialisation

1. Construire sa fiche de révision : notez le titre de la leçon sur votre feuille

Je connais...

Objectif 1 ▶ Connaître les repères géographiques

À l'aide du fond de carte :

1. Réalisez un schéma très simplifié des États-Unis en forme de rectangle et indiquez le nom des trois espaces maritimes des États-Unis numérotés de 1 à 3.
2. Localisez et nommez les trois villes mondiales (A, B et C).
3. Entourez en rouge la mégalopolis.
4. Localisez le Mississippi, les Grands Lacs et la Californie.
5. Nommez les deux pays limitrophes des États-Unis.

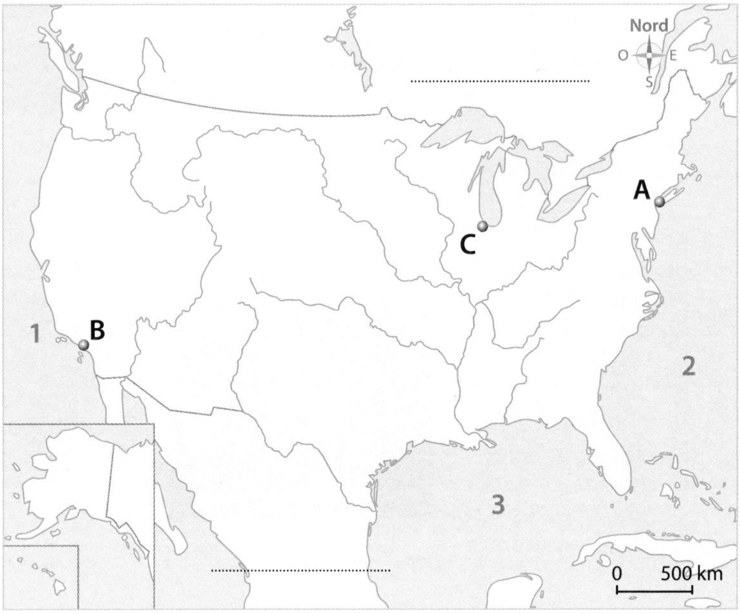
Nord
O
E
S
A
B
C
1
2
3
0
500 km

Objectif 2 ▶ Connaître les mots-clés

Notez la définition des mots-clés suivants :
Mondialisation – métropolisation – littoralisation – CBD – ville-monde – mégalopolis.

Je suis capable de...

Pour chacun des deux objectifs suivants, construisez une réponse courte qui répond à la consigne.

Objectif 3 ▶ Expliquer pourquoi certains espaces sont privilégiés par la mondialisation.

Aide : Nommez et localisez les espaces les mieux intégrés à la mondialisation.
Montrez qu'ils sont connectés aux grands réseaux de la mondialisation.

Objectif 4 ▶ Montrer comment la mondialisation transforme les territoires américains.

Aide : Utilisez les mots clés suivants : aménagements – littoraux – CBD – ZIP – régions transfrontalières…

2. S'entraîner

1 Construire des repères

New York City, une ville globale dominante et cosmopolite de la mondialisation

1. **DOC. 1 ET 2** Situez New York City puis montrez la connexion et la domination de New York City sur les réseaux de la mondialisation. Pourquoi cette ville globale est-elle cosmopolite ?

2. Chinatown, quartier cosmopolite

SAMSUNG
WICKED

1. Times Square, cœur commercial et culturel de New York City

2 S'informer dans le monde numérique

1. Tapez dans un moteur de recherche « Le dessous des cartes ».
2. Visionnez la vidéo d'avril 2016, intitulée « Le rêve californien ? ».
3. Relevez des informations présentant l'État de Californie (population, superficie, richesse).

Vous réaliserez un diaporama montrant les atouts de la Californie mais aussi ses limites et les menaces qui pèsent sur le territoire et sur ses habitants.

Auto-Évaluation

Je me positionne sur une marche :

1.	2.	3.	4.
• **Je vais sur la page demandée.**	• Je vais sur la page demandée. • **Je m'y déplace.** • **Je trouve des informations.**	• Je vais sur la page demandée. • Je m'y déplace. • Je trouve des informations. • **Je les sélectionne pour répondre aux consignes.**	• Je vais sur la page demandée. • Je m'y déplace. • Je trouve des informations. • Je les sélectionne pour répondre aux consignes. • **Je compare les données sélectionnées à d'autres documents.**
Question 1	**Questions 1 et 2**	**Questions 1, 2 et 3**	**Questions 1, 2 et 3**

Pour progresser, j'analyse mes axes de progrès. Que devrais-je améliorer ?

Vers le brevet

1 Analyser et comprendre un document

New York City, une ville globale dominante de la mondialisation

Matilda
MONEY EXCHANGE
AMERICAN EAGLE OUTFITTERS

Broadway, artère majeure du CBD de New York City

Identifier le document

1. Présentez le document : son auteur, sa date, sa nature exacte, le thème évoqué.
2. Localisez et situez ce lieu.

Extraire des informations pertinentes et utiliser ses connaissances pour expliciter

3. Pourquoi dit-on de New York qu'elle est une métropole verticalisée ?
4. Quels éléments montrent le pouvoir culturel et économique de la ville mondiale de New York ?

Confronter le document à ce que l'on sait du sujet

5. Pourquoi affirme-t-on encore aujourd'hui que New York City est une ville globale dominante dans la mondialisation ?

2 Maîtriser différents langages pour raisonner et se repérer

1. Localisez et nommez les quatre régions américaines et les principales métropoles indiquées sur la carte ci-contre.
2. Sous la forme d'un développement construit d'une vingtaine de lignes et en vous appuyant sur un ou des exemples étudiés en classe, décrivez les grandes régions qui organisent le territoire américain.

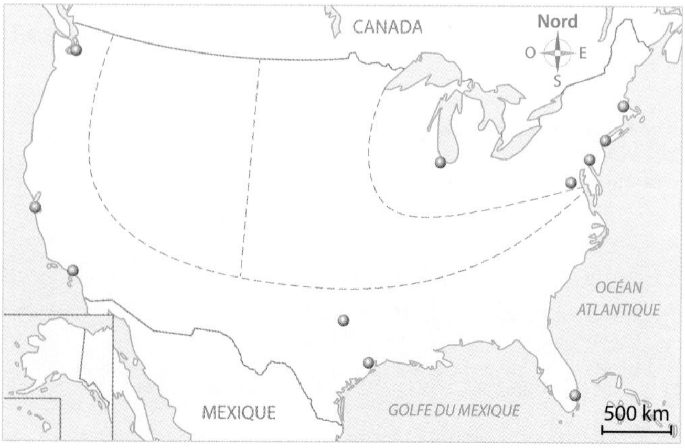
CANADA
Nord
O
E
S
OCÉAN ATLANTIQUE
MEXIQUE
GOLFE DU MEXIQUE
500 km

Enquêter

Les frontières américaines, un espace ouvert ou fermé ?

Fait n°1

L'ALENA

Conclu entre le Mexique, les États-Unis et le Canada, l'Accord de libre-échange nord-américain (ALENA) est entré en vigueur, le 1er janvier 1994. Ses promoteurs l'avaient répété : il allait permettre de développer les échanges commerciaux, doper la croissance, créer des emplois, réduire l'immigration clandestine.

D'après Lori M. Wallach, *Le Monde diplomatique*, juin 2015.

Fait n°2

États-Unis / Mexique : une frontière fermée ?

En 2006, le Sénat américain a décidé de fermer près de 1 100 kilomètres de frontières par des murs et des barrières en aluminium. «Il s'agit de protéger le peuple américain», expliquait alors le président George W. Bush. En 2014, la totalité de la frontière sera équipée avec la plus haute technologie pour repousser les migrants.

www.amnesty.ch, 2014.

Indice n°1

À compter du 1er avril 2016, seules les personnes titulaires d'un passeport électronique ou biométrique pourront bénéficier du programme d'exemption de visa. Par ailleurs, les voyageurs qui se sont rendus en Iran, Irak, Syrie, Libye, Somalie, Yémen ou Soudan depuis le 1er mars 2011 et les personnes ayant la nationalité iranienne, irakienne, syrienne ou soudanaise ne peuvent plus bénéficier du régime d'exemption de visa. Ces personnes devront dorénavant solliciter un visa.

www.diplomatie.gouv.fr, 2016.

Indice n°3

800 000 personnes franchissent chaque jour légalement la frontière entre les États-Unis et le Mexique de 3 600 km de long et 7 000 personnes illégalement. L'économie de la frontière représente un PIB d'un peu plus de 20 milliards de dollars.

D'après Javier Xercas, *El Pais*, 2014.

Indice n°2

STOP
ARRETEZ

La frontière canado-américaine dans le village de Stanstead au Québec.

Avez-vous pris connaissance des faits et des indices ?
Quelle est votre conviction : Les frontières américaines, un espace ouvert ou fermé ?

Par équipe, complétez le carnet de l'enquêteur

1. Le passage des frontières des États-Unis évolue dans l'histoire…
2. Les caractéristiques des frontières avec le Mexique et le Canada …
3. Les enjeux liés aux frontières entre les trois pays

Rédigez en quelques lignes le rapport d'enquête. Les frontières américaines, un espace ouvert ou fermé ? Pourquoi ? Comment ?

L'atelier d'écriture

Vers la tâche complexe

Comment le territoire américain s'adapte-t-il à la mondialisation ?

À l'aide de vos connaissances, rédigez un texte expliquant comment le territoire américain s'adapte à la mondialisation.

Travail préparatoire (au brouillon)

1. Comprenez bien le sujet.

« **Comment** le territoire américain **s'adapte-t-il à la mondialisation ?** »

- Comment : On attend d'abord une description des adaptations du territoire américain.
- territoire américain : Penser à présenter des exemples précis à l'échelle des États-Unis.
- mondialisation : Définir la mondialisation et y faire référence dans les exemples.

2. À l'aide des deux photographies, remobilisez les mots-clés de la leçon qui permettent de montrer les différences d'adaptation du territoire américain à la mondialisation

New York :

Parc national du Wyoming :

Travail de rédaction (au propre)

RAPPELS
Soignez la présentation de votre texte et votre écriture. N'oubliez pas de relire et de vérifier vos accords.

À vous de choisir votre niveau de difficulté !

Je rédige un texte **sans aucune aide.**

Rédigez votre texte en vérifiant que :
- Vous commencez votre texte par une introduction qui présente le sujet.
- Vous organisez vos idées en paragraphes.
- Vous pensez à illustrer vos idées par des exemples localisés dans différents territoires des États-Unis.

Je rédige un texte **avec un guidage léger.**

Rédigez votre texte à l'aide des conseils suivants :
- Commencez par une introduction qui présente le sujet. Puis rédigez trois paragraphes décrivant les adaptations du territoire américain. Vous pouvez commencer par les amorces suivantes :
  La métropolisation du territoire...
  La littoralisation...
  Mais, certains territoires restent en marge de la mondialisation....
- Vous pensez à illustrer vos idées par des exemples localisés dans différents territoires des États-Unis.

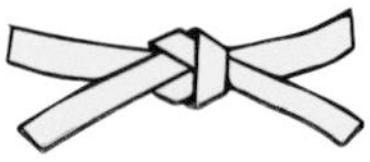

Je rédige un texte **avec un guidage plus important.**

Rédigez votre texte à l'aide des conseils suivants :
- Commencez par une introduction qui présente le sujet et localise les États-Unis. Vous pouvez utiliser les mots suivants : *Amérique du Nord, adaptation du territoire et mondialisation.*
  Vous utiliserez les descriptions des deux photographies.
  Votre 1er paragraphe commence par *Les métropoles américaines sont des pôles majeurs de l'adaptation du territoire américain...*
  votre 2e paragraphe commence par *Les littoraux concentrent de nombreuses activités et sont très dynamiques....*
  votre 3e paragraphe commence par *D'autres territoires sont moins intégrés....*
  Vous pensez à illustrer vos idées par des exemples localisés dans différents territoires des États-Unis.

EMC

▸ **Objet d'enseignement** *les Droits fondamentaux de la personne/ Les principes d'un État démocratique.*

Parcours citoyen

Les États-Unis, un modèle de liberté ?

1 Les États-Unis garantissent la liberté pour leurs citoyens

Le Congrès ne fera aucune loi relative à l'établissement d'une religion, ou à l'interdiction de son libre exercice ; ou pour limiter la liberté d'expression, de la presse ou le droit des citoyens de se réunir pacifiquement ou d'adresser au Gouvernement des pétitions pour obtenir réparations des torts subis.

Premier amendement à la Constitution des États-Unis d'Amérique, Déclaration des droits de 1791.

2 Envoyer une pétition au président des États-Unis

Créé en septembre 2011, le site « We The People »[1] (https://petitions.whitehouse.gov/) permet aux citoyens américains d'interpeller leur président à propos de sujets qui leur tiennent à cœur. Une pétition a été lancée sur le site de la Maison Blanche contre Justin Bieber afin que Barack Obama l'expulse vers le Canada, son pays d'origine. Comme le seuil de 100 000 signatures a été atteint – elle en compte près de 220 000 –, l'équipe du président des États-Unis va être obligée d'y répondre.

D'après Yvan Brax, *L'Express*, janvier 2014.

1. « Nous, le peuple », premiers mots du préambule de la Constitution des États-Unis, 1787.

Vocabulaire

Constitution : loi suprême qui organise un État.

Amendement : modification de la constitution.

Pétition : demande écrite adressée à une personne ou une institution.

3 La liberté d'expression aux États-Unis

Des membres du Ku Klux Klan (KKK)[1] ont défilé devant le parlement de Caroline du Sud pour protester contre le retrait du drapeau confédéré[2]. Les membres du KKK, organisation qui milite pour la suprématie blanche, ont brandi des drapeaux confédérés, symbole de racisme pour beaucoup d'Américains sur les marches du parlement.

Dylann Roof, 21 ans, l'auteur du massacre de Charleston en juin 2015 (9 Afro-Américains ont été tués), avait justifié son crime par sa haine des Noirs. Sur un site Internet qui lui est attribué, des photos le montrent, avant l'attaque, brandissant des armes et posant avec le drapeau confédéré.

D'après *Le Monde*, juillet 2015

1. Mouvement raciste blanc, fondé en 1865 aux États-Unis.
2. Drapeau des États du Sud, esclavagistes, lors de la guerre civile américaine (1861-1865).

La sensibilité, soi et les autres

1. **DOC. 1** Quelles libertés sont garanties par la Constitution des États-Unis ?
2. **DOC. 2 ET 3** Comment les citoyens américains peuvent-ils user de ces libertés ?
3. **DOC. 2 ET 3** Quels excès sont possibles dans l'usage de ces libertés ?

Le jugement : penser par soi-même et avec les autres

4. Dans l'article 4, la Déclaration des droits de l'homme et du citoyen de 1789 dit : « la liberté consiste à pouvoir faire tout ce qui ne nuit pas à autrui. ». Quelles sont les différences de conception de la liberté entre la France et les États-Unis ?

14 Les grands ensembles africains dans la mondialisation

Comment la **mondialisation** transforme-t-elle les territoires africains ?

Souvenez-vous !
Comment caractériser la croissance démographique africaine ?

AFRIQUE
Nord
Équateur
OCÉAN ATLANTIQUE
OCÉAN INDIEN
2 000 km
Échelle à l'équateur
AFRIQUE DU SUD
Johannesburg

Nando's
DEBONAIRS PIZZA
KFC
LEGIT

1 Un centre commercial, près de Johannesburg, en Afrique du Sud, 2014

Johannesburg est considérée comme la capitale économique de l'Afrique du Sud.

Vocabulaire

Mondialisation : mise en relation de régions et de peuples. Elle se traduit par des échanges de marchandises, de capitaux et de populations.

FICHE D'IDENTITÉ DE L'AFRIQUE SUBSAHARIENNE (2015)

Population	973,4 millions d'habitants
PIB	1,728 billion (en dollars)
Revenu par habitant	1 638 $
Espérance de vie à la naissance	59 ans
Instruction	69 % des enfants vont à l'école primaire

Socle *Se repérer dans l'espace*

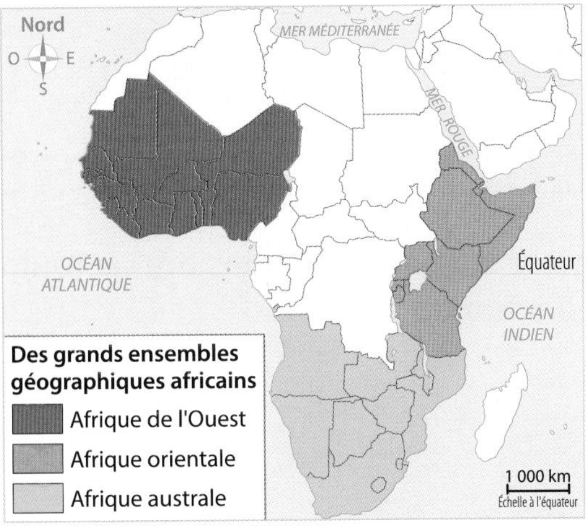
Nord
O
E
S
MER MÉDITERRANÉE
MER ROUGE
OCÉAN ATLANTIQUE
Équateur
OCÉAN INDIEN
Des grands ensembles géographiques africains
Afrique de l'Ouest
Afrique orientale
Afrique australe
1 000 km
Échelle à l'équateur

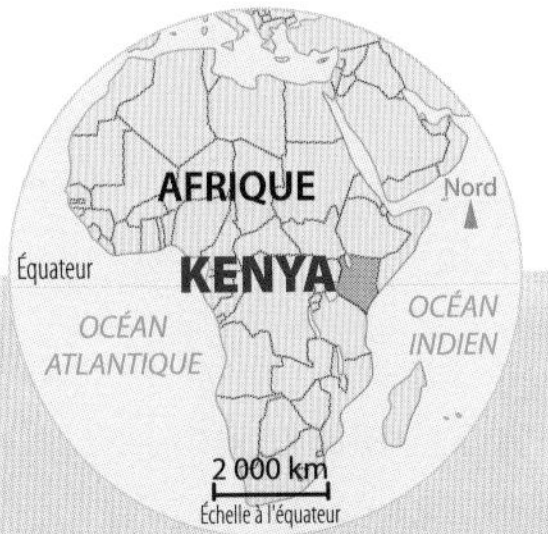
AFRIQUE
Nord
Équateur
KENYA
OCÉAN ATLANTIQUE
OCÉAN INDIEN
2 000 km
Échelle à l'équateur

2 | Des touristes européens profitent d'un safari au Kenya.

1. DOC. 1 ET 2 Quels éléments montrent que les territoires africains s'intègrent dans la mondialisation ?
2. DOC. 1 ET 2 **Formulez une hypothèse** pour répondre à la question suivante : quels sont les effets de la mondialisation sur les territoires ?

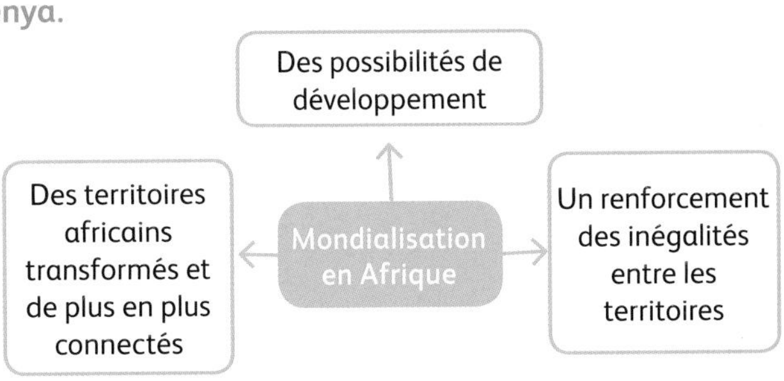
Des possibilités de développement
Des territoires africains transformés et de plus en plus connectés
Mondialisation en Afrique
Un renforcement des inégalités entre les territoires

Géohistoire

Les ports africains, lieux de la mondialisation

Pourquoi et comment les ports africains ont-ils toujours été intégrés au reste du monde ?

Rappel du chapitre 1
Qu'appelle-t-on la traite des esclaves ?

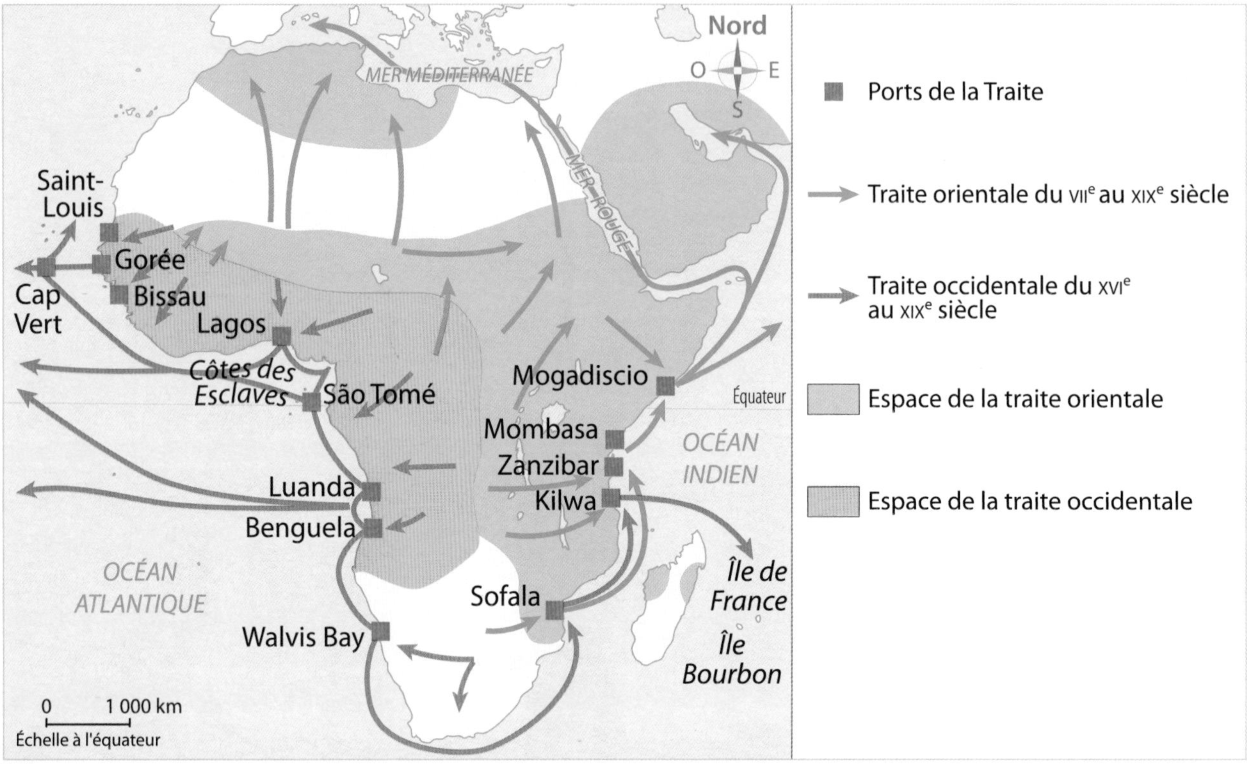

Nord
O
E
S
MER MÉDITERRANÉE
MER ROUGE
Saint-Louis
Gorée
Cap Vert
Bissau
Lagos
Côtes des Esclaves
São Tomé
Mogadiscio
Équateur
Mombasa
Zanzibar
Kilwa
OCÉAN INDIEN
Luanda
Benguela
OCÉAN ATLANTIQUE
Sofala
Île de France
Île Bourbon
Walvis Bay
0 1 000 km
Échelle à l'équateur
Ports de la Traite
Traite orientale du VIIe au XIXe siècle
Traite occidentale du XVIe au XIXe siècle
Espace de la traite orientale
Espace de la traite occidentale

1 | Les comptoirs africains au cœur de la **traite négrière** du VIIe au XIXe siècle

2 | Le port de Rufisque (Sénégal), un centre du commerce **colonial**

Port spécialisé dans l'exportation d'arachides vers la métropole à des fins de transformations industrielles.
Carte postale, XIXe siècle.

Vocabulaire

Colonie : territoire conquis, administré et exploité par un pays étranger.

Comptoir : établissement commercial établi par un État dans un pays étranger.

Marina : logements bâtis autour d'un port de plaisance et en lien avec lui.

Traite négrière : commerce d'esclaves noirs africains.

3 La **marina** du Cap (Afrique du Sud)

4 Le port d'Abidjan (Côte d'Ivoire)

5 Le port de Lomé (Togo) vu par son directeur général

Un témoin raconte

De 252 000 tonnes de marchandises à sa création en 1968, le port de Lomé a enregistré en 2013 un trafic général de plus de 8,6 millions de tonnes de marchandises, avec une desserte de 1 120 navires. Au cours de ces dernières années, nous nous sommes engagés à offrir une meilleure qualité de prestations. Pour mieux répondre aux attentes de notre clientèle, nous avons initié de grands projets de développement des infrastructures et équipements.

D'après *www.togo-port.net*, 2016.

Étape 1 Repérer les permanences

1. **DOC. 1** Quelle était la fonction des **comptoirs** africains pendant la traite des Noirs ?
2. **DOC. 2 ET 4** Localisez les ports de Rufisque et d'Abidjan, puis décrivez leurs activités.

Étape 2 Souligner les évolutions

3. **DOC. 3** Quelle est la fonction du port de la marina du Cap ?
   Aide *Appuyez-vous sur des éléments du paysage.*
4. **DOC. 4 ET 5** Quels sont les aménagements qui permettent aux ports africains de devenir plus compétitifs ?

Étape 3 Envisager le futur

5. **DOC. 3, 4 ET 5** Dans quel but les ports africains envisagent-ils de nouveaux aménagements ?

Étude de cas

L'Afrique de l'Ouest, locomotive du continent

Comment l'Afrique de l'Ouest s'intègre-t-elle dans la mondialisation ?

FICHE D'IDENTITÉ DE LAGOS

État	Nigeria
Population	12 090 000 hab.
Aire urbaine	21 000 000 hab.

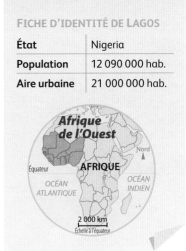

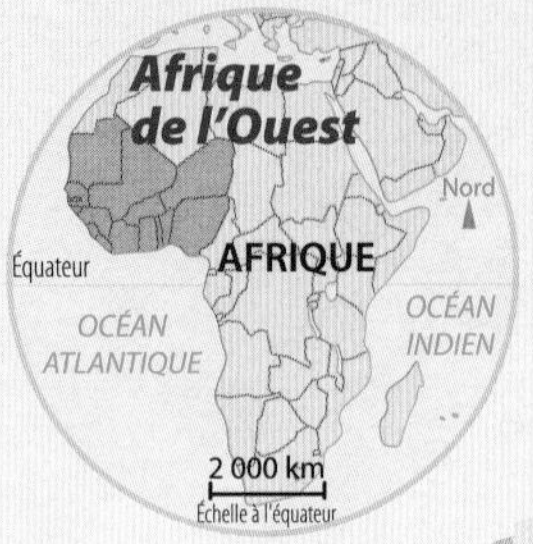
Afrique de l'Ouest
Nord
Équateur
AFRIQUE
OCÉAN ATLANTIQUE
OCÉAN INDIEN
2 000 km
Échelle à l'équateur

Étape 1 ▶ *Lagos, une métropole connectée*

Tâche complexe

Lagos est une métropole du sud-ouest du Nigeria qui s'est développée grâce aux ressources pétrolières du pays. Aujourd'hui, ses activités économiques se diversifient : les paysages urbains de Lagos sont ainsi transformés par la mondialisation.

Votre mission : **Vous participez au journal du collège. Vous avez à expliquer comment cette métropole est connectée à l'espace mondial malgré des fragilités qui freinent son développement. À vous d'écrire votre article en utilisant les informations issues des documents proposés.**

Boîte à outils

Les mots du géographe pour évoquer la ville et la mondialisation :

CBD ou quartier des affaires – Métropolisation – Littoralisation.

Littoralisation : concentration des hommes et des activités sur les littoraux.

1 Lekki, un nouveau quartier

Un témoin raconte

Lekki est un nouveau quartier de Lagos d'environ 200 000 habitants, dédié à la classe moyenne toujours plus nombreuse avec le boom économique. Porté par sa rente pétrolière puis par la diversification de ses activités dans les télécommunications, les banques, l'hôtellerie, le Nigeria est devenu la première puissance d'Afrique. Lekki s'étend à quelques kilomètres du centre d'affaires : « Il y a dix ans, cette voie rapide n'était qu'une route de campagne », se souvient un architecte.

À l'exception de la voie rapide d'Epe, les rues de Lekki ne sont que des pistes défoncées, sans évacuation des eaux, sans trottoirs. Lagos est « le bidonville le plus cher du monde » aiment à dire ses habitants.

D'après S. Bouillon, « Lagos, la mégalo », *Libération*, 30/06/2014.

2 Le centre de la ville de Lagos, capitale économique du Nigeria

Le quartier de Lagos Island et son CBD.

3 Lagos, une métropole dangereuse

Les Nigérians aisés, les Blancs, les expats[1] ne se déplacent pas sans escorte privée, en Land Rover aux vitres à moitié fumées, avec, dans le rétro, un homme en kalachnikov et gilet pare-balles. Les compagnies occidentales payent pour protéger leurs employés et mentionnent bien, dans les contrats, les frontières des quartiers à ne pas dépasser. Lagos est une ville de rumeurs tristement vraies : on parle de corps morts sur le bas-côté de la route, de gangs de détrousseurs, d'enlèvements.

D'après M. Ottavi, « Lagos, capitale chaos », *Libération*, décembre 2013.

1. Expatriés : employés d'entreprises étrangères.

4 | Une **littoralisation** des activités économiques

Les activités économiques de la zone industrialo-portuaire (ZIP) de Lagos sont de plus en plus diversifiées. Des infrastructures modernes ont été mises en place comme un terminal à conteneurs ou un terminal pétrolier.

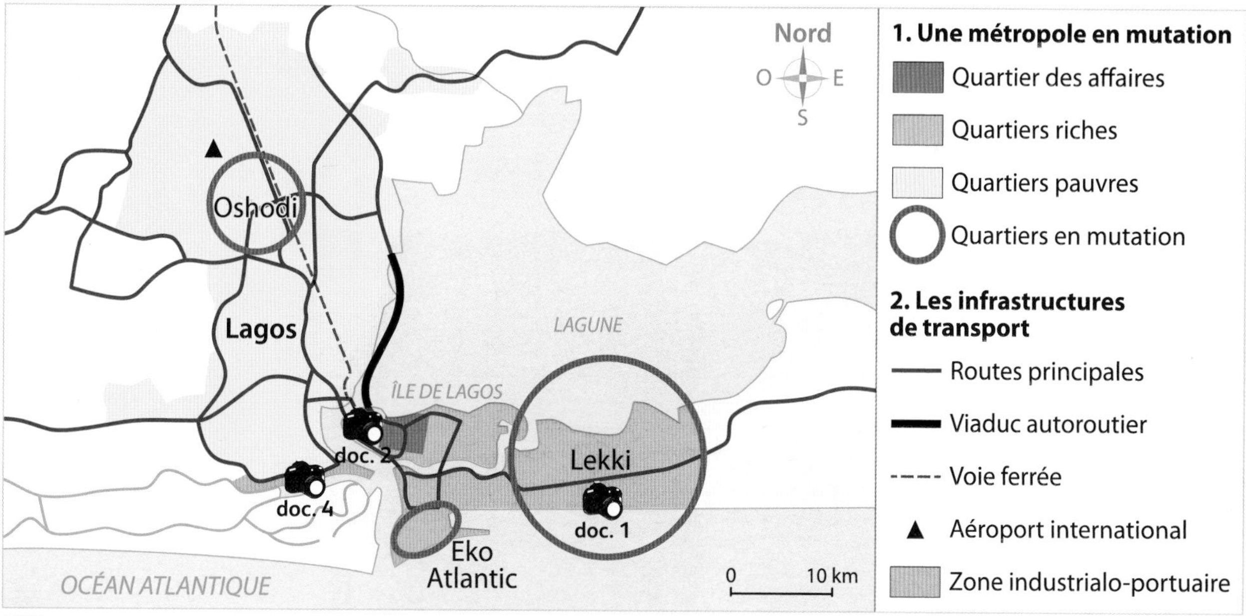
Nord
O
E
S
Oshodi
Lagos
LAGUNE
ÎLE DE LAGOS
doc. 2
doc. 4
Lekki
doc. 1
Eko
Atlantic
OCÉAN ATLANTIQUE
0
10 km
1. Une métropole en mutation
Quartier des affaires
Quartiers riches
Quartiers pauvres
Quartiers en mutation
2. Les infrastructures de transport
Routes principales
Viaduc autoroutier
Voie ferrée
Aéroport international
Zone industrialo-portuaire

5 | Lagos : une métropole en mutation et connectée

Besoin d'un peu d'aide ?

Décrivez les paysages urbains et activités économiques de Lagos et expliquez comment ils permettent son intégration au reste du monde.

Besoin d'un peu plus d'aide ?

Vous organisez votre réflexion autour des idées suivantes :
- *des paysages urbains intégrés à la mondialisation par de nouvelles activités économiques (DOC. 1, 2 ET 4);*
- *des infrastructures et réseaux de transport qui connectent Lagos à l'espace mondial (DOC .2, 4 ET 5) ;*
- *des fragilités qui freinent le développement de Lagos (DOC. 1, 3 ET 5).*

Étude de cas

▶ **Socle** *Extraire des informations pertinentes – Vérifier et justifier des hypothèses*

Étape 2 ▶ *Comprendre comment l'Afrique de l'Ouest s'intègre dans la mondialisation*

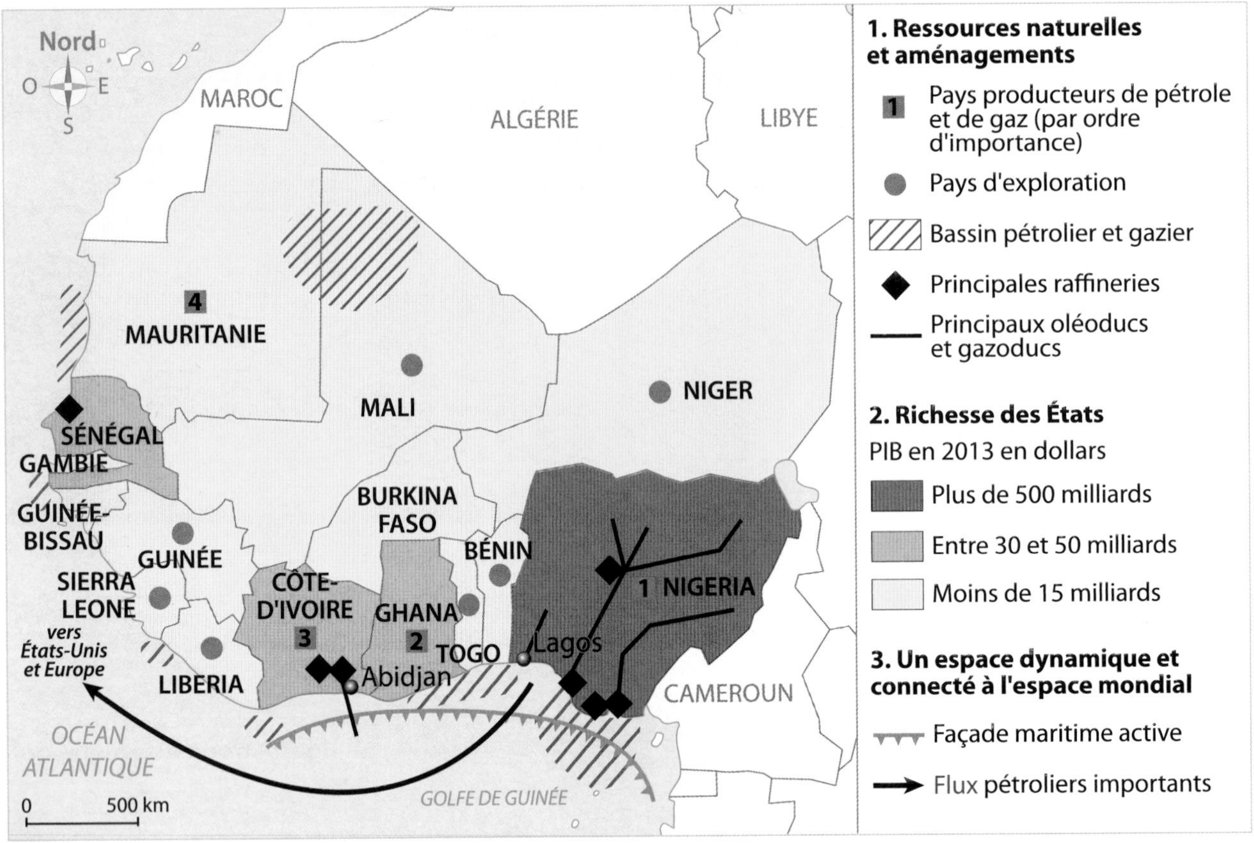

Nord
O
E
S
MAROC
ALGÉRIE
LIBYE
4
MAURITANIE
MALI
NIGER
SÉNÉGAL
GAMBIE
GUINÉE-BISSAU
GUINÉE
BURKINA FASO
BÉNIN
1 NIGERIA
SIERRA LEONE
CÔTE-D'IVOIRE
3
GHANA
2
TOGO
Lagos
Abidjan
vers États-Unis et Europe
LIBERIA
CAMEROUN
OCÉAN ATLANTIQUE
GOLFE DE GUINÉE
0 500 km
1. Ressources naturelles et aménagements
Pays producteurs de pétrole et de gaz (par ordre d'importance)
Pays d'exploration
Bassin pétrolier et gazier
Principales raffineries
Principaux oléoducs et gazoducs
2. Richesse des États
PIB en 2013 en dollars
Plus de 500 milliards
Entre 30 et 50 milliards
Moins de 15 milliards
3. Un espace dynamique et connecté à l'espace mondial
Façade maritime active
Flux pétroliers importants

5 | **Ressources naturelles** et richesse en Afrique de l'Ouest

6 | **Des aménagements pétroliers, dans le delta du Niger**

Installations pétrolières de la compagnie Elf et terminal gazier sur l'île de Bonny dans le delta du Niger. Le Nigeria produit deux millions de barils de pétrole par jour.

Vocabulaire

Flux : déplacement sur un trajet précis.

Ressource naturelle : richesse du sol ou du sous-sol exploitée par l'homme.

7 De fortes inégalités économiques et territoriales

Comme le reste du continent, l'Afrique de l'Ouest fait face à d'importantes disparités territoriales. Le modèle qui prédomine dans les pays de la région est celui de la concentration des activités économiques et des services administratifs dans des points centraux, qui sont le plus souvent des capitales économiques situées dans les zones côtières, comme Abidjan, Dakar et Lagos. Faute d'infrastructures, la connexion des régions périphériques (les plus éloignées) à ces pôles est généralement insuffisante, produisant des inégalités de développement entre les villes et les campagnes, entre les capitales et les villes secondaires et entre les zones côtières et les zones enclavées.

D'après M. Weigert, *www.afdb.org*, 12/06/2015.

Activités

Socle *Extraire des informations pertinentes*

1. **DOC. 5** Quelles sont les ressources principales de l'Afrique de l'Ouest ? Où se localisent-elles surtout ?
2. **DOC. 5 ET 6** Quels sont les aménagements réalisés pour exploiter ces ressources ?
3. **DOC. 5 ET 6** Quels sont les flux qui permettent d'intégrer l'Afrique de l'Ouest à l'espace mondial ?

Socle *Vérifier et justifier des hypothèses*

4. **DOC. 5** Comparez le PIB des États producteurs de ces ressources avec le PIB des autres États d'Afrique de l'Ouest : que constatez-vous ?
5. **DOC. 7** Quels sont les espaces les mieux intégrés à la mondialisation et ceux en marge de la mondialisation ? Expliquez ces inégalités.

Étape 3 Réaliser un croquis bilan

SUJET : L'Afrique de l'Ouest, un ensemble intégré dans la mondialisation

Titre : ...

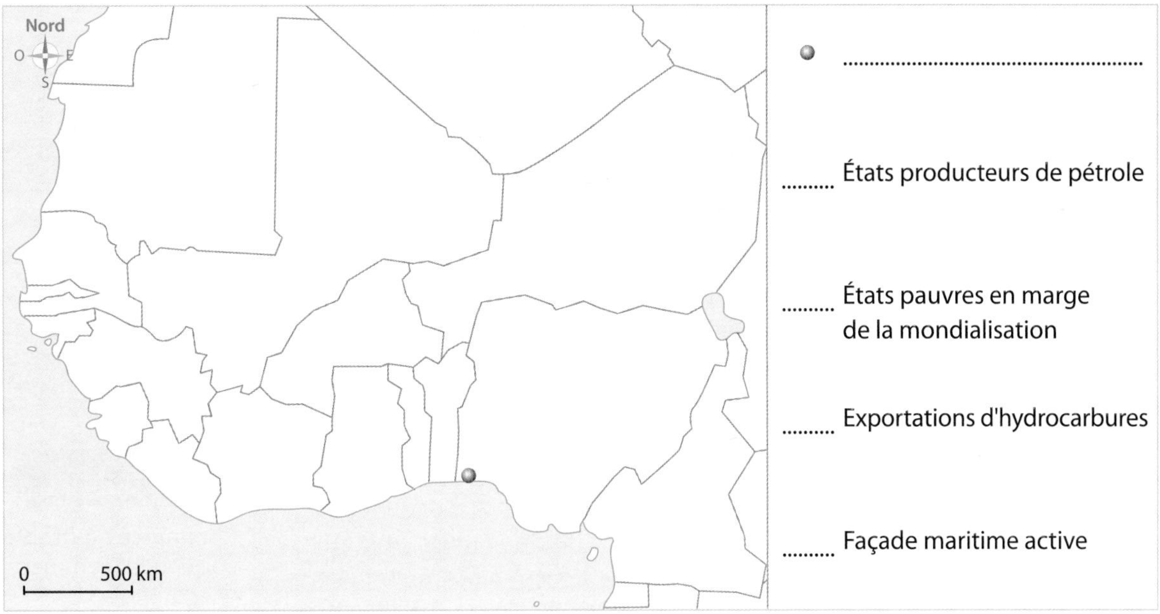

Nord
O
E
S
0
500 km
....
.... États producteurs de pétrole
.... États pauvres en marge de la mondialisation
.... Exportations d'hydrocarbures
.... Façade maritime active

A. Sur le fond de croquis imprimé par votre professeur, placez le golfe de Guinée, localisez les États de l'Afrique occidentale.

B. Sur le fond de croquis imprimé par votre professeur, complétez la légende et le croquis :

1. Choisissez les figurés manquants et reportez-les dans la légende.
2. Indiquez les explications manquantes pour les figurés placés dans la légende.
3. Reportez les figurés de la légende, en respectant les couleurs, sur votre croquis.
4. Donnez un titre à votre croquis.

Point méthode

- **Les pays s'écrivent en petites majuscules noires**

Étude de cas

▶ Socle *Extraire des informations pertinentes pour les classer et construire des repères géographiques – Construire des hypothèses*

L'Afrique orientale, la mise en valeur des ressources agricoles

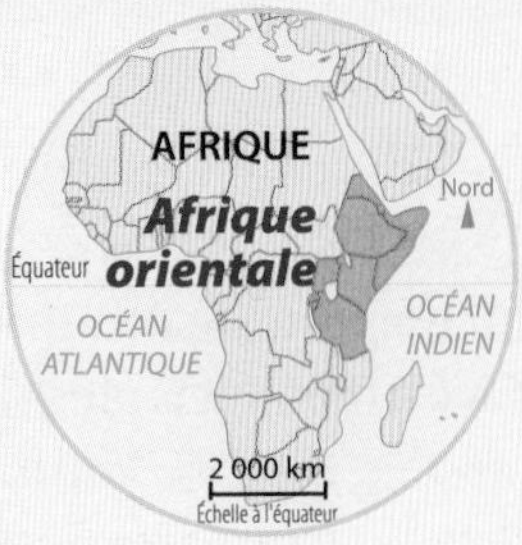
AFRIQUE
Afrique orientale
Équateur
OCÉAN ATLANTIQUE
OCÉAN INDIEN
Nord
2 000 km
Échelle à l'équateur

Comment la valorisation des ressources agricoles permet-elle l'intégration croissante de l'Afrique orientale à l'espace mondial ?

Étape 1 ▶ *Décrire et expliquer la mise en valeur des ressources agricoles en Afrique orientale*

SWEET UNIQUE

1 | Le commerce des fleurs coupées au Kenya

L'entreprise française Bigot Fleurs a investi dans une des nombreuses **fermes horticoles** que compte le Kenya et qui font vivre près d'un demi-million de personnes.

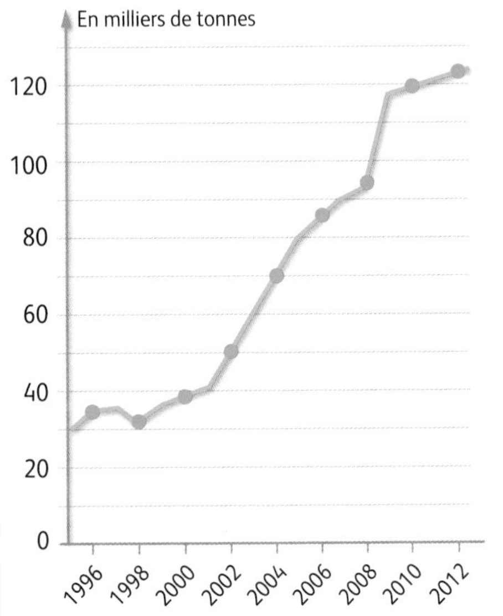
En milliers de tonnes
120
100
80
60
40
20
0
1996
1998
2000
2002
2004
2006
2008
2010
2012

Source : *Le Monde*, 14/02/2015.

2 | L'exportation des fleurs coupées par le Kenya

3 La pêche dans le lac Victoria

Un témoin raconte

La propriétaire d'une pêcherie raconte.

Tôt le matin sur le lac, les bateaux rentrent avec leurs prises de la nuit. Un certain nombre d'entre eux accostent sur l'île de Bugala et sont reçus par la propriétaire des lieux, Mama Sylvia. Lorsque Mama Sylvia a commencé à pêcher il y a 27 ans, elle ne possédait qu'un petit canoë, qu'elle dirigeait avec une rame : « Nous partagions l'endroit avec les serpents et il n'y avait pas d'électricité. Aujourd'hui, la totalité de l'île fonctionne à l'énergie solaire, nous avons l'eau et des routes sont en cours de construction. » Aujourd'hui, elle est la propriétaire d'une véritable entreprise de pêche industrielle constituée de vingt-deux bateaux coûtant chacun 5 000 dollars. Selon la Banque mondiale, les pêcheries de ce lac font vivre plus de trois millions de personnes avec des exportations en avion vers l'Europe et l'Asie.

Sources : D'après *www.bbc.com*, 02/10/2015 et *banquemondiale.org*.

Vocabulaire

Commerce équitable : partenariat commercial qui garantit au producteur le prix le plus équitable pour son travail.

Ferme horticole : exploitation qui cultive des plantes et des fleurs.

Ressources agricoles : richesse agricole qui peut être exploitée par l'homme.

4 L'Ouganda, nouveau géant du café africain ?

Andrew Rugasira, un entrepreneur ougandais, produit un café issu du **commerce équitable**. Il a décidé de transformer sur place le café produit dans le pays et ne plus se contenter de vendre des grains non torréfiés à des exportateurs qui, de Nescafé à Starbucks, fournissent les rois du café en Amérique et en Europe.

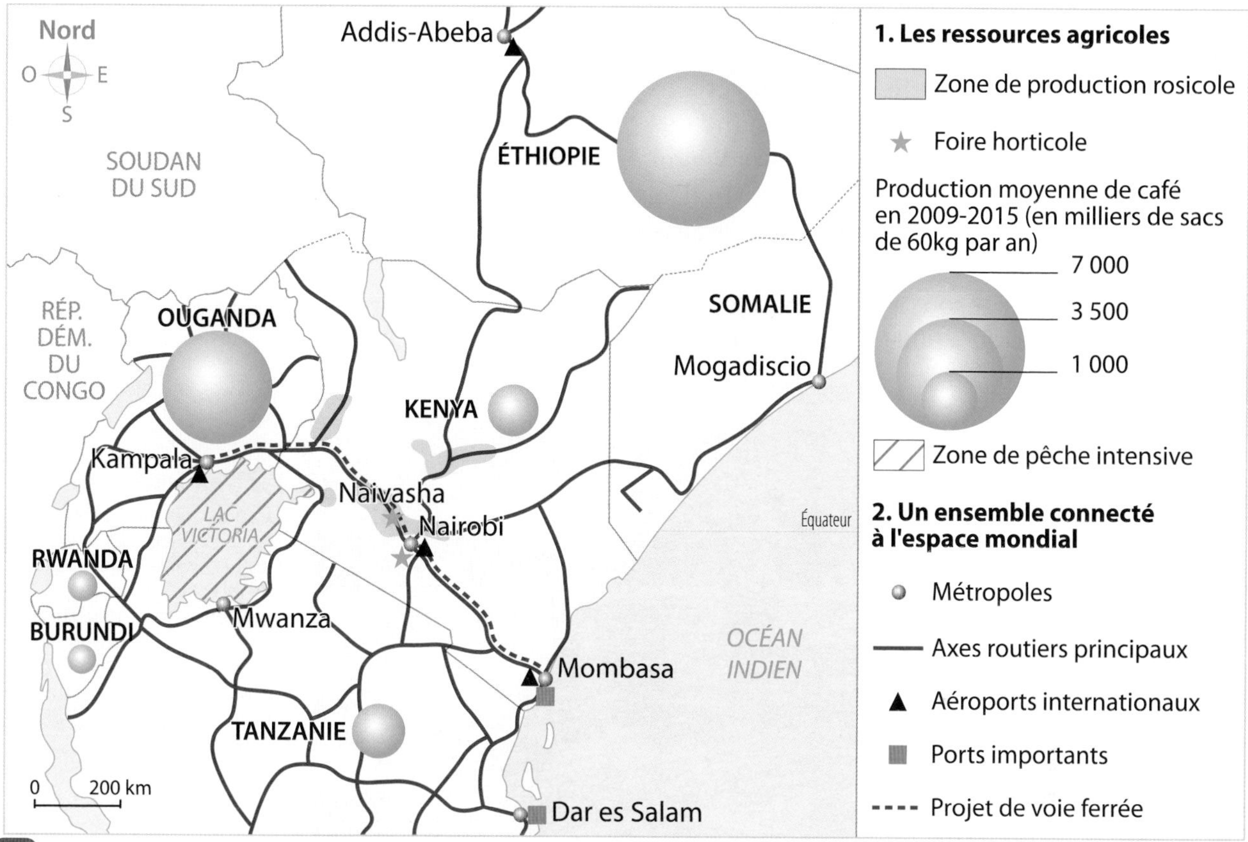
Nord
O
E
S
Addis-Abeba
SOUDAN DU SUD
ÉTHIOPIE
SOMALIE
Mogadiscio
RÉP. DÉM. DU CONGO
OUGANDA
KENYA
Kampala
LAC VICTORIA
Naivasha
Nairobi
Équateur
RWANDA
BURUNDI
Mwanza
Mombasa
OCÉAN INDIEN
TANZANIE
0
200 km
Dar es Salam
1. Les ressources agricoles
Zone de production rosicole
Foire horticole
Production moyenne de café en 2009-2015 (en milliers de sacs de 60kg par an)
7 000
3 500
1 000
Zone de pêche intensive
2. Un ensemble connecté à l'espace mondial
Métropoles
Axes routiers principaux
Aéroports internationaux
Ports importants
Projet de voie ferrée

5 | Les ressources agricoles en Afrique orientale

Activités

▶ **Socle** *Extraire des informations pertinentes pour les classer et construire des repères géographiques*

1. Reproduisez et complétez le tableau suivant :

	Nommer l'espace géographique	**Localiser l'espace géographique à l'aide du DOC. 5**	**Nommer l'activité économique**	**Nommer les acteurs concernés par cette activité**
DOC. 1 ET 2				
DOC. 3				
DOC. 4				

2. DOC.2, 3 ET 4 Montrez que l'agriculture et la pêche sont des activités importantes en Afrique orientale.

▶ **Socle** *construire des hypothèses*

En groupe, formulez des hypothèses pour répondre à la question suivante.

Comment les ressources agricoles permettent-elles l'intégration de l'Afrique orientale dans la mondialisation ?

Aide (*Vous pouvez utiliser le DOC. 5 et identifier comment les ressources agricoles sont transportées*

Étude de cas

▸ **Socle** *Réaliser un schéma bilan*

Étape 2 ▸ *Comprendre les impacts de la mondialisation des ressources agricoles sur les territoires d'Afrique orientale*

6 Une route connectée à l'espace mondial

Des centaines de millions de roses sont importées en Europe à l'occasion de la Saint-Valentin, fête des amoureux. Des fleurs qui arrivent du Kenya, d'Éthiopie ou encore d'Ouganda. L'ensoleillement et l'altitude y permettent de cultiver des roses toute l'année. Elles y sont cultivées dans des fermes géantes, où les salaires sont souvent très bas et les conditions de travail difficiles. L'usage intensif des pesticides y est généralisé et l'irrigation intensive menace les ressources en eau. Ces fleurs auront voyagé environ 72 h, et parcouru plus de 7 000 km. Les roses sont d'abord coupées dans un champ à proximité du lac Naivasha, où se concentre la plus grande partie des plantations horticoles du pays. Elles sont ensuite transportées dans des camions réfrigérés pour éviter qu'elles ne se dégradent. Puis prennent l'avion, de l'aéroport de Nairobi vers celui d'Amsterdam. Les deux tiers seront vendus aux enchères à des grossistes, à des enseignes comme Interflora ou encore à des grandes surfaces.

D'après I. du Roy, *multinationales.org*, 27/02/2014.

SUB77271
SUB7723K
SUB76594K
Remba Bch.
225K

7 Des ressources parfois fragilisées

Depuis quelques années, sur le lac Victoria, les pêcheurs se contentent de maigres pêches et les tensions sont grandes (vols, violence…). Ils accusent les bateaux des entreprises qui effectuent de jour comme de nuit des pêches à grande échelle.

	2012	2013	2014	2015	2016
Afrique orientale	**5,7**	**6,1**	**6,5**	**6,6**	**6,6**
Monde	3,1	3	3,7	3,9	4,1

Source : FMI / WEO, 2016.

8 La croissance économique de l'Afrique orientale (PIB en %)

Vocabulaire

Agriculture pastorale : agriculture extensive qui consiste en l'élevage de troupeaux sur de grandes étendues.

Artificialisation des surfaces agricoles : création de surfaces agricoles par l'homme pour produire des ressources agricoles.

Infrastructures : équipements (routiers, ferroviaires, maritimes…) qui servent à connecter des espaces.

9 | **Des paysages transformés par la mondialisation**
La rapidité de l'urbanisation (Nairobi, plus de 3 millions d'habitants en 2016) entraîne une forte **artificialisation des surfaces agricoles** (ici plutôt **pastorales**) et naturelles.

Activités

▶ **Socle** *Extraire des informations pertinentes*

1. **DOC. 6** Relevez deux raisons qui expliquent la production de ces roses en Afrique de l'Est.
2. **DOC. 5** p. 367 **ET 6** Décrivez le trajet de la rose en relevant les moyens et réseaux de transport qui permettent de connecter cet ensemble à l'espace mondial.
3. **DOC. 6 ET 7** Relevez les impacts négatifs de la mise en valeur des ressources agricoles.
4. **DOC. 9** Comment la mondialisation transforme-t-elle les paysages du Kenya ? Quelles en sont les conséquences ?
5. **DOC. 8** Caractérisez et expliquez la croissance économique de l'Afrique orientale dans l'espace mondial en vous appuyant sur des données chiffrées et vos connaissances.

Étape 3 ▶ *Réaliser un schéma bilan*

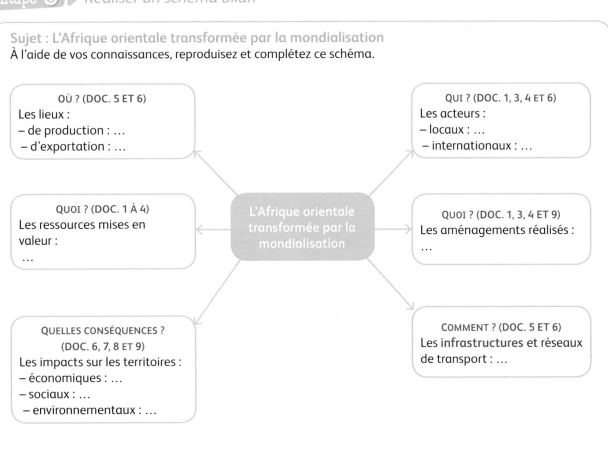

Sujet : L'Afrique orientale transformée par la mondialisation
À l'aide de vos connaissances, reproduisez et complétez ce schéma.

L'Afrique orientale transformée par la mondialisation

OÙ ? (DOC. 5 ET 6)
Les lieux :
– de production : …
– d'exportation : …

QUI ? (DOC. 1, 3, 4 ET 6)
Les acteurs :
– locaux : …
– internationaux : …

QUOI ? (DOC. 1 À 4)
Les ressources mises en valeur :
…

QUOI ? (DOC. 1, 3, 4 ET 9)
Les aménagements réalisés :
…

QUELLES CONSÉQUENCES ? (DOC. 6, 7, 8 ET 9)
Les impacts sur les territoires :
– économiques : …
– sociaux : …
– environnementaux : …

COMMENT ? (DOC. 5 ET 6)
Les **infrastructures** et réseaux de transport : …

Étude de cas

Socle *Extraire des informations pertinentes – Comprendre le sens général d'un document – Construire des hypothèses*

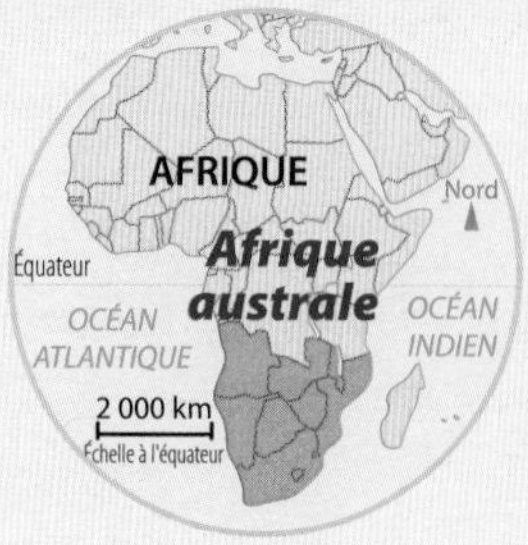

AFRIQUE
Nord
Équateur
Afrique australe
OCÉAN ATLANTIQUE
OCÉAN INDIEN
2 000 km
Échelle à l'équateur

L'Afrique australe, une position stratégique dans la mondialisation

Pourquoi et comment l'Afrique australe occupe-t-elle une position stratégique dans la mondialisation ?

Étape 1 *Comprendre pourquoi l'Afrique australe est un ensemble convoité*

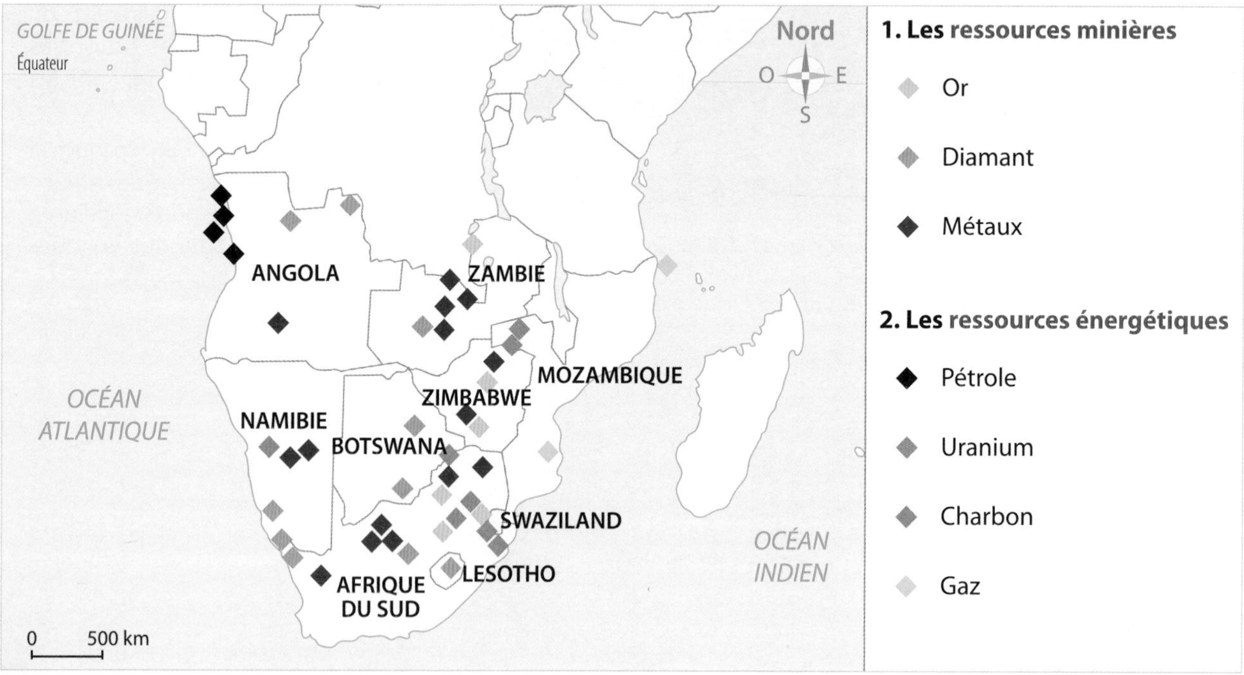

GOLFE DE GUINÉE
Équateur
Nord
O
E
S
ANGOLA
ZAMBIE
MOZAMBIQUE
ZIMBABWE
NAMIBIE
BOTSWANA
SWAZILAND
LESOTHO
AFRIQUE DU SUD
OCÉAN ATLANTIQUE
OCÉAN INDIEN
0
500 km
1. Les ressources minières
Or
Diamant
Métaux
2. Les ressources énergétiques
Pétrole
Uranium
Charbon
Gaz

1 | Des ressources considérables

TANKER SERVICES
1933
TS 1933

2 | Une exploitation minière en Afrique du Sud

Grande mine de platine (métal plus cher que l'or) située au nord-ouest de l'Afrique du Sud.

Vocabulaire

Investissements directs étrangers (IDE) : argent investi par une entreprise dans un pays étranger.

Puissance émergente : pays en forte croissance économique et pleinement intégré aux échanges mondiaux.

Ressources énergétiques : matière qui permet de produire de l'énergie.

Ressources minières : matière minérale du sol et du sous-sol exploitée par l'homme dans des mines.

3 | **Le Mozambique, un nouvel eldorado gazier ?**
Les installations gazières de la société sud-africaine Sasol dans la province d'Inhambane. Le Mozambique peut devenir le troisième producteur mondial de gaz à condition d'attirer les investisseurs étrangers (**IDE**).

4 L'Afrique du Sud : une **puissance émergente** et stratégique

L'économie de l'Afrique du Sud s'est développée principalement autour de l'exploitation de ressources naturelles abondantes avec l'émergence d'un puissant secteur de services, notamment financiers, la Bourse de Johannesburg étant la première du continent. Le secteur bancaire et celui de l'assurance constituent les principaux atouts de l'économie. Face à un secteur minier en perte de vitesse, le pays doit désormais assurer la transition d'une économie minière vers une économie plus diversifiée et plus compétitive. Si l'UE demeure de loin son premier partenaire commercial, l'Afrique du Sud est résolument tournée vers le Sud et donne la priorité à ses relations avec les BRICS[1]. Elle veut également assumer son rôle de puissance africaine, sans avoir toujours les moyens de ses ambitions. L'Afrique du Sud est le seul État africain membre du G20[2].

D'après *www.diplomatie.gouv.fr*, avril 2016.

1. Groupe des puissances émergentes (Brésil, Russie, Inde, Chine et Afrique du Sud).
2. Groupe composé de 19 pays et de l'Union européenne qui représente 85 % du commerce mondial.

Activités

Socle *Extraire des informations pertinentes*

1. **DOC. 1** Quels sont les atouts et richesses dont dispose l'Afrique australe ?
Reproduisez et complétez ce tableau :

	Ressources minières	Ressources énergétiques
Afrique du Sud		
Angola		
Mozambique		

2. **DOC. 2 ET 3** Décrivez chaque photographie (type d'espace, lieu, activité, aménagements…).

Socle *Comprendre le sens général d'un document*

3. **DOC. 4** Quels sont les atouts de l'économie de l'Afrique du Sud ?
4. **DOC. 4** Pourquoi l'Afrique du Sud a-t-elle une importance stratégique dans l'espace mondial ?
5. **DOC. 4** Expliquez la phrase soulignée.

Socle *Construire des hypothèses*

6. **DOC. 1 À 4** Quels sont les territoires qui attirent le plus les investissements directs étrangers (IDE) ? Justifiez.

Étude de cas

Socle *Réaliser des descriptions – Extraire des informations pertinentes*

Étape 2 Comprendre comment l'Afrique australe s'intègre dans la mondialisation

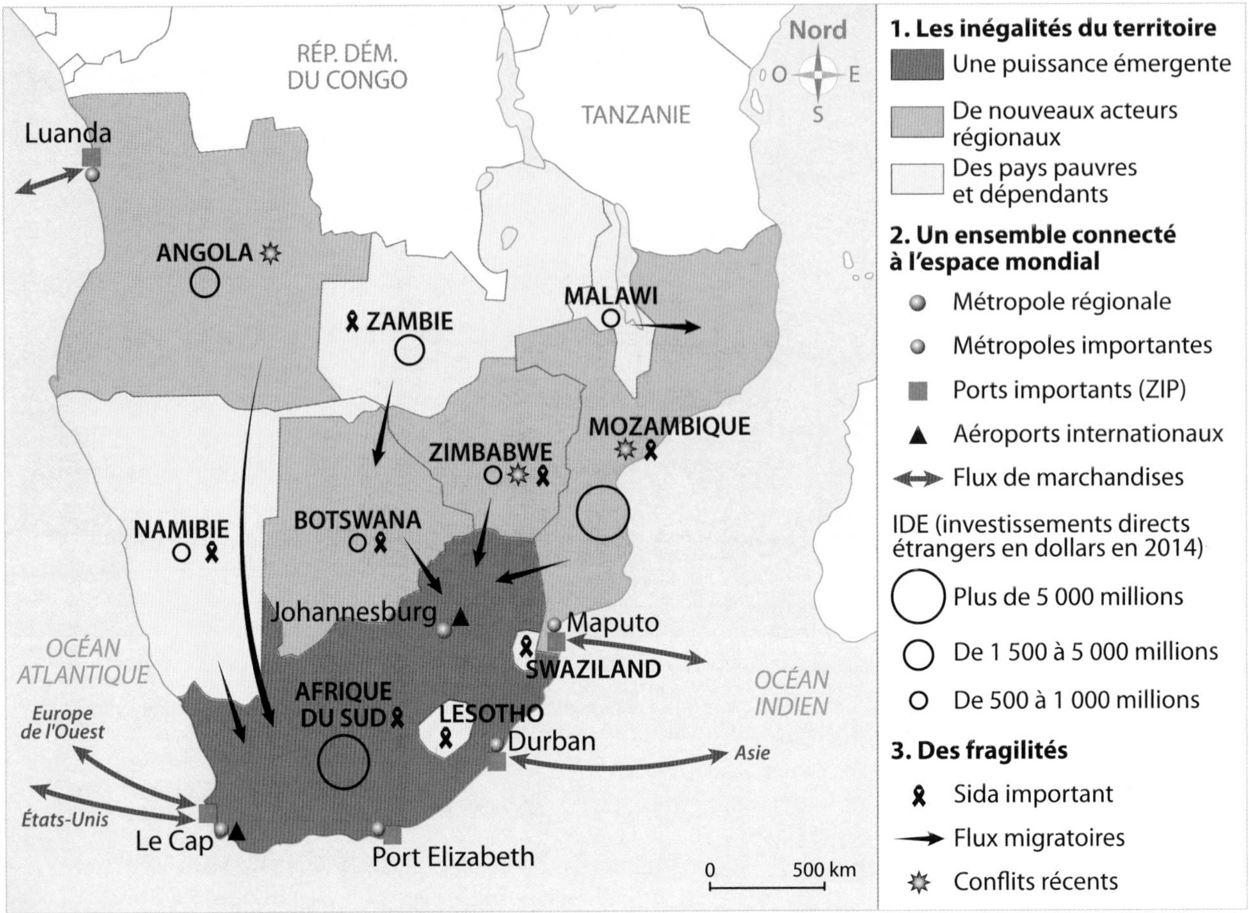

RÉP. DÉM. DU CONGO
TANZANIE
Nord
O
E
S
Luanda
ANGOLA
ZAMBIE
MALAWI
MOZAMBIQUE
ZIMBABWE
NAMIBIE
BOTSWANA
Johannesburg
Maputo
SWAZILAND
OCÉAN ATLANTIQUE
OCÉAN INDIEN
AFRIQUE DU SUD
LESOTHO
Durban
Asie
Europe de l'Ouest
États-Unis
Le Cap
Port Elizabeth
0
500 km
1. Les inégalités du territoire
Une puissance émergente
De nouveaux acteurs régionaux
Des pays pauvres et dépendants
2. Un ensemble connecté à l'espace mondial
Métropole régionale
Métropoles importantes
Ports importants (ZIP)
Aéroports internationaux
Flux de marchandises
IDE (investissements directs étrangers en dollars en 2014)
Plus de 5 000 millions
De 1 500 à 5 000 millions
De 500 à 1 000 millions
3. Des fragilités
Sida important
Flux migratoires
Conflits récents

5 | L'Afrique australe dans la mondialisation

6 | **Johannesburg, capitale économique de l'Afrique du Sud**

Vue aérienne du **CBD** de Johannesburg.

Vocabulaire

CBD (Central Business District) : quartier central des affaires qui regroupe des sièges sociaux d'entreprises et des établissements financiers.

ZIP (zone industrialo-portuaire) : espace industriel qui se développe en liaison avec un port.

7 | **Luanda, une métropole portuaire attractive**
Vue de la **ZIP** de Luanda, capitale de l'Angola.

8 Le Lesotho : survivre à l'ombre du géant sud-africain

Colonie britannique en 1884, le royaume du Lesotho est devenu indépendant en 1966. L'instabilité politique est permanente et le pays peine à se développer. Car hormis l'eau, les ressources sont rares. Selon les Nations unies, 40 % de la population est considérée comme « ultra-pauvre », c'est-à-dire qu'elle dispose de moins de 1,25 dollar par jour pour vivre. L'espérance de vie dans ce pays a reculé entre 1990 et 2012, passant de 59 à 49 ans à cause du sida. Une surmortalité qui accélère la paupérisation, entre enfants orphelins et vieillards sans ressources.

D'après J. Deveaux, *http://geopolis.francetvinfo.fr*, septembre 2014.

Activités

Socle *Réaliser des descriptions*

1. **DOC. 6 ET 7** Localisez et décrivez les paysages présentés.
2. **DOC. 6 ET 7** Comment ces paysages montrent-ils l'intégration de l'Afrique australe à la mondialisation ?

Socle *Extraire des informations pertinentes*

3. **DOC. 5 ET 8** Localisez et situez le Lesotho. Est-il bien connecté à l'espace mondial ? Justifiez.
4. **DOC. 8** Expliquez les fragilités économiques et sociales de ce pays.

Étape 3 Réaliser une carte mentale

CONSIGNE : construire une carte mentale pour répondre au sujet : « Pourquoi et comment l'Afrique australe occupe-t-elle une position stratégique dans la mondialisation ? »

Méthode :
Au centre de votre carte mentale, placez et écrivez le titre : « L'Afrique australe, une position stratégique dans la mondialisation ». Puis tracez différentes branches avec pour titres :
- Des ressources stratégiques
- Un ensemble de plus en plus connecté à l'espace mondial
- Un ensemble dominé par une puissance émergente
- Des fragilités demeurent

Imaginez d'autres branches, ajoutez ou collez des documents (photographies, dessins, schémas…), mettez des couleurs, hiérarchisez vos informations…

L'atelier du géographe

Paysages de l'intégration à la mondialisation

Des métropoles africaines en mutation

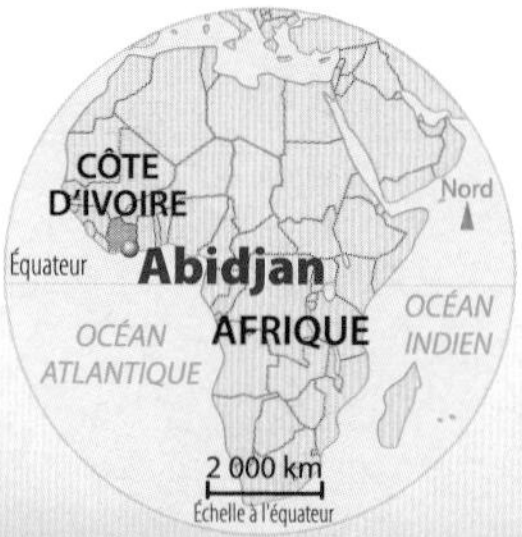
CÔTE D'IVOIRE
Abidjan
Équateur
AFRIQUE
OCÉAN ATLANTIQUE
OCÉAN INDIEN
Nord
2 000 km
Échelle à l'équateur

1 | Abidjan, une métropole connectée

AFRIQUE
Équateur
Luanda
ANGOLA
OCÉAN ATLANTIQUE
OCÉAN INDIEN
Nord
2 000 km
Échelle à l'équateur
BPC

2 | Luanda, une métropole attractive transformée par la mondialisation

AFRIQUE
Nord
Équateur
OCÉAN
ATLANTIQUE
OCÉAN
INDIEN
2 000 km
Échelle à l'équateur
AFRIQUE
DU SUD
Durban

3 | Durban, une métropole portuaire et économique importante

Réaliser un croquis de paysage au choix parmi les trois photos.

Étape 1 ▶ Caractériser le territoire

1. Localisez le paysage photographié (ville, pays, continent).
2. Quels éléments du paysage montrent l'intégration de cette métropole dans la mondialisation ?

Étape 2 ▶ Identifier les différents espaces et éléments de paysage

3. Décrivez le paysage par plans successifs et identifiez les éléments du paysage en utilisant les mots-clés suivants : CBD – ZIP – Infrastructures de transport – Voie navigable.
4. Que révèle la présence d'un CBD et d'une ZIP sur la place de cette métropole dans la mondialisation ?

Étape 3 ▶ Réaliser le croquis

5. Après avoir tracé un cadre pour votre croquis, délimitez les éléments du paysage. Vous pouvez utiliser un calque.
6. À l'aide du **point méthode**, choisissez les figurés et les couleurs adaptés pour chaque élément du paysage identifié à la question 3.
7. Reportez-les sur votre croquis.
8. Construisez votre légende.
9. N'oubliez pas de donner un titre à votre croquis.

Point méthode

Figurés et couleurs

Il existe trois grands types de figurés sur un croquis :
- **des figurés de surface** ;
- **des figurés ponctuels** ;
- **des figurés linéaires**.

En géographie, les couleurs ont un code. Par exemple, on utilise :
- le **bleu** pour les mers, les océans, les cours d'eau,
- le **vert** pour les forêts, les espaces verts, les pâturages,
- le **jaune** pour les cultures,
- le **violet** pour l'industrie,
- le **rouge et le rose** pour les habitations, les immeubles,
- le **gris** et le **noir** pour les axes de communication…

La mondialisation transforme les territoires africains

Bilan des Études

A. L'Afrique de l'Ouest
- Lagos, une métropole connectée à l'espace mondial
- Des exportations d'hydrocarbures
- Des inégalités à toutes les échelles

B. L'Afrique orientale
- Des ressources agricoles abondantes
- Des infrastructures de transport
- Des fragilités économiques, sociales et environnementales

C. L'Afrique australe
- Des ressources minières et énergétiques
- Une puissance émergente
- Des États pauvres et dépendants de l'Afrique du Sud.

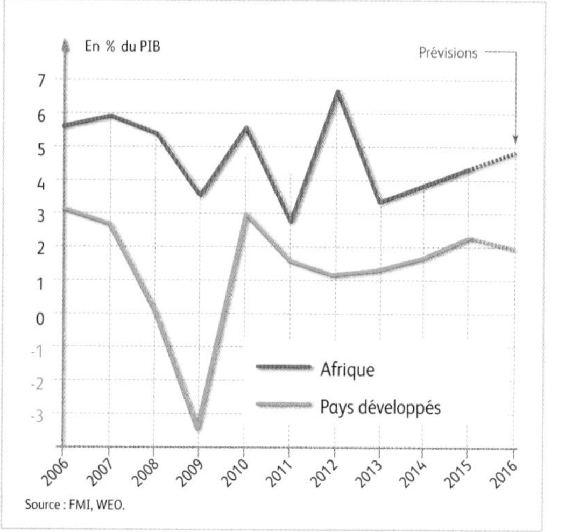
En % du PIB
Prévisions
7
6
5
4
3
2
1
0
-1
-2
-3
Afrique
Pays développés
2006
2007
2008
2009
2010
2011
2012
2013
2014
2015
2016
Source : FMI, WEO.

1 | La croissance économique de l'Afrique dans l'espace mondial (en % du PIB)

2 | Les territoires africains transformés par la mondialisation

a. Plate-forme pétrolière de Total, dans le golfe de Guinée.

b. Un convoi militaire français, dans le nord du Mali, pour lutter contre le terrorisme en Afrique.

c. Des ressources abondantes exportées du Kenya vers l'espace mondial.

d. Johannesburg, une métropole aux inégalités socio-spatiales importantes.

Vocabulaire

Mondialisation : mise en relation de régions et de peuples. Elle se traduit par des échanges de marchandises, de capitaux et de populations.

Ethnie : groupement humain qui partage une langue, une culture et une identité communes.

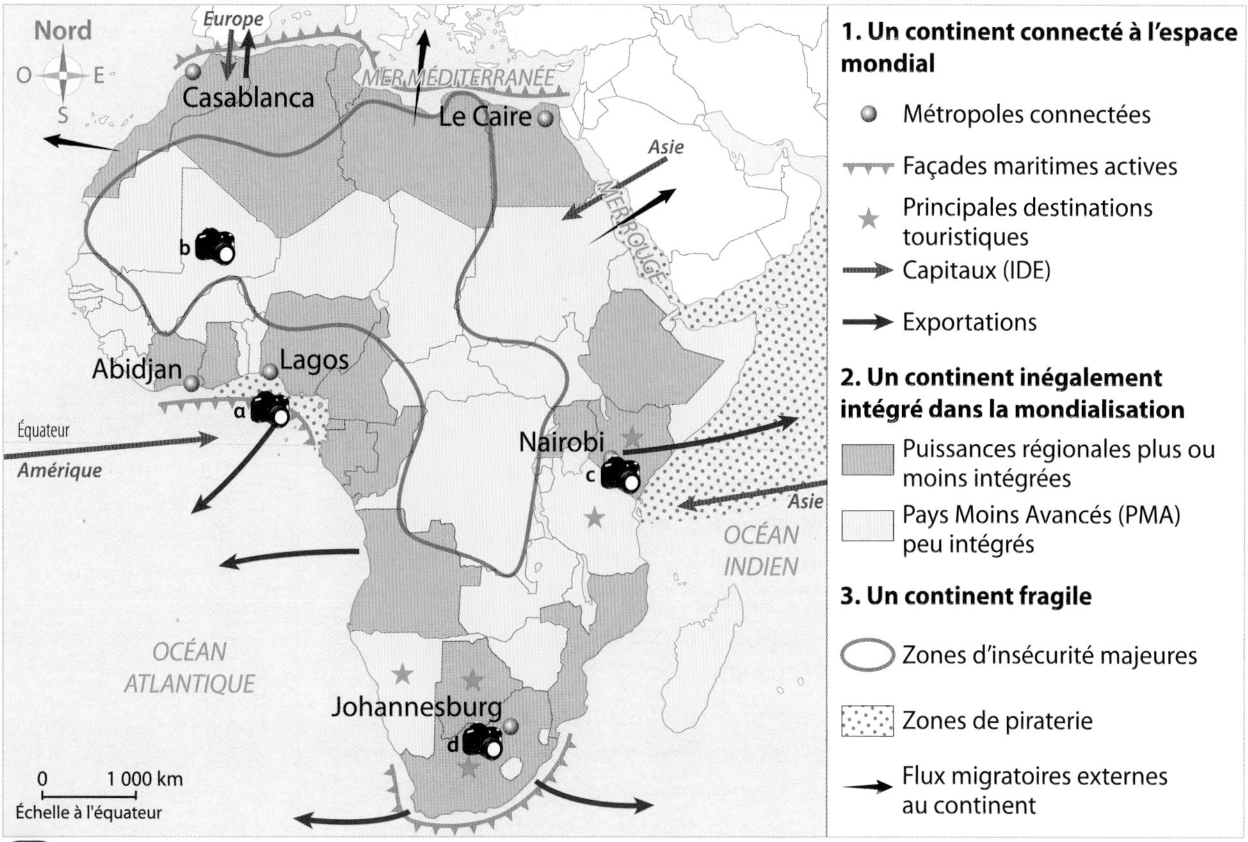
Nord
O
E
S
Europe
Casablanca
MER MÉDITERRANÉE
Le Caire
Asie
MER ROUGE
b
Abidjan
Lagos
a
Équateur
Amérique
Nairobi
c
Asie
OCÉAN INDIEN
OCÉAN ATLANTIQUE
Johannesburg
d
0 1 000 km
Échelle à l'équateur
1. Un continent connecté à l'espace mondial
Métropoles connectées
Façades maritimes actives
Principales destinations touristiques
Capitaux (IDE)
Exportations
2. Un continent inégalement intégré dans la mondialisation
Puissances régionales plus ou moins intégrées
Pays Moins Avancés (PMA) peu intégrés
3. Un continent fragile
Zones d'insécurité majeures
Zones de piraterie
Flux migratoires externes au continent

3 | Un continent inégalement intégré dans la mondialisation

4 Un continent en réserve de développement

Les géographes en parlent

Après l'Afrique de la misère puis l'Afrique de l'exotisme, une troisième Afrique, l'Afrique émergente, est récemment apparue dans les représentations. Grenier potentiel du monde, futur atelier de la planète, avec un milliard de personnes qui ne demandent qu'à pouvoir travailler et consommer, avec des gisements d'énergie et des réserves de terres sans égal, l'Afrique, qui dispose à elle seule non seulement du tiers des ressources naturelles mondiales mais aussi d'immenses espaces apparemment vacants, semble cette fois « partie », et très bien partie.

D'après Sylvie Brunel, « L'Afrique est-elle bien partie ? », *Sciences Humaines*, octobre 2014.

Mettre en perspective

L'intégration croissante dans la mondialisation

1. **DOC. 1** Comment la croissance économique de l'Afrique évolue-t-elle ?
2. **DOC. 1 ET 4** Comment peut-on expliquer cette évolution ?

Une mondialisation qui crée des inégalités

3. **DOC. 2 ET 3** Quels sont les espaces les mieux intégrés à la mondialisation ? Indiquez quels paysages reflètent cette connexion au reste du monde.
4. **DOC. 2 ET 3** Quels sont les espaces en marge de la mondialisation ? Indiquez quels paysages reflètent cette exclusion au reste du monde.

Leçon

Les grands ensembles africains dans la mondialisation

Comment et pourquoi la **mondialisation** transforme-t-elle les territoires du continent africain ?

I Des grands ensembles riches du fait de leurs **ressources** naturelles et humaines

- **Les** ressources **naturelles, qu'elles soient agricoles, énergétiques ou minières du sol et du sous-sol africains, offrent à ce continent une réserve de développement inestimable**. Terres agricoles en Afrique orientale, hydrocarbures en Afrique de l'Ouest ou encore métaux précieux en Afrique australe donnent à ces territoires une position stratégique convoitée dans l'espace mondial.
- La jeunesse de la population africaine est également une richesse. Les initiatives locales et régionales se renforcent pour créer une économie africaine moins dépendante des puissances étrangères et des seules matières premières. Ainsi le tourisme se développe en Afrique orientale et australe.

II Des grands ensembles transformés par la mondialisation

- **Partout, la** métropolisation **et la** littoralisation **des activités sont visibles sur les paysages urbains** de Lagos au Nigeria à Durban en Afrique du Sud. Le développement de quartiers des affaires (**CBD**), de zones industrialo-portuaires (**ZIP**) ou encore le développement d'infrastructures de transport répondent à cette volonté de s'intégrer dans la mondialisation.
- **La forte croissance économique des territoires africains, connectés à l'espace mondial, s'explique également par l'émergence d'acteurs régionaux** comme l'Angola avec ses réserves pétrolières qui attirent les investissements directs étrangers (**IDE**).

III Des grands ensembles qui restent fragiles face à la mondialisation

- **La mondialisation renforce les inégalités économiques et sociales entre les territoires** : à des espaces dynamiques s'opposent des espaces en marge de la mondialisation. À l'intérieur des métropoles, les quartiers les plus riches s'opposent à des quartiers pauvres.
- **Les activités illicites et le commerce illégal se développent** comme la piraterie. **Les zones d'insécurité liées au terrorisme ou à des conflits violents se propagent sur tout le continent.**

Vocabulaire

Littoralisation : concentration des hommes et des activités sur les littoraux.

Métropolisation : concentration des hommes, des activités et des fonctions de commandement dans des métropoles.

Mondialisation : mise en relation de régions et de peuples.

Ressource : richesse pouvant être exploitée par l'homme.

CBD (Central Business District) : quartier central des affaires qui regroupe des sièges sociaux d'entreprises et des établissements financiers.

IDE (Investissements directs étrangers) : argent investi par une entreprise dans un pays étranger.

ZIP (zone industrialo-portuaire) : espace industriel qui se développe en liaison avec un port.

Je retiens l'essentiel

L'essentiel en schéma

L'Afrique, un continent qui s'intègre à la mondialisation…

… par ses ressources abondantes

Des ressources énergétiques et minières

Afrique du Sud

Des ressources agricoles et humaines

Ouganda

… dont les territoires sont transformés

Un CBD

Lagos

Des zones d'activités qui émergent

Port de Luanda (Angola)

… mais qui reste fragile

Des zones d'insécurité liées au terrorisme et à des régimes politiques fragiles

Mali

Des inégalités sociales et économiques

Bidonvilles de Johannesburg (Afrique du Sud)

Quelques chiffres

- Un continent qui connaît une forte croissance économique de l'ordre de 5 % par an
- 12 % des réserves mondiales de pétrole sont sur le sol africain
- 60 % des réserves de terre se trouvent en Afrique

J'apprends, je m'entraîne

▶ **Socle** *Méthodes et outils pour apprendre*

PDF FICHE DE RÉVISION À TÉLÉCHARGER Fiche 14

Les grands ensembles africains dans la mondialisation

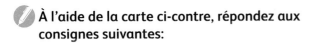

1. Construire sa fiche de révision : notez le titre de la leçon sur votre feuille

Je connais...

À l'aide de la carte ci-contre, répondez aux consignes suivantes:

Objectif 1 ▶ Connaître les repères géographiques

1. Nommez et localisez le continent ci-contre.
2. Nommez les deux océans indiqués par les lettres A et B.
3. Nommez l'ensemble géographique indiqué par les cercles que vous avez étudié en classe.
4. Nommez et localisez un État de cet ensemble géographique indiqué par le chiffre.
5. Nommez et localisez la métropole régionale de cet ensemble géographique indiquée par 1, 2 et 3.
6. Nommez une ressource exportée par ce pays.

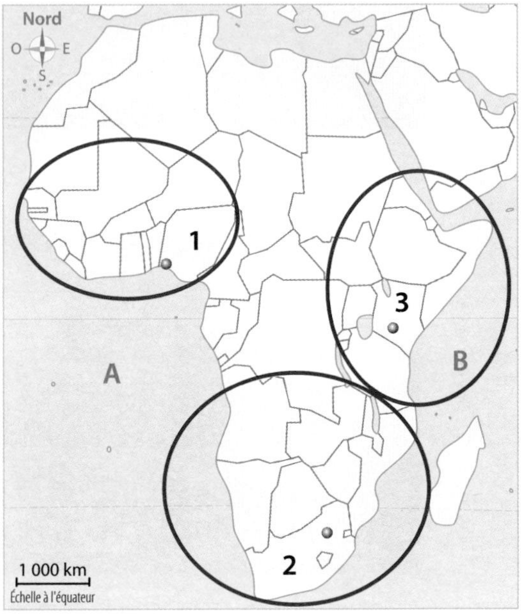
Nord
O
E
S
1
2
3
A
B
1 000 km
Échelle à l'équateur

Objectif 2 ▶ Connaître les mots-clés

Notez la définition des mots-clés indiqués ci-dessous en donnant un exemple précis dans l'espace géographique étudié :

Mondialisation – Métropolisation – Littoralisation – Ressource – Infrastructures et réseaux de transport.

Je suis capable de...

Pour chacun des objectifs suivants, répondez par une phrase courte

Objectif 3 ▶ Décrire un flux de marchandises d'un espace africain vers l'espace mondial.

Aide *Localisez et décrivez une ressource principale d'un espace africain puis montrez son trajet et son importance dans l'espace mondial.*

Objectif 4 ▶ Expliquer les impacts de la mondialisation dans un ensemble géographique africain.

Aide *Montrez comment les paysages sont transformés par la mondialisation puis présentez-en les conséquences économiques, sociales, culturelles ou encore environnementales.*

Objectif 5 ▶ Montrer les fragilités d'un ensemble géographique africain face à la mondialisation.

Aide *Décrivez un aspect montrant que l'ensemble géographique choisi connaît des difficultés à s'intégrer dans la mondialisation ou que la mondialisation crée des fragilités sur cet ensemble.*

2. S'entraîner

1 Construire des repères

Les impacts de la mondialisation sur les territoires

1. **DOC. 1, 2 ET 3** Localisez les trois métropoles dont il est question ci-dessous.
2. **DOC. 1, 2 ET 3** D'après vos connaissances, décrivez en deux phrases le paysage montré et expliquez en quoi ce territoire est transformé par la mondialisation.

1. Lagos, une métropole

2. Vue du parc national de Nairobi

3. Zones d'activités de Luanda

2 S'informer dans le monde numérique

Les effets de la mondialisation en Éthiopie

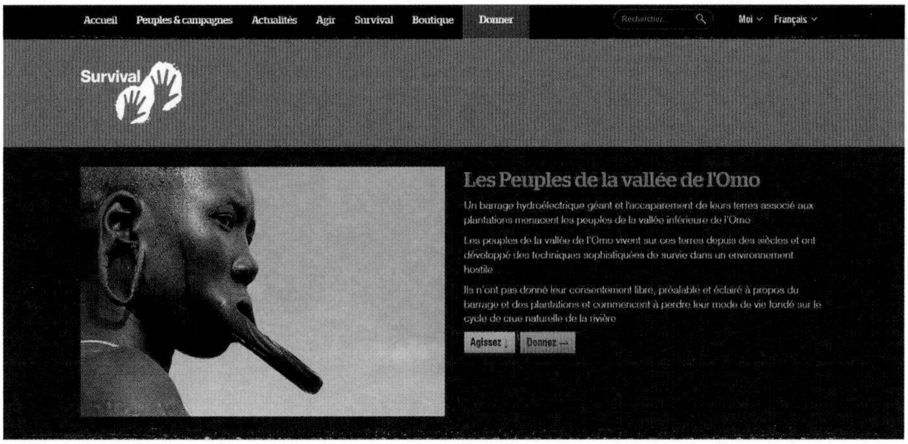
Accueil
Peuples & campagnes
Actualités
Agir
Survival
Boutique
Donner
Moi
Français
Survival
Les Peuples de la vallée de l'Omo
Un barrage hydroélectrique géant et l'accaparement de leurs terres associé aux plantations menacent les peuples de la vallée inférieure de l'Omo
Les peuples de la vallée de l'Omo vivent sur ces terres depuis des siècles et ont développé des techniques sophistiquées de survie dans un environnement hostile
Ils n'ont pas donné leur consentement libre, préalable et éclairé à propos du barrage et des plantations et commencent à perdre leur mode de vie fondé sur le cycle de crue naturelle de la rivière
Agissez ↓
Donnez →

1. Dans un moteur de recherche, tapez les mots-clés suivants « survival France ». Depuis la page d'accueil http://www.survivalfrance.org/, expliquez les objectifs de ce site.
2. Cliquez sur l'onglet : « Peuples et campagnes » puis cliquez sur le lien « Peuples de la vallée de l'Omo Éthiopie ». Trouvez les informations principales de cette page : quel aménagement ? Pourquoi ? Quelles conséquences (peuples, environnement…) ?
3. Rédigez un texte de dix lignes pour montrer que ce barrage hydroélectrique menace les peuples et l'environnement de la vallée de l'Omo.

Auto-Évaluation

Je me positionne sur une marche :

1.	2.	3.	4.
• **Je vais sur la page demandée.**	• Je vais sur la page demandée. • **Je m'y déplace.** • **Je trouve des informations.**	• Je vais sur la page demandée. • Je m'y déplace. • Je trouve des informations. • **Je les sélectionne pour répondre aux consignes.**	• Je vais sur la page demandée. • Je m'y déplace. • Je trouve des informations. • Je les sélectionne pour répondre aux consignes. • **Je compare les données sélectionnées à d'autres documents.**
Question 1	**Questions 1 et 2**	**Questions 1, 2 et 3**	**Questions 1, 2 et 3**

Pour progresser, j'analyse mes axes de progrès. Que devrais-je améliorer ?

Vers le brevet

1 Analyser et comprendre des documents

« SoleRebels », un acteur du commerce équitable éthiopien

Une entrepreneuse témoigne

Bethlehem Tilahun Alemu a grandi à Zenabwork, un quartier pauvre d'Addis-Abeba, la capitale éthiopienne, où elle a créé SoleRebels, une entreprise de chaussures. Au départ, l'affaire compte seulement cinq employés. Les chaussures sont fabriquées à partir de matériaux qu'on trouve à Zenabwork : jute et fibre de koba. Les « méthodes traditionnelles zéro émissions » de SoleRebels sont les mêmes que celles utilisées par ses compatriotes depuis des siècles, affirme Bethlehem. Dans l'entreprise installée actuellement à Zenabwork, 150 artisans conçoivent les chaussures SoleRebels. Elle paie ses employés un salaire jusqu'à quatre fois supérieur au salaire minimum ; elle leur fournit une couverture médicale et un moyen de transport. Avec environ 15 millions de dollars de recettes annuelles, SoleRebels est la première marque africaine de produits de consommation à avoir lancé des boutiques dans le monde entier, actuellement dans 55 pays.

D'après *share.america.gov/fr/*, 23/03/2016.

Identifier le document

1. Présentez le document : son auteur, sa date, sa nature exacte, le sujet traité.
2. Localisez puis donnez le nom de l'entreprise et précisez son activité.

Extraire des informations pertinentes et utiliser ses connaissances pour expliciter

3. Relevez des informations sur cette entreprise : personne à l'initiative de sa création, évolution du nombre de salariés, des détails sur le produit fabriqué.
4. Quels éléments expliquent le succès de cette entreprise ?
5. Quelles sont les conséquences de la réussite de cette entreprise pour ses salariés ?
6. Pourquoi cette entreprise est-elle intégrée dans la mondialisation ?

Confronter le document à ce que l'on sait du sujet

7. Comment les ressources naturelles permettent-elles à l'Afrique de s'intégrer dans la mondialisation ? Justifiez.

2 Maîtriser différents langages pour raisonner et se repérer

1. Sous la forme d'un développement construit d'une quinzaine de lignes et en vous appuyant sur un ou des exemples étudiés en classe, expliquez les conséquences de la mondialisation sur les populations et territoires africains.
2. Localisez et nommez une métropole et un État africain transformés par la mondialisation sur le planisphère ci-contre.

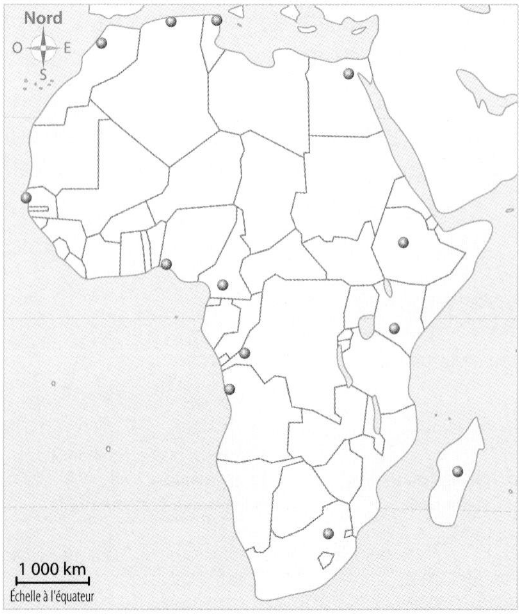
Nord
O
E
S
1 000 km
Échelle à l'équateur

Enquêter

Quel itinéraire des fleurs que nous achetons suivent-elles ?

Indice n°1

L'entreprise française Bigot Fleurs se présente...

De la première serre créée par Jean Bigot en mai 1958 dans la Sarthe jusqu'aux 55 hectares construits au cœur de la Vallée du Grand Rift au Kenya, l'entreprise Bigot Fleurs conjugue sa passion de la qualité avec ses clients. Aujourd'hui, le groupe Bigot occupe la place de leader français sur le marché des fleurs coupées (roses, tulipes et muguet).

D'après Bigot Fleurs, 2016.

Indice n°2

Historique de la production des fleurs coupées au Kenya

Depuis les années 1980, le Kenya s'est lancé avec succès dans la production de fleurs destinées à l'exportation. Grâce à des conditions climatiques idéales, au faible coût de la main-d'œuvre et à de très bonnes liaisons aériennes avec l'Europe, ce pays d'Afrique orientale est devenu le premier producteur de roses au monde. Les fleurs sont désormais la troisième source de revenu du pays derrière le tourisme et le thé. Avec 136 000 tonnes en 2014, ce pays est le quatrième exportateur de fleurs au monde et le premier vers l'Europe : un marché évalué à 443 millions d'euros par an.

D'après Pascalma, « Les problèmes écologiques et humains des roses kényanes », *Agoravox*, 11 octobre 2013.

Indice n°3

La route de nos fleurs

Les roses partent de Nairobi.

Après plus de 7000 km et 3 à 4 jours de voyage (avions et camions réfrigérés)...

Les roses arrivent à l'entreprise Bigot Fleurs, au Mans (France). D'après *Ouest France*, 04/02/2015.

Indice n°4

Une entreprise de production de fleurs au Kenya

Le Kenya compte 2 150 fermes. Ce secteur fait vivre 2 millions de personnes.

Avez-vous pris connaissance des indices ?
Quelle est votre conviction ?
Quel itinéraire des fleurs que nous achetons suivent-elles ?

Par équipe, complétez le carnet de l'enquêteur :

1. Les lieux de production de nos fleurs (indices 1, 2 et 4) : ...
2. Le trajet et les moyens de transport de nos fleurs (indices 2 et 3) : ...
3. Les lieux de consommation de nos fleurs (indices 2 et 3)
4. Une opinion sur l'itinéraire de nos fleurs : ...

Rédigez en quelques lignes le rapport d'enquête.

L'atelier d'écriture

Vers la tâche complexe

Ressources naturelles, territoires africains et mondialisation

À l'aide de vos connaissances, rédigez un texte qui explique comment les ressources naturelles permettent aux territoires africains de s'intégrer à la mondialisation.

Travail préparatoire (au brouillon)

1. Comprenez le sujet en repérant les mots-clés :

Ressources naturelles, **territoires africains** et **mondialisation**

- Ressources naturelles : Citez des richesses du sol et/ou du sous-sol exploitées par l'homme (agricole, minière, énergétique…).
- Territoires africains : Montrez comment l'exploitation des ressources naturelles transforme les territoires africains.
- Mondialisation : Rappelez la définition de ce mot. Montrez que l'exploitation des ressources naturelles met l'Afrique en relation avec d'autres territoires.

2. Vérifiez que vous avez bien mobilisé le vocabulaire appris dans l(es) étude(s).
3. Vérifiez avec votre cahier ou votre manuel que vous n'avez pas oublié d'informations essentielles.

RAPPELS

Vos paragraphes commencent par un alinéa.

N'oubliez pas de relire et de vérifier vos accords.

Travail de rédaction (au propre)

À chacun de choisir son niveau de difficulté et sa ceinture !

Je rédige un texte **sans aucune aide.**

Rédigez votre texte en vérifiant que :
- Vous organisez vos idées en paragraphes.
- Vous commencez par une introduction qui définit les mots et localise l'espace géographique du sujet.

Je rédige un texte **avec un guidage léger.**

Rédigez votre texte à l'aide des conseils suivants :
- Commencez par une introduction qui localise l'espace géographique étudié et précise les ressources naturelles exploitées dans cet espace.

Puis rédigez deux paragraphes :
– Le 1er paragraphe explique comment l'exploitation des ressources naturelles transforme les territoires africains.
– Le 2e paragraphe montre que l'exploitation des ressources naturelles met l'Afrique en relation avec d'autres territoires.

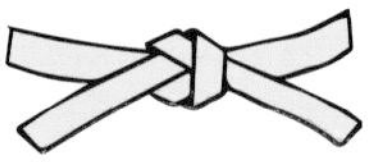

Je rédige un texte **avec un guidage plus important.**

Rédigez votre texte à l'aide des conseils suivants :
- Commencez par une introduction qui localise l'espace géographique étudié et précise les ressources naturelles exploitées dans cet espace (partie rouge de l'étape 1)

Puis rédigez deux paragraphes :
– votre 1er paragraphe explique comment l'exploitation des ressources naturelles transforme les territoires africains (partie verte de l'étape 1)
– votre 2e paragraphe montre que ces ressources sont transportées dans le monde (partie rose de l'étape 1)

▸ **Objet d'enseignement** *L'engagement politique : ses motivations, ses modalités, ses problèmes.*

Parcours citoyen

Nelson Mandela, un engagement en faveur de la liberté en Afrique du Sud

1 Nelson Mandela (1918-2013), une vie contre **l'apartheid**

Figure de la lutte contre l'apartheid, Nelson Mandela a connu le harcèlement policier, la clandestinité et la prison. Chef historique de **l'African National Congress (ANC)**, il passe plus de vingt-sept ans en prison avant de pouvoir se faire entendre et défendre les droits des Noirs en Afrique du Sud. Il est l'un des artisans du processus de démocratisation et reçoit le prix Nobel de la paix ; lors des élections de 1994, il devient le premier président noir de la République d'Afrique du Sud.

D'après l'encyclopédie Larousse, 2016.

2 Jacob Zuma, président de l'Afrique du Sud et membre de l'ANC, témoigne

Mandela était un combattant de la liberté sans peur qui refusait de permettre à la brutalité de l'État d'apartheid de se lever face au combat pour la libération de son peuple. Il dit, en 1951 : « En réalité la lutte va être âpre. Nos dirigeants seront déportés, emprisonnés et même exécutés. Mais l'esprit du peuple ne peut être écrasé… jusqu'à la victoire finale. » Au début de son engagement, il a mené des actions de **désobéissance civile**. Mais pour lui, la lutte armée était inévitable, même si c'était un moyen et non une fin en soi.

D'après « Nelson Mandela : ils ont dit » *L'Humanité*, 11 décembre 2013.

3 Mandela définit la nation arc-en-ciel

Une rue de Johannesburg (Afrique du Sud), aujourd'hui.

De l'expérience d'un désastre humain inouï, doit naître une société dont toute l'humanité sera fière.
Nous nous engageons à libérer tout notre peuple de l'état permanent d'esclavage à la pauvreté, à la discrimination.
Nous prenons l'engagement de bâtir une société dans laquelle tous les Sud-Africains, blancs ou noirs, pourront marcher la tête haute, assurés de leur droit inaliénable à la dignité humaine – une **nation arc-en-ciel** en paix avec elle-même et avec le monde.

D'après le discours de Nelson Mandela lors de son élection à la présidence de l'Afrique du Sud, 27 avril 1994.

Réaliser une carte mentale.

Consigne : construire une carte mentale pour répondre au sujet : « Nelson Mandela, un engagement en faveur de la liberté »

Méthode:

Au centre de votre carte mentale, placez et écrivez le titre du sujet : « Nelson Mandela, un engagement en faveur de la liberté ». Puis tracez différentes branches avec pour titres :

- **DOC. 1 ET 2** Les motivations de son engagement
- **DOC. 2** Les moyens pour lutter
- **DOC. 1** Les problèmes liés à son engagement
- **DOC. 1 ET 3** La portée de son engagement

Vocabulaire

African National Congress (ANC) : parti politique qui défend les droits des Noirs d'Afrique du Sud ; il était illégal sous l'apartheid.

Apartheid : politique de ségrégation raciale mise en place, de 1948 à 1991, par la minorité blanche à l'encontre des populations noires en Afrique du Sud.

Désobéissance civile : action non violente pour refuser de se soumettre à une loi.

Nation arc-en-ciel : expression qui symbolise la volonté de rassembler et d'intégrer toutes les populations d'Afrique du Sud.

Propositions d'EPI

Votre mission EPI 1

Écrire un récit d'anticipation illustré

Thématique EPI **Culture et création artistique**

Sujet EPI : **Écrire un récit d'anticipation illustré mettant en scène la ville de la fin du XXIe siècle**

➔ chapitre 9 p. 216-249.

Disciplines associées

Géographie : L'urbanisation du monde

Français : La ville, lieu de tous les possibles ?

Arts plastiques : La représentation : images, réalité et fiction

Vous êtes chargé d'écrire un roman d'anticipation illustré pour le compte d'une maison d'édition. Celui-ci se déroule à la fin du XXIe siècle, dans une ville dont vous faites la description.

Par équipe, vous allez imaginer et écrire un texte qui présente et décrit cette ville du futur. Voici les noms de lieux qui peuvent être le cadre de votre récit, mais vous pouvez en proposer d'autres !

Londres Beijing Détroit Chicago Rio de Janeiro Los Angeles Mumbai Paris Berlin Dubai New Delhi Tokyo Shanghaï New York

Les artistes mettent en scène une ville utopique F. Schuiten et B. Peeters, *L'Écho des Cités (Les Cités obscures)*, Casterman, 2001.

Dubai, une ville déjà futuriste ?

Au Japon, la végétation envahit la ville : L'Acros building, Fukuoka (Japon).

Les architectes d'aujourd'hui imaginent la ville de demain V. Callebaut, Cités flottantes au large de Monaco, « Projet Lilypad », 2009.

Point méthode Écrire un récit d'anticipation illustré

Étape 1 ▶ Organiser sa recherche préalable au récit (en géographie)

1. Localisez la ville choisie.
2. Listez des lieux importants de la ville qui seront présentés dans votre récit et cherchez des photographies de paysages pour les décrire.
3. Réfléchissez aux problèmes qui se posent aux villes d'aujourd'hui à l'aide des connaissances acquises dans le cours sur l'urbanisation du monde.
4. Imaginez les aménagements futurs qui pourraient être faits, la façon de vivre des populations à la fin du XXIe siècle.
5. Cherchez des propositions de villes du futur faites par des artistes, des architectes pour vous en inspirer.

Pour évaluer votre travail de recherche, allez voir la **Fiche méthode** *« Je m'informe » p. 420.*

Étape 2 ▶ Mettre au point l'organisation de son récit, le rédiger et l'illustrer (en français et arts plastiques)

6. Rédigez votre récit avec l'aide du professeur de français et réalisez les illustrations avec l'aide du professeur d'arts plastiques.

Pour évaluer votre travail d'écriture, allez voir la **Fiche méthode** *« J'écris » p. 422.*

Un exemple de travail d'élève

Hugo et Adil ont choisi de travailler sur la ville de Paris à la fin du XXIe siècle. Voici la fiche de questions qu'ils ont réalisée avec leurs recherches en suivant l'étape 1 du **Point méthode**.

Où ? À Paris, en France.

Quand ? À la fin du XXIe siècle.

Aspects de la ville actuelle ? Ville fondée durant l'Antiquité qui prend forme au Moyen Âge, avec un noyau historique, beaucoup de monuments anciens. Remodelée au XIXe siècle. Pas de verticalité.

Problèmes actuels rencontrés par la ville ? Problèmes de pollution, de saturation des transports.

Aménagements à imaginer et concevoir pour répondre aux besoins ? Davantage d'espaces verts, développement des transports verts et en commun.

Aspects de la ville dans le futur ?
Une ville qui conserve ses bâtiments.
Une ville construit sous une bulle.
Des moyens de transports nouveaux.
Des aménagements d'espaces verts sur les toits et les murs pour réduire la pollution.

Les Cités végétales de Luc Schuiten

Ils ont ensuite réalisé le récit suivant selon l'étape 2 du **Point méthode**.

Un exemple de récit : La description de Paris en 2099

Joseph arpentait les rues de la ville, entouré de la seule couleur désormais dominante, le vert. Les toits des immeubles étaient recouverts de végétation, tels des jardins suspendus. Il voyait des arbustes et des feuillages partout, à chaque coin de rue, à perte de vue. La génération précédente avait réussi son pari, le pari d'une ville verte, permettant de répondre à ce satané problème du réchauffement climatique. Une bulle gigantesque avait été construite, englobant tout l'espace de la métropole parisienne. Elle était faite d'un matériau qui filtrait les rayons nocifs du soleil. Ainsi la ville était isolée de la pollution qui rendait l'air irrespirable en dehors.

Aspects de la ville

Pour conserver les bâtiments auxquels les Parisiens étaient attachés, le choix avait été fait de les recouvrir d'un sol permettant d'accueillir toutes sortes de plantes. Désormais c'était le bruit des oiseaux qui emplissait la ville. Un visiteur du début du siècle aurait été étonné de ne plus entendre les bruits des klaxons, des moteurs qui démarrent, des véhicules qui freinent. Finis, les automobiles polluantes, les camions bruyants. Des aéroglisseurs permettaient à chacun de se déplacer rapidement et sans le moindre bruit. Mais quand il n'était pas pressé, Joseph préférait, comme certainement bien des personnes avant lui, arpenter les rues de la ville qui demeurait à ses yeux « la plus belle ville » du monde.

Aménagements futurs

Propositions d'EPI

Votre mission EPI 2

Retracer le parcours d'une famille de migrants

Disciplines associées
Géographie : Les mobilités humaines transnationales.
Arts plastiques : La ressemblance, la narration visuelle.

Thématique EPI **Information, communication et citoyenneté**
Sujet EPI : **Retracer le parcours d'une famille de migrants**

➜ chapitre 10 p. 252

Vous allez retracer le parcours d'une famille de migrants, en l'illustrant de paysages et d'images évocatrices des épreuves rencontrées.

Par équipe, imaginez le parcours de cette famille depuis son pays d'origine jusqu'à son pays d'accueil en rendant compte des conditions de voyages et des éventuels obstacles rencontrés. Vous pouvez décrire les paysages observés durant ce périple.

Un choix parmi			
Espace de départ	**Espace d'arrivée**	**Des motivations**	**Des obstacles**
– Le continent asiatique (la Syrie, l'Inde, la Chine, le Bangladesh…) – Le continent africain (la Libye, le Soudan, le Mali, le Gabon…) – Le continent européen (la Pologne, la France, l'Espagne…) – Le continent américain (le Mexique, le Costa Rica, le Pérou, le Chili…)	– Le continent asiatique (l'Inde, la Chine…) – Le continent africain (le Maroc, la Tunisie, le Sénégal…) – Le continent européen (la France, l'Allemagne, le Royaume-Uni…) – Le continent américain (les États-Unis, le Canada…) – L'Océanie (l'Australie)	– Fuir une région en guerre – Trouver des conditions de vie meilleure – S'expatrier pour travailler ailleurs…	– Passage des frontières – Traversée de la mer – La clandestinité – Longueur du voyage…
 **Des migrants d'Amérique centrale en route vers les États-Unis**		 **Les Rohingyas, une minorité musulmane discriminée en Birmanie**	 **Des migrants en Méditerranée**

Point méthode – Réaliser un parcours illustré

Étape 1 ▶ Déterminer le profil de la famille de migrants et le parcours qu'elle suit

1. Choisissez le pays de départ de la famille.
2. Faites une recherche pour déterminer les raisons de son départ, les pays traversés, les conditions dans lesquelles s'effectue le voyage, le pays d'arrivée, etc.
   Un site conseillé pour commencer : « De l'Érythrée à la France, trois migrants racontent leur parcours du combattant », *LeMonde.fr*.
3. Sélectionnez des photographies de paysages, en vérifiant qu'elles sont libres de droits, pour illustrer le parcours.

Pour évaluer votre travail de recherche, allez voir la **Fiche méthode** *« Je m'informe » p. 420.*

Étape 2 ▶ Préparer le parcours sur le globe virtuel

4. Appropriez-vous le fonctionnement de l'outil sélectionné pour travailler.
   – Geoportail.gouv.fr
   – Earth.google.com
5. Choisissez la bonne échelle géographique (locale, nationale, continentale ou mondiale) pour illustrer votre sujet.
6. Vous pouvez soit travailler sur l'outil numérique, soit faire une capture d'écran et travailler sur un traitement de texte.
7. Localisez et nommez les étapes sélectionnées puis attachez-y les paysages correspondants ou les obstacles rencontrés.
8. Insérez une phrase explicative pour chacune des étapes et chacun des faits marquants du trajet.

Un exemple de travail d'élève

Simon et Lucas ont choisi de travailler sur le parcours d'une famille de migrants partant de Syrie et se rendant au Royaume-Uni. Voici la fiche de questions qu'ils ont réalisée avec leurs recherches en suivant l'étape 1 du **Point méthode**.

Pays de départ ? La Syrie.

Pays d'accueil ? Le Royaume-Uni.

Motivations de ce départ ?
Quitter un pays en guerre depuis 2011.

Pourquoi ce choix de pays d'accueil ?
Langue anglaise, emplois.

Quels pays de transit parcourus ?
La Grèce, la Serbie, la Hongrie, l'Autriche, l'Allemagne, la France.

Difficultés rencontrées ?
- Traversée de la mer Méditerranée sur des canots.
- Vie dans des camps de réfugiés en Grèce.
- Passage des frontières en Europe de manière clandestine.
- Traversée de la Manche vers le Royaume-Uni.

Sources utilisées :
« Cartes sur table : comprendre les migrations vers l'Europe », Le monde.fr, 19/05/2015.
« Le voyage d'une migrante syrienne à travers son fil WhatsApp », LeMonde.fr.

Ils ont ensuite réalisé le récit du parcours en suivant les consignes de l'étape 2 du **Point méthode**.

Le difficile parcours de la famille Al-Rachid

Alep, une ville en guerre.

ÉTAPE 1 Alep, une ville en guerre

Le voyage de la famille Al-Rachid a pour point de départ la Syrie. Elle décide de quitter ce pays qui connaît la guerre depuis 2011 et dans lequel elle ne se sent plus en sécurité. Elle souhaite s'établir au Royaume-Uni car tous les membres de la famille maîtrisent l'anglais. Ils pensent que ce sera plus facile de s'y intégrer et de retrouver une vie normale.

Motivations de ce départ ?
Pays de départ ?
Pays d'accueil ?

La traversée de l'Europe

ÉTAPE 2 La traversée de la Méditerranée

Un passeur est trouvé. L'angoissante traversée de la Méditerranée commence. La sécurité du bateau est loin d'être assurée. Plus de 3000 migrants sont décédés lors de cette traversée en 2015. Les migrants arrivent à la première étape du voyage, Lesbos, une île grecque.

Obstacles rencontrés ?
Quel est le pays de transit ?

La traversée de l'Europe

ÉTAPE 3 La traversée de l'Europe

Après avoir séjourné quelques semaines en Grèce, la famille Al-Rachid reprend son voyage. Elle décide de traverser la Serbie et la Hongrie. Ils ont entendu dire que les frontières y étaient faciles à franchir. Ils effectuent des heures de marche tous les jours, souvent par des champs pour passer discrètement d'un pays à l'autre en toute clandestinité.

Quels sont les pays de transit parcourus ?
Pourquoi ce choix ?

« Calais : de nombreux blessés lors d'une bagarre entre migrants »,

ÉTAPE 4 Le camp en France avant la traversée vers le Royaume-Uni

Arrivés en France, après un voyage long de plusieurs semaines, certains migrants ont atteint la ville de Calais (France) et attendent de pouvoir passer au Royaume-Uni.

Quels sont les pays de transit parcourus ?
Quels sont les obstacles rencontrés pendant le voyage ?

Propositions d'EPI

Votre mission EPI 3

Réaliser une exposition

Disciplines associées
Géographie : Des espaces transformés par la mondialisation.
Sciences de la vie et de la terre : La planète terre, l'action humaine sur l'environnement.

Thématique EPI **Transition écologique et développement durable**

Sujet EPI : **Réaliser une exposition, « Mers et océans, des espaces convoités et fragilisés à protéger »**

➔ chapitre 12 p. 308-335.

Votre collège organise un forum du développement durable et vous participez à une exposition afin de présenter les caractéristiques de la mise en valeur du milieu marin.

Par équipe, concevez les affiches qui vous permettent d'informer et d'alerter sur ce sujet.

Des espaces maritimes :	Des espaces convoités pour :	Des espaces menacés par :
– L'Antarctique – L'Arctique – L'océan Pacifique – L'océan Atlantique – L'océan Indien	– Les ressources de la pêche – Les ressources énergétiques – Les ressources en minerais – Les ressources touristiques – Les eaux territoriales – Pêche au thon	– La pollution – Les aménagements de l'homme – Le réchauffement climatique – Les menaces sur l'environnement **Marée noire dans le Golfe du Mexique (2010)**

Point méthode — Construire une exposition

Étape 1 ▶ Caractériser l'espace maritime

1. Choisissez l'espace maritime sur lequel vous voulez travailler.
2. Faites une recherche pour déterminer quelles sont les activités humaines qui y sont implantées, quelles sont les menaces qui fragilisent cet espace…

Un site conseillé pour commencer : www.meretmarine.com

3. Sélectionnez des photographies de paysages, en vérifiant qu'elles sont libres de droits, pour illustrer l'espace, les activités humaines et les dangers qui le menacent.

Pour évaluer votre travail de recherche, allez voir la **Fiche méthode** *« Je m'informe » p. 420.*

Étape 2 ▶ Confectionner son affiche

4. Organisez votre affiche :
   – Déterminez les sujets que vous allez présenter.
   – Rédigez les textes informatifs sur ces sujets.
   – Sélectionnez parmi les illustrations choisies celles qui correspondent le mieux à vos textes.
5. Faites une maquette du panneau, sur une feuille A4, afin de positionner les différents éléments (titres, informations, illustrations).
6. Réalisez le panneau, en soignant la calligraphie et l'orthographe.

Pour évaluer votre travail d'écriture, allez voir la **Fiche méthode** *« J'écris » p. 422.*

Un exemple de travail d'élève

Yana et Margot ont choisi de travailler sur l'exemple de l'Arctique. Voici une partie de l'affiche qu'elles ont réalisée avec leurs recherches en suivant l'étape 1 du **Point méthode**.

Où ? Dans l'Arctique

Quoi ? un océan glacial

Pourquoi ce milieu marin est-il convoité ?
De riches ressources issues de la pêche : morue, hareng...
Des réserves minérales et énergétiques : pétrole, gaz...
Des enjeux géostratégiques : bases militaires héritées de la guerre froide, nouveaux litiges frontaliers...
Un fort potentiel touristique : croisière

Pourquoi ce milieu marin est-il à protéger ?
Milieu vulnérable, très lié aux fluctuations du climat. Le réchauffement climatique a des conséquences : recul de la banquise, mise en danger d'espèces polaires (comme l'ours blanc), perte de repères des peuples autochtones. Les activités humaines de plus en plus nombreuses génèrent aussi de nombreuses pollutions sur cet espace fragile.

Sources utilisées :
R. Bova, « Les enjeux actuels et futurs de l'arctique », geolinks.fr.
« Le Tourisme polaire », geotourweb.com.

Elles ont ensuite réalisé l'affiche suivante selon l'étape 2 du **Point méthode**.

Où et quoi ?

La mer, un espace convoité
L'exemple de l'Arctique

Pourquoi ce milieu marin est-il convoité ?

1. L'Arctique, un espace convoité pour ses ressources de la pêche
L'Arctique regorge de ressources, même si on ne les a pas encore toutes répertoriées. On pense que six espèces de poissons y sont convoitées : la morue, le colin, l'aiglefin, le merlan bleu, le hareng et le capelan.

2. L'Arctique, un espace convoité pour ses ressources touristiques
Les paysages peu communs et exceptionnels qu'offrent l'Arctique ont attiré plus de 30 000 touristes pour l'année 2015-2016.

OCÉAN PACIFIQUE
Anadyr
Cercle polaire Arctique
Alaska
ÉTATS-UNIS
OCÉAN GLACIAL ARCTIQUE
Pôle Nord
Sibérie
Doudinka
RUSSIE
Grand nord canadien
CANADA
Groenland
DANEMARK
Ilulissat
Tromsø
Iqaluit
Nuuk
NORVÈGE
OCÉAN ATLANTIQUE

Illustration

3. L'Arctique, un espace convoité pour ses ressources énergétiques
La recherche et l'extraction de matières fossiles en Arctique ont toujours été difficiles à cause du climat, des conditions de vie hostiles pour l'homme. Cependant, les exploitations pétrolières en Alaska représentent 17 % de la production américaine d'hydrocarbures.

Illustration

4. L'Arctique un espace fragile

Texte

▸ **Objet d'enseignement :** *Le rôle de la justice, principes et fonctionnement.*

Le rôle et l'organisation de la justice

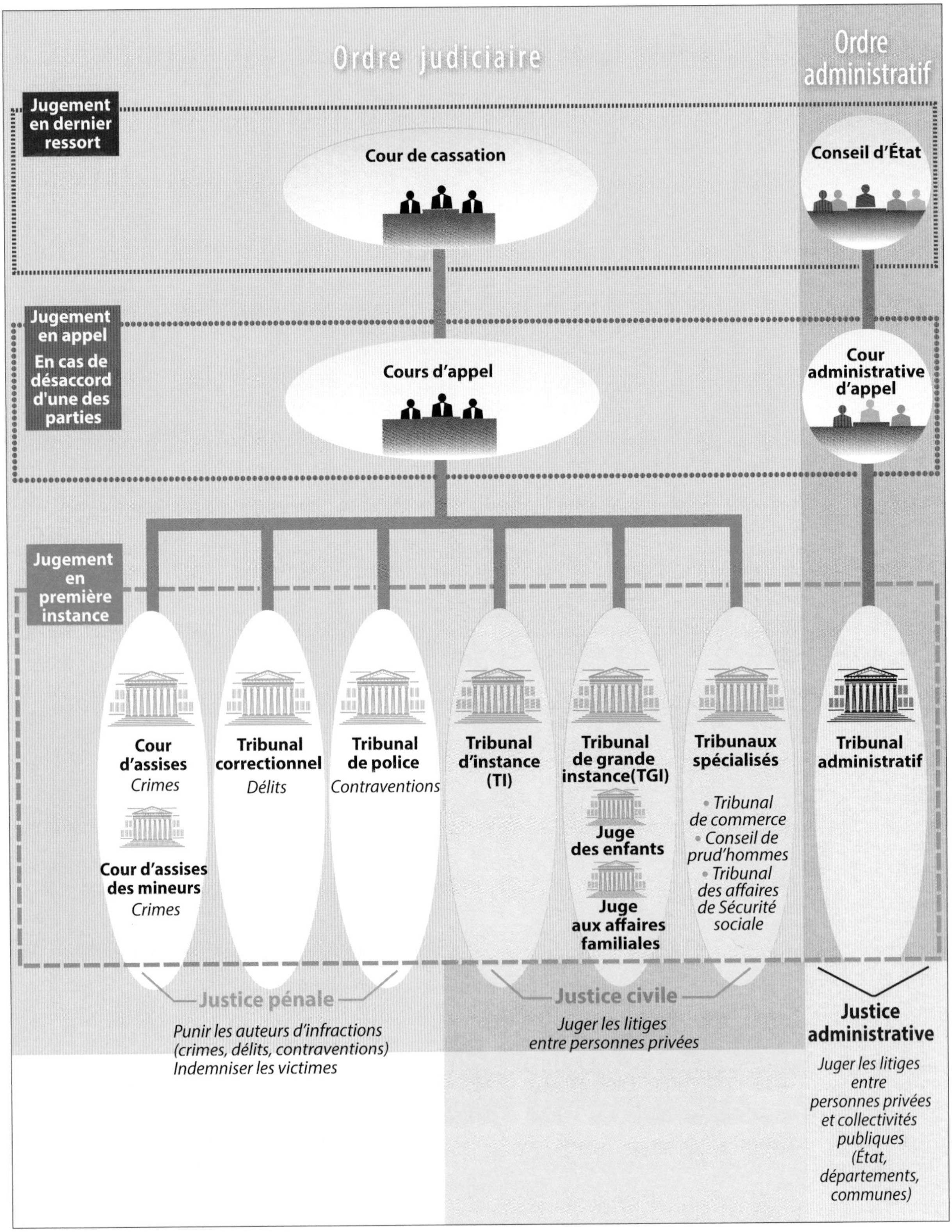
Ordre judiciaire
Ordre administratif
Jugement en dernier ressort
Cour de cassation
Conseil d'État
Jugement en appel
En cas de désaccord d'une des parties
Cours d'appel
Cour administrative d'appel
Jugement en première instance
Cour d'assises
Crimes
Cour d'assises des mineurs
Crimes
Tribunal correctionnel
Délits
Tribunal de police
Contraventions
Tribunal d'instance (TI)
Tribunal de grande instance(TGI)
Juge des enfants
Juge aux affaires familiales
Tribunaux spécialisés
• Tribunal de commerce
• Conseil de prud'hommes
• Tribunal des affaires de Sécurité sociale
Tribunal administratif
Justice pénale
Punir les auteurs d'infractions (crimes, délits, contraventions)
Indemniser les victimes
Justice civile
Juger les litiges entre personnes privées
Justice administrative
Juger les litiges entre personnes privées et collectivités publiques (État, départements, communes)

1 | L'organisation de la justice en France

2 | **Une allégorie de la justice**
Un bas-relief sur le fronton de l'Hôtel National des Invalides.
Thémis, la déesse de la justice, portant le glaive et la balance.

3 L'origine de la justice

La justice veille au respect de chacun. L'institution de la justice a permis de sortir de l'idée de vengeance. Un tiers est mis entre deux parties qui s'opposent.
À l'époque romaine, le droit est mis par écrit et compilé dans des codes pour être connu de tous. La Révolution française s'est inspirée de la conception antique de la justice et nous en sommes les héritiers.
En France, la justice est un service public où les juges, nommés par le ministre de la Justice, reçoivent le pouvoir de juger et l'exercent en conformité avec la loi. Les lois sont votées par le Parlement, où siègent des représentants du peuple élus.

Entretien avec Ingrid Seithumer, auteur de *Comment parler de la justice aux enfants*, Le Baron perché éd., 2016.

4 Que dit la loi ?

Art. 10 Toute personne a droit, en pleine égalité, à ce que sa cause soit entendue équitablement et publiquement par un tribunal indépendant et impartial, qui décidera, soit de ses droits et obligations, soit du bien-fondé de toute accusation en matière pénale dirigée contre elle.

Art. 11 Toute personne accusée d'un acte délictueux est présumée innocente jusqu'à ce que sa culpabilité ait été légalement établie au cours d'un procès public où toutes les garanties nécessaires à sa défense lui auront été assurées.

Déclaration Universelle des Droits de l'Homme, 10 décembre 1948.

Vocabulaire

Allégorie : personnage représentant une idée, une valeur.
Cour de cassation : elle ne juge plus l'affaire, mais vérifie que la procédure a été bien respectée.
Le conseil d'État : il juge les différends entre les administrations et les administrés en dernier recours. Par ailleurs, il conseille le gouvernement pour l'élaboration des projets de loi.

Activités

1. **DOC. 1** Quels sont les 3 types de justice qui existent en France ? Expliquez leurs compétences.
2. **DOC. 1** Relevez les tribunaux qui sont spécialisés dans la justice des mineurs. Faites une hypothèse : pourquoi les mineurs sont-ils jugés par des tribunaux différents ?
3. **DOC. 1** Pourquoi est-il important pour les justiciables de pouvoir faire appel ?
4. **DOC. 2, 3 ET 4** Quel est le rôle de la justice ?

▸ **Objet d'enseignement :** *Le rôle de la justice, principes et fonctionnement.*

La justice pénale

LES JURÉS
1er ASSESSEUR
LE PRÉSIDENT
2e ASSESSEUR
LES JURÉS
LA COUR
MADAME L'AVOCAT GÉNÉRAL

1 | **Un procès en cour d'assises**
Dessin de presse, lemonde.fr, 04/12/2012.

2 Les jurés d'assises

Un témoin raconte

Chaque année, toutes les municipalités de France doivent procéder au tirage au sort d'habitants, âgés d'au moins 23 ans et inscrits sur les listes électorales, afin de composer les listes des personnes qui pourront siéger durant les procès de cour d'assises. Sébastien a assisté à trois jours de procès pour juger un crime. « Je n'en parlais pas du tout autour de moi, ce n'était pas permis, se souvient le Nîmois. Notre voix compte autant que celle des professionnels, c'est assez impressionnant de se dire qu'on va influencer la vie d'une personne. »

D'après A.Beaudouin, « Nîmes : désigné juré d'assises par la loi du hasard », *midilibre.fr*, 16/06/2015.

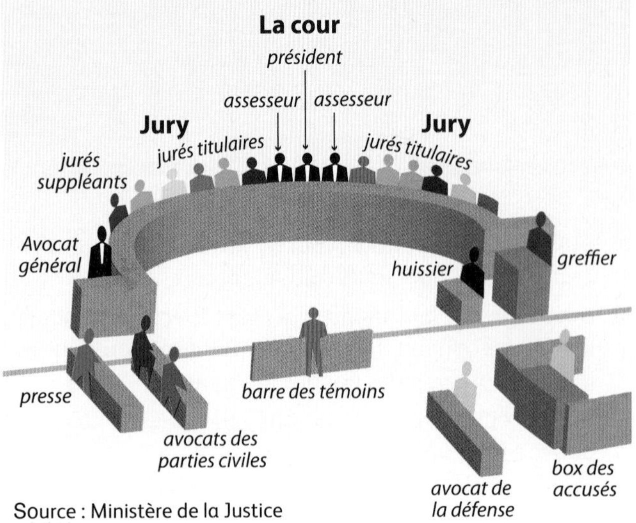
La cour
président
assesseur
assesseur
Jury
jurés titulaires
Jury
jurés titulaires
jurés suppléants
Avocat général
huissier
greffier
presse
barre des témoins
avocats des parties civiles
avocat de la défense
box des accusés

Source : Ministère de la Justice

3 Un meurtre jugé aux assises

Les juges et le jury, désigné par le sort, ont suivi à la lettre les peines requises par **l'avocat général** contre les jumeaux Mickaël et Christophe et la jeune fille qui les accompagnait le jour du drame. Ils ont choisi de condamner les deux frères à 20 ans de réclusion criminelle et la jeune fille, mineure au moment des faits, écope de 6 années d'emprisonnement.
Elle avait désigné la victime et suivi avec les frères l'étudiant en sciences économiques jusque chez lui, afin de lui dérober son téléphone portable. Les deux frères ont agressé Alexis armés d'un couteau chacun, et l'un d'eux l'a poignardé en plein cœur. L'avocate des deux frères a plaidé, soulignant le passé difficile des deux frères. Elle a aussi pointé l'effet de groupe « par nature déresponsabilisant ».

D'après E. Provenzano, « Procès aux assises après la mort d'Alexis Moulinier: Les jumeaux condamnés à 20 ans de prison », *http://www.20minutes.fr*, 07/04/2016.

Vocabulaire

Les parties civiles : personnes, entreprises, associations qui s'estiment victimes et qui demandent réparation du préjudice subi.

Avocat général ou procureur : il représente la société et demande une peine à la fin du procès.

Assesseur/Président : juges professionnels.

Le greffier : il ou elle note ce qui se passe pendant le procès.

L'huissier : il fait entrer les témoins et est responsable de l'ordre dans la salle.

Plaidoirie : défense orale d'un avocat.

La justice pénale : la justice qui traite des sanctions.

1
2
3
4
5
6
7
8
barre des témoins

4 Un procès en correctionnelle

Un prévenu est jugé avec 8 de ses complices au tribunal de Caen en 2013. Il est accusé de s'être évadé de prison.

❶ Le tribunal (un président et deux assesseurs) ❷ Le procureur ❸ Le prévenu ❹ Les avocats du prévenu ❺ La greffière ❻ La presse ❼ Parties civiles ❽ Le public

D'après J. Ragueneau, « Le procès des huit prévenus devant le tribunal correctionnel de Caen », *France 3 Basse-Normandie*, 7/11/ 2013.

5 Un prévenu condamné en correctionnelle

Le prévenu, un homme de 51 ans qui affiche un casier riche de seize condamnations, n'a pas daigné se présenter à la barre. Excité et énervé ce soir d'octobre 2014, il déballe un monceau d'insultes à des agents intervenus devant son immeuble pour des travaux d'urgence. Il regagne son domicile mais estimant que « ces personnes faisaient trop de bruit en travaillant », l'individu excédé lance depuis son appartement une bouteille de vinaigre en verre en direction des agents. L'un d'entre eux reçoit du liquide dans l'œil et fera l'objet d'un arrêt de travail de neuf jours en raison du stress post-traumatique engendré par cette situation. En état de récidive, le prévenu devra purger une peine de deux mois ferme et devra indemniser les parties civiles à hauteur de près de 1 000 €.

D'après R. Marie, « Chronique d'une journée d'audience au tribunal correctionnel de Limoges », *lepopulaire.fr*, 10/06/2015.

Activités

Le droit et la règle : des principes pour vivre avec les autres

1. DOC. 3 ET 1 p. 392 Que juge la cour d'assises ?
2. DOC. 1 ET 2 Combien de personnes jugent les accusés ?
3. DOC. 2 Comment les jurés sont-ils choisis ? Quelle règle leur impose-t-on ?
4. DOC. 1 ET 3 Quel est le rôle de l'avocat général ? Quelle peine avait-il demandée lors de ce procès ?
5. DOC. 3 Relevez 2 éléments de la **plaidoirie** de l'avocate de la défense.
6. DOC. 5 Pour quelles raisons cet homme est-il jugé au tribunal correctionnel ? Cherchez dans le DOC. 1 p. 392 ce que juge le tribunal correctionnel.
7. Écrivez un texte où vous expliquez le rôle des professionnels de la justice dans un procès au pénal.

Aide *Quels sont ceux qui jugent ? Quels sont ceux qui défendent ? Quels sont ceux qui s'assurent du bon déroulement de la procédure judiciaire ?*

Je construis mon essentiel

	Quel est son rôle ?	Qui juge ?
Tribunal correctionnel		
Cour d'assises		

EMC

▸ **Objet d'enseignement :** *Le rôle de la justice, principes et fonctionnement.*

La justice des mineurs

1 Le rôle du juge des enfants

Jugé pour des violences, Jonathan est condamné à un stage de citoyenneté. L'autre rôle de la juge des enfants est de protéger les mineurs en danger. Ce matin, elle reçoit dans son cabinet un couple, dont les deux enfants ont fait l'objet d'une ordonnance de placement provisoire deux semaines plus tôt. « Les services sociaux ont alerté le procureur. Ils évoquent la santé physique et psychique de la fratrie : état d'hygiène limite, hématomes, agressivité.
« Ces enfants ne vont pas bien. Ils seront placés pendant un an », annonce la juge.

D'après Guénaèle Calant, « Plongée dans le huis clos du tribunal pour enfants à Meaux », *leparisien.fr*, 23/06/2016.

VRAI/FAUX
LA JUSTICE DES MINEURS
LES MINEURS DÉLINQUANTS SONT IMPUNIS
FAUX
94%
C'est le **taux de réponse pénale** dans les affaires impliquant des mineurs
À SAVOIR
En 1994, le taux de réponse pénale était de 60%

2 | Une justice pour les mineurs active
D'après *http://www.justice.gouv.fr*.

3 Le travail de la Protection Judiciaire de la Jeunesse

Lorsqu'en alternative à la détention, une session dans un centre éducatif renforcé lui est proposée, Yanis n'hésite pas. « Ici, je vais pouvoir explorer des pistes. Je commence à avoir confiance dans les éducateurs. »
Yanis s'applique à s'habituer à la vie quotidienne au centre. « Ce qui me manque le plus, c'est ma famille, répète-t-il. J'ai droit à deux appels téléphoniques de 15 minutes. » Pas de téléphone portable, pas d'accès à Internet... des journées rythmées par des activités qui ont un sens. Pour ce début de session, « nous travaillons sur un chantier de coupe d'arbres dans la forêt, pour la mairie », explique Yanis.

D'après « Témoignage d'un jeune du Centre éducatif renforcé d'Évreux : C'est ma dernière chance », *http://www.paris-normandie.fr/*, 26/10/2015.

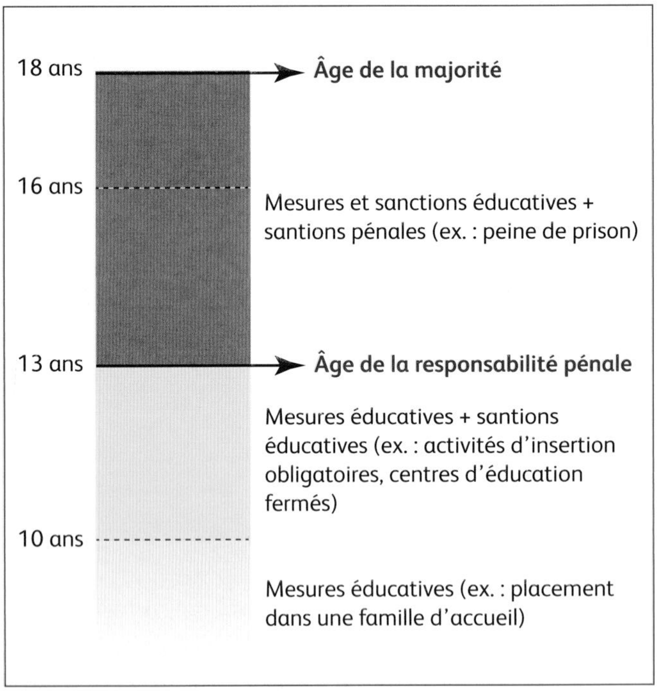
18 ans
Âge de la majorité
16 ans
Mesures et sanctions éducatives + santions pénales (ex. : peine de prison)
13 ans
Âge de la responsabilité pénale
Mesures éducatives + santions éducatives (ex. : activités d'insertion obligatoires, centres d'éducation fermés)
10 ans
Mesures éducatives (ex. : placement dans une famille d'accueil)

4 | Les mesures prévues par la justice pour les mineurs
D'après *http://www.justice.gouv.fr*.

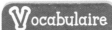

Vocabulaire

Protection judiciaire de la Jeunesse : service dépendant du ministère de la Justice qui coordonne les actions qui intéressent la justice des mineurs.

ENTRE!
DIVORCE
PÉLIGNÉ

5 **L'intérêt des mineurs protégés lors de la séparation des parents**

Quand des parents se séparent, le Juge aux Affaires Familiales veille aux intérêts des enfants. Il fixe notamment les droits de garde. Il peut être amené à entendre les enfants s'ils sont assez grands et s'ils le demandent.

Source : *http://www.mariejeannekahn-avocat.fr/actualités.html.*

6 Que dit la Loi ?

Art. 9 : Les États respectent le droit de l'enfant d'entretenir régulièrement des relations personnelles et des contacts directs avec ses deux parents [...].

Art. 19 : 1. Les États prennent toutes les mesures pour protéger l'enfant contre toute forme de violence.

Art. 40 : Les États reconnaissent à tout enfant suspecté ou convaincu d'infraction le droit à un traitement qui soit de nature à favoriser son sens de la dignité et de la valeur personnelle, qui tienne compte de la nécessité de faciliter sa réintégration dans la société.

D'après la Convention internationale des Droits de l'Enfant, adoptée par l'Assemblée Générale des Nations Unies le 20 novembre 1989.

Activités

Le droit et la règle : des principes pour vivre avec les autres

1. **DOC.1, 3 ET 5** Quels sont les différents acteurs de la justice qui interviennent auprès des mineurs ? Quel rôle ont-ils chacun ?
2. **DOC 2 ET 3** Montrez que la justice des mineurs est active.
3. **DOC.4** En fonction de quel critère les mesures prises par la justice des mineurs évoluent-elles ? Comment l'expliquez-vous ?
4. **DOC.1 ET 3** Montrez que les mesures prises par la justice des mineurs ont un rôle éducatif.

Le jugement : penser par soi-même et avec les autres

5. **DOC. 6** Montrez que la justice française respecte bien la Convention des Droits de l'Enfant. Pour cela, complétez ce schéma à l'aide du document 6 et de vos réponses, puis rédigez votre texte.

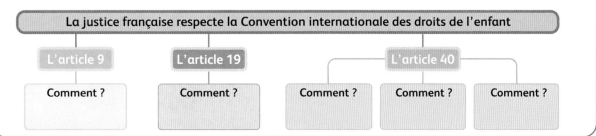

La justice française respecte la Convention internationale des droits de l'enfant

L'article 9	L'article 19	L'article 40		
Comment ?	Comment ?	Comment ?	Comment ?	Comment ?

Je construis mon essentiel

La justice protège ← Justice des mineurs → La justice sanctionne

EMC

▸ **Objet d'enseignement :** *Le rôle de la justice, principes et fonctionnement.*

La justice civile

1 Un différend de voisinage

Ce mardi, un établissement de nuit a été condamné par le tribunal de grande instance de Lille. Le patron des lieux doit verser 4 000 euros aux deux plaignants et voisins de son établissement : un couple et le syndicat de copropriétaires.

En plus des dédommagements à verser aux voisins, la boîte de nuit est dans l'obligation de réaliser une étude acoustique « (...) *à ses frais qu'elle communiquera aux deux parties* ». Des travaux d'isolation phonique devront être réalisés. « *C'est ce que nous réclamons depuis des mois,* note un plaignant, *Il doit y avoir des travaux suivis, puis une nouvelle étude d'impact pour en vérifier la conformité.* »
À noter que si la boîte de nuit ne respecte pas l'interdiction de diffusion de musique amplifiée, la société sera condamnée à 5 000 euros à chaque infraction relevée. « *C'est dommage d'en arriver là mais ce n'est que justice après des mois de nuisances.* »
Les week-ends prochains, en attendant la réalisation des travaux, les voisins de la boîte de nuit devraient retrouver le sommeil.

D'après Amélie Laroez, « À Lille, une boîte de nuit condamnée : Un message fort au monde de la nuit », lavoixdunord.fr, 02 mars 2016.

juges
procureur
huissier
partie civile
avocats

2 Un procès au tribunal de grande instance

FÊTE DES VOISINS
ÇA FAIT PLAISIR DE RENCONTRER LE TYPE QUI TOND SA PELOUSE À 10 HEURES DU SOIR !
COMMENT VONT VOS POUBELLES, CELLES QUI BOUCHENT L'ALLÉE ?

Vocabulaire

Justice civile : justice qui traite des conflits entre particuliers.

3 Un problème de voisinage

Dessin de presse paru dans NiceMatin.fr, le 29 mai 2015.

4 L'alternative de la conciliation

Les Pays de la Loire comptent au total quatre-vingts conciliateurs judiciaires. Ces bénévoles assermentés désengorgent les tribunaux des petits litiges. Rencontre avec l'un d'eux :
« La majorité des affaires touchent le voisinage, 507 en Sarthe en 2014. » Il raconte le cas de cette dame, arrivée à la permanence avec dix ballons. « Les voisins avaient des enfants qui envoyaient les ballons dans son jardin. Elle était ulcérée. Alors elle ne les rendait jamais. Le voisin a fait appel au conciliateur. Ma lettre avec en-tête de la cour d'appel d'Angers a fait son petit effet. Et la personne est arrivée avec tous les ballons. »
Le contact est gratuit avec les conciliateurs de justice. Leurs permanences et les contacts sont disponibles dans les accueils des mairies.

D'après Éric de Grandmaison, « Si la conciliation ne marche pas, c'est le tribunal ! », ouestfrance.fr, 05/02/2015.

5 Un conflit entre employeur et employé

« J'ai deux enfants, 1 100 euros de loyer, pas de salaire depuis janvier » : les prud'hommes permettent aussi de trancher les impayés de salaires, de congés ou de primes. « Je faisais tout, le carrelage, l'électricité, la plomberie. Polyvalent et plus. J'ai pas été payé entre mars et juillet 2015. Le patron me donnait de petits acomptes », explique cet ouvrier. Il réclame 6 300 euros d'impayés.

D'après « Aux prud'hommes, les salariés défilent pour réclamer salaires, primes et congés », lexpress.fr, 18/03/2016.

6 | **Le tribunal des prud'hommes**
Les juges des prud'hommes sont élus parmi les salariés et les employeurs.

Activités

Le droit et la règle : des principes pour vivre avec les autres

1. **DOC. 2** Comment appelle-t-on les gens qui comparaissent devant le tribunal ? Pourquoi ne parle-t-on pas d'accusé ? Pour vous aider, vous pouvez lire la définition de justice civile.
2. **DOC. 1** Dans quel tribunal a été jugée cette affaire ? Pourquoi ? Que pensez-vous de la sanction imposée par le tribunal au gérant de la boîte de nuit ?
3. **DOC. 4** Quelle est la mission de cette personne ? Pourquoi est-ce utile ?
4. **DOC. 6** Quelle est la particularité des juges au tribunal des prud'hommes ?
5. **DOC. 5** Dans quel tribunal a été jugée cette affaire ? Pourquoi ? Quelle est la cause du conflit ?

Le jugement : penser par soi-même et avec les autres

6. Par petits groupes imaginez que vous êtes les protagonistes d'une des affaires évoquées dans les documents 1, 4 et 5 et que vous participez à un procès civil : jouez la scène du procès devant la classe.

Aide
– Distribuez-vous les rôles.
– Les avocats et leurs clients doivent bien préparer leurs arguments et leur témoignage.
– Le juge doit écouter les deux parties et bien noter les arguments. C'est à partir d'eux qu'il rendra son jugement à l'oral.
– Tous les échanges doivent être calmes et courtois.

Je construis mon essentiel

Répondez aux questions suivantes :

À quoi sert la justice civile ? …

Citez 2 tribunaux de la justice civile et dites ce qu'ils jugent.

Qu'est-ce que la conciliation ? …

La liberté de circulation : un droit encadré

ARRÊTÉ

Relatif au Livret dont les Ouvriers, travaillant en qualité de Compagnons ou Garçons, devront être pourvus.

1 Limiter la mobilité pour contrôler

Créé en 1803, le livret ouvrier doit être signé par le maire lorsque l'ouvrier change de résidence. Une façon de lutter contre le vagabondage et la « désertion » de l'atelier par l'ouvrier.

2 Joinville : un couvre-feu pour les mineurs

Les jeunes de moins de treize ans ont interdiction de sortir entre 23h et 6h du matin dans la commune de Joinville en Haute-Marne depuis le 25 juillet. La mairie a pris un arrêté de restriction de la circulation à la suite d'incivilités et de dégradations dans le centre-ville.

© France 3 Champagne-Ardenne, le 05 août 2014.

GENDARMERIE
GENDARMERIE

Patrouille de gendarmes, Joinville, 2014.

3 L'espace Schengen[1] à l'épreuve

a) La libre circulation contestée

L'afflux incontrôlé de plus de 800.000 réfugiés dans l'UE et les attentats de Paris ont montré la vulnérabilité de l'espace Schengen, dont la libre circulation est remise en cause.

La France réclame un contrôle « systématique » de toutes les entrées dans l'UE. Avec pour chaque pièce d'identité, l'accès aux bases de données des polices européennes.

D'après http://www.lefigaro.fr, 20 novembre 2016

1. Ville (Pays-Bas) dans laquelle ont été signés les accords du même nom en 1985.

b) Les évolutions possibles de l'espace Schengen

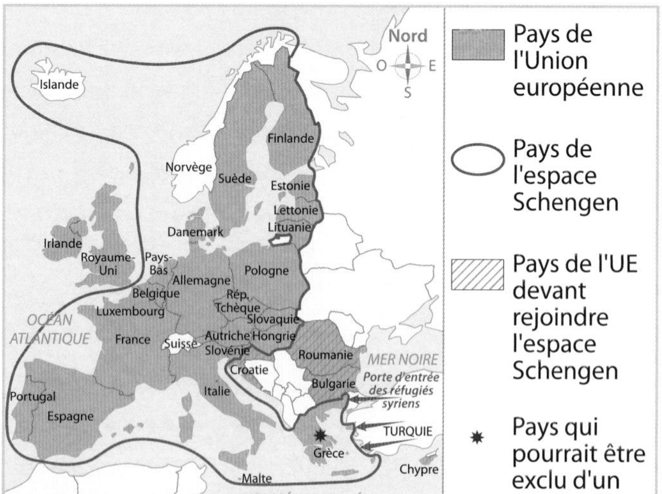
Nord
O
E
S
Islande
Finlande
Norvège
Suède
Estonie
Lettonie
Lituanie
Danemark
Irlande
Royaume-Uni
Pays-Bas
Belgique
Allemagne
Pologne
Rép. Tchèque
Slovaquie
Luxembourg
OCÉAN ATLANTIQUE
France
Suisse
Autriche
Hongrie
Slovénie
Roumanie
MER NOIRE
Croatie
Bulgarie
Porte d'entrée des réfugiés syriens
Portugal
Espagne
Italie
TURQUIE
Grèce
Chypre
Malte
MER MÉDITERRANÉE
500 km
Pays de l'Union européenne
Pays de l'espace Schengen
Pays de l'UE devant rejoindre l'espace Schengen
Pays qui pourrait être exclu d'un super espace Schengen

Vocabulaire

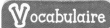

Liberté individuelle : droit reconnu à l'individu en tant que tel (expression, conscience, circulation).

4 Migrants bloqués à la frontière serbo-hongroise

En 2015, la Hongrie a dressé des barbelés sur 175 kilomètres de frontière pour arrêter le flux des migrants.

% des Français favorables aux mesures

Le rétablissement des **contrôles aux frontières** ▷ 94 %

L'assignation à résidence des personnes radicalisées qui ne font pour l'instant l'objet que d'une surveillance ▷ 92 %

Sondage réalisé par l'Ifop pour *Ouest-France* auprès de 1018 personnes du 18 au 20 novembre 2015.

5 Les Français favorables aux limitations de la liberté de circulation

Depuis les attentats de janvier 2015, l'état d'urgence[1] a été décrété. Il autorise des mesures spéciales.

1. Mesure qui consiste à restreindre les libertés fondamentales pour garantir la sécurité de l'État face à une menace majeure.

Activités

Le droit et la règle : des principes pour vivre avec les autres

1. **DOC 1** À quoi servait le livret ouvrier ?
2. **DOC 2** Quelles sont les raisons de l'instauration du couvre-feu ?
3. **DOC 3** Pour quelles raisons l'espace Schengen est-il critiqué ?
4. **DOC 4 ET 5** À quelles limitations les Français sont-ils favorables ? La France et la Hongrie renforcent-elles leur contrôle frontalier pour la même raison ? Justifiez.

Le jugement : penser par soi-même et avec les autres

Débat : Faut-il repousser les limites de la liberté de circulation ? Si oui quand et comment ?

Point méthode

Préparer le débat

- Renseignez-vous au CDI ou auprès du professeur d'EMC, sur l'ensemble des limites que l'on peut fixer à la liberté de circulation en France et en Europe.
- Vous pouvez aussi vous aider des sites Internet suivants : www.touteleurope.eu, www.vie-publique.fr
- Listez vos arguments en tenant compte de l'aspect moral (valeurs) et matériel (ce qu'on peut faire ou pas) du sujet.
- Pendant le débat, écoutez l'autre, et illustrez vos arguments avec des exemples.

Je construis mon essentiel

Pourquoi limite-t-on la liberté de circulation ?

- **La s...** **Par exemple...**
- **Le contrôle de l'individu.** **Par exemple...**
- **Le contrôle des flux m...** **Par exemple...**

Les libertés collectives

1 Ce que disent les textes

Chacun a le devoir de travailler et le droit d'obtenir un emploi. Tout homme peut défendre ses droits [...] par l'action syndicale. Le droit de grève s'exerce dans le cadre des lois qui le réglementent. La Nation [...] garantit à tous [...] la protection de la santé, la sécurité matérielle, le repos et les loisirs.

Préambule de la Constitution de 1946.

ART 11 1. Toute personne a droit à la liberté de réunion pacifique et à la liberté d'association, y compris le droit de fonder avec d'autres des syndicats et de s'affilier à des syndicats pour la défense de ses intérêts.

Convention européenne des droits de l'Homme

Article 1er Chacun a le droit de vivre dans un environnement équilibré et respectueux de la santé.

Charte de l'environnement, 2005.

2 Grève des éboueurs à Paris, juin 2016

LES DEUX MAGOTS

Poubelles amoncelées devant un restaurant à Paris.
Au début du mois de juin 2016 à Paris, de nombreux éboueurs se mettent en grève pour protester contre la « Loi El Khomri ».

« [Cela n'honore pas Paris] d'avoir des déchets malodorants partout, et de marcher dessus. » Jeune touriste américaine.

« À un moment donné, il faut aller au maximum de la contestation pour faire comprendre que cette loi-là est absolument inappropriée. » Riverain du Quartier Latin.

« À force [de subir ça], on a l'impression d'être en otage. » Riveraine du Quartier Latin.

D'après http://www.francetvinfo.fr, 09/06/2016.

RIME DE MISÈRE
BLOCAGE L'USINE
Jeannette
DEPUIS 1850
cgt

3 Une grève pour défendre son emploi

Les ouvriers de l'usine Jeannette qui produit des madeleines se mobilisent contre la fermeture de leur usine, en août 2014. Une partie des emplois ont été sauvés.

4 La grève : un droit encadré

Le blocage de l'accès à un site, l'occupation des locaux afin d'empêcher le travail des non-grévistes sont interdits, de même que les actes de violence à l'encontre de la direction ou du personnel de l'entreprise.

D'après www.service-public.fr, 7/06/2016.

Vocabulaire

Libertés collectives : droits reconnus à des individus en tant que collectif (droit de grève, droit de manifester, liberté syndicale).

500 ouvriers et ouvrières EN GRÈVE
de la Maison CARTIER-BRESSON
POUR LE PAIN
HONNEURS AUX RENÉGATS

a. **Grève de 1936, manifestation des ouvriers de la filature Cartier-Bresson.**

GMENTER LES SALAIRES, Pas Les HORAI
Le DIMANCHE
LA NUIT C'EST
NON
Commerce Distribution Services
la cgt

b. **Manifestation contre le travail du dimanche (mai 2015).**

5 La lutte pour les droits d'hier et ceux d'aujourd'hui

Activités

Le droit et la règle : des principes pour vivre avec les autres

1. **DOC. 1** Quelles sont les libertés collectives reconnues en France ?
2. **DOC. 5** Sur quel thème portent les revendications des deux images ?
3. **DOC. 2** Quelle est la conséquence de la grève des éboueurs pour la population ? Quels sont les différents points de vue exprimés sur cette grève ?
4. **DOC. 3** Qu'ont obtenu les salariés à l'issue de leur grève?

Le jugement : penser par soi-même et avec les autres

5. **DOC. 4** Quelles sont les limites du droit de grève ? Qu'en pensez-vous ?

Dilemme : Paul, 19 ans, a manifesté sans succès contre un projet de loi, qui selon lui, menace son avenir professionnel. Il envisage de participer au blocage de son université pour donner plus de poids à la protestation. Mais cela empêcherait les étudiants qui le veulent de suivre les cours. Que devrait-il faire, d'après vous ?

Je construis mon essentiel

Les libertés collectives…

- sont reconnues par plusieurs textes, dont…
- sont encadrées par la loi : par exemple…
- permettent de se mobiliser pour des droits comme…

La laïcité au service des libertés et de l'égalité

1000
COUPS DE FOUET
POUR UN BLOG
LIBÉREZ RAIF BADAWI
REPORTERS
SANS FRONTIÈRES
1000
COUPS DE FOUET
POUR UN BLOG
LIBÉREZ RAIF BADAWI
REPORTERS

1 Un combat pour la liberté de conscience

Sur un blog, Raif Badawi a appelé l'État saoudien à reconnaître la « liberté de religion ». En mai 2014, il a été condamné à 10 ans de prison et 1 000 coups de fouet pour « insulte à l'islam ». En Arabie saoudite, l'islam est la seule religion autorisée.

2 La laïcité en France : ce que disent les textes

Nul ne doit être inquiété pour ses opinions, même religieuses, pourvu que leur manifestation ne trouble pas l'ordre public établi par la Loi.

Déclaration des droits de l'homme et du citoyen, 1789, article 10.

La République assure la liberté de conscience. Elle garantit le libre exercice des cultes. La République ne reconnaît, ne salarie ni ne subventionne aucun culte.

Loi du 9 décembre 1905 sur la séparation des Églises et de l'État.

3 Se regrouper autour de manifestations religieuses

Tout un quartier du nord de Paris se transforme chaque année en petite ville indienne à l'occasion de la fête de Ganesh, le fils de Shiva, symbole de sagesse, d'intelligence, d'éducation et de prudence. La procession associe une foule de près de 50 000 personnes, selon les organisateurs. Elle mêle hindous originaires du sud de l'Inde, du Sri Lanka et de l'océan Indien, Européens, touristes, riverains ou badauds immortalisant au smartphone un festival de couleurs, de danses et de chants.

D'après larepubliquedespyrenees.fr, 30/08/2015.

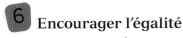

4 | Le respect des identités multiples

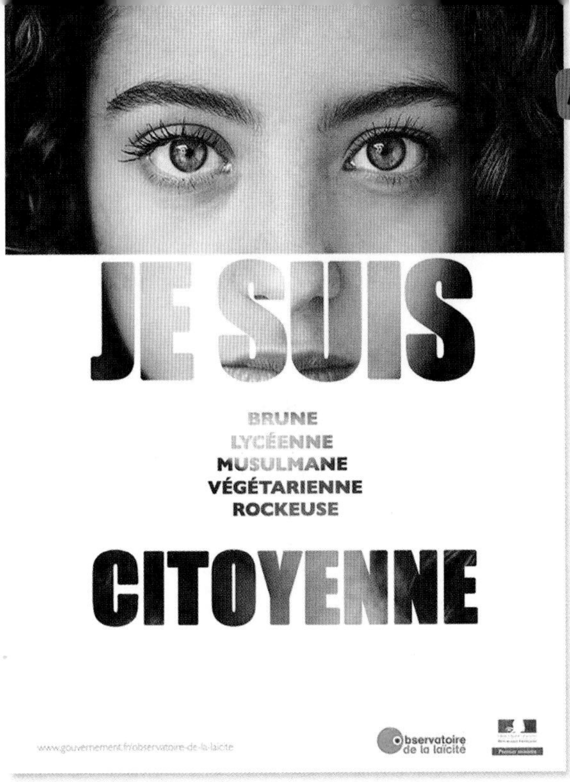
JE SUIS
BRUNE
LYCÉENNE
MUSULMANE
VÉGÉTARIENNE
ROCKEUSE
CITOYENNE
Observatoire de la laïcité

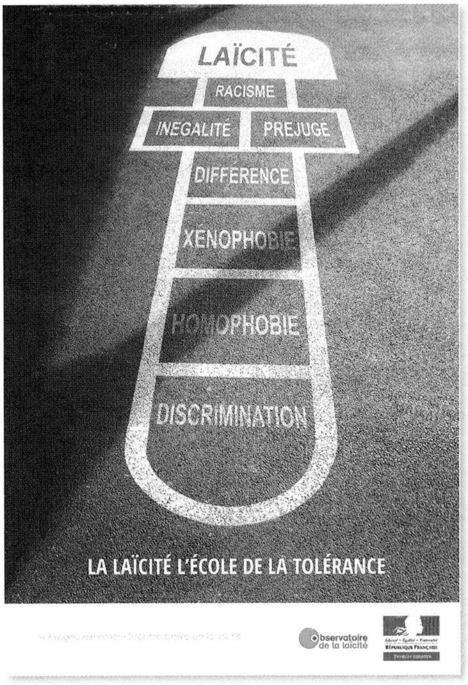
LAÏCITÉ
RACISME
INEGALITÉ
PREJUGE
DIFFÉRENCE
XÉNOPHOBIE
HOMOPHOBIE
DISCRIMINATION
LA LAÏCITÉ L'ÉCOLE DE LA TOLÉRANCE
Observatoire de la laïcité

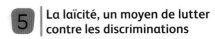

5 | La laïcité, un moyen de lutter contre les discriminations

6 Encourager l'égalité

La laïcité libère l'État de l'emprise des religions, mais elle libère aussi les religions du contrôle de l'État. En séparant les religions et l'État, la laïcité rassemble les citoyens dans la garantie des mêmes droits. En donnant les mêmes droits à chacun, la laïcité favorise l'égalité.

D'après A. Bidar, chargé de mission sur la laïcité au ministère de l'Éducation nationale.

Pour aller plus loin
Rédigez une quinzaine de lignes sur la situation des droits de l'homme en Arabie saoudite (violations, résistances). Aidez-vous du site suivant : https://www.amnesty.be/mot/arabie-saoudite

Activités

Le droit et la règle : des principes pour vivre avec les autres

1. **DOC. 1 ET 2 a)** Comment l'État saoudien et l'État français abordent-ils la religion ?
   b) Quelles libertés la France reconnaît-elle en matière religieuse ?
2. **DOC. 3** Quelles sont les différentes catégories de personnes qui participent à cette célébration ?
3. **DOC. 4** Parmi les identités qui figurent sur cette affiche, quelle est celle que l'État français donne ? Quelles sont celles que l'individu choisit ?
4. **DOC. 4** Montrez que la liberté de conscience protège la possibilité d'inventer librement son identité.

Le jugement : penser par soi-même et avec les autres

5. **DOC. 5 ET 6** Comment la laïcité favorise-t-elle l'égalité entre les individus ?

Je construis mon essentiel

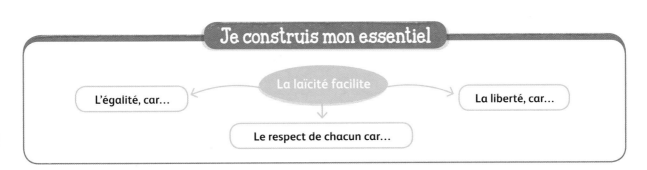

La laïcité facilite

- L'égalité, car...
- La liberté, car...
- Le respect de chacun car...

Se protéger des addictions

1 L'utilisation des jeux vidéo

Jules, 13 ans, témoigne

J'ai beaucoup de jeux vidéo. Je joue souvent, en fonction de mon temps libre. Cela peut aller de une heure à six heures par jour, le week-end, si je n'ai pas d'autre activité. Mais je ne fais jamais passer le jeu avant les sorties avec les copains. Et lorsque je suis chez mon père, je n'ai pas mon ordinateur, donc j'y joue moins. Je n'ai pas l'impression que les jeux vidéo soient une addiction ; ils sont plutôt une passion. D'ailleurs, je veux en faire mon métier.

D'après Paula Pinto Gomes, « Les jeux vidéo, une pratique difficile à contrôler », *lacroix.fr*, 17/05/2016.

Olivier, 17 ans, témoigne

Olivier est en cure de désintoxication pour une addiction aux jeux en ligne.

Dans mes pires moments, ça pouvait aller de 18 à 20 heures par jour. J'oubliais la douche, de manger. J'avais des amis partout dans le monde, juste pour combler toutes mes plages horaires. Je faisais des crises d'anxiété. Je me mettais en boule dans un coin parce que j'avais encore passé la journée à jouer. Ma mère, à chaque fois qu'elle enlevait le modem ou coupait Internet, je pétais un câble. Au début, je jouais par ennui, mais à la fin je préférais la réalité que j'avais dans les jeux.

D'après « Un jeune de 17 ans raconte sa descente aux enfers », *http://www.tvanouvelles.ca*, 05/11/2014.

CYBERDEPENDANC
SMARTPHONES, RÉSEAUX SOCIAUX...
...RÉVEILLE-TOI
TES AMIS SONT DANS LA VRAIE VIE !!
CHLOÉ : SALUT LES FILLES ! ON SE VOIT CE SOIR ?
LOLA : OUI ! COMME D'HAB ?
MESSAGE
BOÎTE DE RÉCEPTION
1 024 037
NOUVEAUX MESSAGES
46
CHLOÉ : ÇA VA DE SOI, RENDEZ-VOUS SUR FB !
LOLA : J'ESPÈRE QUE MARC SERA CONNECTÉ...
Espace Pluriel Jeunes
Association Espace Pluriel Jeunes - Place Champollion - 13800 Istres
Tél. : 04 42 56 25 19 – Fax : 04 42 56 24 98 - Site Internet : epj.fr
ville d' St

2 | **Une affiche de prévention**
Source : http://www.epj.fr/?q=node/26.

3 Le témoignage d'une infirmière scolaire

Au collège, c'est souvent l'addiction aux écrans qui pose problème, avec beaucoup de couchers tardifs et des élèves qui dorment en classe. Ils répondent à des SMS au milieu de la nuit. On s'en rend compte avec la chute des résultats scolaires, les problèmes de concentration, de mémoire, d'agressivité, de manque de respect. Je vois souvent ces enfants pour des motifs détournés : mal au ventre, fatigue, mal à la tête… Mettre les parents face à leur responsabilité suffit parfois à régler le problème. Quand c'est une grosse dépendance, le médecin de famille peut intervenir ou alors, je propose le CSAPA, le Centre de Soin, d'Accompagnement et de Prévention en Addictologie. C'est gratuit.

Témoignage de Sylvie, infirmière scolaire, recueilli par les auteurs du manuel.

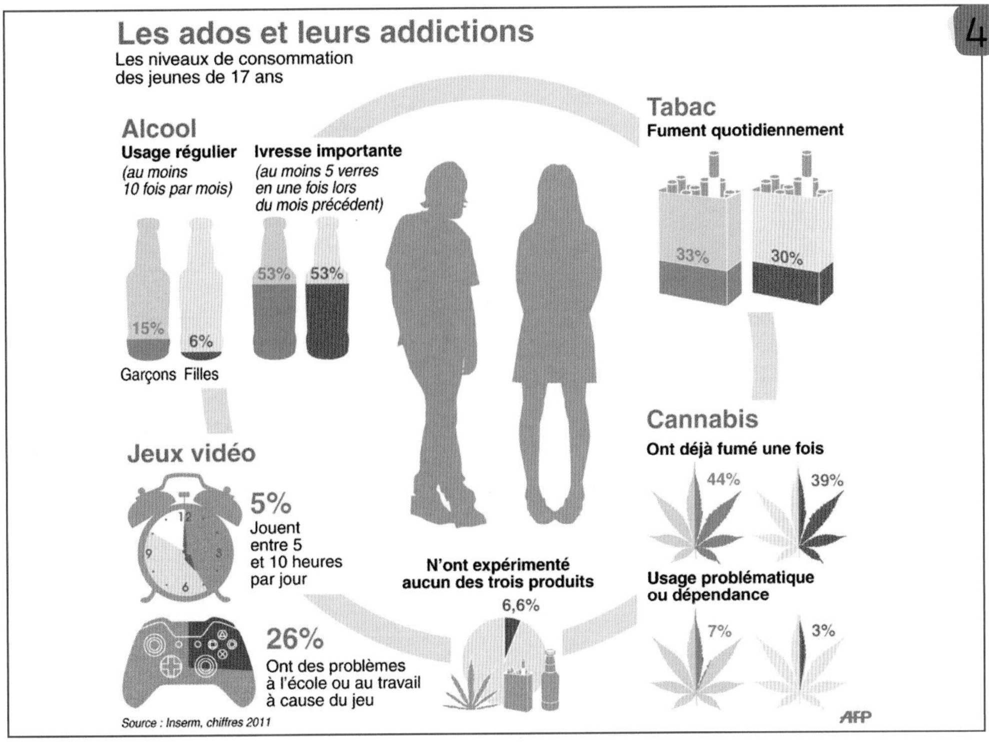

Les ados et leurs addictions
Les niveaux de consommation des jeunes de 17 ans
Alcool
Usage régulier
(au moins 10 fois par mois)
Ivresse importante
(au moins 5 verres en une fois lors du mois précédent)
15%
6%
53%
53%
Garçons Filles
Tabac
Fument quotidiennement
33%
30%
Cannabis
Ont déjà fumé une fois
44%
39%
Usage problématique ou dépendance
7%
3%
Jeux vidéo
5%
Jouent entre 5 et 10 heures par jour
26%
Ont des problèmes à l'école ou au travail à cause du jeu
N'ont expérimenté aucun des trois produits
6,6%
Source : Inserm, chiffres 2011
AFP

4 **Les principales addictions des Français**

D'après *http://www.vosgesmatin.fr*, 07/02/2014.

Activités

Le jugement : penser par soi-même et avec les autres

1. DOC. 1 Que pensez-vous de l'utilisation que font Olivier et Jules des jeux vidéo ?
2. DOC. 2 Quelle situation dénonce cette affiche ? Qu'en pensez-vous ?
3. DOC. 3 Quels sont les symptômes d'une addiction aux écrans ? Quelles solutions existent pour y mettre fin ?
4. DOC. 4 Combien d'adolescents ont un problème avec le jeu ? Quels sont les autres types d'addictions qui touchent les adolescents ?

La sensibilité : soi et les autres

5. Et vous, où en êtes-vous avec les jeux ? Pour le savoir, répondez à ces 5 questions par oui ou par non.

1. Je n'ai pas d'autres loisirs que les jeux vidéo ou les réseaux sociaux.	OUI	NON
2. Quand je n'ai pas le wifi ou que je ne peux pas jouer, je suis très angoissé.	OUI	NON
3. Je me couche souvent tard ou je me réveille la nuit pour jouer ou pour répondre à mes messages.	OUI	NON
4. J'ai surtout des amis virtuels.	OUI	NON
5. Le temps passé sur les écrans m'empêche de faire mes devoirs.	OUI	NON

Si vous avez plus de 3 réponses positives, il faut vous poser la question de savoir si votre relation aux jeux ou aux réseaux sociaux est saine ou addictive.

6. Avec vos camarades, rédigez une règle du jeu pour continuer à être un simple joueur/utilisateur et non un accro aux jeux ou aux réseaux sociaux. Pour cela, faites une liste de conseils et illustrez vos propos.

Je construis mon essentiel

Recopiez et complétez le schéma suivant :

L'addiction aux jeux ou aux réseaux sociaux

- **Se reconnaît par les signes suivants : …**
- **Les solutions à envisager quand on se rend compte qu'on a un problème : …**

S'engager pour la liberté d'expression dans le monde

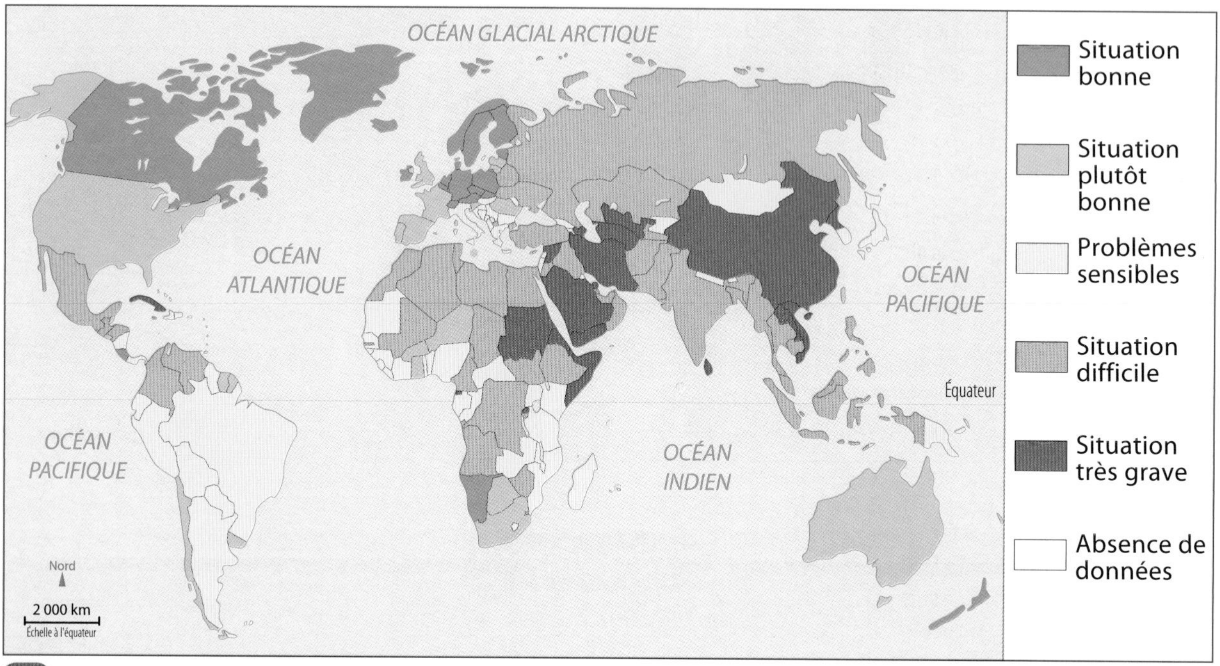
OCÉAN GLACIAL ARCTIQUE
OCÉAN ATLANTIQUE
OCÉAN PACIFIQUE
OCÉAN PACIFIQUE
OCÉAN INDIEN
Équateur
Nord
2 000 km
Échelle à l'équateur
Situation bonne
Situation plutôt bonne
Problèmes sensibles
Situation difficile
Situation très grave
Absence de données

1 | **Une liberté menacée**

2 Un journaliste emprisonné

Le photojournaliste égyptien Mahmoud Abu Zeid, connu sous le nom de « Shawkan », est détenu depuis près de trois ans pour avoir photographié les violences des forces de sécurité lors de la dispersion d'un sit-in organisé au Caire. Il a été torturé en détention et est inculpé d'accusations fallacieuses qui lui font encourir la peine de mort.
Shawkan compte parmi au moins 20 journalistes détenus en raison de leur travail en Égypte, selon le Syndicat égyptien de la presse.
« Je suis un journaliste qui n'est affilié à rien d'autre qu'à sa profession, nous a-t-il écrit dans une lettre rédigée en prison. Pourquoi toute cette répression et cette persécution ? Que leur faut-il de plus ? »
Exigez la libération immédiate de Shawkan : signez la pétition aujourd'hui.

D'après *amnesty.org*.

FRANÇOISE MÉNAGER

3 | **Un dessin pour sensibiliser**
rsf Françoise Ménager

Vocabulaire

Liberté d'expression : liberté pour chacun de penser ce qu'il veut et de l'exprimer.

4 Humoriste et liberté d'expression

Jan Böhmermann s'est vu interdire par la justice de déclamer publiquement son poème satirique qui lui vaut d'être poursuivi par le président turc.
Le poème avait eu le malheur de déplaire au président turc Recep Tayyip Erdogan, personnage principal du texte, dans lequel il est notamment qualifié de *« pédophile »*.
En s'en prenant à Erdogan, Böhmermann assure clairement *« vouloir tester les limites de la liberté d'expression »* en Allemagne. Le risque est grand. L'article 103 du code pénal, dit *« de lèse-majesté »*, permet à un chef d'État ou de gouvernement étranger de porter plainte en Allemagne contre des propos jugés injurieux à son égard.

D'après Nathalie Versieux Berlin, « En Allemagne, un satiriste prié de la boucler », *liberation.fr*, 18/05/2016.

5 Que dit la loi ?

Art. 19 Tout individu a droit à la liberté d'opinion et d'expression, ce qui implique le droit de ne pas être inquiété pour ses opinions et celui de chercher, de recevoir et de répandre, [...], les informations et les idées par quelque moyen d'expression que ce soit.

Déclaration Universelle des Droits de l'Homme, 10 décembre 1948.

Activités

Le jugement : penser par soi-même et avec les autres

1. **DOC. 1** Quelles sont les zones où la liberté d'expression est bonne ou plutôt bonne ? Citez 4 pays où la liberté d'expression n'est pas assurée.
2. **DOC. 1 ET 2** Localisez sur la carte le pays dont est originaire Shawkan. La liberté d'expression est-elle assurée dans ce pays ? Pourquoi a-t-il été arrêté ? Qu'en pensez-vous ? Comment l'association se mobilise-t-elle pour sa libération ?
3. **DOC. 3** À quoi veut sensibiliser ce dessin ?
4. **DOC. 4** Localisez le pays dont est originaire l'humoriste Jan Böhmermann. La liberté d'expression est-elle assurée dans ce pays ? Pourquoi le président turc attaque-t-il l'humoriste en justice ? Qu'en pensez-vous ?
5. **DOC. 2, 3 ET 4** À votre avis, l'article 19 de la Déclaration des Droits de l'Homme (**DOC. 5**) est-il respecté dans chacune de ces situations ? Argumentez vos réponses.

L'engagement : agir individuellement et collectivement

Faites une recherche sur une de ces deux associations, Reporters sans frontières et Amnesty International, qui luttent pour la liberté d'expression.

Pour cela, remplissez ce tableau à l'aide du site Internet officiel de l'association, puis présentez à l'aide de ce support le résultat de vos recherches à l'oral devant la classe.

	Quand a-t-elle été fondée ? Par qui ?	Quelles actions entreprend-elle pour la liberté d'expression ?
L'onglet que je dois consulter	Qui sommes nous ?	Nos campagnes/ nos actions
Ma réponse		

Je construis mon essentiel

La liberté d'expression dans le monde

Elle est menacée ou inexistante dans de nombreux pays, comme par exemple en ... où ...

Des ONG luttent pour la liberté d'expression dans le monde en :
- ...
- ...
- ...
- ...

Exemple d'ONG : ...

EMC

Objet d'enseignement *Sentiment d'appartenance au destin commun de l'humanité.*

Être un consommateur responsable

1 Le plastique, un produit qui n'est pas dégradable

« Un des moments les plus marquants est lorsque nous avons été plusieurs à y plonger le bras : il a fallu ensuite utiliser des pinces à épiler pour retirer les petits morceaux de plastique de notre peau. Imaginons la baleine bleue qui ouvre grand sa gueule pour avaler tout ça ! » raconte Patrick Deixonne, chef de cette mission.

De « grandes soupes de déchets, formées de petites particules de plastique ». Voilà ce que décrit l'équipe de l'expédition « Septième continent » après un mois d'exploration dans l'Atlantique Nord, dans une zone qui concentre des détritus amenés là par des courants océaniques.

Cette zone de déchets disséminés dans l'Atlantique Nord n'a été découverte qu'en 2010. Il y en aurait quatre autres comparables dans le monde : une autre dans l'Atlantique, deux dans le Pacifique et une dernière dans l'océan Indien.

D'après « Un «septième continent» de plastique dans l'Atlantique », *L'Express*, 31/05/2014.

2 Ce que dit la loi

Il est mis fin à la mise à disposition, à titre onéreux[1] ou gratuit :

1° À compter du 1er janvier 2016[2], de sacs de caisse en matières plastiques à usage unique destinés à l'emballage de marchandises au point de vente ;

2° À compter du 1er janvier 2017, de sacs en matières plastiques à usage unique destinés à l'emballage de marchandises au point de vente autres que les sacs de caisse[3], sauf pour les sacs compostables en compostage domestique et constitués, pour tout ou partie, de matières biosourcées[4].

Article L541-10-5 du Code de l'environnement.

1. Payant.
2. La date a été repoussée à juillet 2016.
3. Il s'agit principalement des sacs d'emballage des fruits et légumes.
4. Sacs fabriqués avec des matériaux naturels d'origine végétale ou animale.

RÉDUISONS
NOTRE POLLUTION PLASTIQUE
LA FIN DES SACS EN PLASTIQUE À USAGE UNIQUE
Pensez au sac réutilisable
Collez l'étiquette ici
Gardez vos sacs en papier pour les réutiliser
ADEME
www.developpement-durable.gouv.fr
@ecologiEnergie
France Écologie Énergie

Affiche de l'Ademe

3 Changer ses habitudes : acheter en vrac

Dans le magasin d'Alice Bigorgne, qui compte plus de 450 produits (pâtes, riz, fruits secs, condiments, sucreries, etc.) placés en libre-service, on économise à la fois sur le coût de l'emballage et sur la quantité, et on produit aussi moins de déchets en utilisant ses propres contenants. « Si vous avez besoin d'une seule cuillère à café ou de deux bâtonnets de cannelle, je vous les vends », explique Alice. À chacun de venir ici avec ses bocaux, bouteilles ou autres récipients pour remplir à sa convenance selon ses besoins. Résultat des courses : zéro déchet et presque 40 % moins cher par rapport à un produit équivalent conditionné et marketé, assure la commerçante. De plus, les aliments vendus ici sont aussi sélectionnés pour leur qualité. Exemple : les spaghettis aux sept œufs sont deux fois plus riches que les spaghettis classiques de la grande distribution. 100 g dans l'assiette équivalent à 200 g en supermarché… Fini le gaspillage et les dépenses en trop, donc.

D'après A. Seba, « Day by day à Lille une nouvelle épicerie écolo qui a de l'idée dans le bocal », *La Voix du Nord*, 16/02/2015.

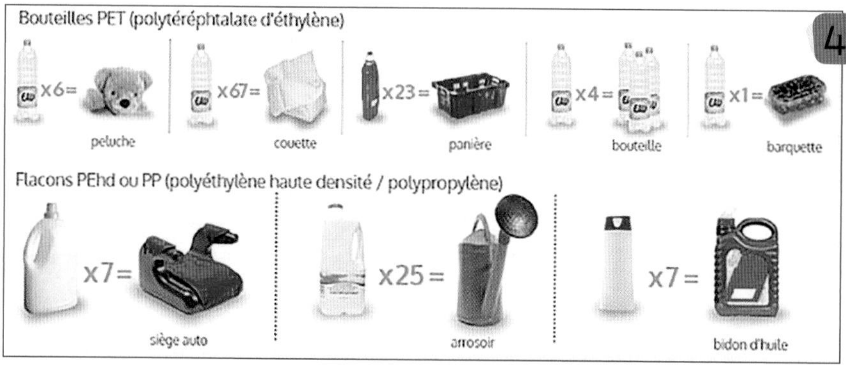

Bouteilles PET (polytéréphtalate d'éthylène)
x6=
peluche
x67=
couette
x23=
panière
x4=
bouteille
x1=
barquette
Flacons PEhd ou PP (polyéthylène haute densité / polypropylène)
x7=
siège auto
x25=
arrosoir
x7=
bidon d'huile

4 Recycler pour donner une deuxième vie aux objets

Publié par le site consoglobe.com.

Activités

La sensibilité : soi et les autres

1. **DOC. 1** Que ressentez-vous en regardant la photographie ?
2. **DOC. 1** Pourquoi le phénomène des plastiques est-il très préoccupant pour la survie des espèces qui vivent dans les océans ? Quels océans sont touchés ?

L'engagement : agir individuellement et collectivement

3. **DOC. 2** Qu'a décidé l'État français pour ralentir la catastrophe écologique ? Que conseille-t-il aux consommateurs ?
4. **DOC. 3** Que pensez-vous de l'initiative de cette commerçante ? Quels sont les inconvénients et les avantages d'un tel commerce pour ses clients ?
5. **DOC. 4** Quelle autre solution pour éviter les déchets plastiques est proposée ici ? Savez-vous ce qu'il faut faire pour recycler ces objets en plastique usagés ?
6. Et vous, que pourriez-vous faire au collège pour limiter les déchets plastiques ? Imaginez une action et rédigez un projet en petit groupe à l'aide du Point méthode.

Point méthode

Pour préparer le projet

- **Concertez-vous pour trouver un projet. Il doit être réalisable : vérifiez que les coûts ne sont pas trop élevés, qu'il ne prend pas trop de temps…**
- **Rédigez votre projet en suivant ce plan :**
  - Responsables du projet : …
  - Action prévue : …
  - Fournitures nécessaires : …
  - Temps consacré : …

Je construis mon essentiel

Reproduisez et complétez ce schéma.

Problèmes posés pour les océans : … ← **Déchets plastiques** — **Les solutions proposées :** …

La pluralité des médias

La une de journaux anglais parus le 24 juin

THE TIMES
Brexit earthquake
Daily Mirror
Referendum shock as Leave head for victory
WE'RE OUT
The Sun
OUT 52% IN 48%
Britain waking to an EU exit
Leave claims win in huge poll
SEE EU LATER!

La une de journaux français parus le 25 juin

LA CROIX samedi dimanche
Face à l'inconnu
LE FIGARO
Séisme en Europe
Libération
GOOD LUCK

1 | **Le Brexit vu par les journaux français et anglais**

Le 24 juin 2016, les Britanniques se sont prononcés lors d'un référendum pour le Brexit, c'est à dire le départ du Royaume-Uni de l'Union européenne. Les différents journaux et magazines français et britanniques ont annoncé ce choix à leurs lecteurs de manière très différente.

Et si son message n'avait jamais été entendu ?
Le silence tue la démocratie, mais une presse libre prend la parole.
Journée Mondiale de la Liberté de la Presse

2 | **La liberté de la presse**

Affiche de World Association of Newspapers and News Publishers, or WAN-IFRA *http://www.wan-ifra.org.*

Qui est-il ? Nelson Mandela (1918-2013)

a été emprisonné de longues années pour avoir lutté contre le système de l'apartheid qui discriminait les populations noires en Afrique du Sud. Il est ensuite devenu président de la République de son pays.

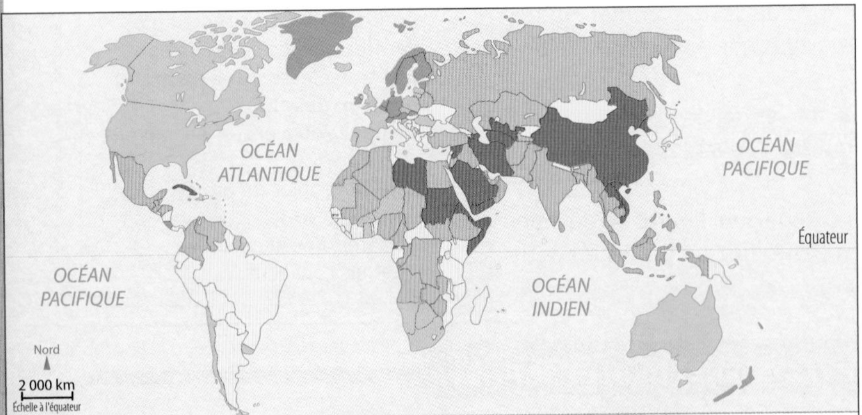
OCÉAN ATLANTIQUE
OCÉAN PACIFIQUE
Équateur
OCÉAN PACIFIQUE
OCÉAN INDIEN
Nord
2 000 km
Échelle à l'équateur

- Situation bonne
- Situation plutôt bonne
- Problèmes sensibles
- Situation difficile
- Situation très grave

3 | **La liberté de la presse dans le monde**

Carte de la liberté de la presse 2016 de Reporters sans frontières
© Reporters sans frontières

Vocabulaire

Brexit : réferendum sur l'appartenance du Royaume-Uni à l'Union européenne.

Médias : moyens de communication et d'information (journaux, sites internet, télévision, radio...)

Censure : fait d'empêcher certaines idées d'être exprimées.

Hebdomadaire : qui paraît une fois par semaine.

Quotidien : qui paraît tous les jours.

Une : page de couverture.

4 La Chine et Internet

Le gouvernement chinois a rendu public, ce 28 mars, un ensemble de propositions de nouvelles règles pour le fonctionnement d'Internet dans le pays. Elles prévoient notamment un blocage général de tous les sites Web « étrangers » – les sites qui ne disposent pas d'une adresse « .cn ».

Si ces règles étaient adoptées, elles contraindraient tous les fournisseurs d'accès à bloquer l'accès à la majeure partie du Web, sous peine d'amende. À l'heure actuelle, la censure chinoise décide individuellement des sites à bloquer – Facebook, par exemple, est inaccessible en Chine, sauf à utiliser des outils de contournement de la **censure**.

D'après « La Chine envisage de bloquer tous les sites Web étrangers », *lemonde.fr*, 30/03/2016.

5 L'assassinat d'une journaliste en Syrie

Encore une voix de l'opposition anti-Daech passée sous silence. Plusieurs activistes syriens ont confirmé, en début de semaine, l'exécution par l'État islamique de Ruqia Hassan, une reporter indépendante de 30 ans connue pour son franc-parler contre les djihadistes de Raqqa, leur fief syrien. Depuis la fin de l'été, elle est la cinquième journaliste syrienne (connue à ce jour) tuée par l'organisation extrémiste dont elle dénonçait quotidiennement les exactions - et selon certains, probablement la première femme reporter assassinée par Daech. Elle avait alors fait le courageux choix de raconter, notamment via Twitter et Facebook, le quotidien des habitants sous Daech.

D'après Delphine Minoui, « Ruqia Hassan, une journaliste exécutée par l'État islamique », *lefigaro.fr*, 06/01/2016.

Activités

Le droit et la règle : des principes pour vivre avec les autres

1. DOC. 2 En quoi cette affiche montre-t-elle que les médias sont importants ?

2. DOC. 1 Classez les journaux selon leur Une dans le tableau ci-contre :
Les opinions des journaux sont-elles différentes ?
Selon vous, pourquoi est-ce important dans une démocratie ?

Opinion sur le Brexit		
Pour	Contre	Neutre

3. DOC. 3 Que pouvez-vous dire en analysant cette carte ?

4. DOC. 4 ET 5 Dans ces deux documents, comment est limitée la pluralité des médias ? Qui le fait ? Pourquoi ?

Le jugement : penser par soi-même et avec les autres

5. Pendant la semaine de la presse, rendez-vous au CDI. Choisissez 3 **quotidiens** ou **hebdomadaires** parus le même jour ou la même semaine et complétez le tableau ci-dessous.

Nom				
Jour de parution				
Positionnement politique				
Les 2 plus gros titres à la Une				
Ce que je pense du choix de ces gros titres				

Si vous deviez vous abonner à un de ces titres de presse, lequel choisiriez-vous ? Argumentez votre choix.

Je construis mon essentiel

Comment s'exerce-t-elle dans une démocratie ? ← La pluralité des médias → Comment est-elle menacée dans certains États ?

Comment reconnaître une rumeur ?

1 La crédulité face à la théorie du complot

Mme W. a cru à de nombreuses choses au cours de sa vie : que des extraterrestres étaient coincés dans la Zone 51 ; que le IIIe Reich était toujours en place et se portait plutôt bien ; de même que les Illuminatis – et enfin, que les élites de ce monde se servaient des chemtrails[1] pour empoisonner l'humanité.

Elle a plongé dans le monde de la théorie des complots le jour où elle a regardé un documentaire sur le manque de cohérence des attaques du 11-Septembre. « Après cela, elle a immédiatement tapé "complot" et "9/11" "sur Internet", nous a raconté son mari. Elle s'est fait enrôler. « Elle a commencé à parler des élites et des Illuminatis. Cela a pris beaucoup d'ampleur. Elle n'écoutait plus personne et refusait toute discussion sensée. »

1. Croyance dans le fait que le gouvernement essaye de répandre des produits chimiques via les traînées d'avion.

D'après Alexander Krützfeldt, « Comment j'ai quitté la secte des théories du complot », conspiracywatch.info, 27 avril 2016.

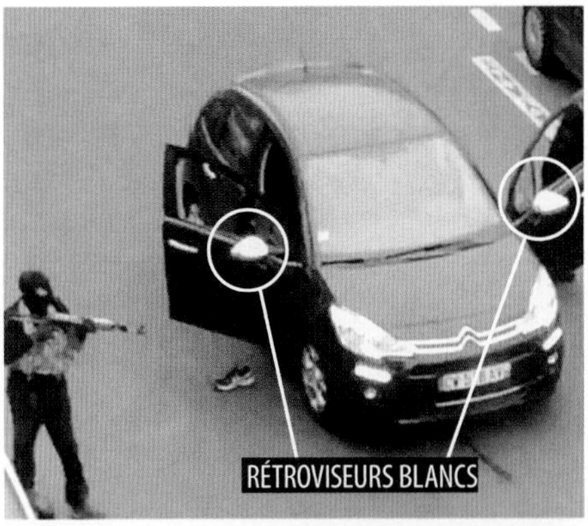
RÉTROVISEURS BLANCS

RÉTROVISEURS NOIRS

Après les attentats de *Charlie Hebdo*, le 7 janvier 2015, des fausses photos circulent sur internet.

2 Info ou Intox

Le soir du 13 novembre 2015, alors que la France subissait la vague d'attentats la plus grave de son histoire, nous avons tous eu le même réflexe, celui de s'informer, encore et encore, sur ce qui se passait à Paris et à Saint-Denis. Malheureusement, parmi le flot de nouvelles, nombre d'entre elles étaient fausses.

Aujourd'hui, les intox sont partout ! Sous ce terme un peu vague, se cache une multitude de choses présentées comme des infos… Mais qui ont en commun de ne pas en être puisqu'elles sont inexactes, voire complètement bidon ! Le problème, c'est que ces intox se propagent à toute vitesse. Logique : il y a quelques années, les gens s'informaient surtout en regardant la télé ou en lisant des journaux supposés délivrer des infos vérifiées. Aujourd'hui, Internet et les réseaux sociaux ont bouleversé nos vies. Chacun peut y diffuser des informations, très vite, mais pas toujours fiables ! C'est d'autant plus facile de se laisser piéger. Il n'y a pas que les grands naïfs qui se font avoir ! Certaines intox imitent tellement bien les vraies infos qu'elles sont largement relayées.

D'après « Rumeurs, hoax, complots », *Okapi*, 15 février 2016.

Cette photo a circulé sur les réseaux sociaux. Elle était censée montrer les Champs Élysées désertés au lendemain des attentats du 13 novembre 2015. En fait, elle a été prise en plein mois d'août.

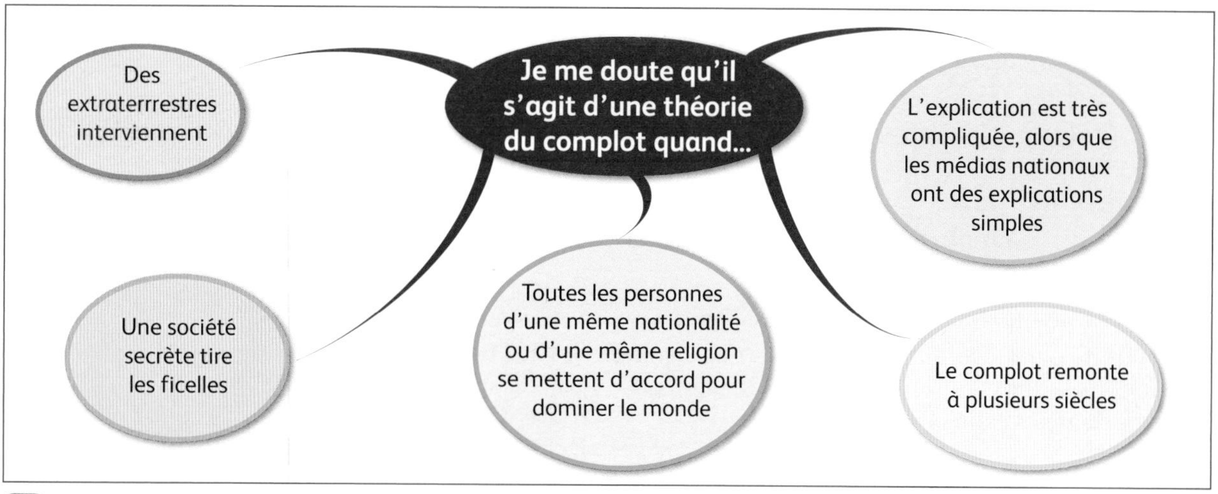
Je me doute qu'il s'agit d'une théorie du complot quand...
Des extraterrrestres interviennent
Une société secrète tire les ficelles
Toutes les personnes d'une même nationalité ou d'une même religion se mettent d'accord pour dominer le monde
L'explication est très compliquée, alors que les médias nationaux ont des explications simples
Le complot remonte à plusieurs siècles

3 | **Détecter les théories du complot**

4 Les causes des théories du complot

Ce qu'il s'agit d'expliquer, c'est pourquoi les gens qui croient à la théorie du complot n'envisagent l'histoire que sous cette forme, en rejetant tout rôle au hasard, à l'erreur humaine et à l'évidence des faits.

L'une des premières explications consiste à dire que la vision complotiste est utile car elle protège de l'angoisse. Dans un monde soumis à l'incertitude, l'univers du complotiste a le mérite d'être simple : chacun des événements ou phénomènes malheureux que l'on dénonce – la guerre, le chômage, la pauvreté, l'assassinat d'une personnalité, un attentat – a une cause unique : l'action volontaire d'un groupe, dénoncé comme l'incarnation du mal.

En se donnant le rôle de dénonciateur de complots, le conspirationniste se donne une vision flatteuse de lui-même : lui, il ne croit pas tout ce qu'on lui dit, il voit la vérité cachée derrière les apparences ; en révélant ce qu'il a découvert, il rend service à la collectivité.

D'après Claudie Bert, « Théorie du complot, notre société est-elle devenue parano ? » *scienceshumaines.com*, 10/02/2016.

Activités

1. **DOC. 1** Où Mme W. s'est-elle renseignée sur les complots ? Qu'en pensez-vous ?
2. **DOC. 1 ET 2** Les rumeurs et les intox sont-elles fréquentes de nos jours ? Pourquoi ? Comment vous protégez-vous ?
3. **DOC. 2** À quoi aurait-on pu voir que cette photo était un faux ?
4. **DOC. 4** Quelles explications donne l'auteur au développement de la théorie du complot dans nos sociétés ?
5. À l'aide du **Point méthode**, rédigez une charte anti-théorie du complot. Vous pouvez aussi regarder la vidéo Complot ou théorie du complot ? Petite Discussion Entre Razy #OnTeManipule sur le site gouvernement.fr/on-te-manipule.

Point méthode

Créer par petits groupes une charte anti-théorie du complot.

Méthode :

- bien avoir compris comment on repère une théorie du complot,
- travailler ses phrases pour qu'elles soient courtes et compréhensibles,
- chercher des images que le lecteur retiendra parce qu'elles sont drôles ou percutantes,
- faire attention à l'aspect général du document. On doit avoir envie de le lire.

Je construis mon essentiel

Complétez le texte ci-dessous :

Je sais reconnaître une théorie du complot sur Internet à certains signes …

Je me méfie sur Internet de certains sites qui …

Textes de référence

EMC

Déclaration des droits de l'homme et du citoyen (1789) : voir p. 62.

Déclaration universelle des droits de l'homme (1948)

Article 1er

Tous les êtres humains naissent libres et égaux en dignité et en droits. Ils sont doués de raison et de conscience et doivent agir les uns envers les autres dans un esprit de fraternité.

Article 2

1. Chacun peut se prévaloir de tous les droits et de toutes les libertés proclamés dans la présente Déclaration, sans distinction aucune, notamment de race, de couleur, de sexe, de langue, de religion, d'opinion politique ou de toute autre opinion, d'origine nationale ou sociale, de fortune, de naissance ou de toute autre situation.
2. De plus, il ne sera fait aucune distinction fondée sur le statut politique, juridique ou international du pays ou du territoire dont une personne est ressortissante, que ce pays ou territoire soit indépendant, sous tutelle, non autonome ou soumis à une limitation quelconque de souveraineté.

Article 3

Tout individu a droit à la vie, à la liberté et à la sûreté de sa personne.

Article 4

Nul ne sera tenu en esclavage ni en servitude ; l'esclavage et la traite des esclaves sont interdits sous toutes leurs formes.

Article 5

Nul ne sera soumis à la torture, ni à des peines ou traitements cruels, inhumains ou dégradants.

Article 6

Chacun a le droit à la reconnaissance en tous lieux de sa personnalité juridique.

Article 7

Tous sont égaux devant la loi et ont droit sans distinction à une égale protection de la loi. Tous ont droit à une protection égale contre toute discrimination qui violerait la présente Déclaration et contre toute provocation à une telle discrimination.

Article 18

Toute personne a droit à la liberté de pensée, de conscience et de religion [...].

Article 19

Tout individu a droit à la liberté d'opinion et d'expression, ce qui implique le droit de ne pas être inquiété pour ses opinions et celui de chercher, de recevoir et de répandre, sans considérations de frontières, les informations et les idées par quelque moyen d'expression que ce soit.

Article 20

1. Toute personne a droit à la liberté de réunion et d'association pacifiques.

Article 22

Toute personne, en tant que membre de la société, a droit à la sécurité sociale ; elle est fondée à obtenir la satisfaction des droits économiques, sociaux et culturels indispensables à sa dignité et au libre développement de sa personnalité, grâce à l'effort national et à la coopération internationale, compte tenu de l'organisation et des ressources de chaque pays.

Article 26

1. Toute personne a droit à l'éducation. [...]

Préambule de la Constitution de 1946 (IVe République)

Au lendemain de la victoire remportée par les peuples libres sur les régimes qui ont tenté d'asservir et de dégrader la personne humaine, le peuple français proclame à nouveau que tout être humain, sans distinction de race, de religion ni de croyance, possède des droits inaliénables et sacrés.
Il réaffirme solennellement les droits et libertés de l'homme et du citoyen consacrés par la Déclaration des droits de 1789 et les principes fondamentaux reconnus par les lois de la République.
Il proclame, en outre, comme particulièrement nécessaires à notre temps, les principes politiques, économiques et sociaux ci-après :
La loi garantit à la femme, dans tous les domaines, des droits égaux à ceux de l'homme.
Tout homme persécuté en raison de son action en faveur de la liberté a droit d'asile sur les territoires de la République.

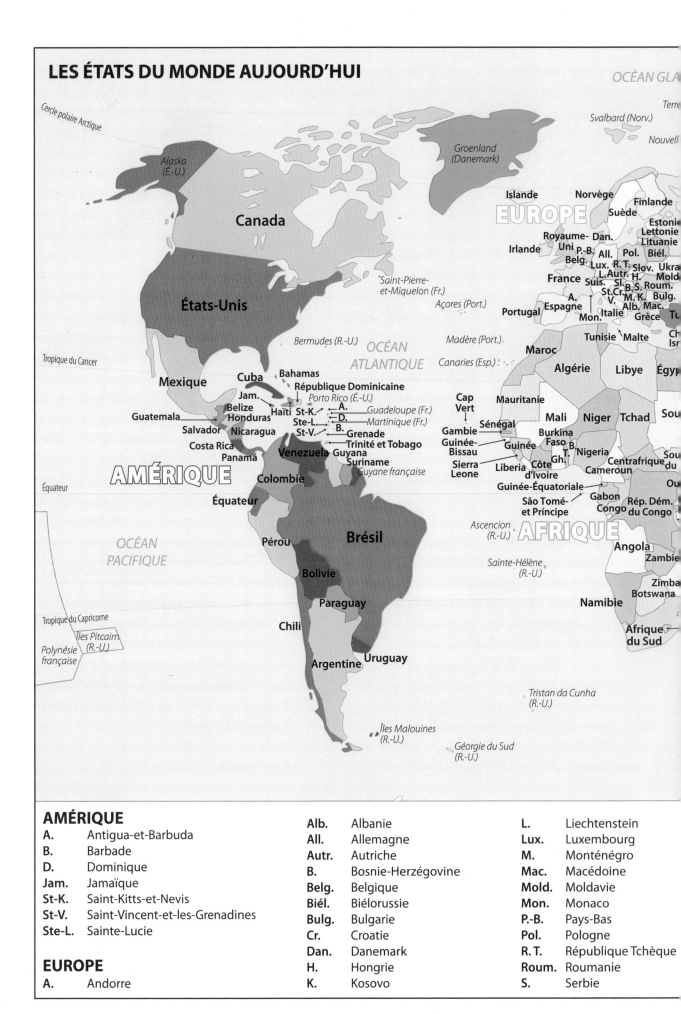

LES ÉTATS DU MONDE AUJOURD'HUI

Cercle polaire Arctique
Svalbard (Norv.)
Alaska (É.-U.)
Groenland (Danemark)
Canada
Islande
Norvège
Finlande
Suède
EUROPE
Lettonie
Lituanie
Royaume-Uni
Dan.
Irlande
P.-B.
Belg.
All.
Pol.
Biél.
Lux.
R. T.
Slov.
L.
Autr.
H.
France
Suis.
Sl.
Roum.
Cr.
B.
S.
St.
M.
K.
Bulg.
V.
Alb.
Mac.
A.
Espagne
Portugal
Mon.
Italie
Grèce
États-Unis
Saint-Pierre-et-Miquelon (Fr.)
Açores (Port.)
Madère (Port.)
Bermudes (R.-U.)
OCÉAN ATLANTIQUE
Canaries (Esp.)
Tunisie
Malte
Maroc
Algérie
Libye
Tropique du Cancer
Mexique
Cuba
Bahamas
République Dominicaine
Porto Rico (É.-U.)
Jam.
Haïti
St-K.
A.
Guadeloupe (Fr.)
D.
Martinique (Fr.)
Ste-L.
B.
St-V.
Grenade
Trinité et Tobago
Belize
Honduras
Guatemala
Salvador
Nicaragua
Costa Rica
Panamá
Venezuela
Guyana
Suriname
Guyane française
Cap Vert
Mauritanie
Mali
Niger
Tchad
Sénégal
Gambie
Guinée-Bissau
Guinée
Burkina Faso
B.
T.
Nigeria
Sierra Leone
Liberia
Côte d'Ivoire
Gh.
Centrafrique
Cameroun
Guinée-Équatoriale
São Tomé-et Príncipe
Gabon
Congo
Rép. Dém. du Congo
AMÉRIQUE
Colombie
Équateur
Équateur
OCÉAN PACIFIQUE
Pérou
Brésil
Ascension (R.-U.)
AFRIQUE
Angola
Zambie
Sainte-Hélène (R.-U.)
Bolivie
Paraguay
Namibie
Botswana
Tropique du Capricorne
Chili
Îles Pitcairn (R.-U.)
Polynésie française
Afrique du Sud
Uruguay
Argentine
Tristan da Cunha (R.-U.)
Îles Malouines (R.-U.)
Géorgie du Sud (R.-U.)

AMÉRIQUE

A.	Antigua-et-Barbuda
B.	Barbade
D.	Dominique
Jam.	Jamaïque
St-K.	Saint-Kitts-et-Nevis
St-V.	Saint-Vincent-et-les-Grenadines
Ste-L.	Sainte-Lucie

EUROPE

A.	Andorre
Alb.	Albanie
All.	Allemagne
Autr.	Autriche
B.	Bosnie-Herzégovine
Belg.	Belgique
Biél.	Biélorussie
Bulg.	Bulgarie
Cr.	Croatie
Dan.	Danemark
H.	Hongrie
K.	Kosovo
L.	Liechtenstein
Lux.	Luxembourg
M.	Monténégro
Mac.	Macédoine
Mold.	Moldavie
Mon.	Monaco
P.-B.	Pays-Bas
Pol.	Pologne
R. T.	République Tchèque
Roum.	Roumanie
S.	Serbie